农资经营实用手册

（第二版）

骆焱平　孟磊　王兰英　主编

化学工业出版社

·北京·

内容简介

本书延续第一版经典理论，简要介绍了农资经营管理知识，全面更新农药、肥料品种，列举了200余种登记有效的农药品种，50余种无机肥料、有机肥料、复合肥料等品种，多种农膜和种子等农资，并针对农资经营者详细介绍了农资的特点及相关事项，列举了相关农资的法律法规文件，方便农资经营者查阅。

本书适合广大农资经营者、农业技术人员、农业大中专院校师生参考使用，也可作为科技下乡的专用图书和培训教材。

图书在版编目（CIP）数据

农资经营实用手册 / 骆焱平，孟磊，王兰英主编. 2版. -- 北京 : 化学工业出版社，2026. 3. -- ISBN 978-7-122-50127-1

Ⅰ. F306-62

中国国家版本馆 CIP 数据核字第 2026HW8159 号

责任编辑：孙高洁　刘　军　　　文字编辑：李娇娇

责任校对：李雨函　　　　　　　装帧设计：关　飞

出版发行：化学工业出版社

(北京市东城区青年湖南街 13 号　邮政编码 100011)

印　　装：大厂回族自治县聚鑫印刷有限责任公司

710mm×1000mm　1/16　印张 23　字数 452 千字

2026 年 4 月北京第 2 版第 1 次印刷

购书咨询：010-64518888　　　售后服务：010-64518899

网　　址：http://www.cip.com.cn

凡购买本书，如有缺损质量问题，本社销售中心负责调换。

定　　价：128.00 元　

本书编写人员名单

主　　编： 骆焱平　孟　磊　王兰英

副 主 编： 戎　伟　樊孝凤　苟亚峰　郭钰来

编写人员（按姓名汉语拼音排列）：

董存柱　樊孝凤　苟亚峰　郭钰来　刘　娟

骆焱平　孟　磊　戎　伟　王兰英　谢　佳

杨育红　张　岚　张善学　赵建国　朱启林

朱伟娟

前言

农资是指在农业生产过程中用以改变和影响劳动对象的物质资料和物质条件。在本书中，农资主要涵盖农药、化肥、农膜、种子等。

随着改革开放近五十年的发展，我国农资市场经历了重要转变。20 世纪 90 年代，农资市场取消了农药、肥料等行业专营，农资市场迎来了发展的春天。此时，农资生产不断扩容，产量逐年增加，农资使用快速增长，农资产品供不应求；到 2010 年，我国成为全球农药、肥料、农膜的生产制造基地，年产量位居世界首位。随着我国农药和肥料“十四五”产业规划的出台，农资市场逐步进入“精细化”经营，实体店铺和电商齐头并进，线上线下共同发展。为此，农资经营要适应新形势发展，农资经营者要及时补充知识、更新观念，在新形势下，将农资经营好、管理好。

自《农资经营实用手册》第一版 2015 年出版以来，距今已 10 年时间。很多农药、肥料等品种过时，亟待更新或者有些产品因毒性和环境问题而被禁用。在此背景下，我们在第一版的基础上进行了修订，删除了 140 种过时或已不生产的农药品种，新增了 23 种常用品种，进一步突出绿色农药的特性；同时增加了有机肥等绿色肥料的内容。

本次修订的内容以“新颖、实用、先进”为编写宗旨。本书第一章，第三章第一、二节由骆焱平编写；第二章由樊孝凤、张善学编写；第三章第三节至第五节由王兰英、苟亚峰、赵建国编写；第四、五章由孟磊编写；第六章由戎伟编写；最后由骆焱平统稿。其他编写人员参与本书资料收集、整理、文字编辑与校对工作，在此表示衷心的感谢。

本书的出版得到了海南大学农艺教育系教学改革工程、海南省“南海新星”教育平台项目（JYNHXX2023-15T）、国家自然科学基金（32260685）项目资助。

由于编者水平有限，不足之处在所难免，敬请读者批评指正。

编者

2025 年 11 月

第一版前言

农资是指在农业生产过程中用以改变和影响劳动对象的物质资料和物质条件。在本书中，农资主要涵盖农药、化肥、农膜、种子等。

随着改革开放三十多年的发展，我国农资市场经历了重要转变。20 世纪 90 年代，农资市场取消了农药、肥料等行业专营，农资市场迎来了发展的春天。那时，农资生产不断扩容，产量逐年增加，农资使用快速增长，农资产品供不应求；到 2010 年，我国成为全球农药、肥料、农膜的生产制造基地，年产量位居世界首位。随着我国农药和肥料“十二五”产业规划的出台，农资市场从“粗放式”经营，逐步进入“精细化”经营。党的“十八大”召开，“城镇化”、“新型农业经营主体”、“新型农村服务经济”、“农业信息化”等已成为推动我国农村经济变革的最活跃因素。为此，农资经营要适应形势发展，农资经营者要及时补充知识，更新观念，在新形势下，将农资经营好，管理好。

为了让农资经营者更好、更全面了解农资产品，便于开展农资经营活动，成为新型农业经营主体，我们编写了本书。本书详细介绍了农资经营管理相关知识，列举了各种农资产品，包括 330 种农药、43 种肥料、10 余种农膜及种子等，并对每种产品进行了详细说明，特别是产品的性能特点；同时附上与农资相关的法律法规文件，方便农资经营者查阅。

本书第一章和第三章第一、二节由骆焱平编写，第二章由张善学编写，第三章第三节由赵建国编写，第三章第四至六节由王兰英编写，第四、五章由孟磊编写，第六、七章由戎伟编写，最后由骆焱平统稿。其他参编人员参与了本书资料收集、整理、文字编辑与校对工作，在此表示衷心的感谢。

本书出版得到中西部高校综合实力提升项目、热带作物种子资源保护与开发利用教育部重点实验室项目资助，在此表示感谢。

本书收集、整理、参考和引用了国内外大量相关资料，在此对相关作者表示衷心的感谢。由于编者水平有限，不足之处在所难免，敬请读者批评指正。

编者

2015 年 6 月

目 录

第一章　农资经营概况 / 1

第二章　农资经营管理 / 10

第三章　农药 / 58

第一章 农资经营概况

第一节　农资经营

农资是农业生产资料的简称，一般指在农业生产过程中用以改变和影响劳动对象的物质资料和物质条件。广义的农资包括农机及配件、兽药、饲料、农药、肥料、农膜、种子等。狭义的农资指农药、化肥、农膜、种子等物资。农资是农业生产中不可缺少的特殊商品，是农业发展的物质基础，是推进农业现代化、提高生产力的根本物质条件。

1. 农资经营范围

农机及配件，如农用车、微耕机、收割机、旋耕机、割草机、喷雾器、割灌机、插秧机等及其配件。

兽药，指用于预防、治疗、诊断动物疾病或者有目的地调节动物生理机能的物质（含药物饲料添加剂）。主要包括：血清制品、疫苗、诊断制品、微生态制品、中兽药、中成药、化学药品、抗生素、生化药品、放射性药品及外用杀虫剂、消毒剂等。

农药，指用于预防、控制危害农业、林业的病、虫、草和其他有害生物，以及有目的地调节植物、昆虫生长的化学合成或者来源于生物、其他天然物质的一种物质或者几种物质的混合物及其制剂。如杀虫剂、杀菌剂、除草剂、植物生长调节剂等。

肥料，是提供一种或一种以上植物必需的营养元素，改善土壤性质、提高土壤肥力水平的一类物质。如氮肥、磷肥、钾肥、复合肥、缓释肥、控释肥、基肥、有机无机掺混肥、微生物肥、叶面肥、冲施肥、微肥（微量元素肥料）等。

农膜又叫薄膜塑料，主要指地膜（也叫农用地膜）。主要成分是聚乙烯，用于覆盖农田，以起到提高地温、保持土壤湿度、促进种子发芽和幼苗快速增长及抑制杂草生长的作用。

2. 农资经营场所

成功经营农资需要选择良好的经营场所。过去，由于受交通制约，农资经营地点一般集中在乡镇、县市中心。乡镇农户从四面八方汇集到中心去购买农资产品，同时，农资集中调配也相对便利。

随着交通发展，“村村通”公路网建立，城镇租金提高，很多农资部门纷纷设置在农业生产一线。不仅乡镇汇集了众多的农资经营部门，在人口密集的村镇也相继出现农资部门，交通便利的公路边也出现了农资部门。同时，部分农资部门将产品送到田间地头，方便农民使用。

而且，大型农资公司的经营业务遍布全国，在各省市都设点，开展农资经营活动。如今，互联网也应用到农资经营活动中，部分农资产品在网上销售，农民足不出户就可以买到自己需要的农资产品。

3. 农资经营模式

零售模式，指一些大的生产厂家或区域骨干企业为减少销售环节，降低运行费用，直接供货给零售商的方式。

直供模式，是以生产厂家直接供给用户的方式展开交易，为交易双方减少交易成本，有利于保障产品质量。带货直播是现今最流行的直供模式，该模式借助媒体，尤其是明星加盟后，信息能够快速传播，销量得到质的飞跃。

连锁经营模式，是以区域农资经销商为主，旨在实现规模化、集约化的农资经营模式。

服务引导模式，是指为农民和农业生产提供全面、配套的技术服务。在销售过程中向农民推广新型种植技术以及施肥、病虫害防治的相关知识。改变农民传统种植思想，从而实现新产品的推广与销售。

电子商务模式，是农资电子化销售的一种方法，不同于农资产品在网上交易。农资经营者整合资源，建立专业的农资交易平台，使农资市场的网上大批量销售成为可能。在做好网上销售服务时，除建立微信群、QQ 群，利用短信平台和平时下乡、电话回访、来电来访外，还制订一些产品技术询问登记本放在门店，有问题需要帮忙解决的农资用户可以留言、打电话，把需要解决的问题以及建议和意见写在上面，农资经营者定时收集并及时向用户反馈，最后给出解决的办法。这样既方便了用户，也为经销商自己营造了良好的形象。随着物流技术的快速发展，一些特殊种植作物需要的一些紧急的生产资料，可以通过网上服务，便利而快捷地得到供应，满足特殊消费者的需求，从而使客户感到在信息化时代，经销商与他们紧紧地连在一起，使客户与经销商成为“铁杆朋友”，从而实现互惠双赢。

4. 农资经营管理制度

(1) 农资经营者应当遵循公平、平等、公正、自愿、诚实信用的原则从事经营活动，承担商品质量、安全的第一责任。

(2) 农资经营者应当建立健全进货索证索票制度，在进货时应当查验供货商的经营资格，验明产品合格证明和产品标识，并按照同种农资进货批次向供货商索要具备法定资质的质量检验机构出具的检验报告原件或者由供货商签字、盖章的检验报告复印件，以及产品销售发票或者其他销售凭证等相关票证。确保生产厂名、厂址、商品名称、规格、数量、生产日期、商标、商品质量检验报告等情况与商品实物一致，杜绝不合格商品进入经营场所。

(3) 农资经营者应当建立进货台账，如实记录产品名称、规格、数量、供应商及其联系方式、进货时间等内容。从事批发业务的，应当建立销售台账，如实记录产品名称、规格、数量、流向等内容。进货台账和销售台账内容必须真实，保存期限不得少于 2 年。

(4) 农资经营者应当向消费者提供销售凭证，按照国家法律法规规定或者与消费者的约定，承担修理、更换、退货等"三包"责任和赔偿损失等农资产品质量责任。

(5) 农资经营者应当履行符合《中华人民共和国产品质量法》《中华人民共和国种子法》《中华人民共和国消费者权益保护法》《农药管理条例》《农业机械安全监督管理条例》等规定的"包退、包换、包修"三包义务和赔偿责任。发现提供的农资存在缺陷，可能对农业生产、人身健康、生命财产安全造成危害的，应当立即停止销售该农资，通知生产企业或者供货商，采取有效措施，及时向监管部门报告和告知消费者，采取有效措施，及时追回不合格的农资。已经使用的，要明确告知消费者真实情况和应当采取的补救措施。

(6) 农资经营者应积极处理好消费者的投诉、申诉，确保消费者权益得到保护。

5. 农资经营服务体系

以满足新型农业经营主体多元化服务需求为导向，以政府扶持为助力，从多主体协同创新的视角出发，建立"供应＋物流＋金融＋技术＋信息"一体化农资服务体系，即农资物流服务平台、农资金融服务平台、农资技术服务平台、农资信息化服务平台，创建新型农业服务主体，建立新型农资服务模式和运行机制，推动服务的优化升级。

(1) 农资物流服务平台　农资供应商积极同第三方物流企业合作，完成小批量、多频次或是紧急订购的农资配送，减少农资企业在物流业务方面的投入。同时，针对农资产品的特殊性构筑逆向农资物流，完成农药、化肥等重要农资的回收，保护生态环境。

（2）农资金融服务平台　龙头企业凭借自身的优势开展金融信贷服务，也可以联合金融单位为大型经销商或新农人（种植大户、合作社等）提供融资，提高整个产业链的运营效率；政府应积极激励农业担保公司和农业私有银行的发展，促进其同农业主体、银行的深入合作，给予农户贷款的便利。

（3）农资技术服务平台　农资技术指导由政府（农业“三站”）、专业院校、农资企业、科研机构共同搭建服务平台，农资需求主体可以直接通过平台同科研机构、专业院校进行合作，获得专业技术指导。

（4）农资信息服务平台　建立基于云计算、物联网、大数据等先进技术的农资信息综合服务平台，该平台具有强大的功能如在线支付、农资担保、在线查询、跟踪及监管等，由农资企业、专业院校、咨询公司和政府共同构筑、维护。实现线上线下的充分融合，提升农户的线下服务体验感，如病虫害防治、测土配肥、农技指导、农村金融等，提升农户网络购买农资意愿，为农资服务体系注入新的活力。

第二节　我国农资经营状况

1. 农资经营市场化

改革开放后，要由温饱走向小康、由小康走向发达，实现农业现代化，必须增加农资投入。国营和私营企业开始大规模扩充设备，制造商开足马力生产农资，增加产量。至 2010 年，化肥年产量达到 8000 多万吨，约占世界产量的四分之一；农药年产量达到 400 多万吨，位居世界第二位；农膜年产量达到 300 多万吨，居世界第一位。农资供给关系发生变化，由供不应求到供过于求。1998 年以来，中国的化肥批发、零售价格已经完全市场化，农资经销商的发展迎来春天。2006 年农资流通领域对外资开放，2009 年农资实现完全市场化，各种资本均可以进入国内农资流通领域。经销商的收入状况从 1998 年之后，经历了近 10 年的普遍上涨。从 3 年前开始，有少数经销商出现了收入下降，使得农资经营部门产生前所未有的压力。这批基层经销商在 10 年的发展中，由于客观或主观的因素，没有能扩大业务范围，或是调整经营品种，他们只是按照惯性在年复一年地做同样的生意，基于上述情况，许多供销社、农资公司因经营不善歇业或倒闭。

为了在市场上生存发展，农资公司不得不进行变革。由最初农户上门购买农资到现在农资下乡；由原先“老爷式销售”模式到现如今以顾客为上帝的模式；由原先的纯利润到现在的返利。这体现了农资经营部门的变化，也体现了我国计划经济到市场经济的变化。

农资公司靠送货、赊欠、返利、铺货等，把服务尽量做到极致，迎合客户的需求。然而，随着农资公司遍地开花，竞争压力加剧，尽管把服务做到了极致，但是还是经营困难，因而农资市场必须经历一场深刻的变化，进一步优化重组，优胜劣汰，才能在严酷的竞争中生存。

2. 品种结构多样化发展

我国肥料主要以化肥为主，有机肥较少。最早，各制造商生产出各种氮肥、磷肥、钾肥产品，农资部门仅限销售这类产品。随着科学技术不断进步，我国开始生产更多品种的肥料，包括微生物肥料、农作物专用肥料、微肥、复合肥、控释肥、液肥、叶面肥、功能肥等。这些肥料进入市场，极大丰富了农作物的生长，为农民增产增收奠定了基础。

无机农药和植物源农药在我国使用时间较长，如硫酸铜、碱式硫酸铜、碳酸铜、碳酸钡、巴黎绿、亚砷酸、砷酸铅、砷酸钙、硫黄粉、波尔多液、胶体硅酸铜、氟化钠、氟化钾、氟化亚铁钾、汞剂、石硫合剂、石油乳剂、硫酸烟碱、除虫菊、鱼藤、雷公藤、松脂合剂、棉油乳剂等。有机合成农药起始于1946年生产的滴滴涕，1952年生产的六六六，1957年生产的对硫磷。20世纪60年代生产的有机汞杀菌剂，由于毒性高于70年代被禁用；80年代禁用了滴滴涕，使得自新中国成立后到80年代粉剂占主导剂型的农药失去优势，之后有机磷酸酯和氨基甲酸酯类乳油出现，并占主要地位。一直到2007年禁用五种剧高毒农药，如甲胺磷、对硫磷、甲基对硫磷、久效磷和磷胺，以乳油为主的农药剂型发生变化，农药剂型的多样性随之而来，悬浮剂、水基化剂型等环保剂型在市面占很大比重。同时，农药新品种也不断出现，如新烟碱类杀虫剂、杂环类农药，各种除草剂及杀菌剂逐步推向市场，世界新农药品种在我国得到及时应用，我国农药品种也不断增加出口比重，我国农药结构、品种均呈现出多样化格局。

塑料地膜是最早出现的农膜，主要用于覆盖土地、保温保湿。随后出现了防止杂草生长的黑色农膜和除草农膜；驱避蚜虫、预防病毒功能的银黑两面农膜、可降解农膜等。如今，在农膜中添加各种功能成分，具有杀虫、除草、灭菌、保温、保湿等功能的农膜不断问世，农膜将会得到更加广泛的使用。

3. 法规制度不断完善

政府对经销商的监管越来越严格。一是农资市场监管的常态化，农资打假力度不断加大，对于假化肥、假种子、高毒假农药的控制不断加强；二是国家标准、行业标准要求越来越高。要求经销商不断升级仓库、店面等经营设施，不断加强内部管理，加大培训提升工作人员素质。

2009年，国家工商行政管理总局颁布《农业生产资料市场监督管理办法》，进一步规范了农资市场的监督管理职责。

1989年国务院发布《中华人民共和国种子管理条例》，2000年施行《中华人民共和国种子法》，2021 年全国人民代表大会常务委员会修改了《中华人民共和国种子法》，对我国种子销售做出了明确规定。

1995 年，国家工商行政管理局、农业部联合制定了《农药广告审查办法》；1997 年，国务院颁布了《农药管理条例》，1999 年，农业部发布《农药管理条例实施办法》；2001 年，全国人大修订了《农药管理条例》；农业农村部（原农业部）于 2017 年、2022 年对《农药管理条例实施办法》进行修订，进一步对我国农药进行规范，限制了剧高毒农药的流通、使用，保障了农产品质量的安全。

4. 服务体系日臻完善

技术服务到家。农资经销商通过下基层开展技术培训，向广大农民群众传授各种技术；发放各种文字资料、图片等，来提高农业种植者的水平和能力。平时，农民在农事操作过程中，一旦遇到问题，告知经销商，经销商会及时电话解答，或派人到现场解答，这对农作物的增产丰收起到极大促进作用。同时，经销商在农民尤其是种植大户农闲时，与他们一起总结使用农资产品的经验，虚心听取农民意见，了解用户的需求，从而获得用户支持。

连锁经营服务。农资部门的竞争日益激烈，价格战在争取客户方面发挥了很大的作用。降低运营成本，是经销商面临的抉择。由此，经销商之间或经销商自身在广大农村建立连锁经营服务，统一价格，统一服务宗旨，产品及时调拨，让农民像在超市购物一样购买农资产品。农资连锁经营的优势是保证了农资产品的质量，减少了中间环节，降低了各方成本，对企业、农户有利。

与客户建立良好关系。农资经销商为了吸引顾客，应加强与顾客之间的交流。对于产品信息，农事季节中的用肥、用药日期等情况，应随时告知顾客。平时给农户提供需要的技术资料，这样经销商的名字、电话号码和与之而来的优质服务就会被牢牢地印在消费者的脑子里，消费者之间相互介绍还会带来大批的潜在客户（比如返乡创业人员、其他行业的农业投资者等）。与此同时，有些精明的经销商，当他与客户建立起较好关系后，会及时向他们索要电子邮箱，定期发邮件向他们介绍农资动态、价格变化、病虫动态提示等资料，并把这些信息分门别类记录在客户清单里，把农资营销融入具有时代气息的网络系统中。

返利于民。农资经销商通过降价、会员折返、赠送小礼物等奖励措施来吸引顾客。例如，在销售淡季，经销商通过降价手段，让农户提前备货。

5. 存在的问题

从整体来看，农业生产资料的经营是“大系统、小企业”。企业规模普遍不大，不能形成规模效益，且企业的管理水平有待提高，管理方式和管理手段需要改变。

（1）农资产能过剩　我国开放市场后，生产商竭尽所能生产农资产品；有些年份，农资产品利润高，许多企业也转行生产农资，导致我国现存大量农资，国内需求远低于生产，导致供大于求的局面。在这种情况下，当行情好时，企业会不约而同地提高装置运转率，增加市场供应，打压价格下行；当需求萎缩时，企业只好被动地降低开工率，最大限度地减少损失。出现这种局面，极大限制了经销商的推广，降低了他们的利润，也影响整个行业的发展。

（2）市场秩序不规范　在向社会主义市场经济体制转轨的过程中，农业生产资料市场难免会出现种种不规范的现象。如在经营中不讲信誉、不守合同，任意拖欠货款形成“三角债”；以地方保护主义的手段搞市场封锁；为牟取暴利或者是囤积居奇、哄抬价格，或者是低价倾销进行恶性竞争；某些经营者甚至不惜以假冒伪劣商品坑农害农。我国经济运行中“一管就死、一放就乱”的特殊现象，在农业生产资料经营中特别值得注意。

（3）恶性竞争　经销商以价格为主要竞争手段拉拢顾客。互相压价，有的经销商宁可赔钱销售，赊销的情形自然不可避免，这些情况使得从批发商到零售商的利润都越摊越薄。商商之间的竞争使得产品价格一降再降，经销商无利可谈，反过来又向生产厂索要利润，迫使生产厂又降价，从而进入一种恶性循环状态。

随着化工企业“三废”处理成本增加，化工原料涨价，导致农资商品价格大幅上涨，而农产品价格涨幅滞后，在一定程度上影响了农民的需求和购买力。旧的农资产品价格低廉，依然是农民的首选；新产品价格较高，农民购买有限，使得对环境有益、生态安全的农资产品推广受到一定程度的限制。

第三节　农资经营的未来

1. 建立现代化的企业制度

从现有企业的特点和实际情况出发，对整个农业生产资料流通体系进行改革。首先，需要理清企业产权关系，使企业真正成为自主经营的独立法人。在企业改制的基础上，经营者可以采取特许加盟连锁经营的形式，以实现经营规模的扩大。具有自主经营独立法人地位的基层经营机构，可以自由地选择加盟某一个连锁系统。这样，连锁经营系统之间不仅存在着争取客户的竞争，而且还存在着争取加盟者的竞争，使市场竞争机制进一步强化。

同时，主动出击，与生产企业采用联合的方式，通过合资、入股等形式相互补充，做到资源共享、风险共担，形成你中有我，我中有你，不可分割的厂商一体，合作共赢的战略联盟。为了进行产业链整合，农资经营企业要理清农资商品种类，实现公司之间、公司和经销商之间的关系和制度安排，进而实现产业链内部不同经济活动和不同环节间的协调。

因此，按照现代企业制度的要求，加速农资流通企业内部的改革，完善用工制度、分配制度，积极促进企业向现代化、大型化、集团化发展，建立完整、高效、灵敏的市场信息体系，在试点的基础上，逐步发展一批以农资流通贸易为主，集贸易、工业、科技、信息为一体的国际化、实业化、多元化的综合贸易集团。

2. 推进农资数字化建设

数字化赋能是提升农资经营网络现代化水平的重要方向。一是加快农资物联网技术应用推广。鼓励有条件的农资企业，以农资物联网技术为手段，加强对系统农资企业调运、销售、仓储的智能化管理，实现物流、信息流、资金流的实时监控和有效运用。要努力扩大农资质量安全追溯平台在系统内的使用范围和数量。二是要积极打造系统农资销售数字化平台。要依托供销合作社系统"数字供销"，建设供销合作社农资销售数字化平台，打造"数字＋"模式，为农民和农资经销商等提供农资价格、农资购销、线上培训、病虫情报、气象信息、土壤分析等综合服务，促进农资线上线下融合销售。三是要提升农资流通设施数字化水平。要按照集中管理、平时服务、灾时应急原则，统筹相关财政资金，采取财政补助、企业自筹等方式改造、新建现有农资仓储设施，推动现代化、标准化、集约化的仓储设施建设和仓储设施管理信息化、数字化建设，全面提升系统农业生产综合服务能力。

3. 加强企业内部管理，提高经营管理水平

农资经销商要强化科学管理，转变粗放的管理模式，严格执行标准化体系管理，建立清晰的部门组织结构，明确责、权、利，从而提高管理效率来获得更多的市场收益。

在强化企业内部管理中，要同时兼顾企业的基础管理和战略管理这两个方面。要按照现代企业制度的要求，加强企业管理的制度化、科学化，建立、健全有效的监督机制和激励机制；要建立科学合理的决策机制，重视信息工作和市场研究，提高经营决策水平，不断开拓新的业务和市场。

4. 坚持市场导向，增强服务意识

与一般的消费品不同，农业生产资料的消费是生产性消费，具有很强的技术性。农民在购买和使用农业生产资料时，还迫切需要经营者提供资金帮助、技术指导等售前、售后服务。我国农业生产资料经营企业与广大农民有着天然的联系，在市场竞争加剧的情况下，企业更应当发挥全心全意为农民服务的优良传统，以市场为导向，以服务促营销。

5. 建立风险经营机制，提高企业抗风险能力

在成熟的市场经济体制中，对于农业生产资料这类大宗商品，企业抵御经营风险的有效手段是利用期货市场。通过期货交易套期保值，农业生产资料经营企

业的经营风险可以转化为期货投机风险，将风险分散给为数众多的投机者承担。因此，应建立和完善农业生产资料的期货交易市场，提高农业生产资料经营企业的抗风险能力。同时，企业可以通过加强市场预测、产销衔接与合同管理等环节，尽量减少和避免经营中的风险。

6. 积极引导农资经营主体参与乡村振兴

乡村振兴过程，需要有多方社会力量介入。乡村具有产业、人才、资金方面的短板，而农资经营主体具备产业经营、资金、自身知识方面的优势，与乡村振兴实践良性互动。农资经营主体具有营利性、市场化的特点，是距离农户最近的市场主体，也最了解农村的产业发展运作规律。要积极引导农资经营主体参与乡村振兴，享受乡村振兴政策带给市场的红利，抓住市场机遇，运用自身优势，积极投资农业产业，切实参与加快乡村建设步伐，服务“三农”，助力脱贫攻坚与乡村振兴有效衔接。

第二章

农资经营管理

农资作为农业投入品，以服务农业生产为根本，随着我国农村经济的发展，其市场呈现出时代烙印。我国农资市场是在20世纪90年代取消农药、肥料等行业专营以后逐步发展壮大的。农资市场的发展伴随着我国改革开放四十多年的发展，见证了我国农村经济的兴衰。20世纪末是我国农资市场的初步形成期，是一个买方市场，产品供不应求；到2008年以前，是中国农资快速发展期，随着我国成为全球农药、肥料生产制造基地，我国农药、肥料市场均达到历史峰值；2009年以后，农资市场进入调整期，随着我国农药和肥料“十二五”产业规划的出台，特别是农产品质量安全、农业生态环境污染、农资加工制造污染等生态、社会问题的频繁出现，导致农资生产、供应、流通逐步进入深入调整期，农资市场也从“粗放式”经营，逐步进入“精细化”经营。以中国共产党十八届三中全会的召开为标志，“城镇化”“新型农业经营主体”“新型农村服务经济”“农业信息化”等已成为推动我国农村经济变革的最活跃因素。随着家庭农场、农业合作社、农业企业等新的农业经营主体的出现和农业“产业工人”的逐步发展，农资经销渠道、服务对象、推广方式等市场营销工作已出现新的变化。而信息技术与互联网在农资和农产品流通领域的出现，则进一步推动农资经营方式、方法的变革。

第一节　我国农资供求情况分析

一、我国农药市场供求基本情况分析

（一）农药供给现状分析

1. 2023年农药供给总量与规模

（1）总量方面　中国农药工业协会及中商产业研究院数据库显示，2022年

全国化学农药原药产量为 249.7 万吨，同比微降 1.3％；2023 年，我国化学农药原药产量 267.1 万吨，同比增长 6.96％，呈上涨趋势。这表明总产量较为稳定且仍保持了较大的农药生产规模。

（2）规模方面　中国农药市场规模在 2010～2022 年间持续增长，从 2010 年的 180.6 亿元上升至 2022 年的 296 亿元，年均复合增长率为 4.2％；2023 年底达到 320 亿元。目前全球市场有近 70％的农药原药在中国生产，中国农药出口量占世界贸易总量的 50％左右，多年来形成了以原药为主、制剂为辅的出口格局。我国已跃居全球最大的农药生产国，能够生产 300 余种原药、千余种制剂。这表明我国农药生产在数量和品种上都具有相当规模。尽管行业内的规模以上企业数量逐年减少，但整体生产供给能力依然强大。这些企业在农药生产中发挥着重要作用，保证了市场的稳定供应。

2. 2020～2025 年变化情况

（1）总量变化　近年来，随着国家对环保和农业可持续发展的重视，农药生产逐渐向绿色、高效、低毒方向发展，总产量可能在一定程度上受到政策调整和技术升级的影响。考虑到我国作为全球最大的农药生产国，以及农业生产对农药的刚性需求，农药总产量尽管存在小幅波动，但总体来看，在过去 5 年中仍然保持在一个相对稳定的水平。

（2）规模变化　农药生产企业的数量在过去几年中可能有所减少，这主要是由于行业整合和环保政策的收紧。然而，规模以上企业的数量和产能保持稳定或有所增加，这些企业在技术、资金和管理等方面具有优势，能够更好地适应市场变化和政策调整。同时，随着农药行业的转型升级和技术创新，一些新型、高效、低毒的农药品种不断涌现，进一步丰富了农药市场的供给结构。

3. 影响农药供给变化的因素

（1）政策因素　2022 年出台的《“十四五”全国农药产业发展规划》明确指出，到 2025 年农药生产企业数量由 2020 年的 1705 家减少至 1600 家以下，推动生产集约化，并逐步淘汰抗性强、药效差、风险高的老旧农药品种和剂型。国家对农药生产的环保监管和执法力度不断加强，推动了农药行业的结构调整和优化升级。同时，农业供给侧结构性改革和绿色发展理念也对农药生产提出了更高要求。

（2）市场因素　国内外农药市场的需求和价格变化对农药供给产生重要影响。近年来，随着全球农化市场的持续高压和需求疲软，农药市场竞争日益激烈，给农药供给带来了一定压力。前几年，全球其他国家的农药生产不稳定，供应链不畅，而我国农药工业体系完整，复工复产迅速，大量农药订单涌入我国，造成 2021 年和 2022 年两年农药价格大幅增长，2021 年价格比 2020 年提高了

20%左右，2022年又比2021年提高了30%左右，2022年农药价格达到最高，比新冠疫情前的农药价格大涨了近50%（数据来源：农药新闻网）。

（3）技术因素　农药行业的科技创新和工艺改进提高了生产效率和质量水平，同时这也对生产设备和技术人才提出了更高的要求。这些因素在一定程度上影响了农药的供给能力。

（二）农药需求现状分析

1. 农药总体需求趋势

总体来看，需求稳中有变。随着国家对农业生产的持续重视和“实施新一轮千亿斤粮食产能提升行动”的推进，农药作为保障粮食生产的重要物资，其总体需求保持相对稳定。然而，受全球经济形势、国际贸易环境以及国内政策调整等多重因素影响，农药市场需求也呈现出一定的波动性。

2. 农药具体需求特点

（1）国内需求

① 环保压力下的需求结构调整。随着环保政策的日益严格，国内对高效、低毒、低残留农药的需求不断增加。农民和农业合作社等新型经营主体更加注重农药的环保性能和使用效果，推动农药市场需求向高质量、绿色化方向发展。

② 农业结构调整的影响。农业种植结构的调整也直接影响了农药的需求结构。例如，转基因作物的商业化步伐加快，对相关除草剂产品的需求产生了一定影响。2022年，除草剂原药价格指数同比下跌36.4%；杀虫剂原药价格指数同比下跌28.3%。

（2）国际需求

① 国际市场依赖度增强。根据联合国粮农组织数据库统计结果，2019年全球共有151个国家有农药进口贸易，全球农药进口总量为547万吨，国际需求巨大。而我国农药在国际市场上占据重要地位，全球几乎所有国家都使用中国农药。国际市场对中国农药的依赖度大增，使得我国农药出口成为支撑行业需求的重要力量。

② 出口结构变化。虽然我国农药出口量较大，但出口金额受国际市场价格波动影响显著。近年来，我国农药出口逐渐从原药为主向制剂为主转变，2022年，农药制剂出口数量68万吨（折百量），同比增长5.60%，出口金额同比增长36.86%（以人民币计）；2023年，农药制剂出口数量82万吨（折百量），同比增长21.39%，出口金额同比下降17.39%（以人民币计），制剂出口比重不断攀升，产品结构不断优化升级。

3. 对农药需求的市场影响因素

（1）政策因素

① 农业政策。国家对农业生产的支持政策以及农药管理政策的调整直接影响农药市场需求。例如，“实施新一轮千亿斤粮食产能提升行动”等政策将进一步激发农民对农药等农资的需求。

② 环保政策。2015 年国家提出“农药零增长”以及其他环保政策，其严格实施推动农药行业向绿色化、环保化方向发展，同时也对农药产品的质量和环保性能提出了更高要求。

（2）经济因素

① 全球经济形势。全球经济形势的变化对农药市场需求产生重要影响。例如，全球经济低迷、贸易保护主义抬头等因素可能导致农药出口受阻，影响国内农药市场的供需平衡。

② 国内经济状况。国内经济状况直接影响农民的收入水平和消费能力，进而影响对农药等农资的购买力。据中国农药工业协会（CCPIA）统计，2022 年原药产量在 1 万吨以上的农药品种共计 29 个，但自 2022 年第四季度以来，整个行业营业收入都处于下滑状态。前几年加速投资和近两年产能的不断释放，导致农药价格也在持续下跌，很多产品都低于历史最低价。

（3）技术因素

① 技术创新。农药行业的技术创新不断推动新产品的研发和应用，满足市场对高效、低毒、低残留农药的需求。同时，技术创新也提高了农药产品的附加值和市场竞争力。2019 年以来，ISO 共公布了 52 个新农药品种的通用名，国内单位申请了 23 个，占总申请数量的 44.23%。

② 生产工艺改进。生产工艺的改进降低了农药生产成本，提高了生产效率和质量稳定性，进一步满足了市场需求。

（三）我国农药市场的特点

当前，在供给增加和需求减少的双重压力下，农药市场供过于求的矛盾逐步加大。这导致农药产品价格持续下跌，行业盈利能力下降，具体呈现以下特点：

第一，农药生产的结构优化。随着环保要求的提高和市场竞争的加剧，我国农药生产的产品结构不断优化升级。高效、绿色、安全、环境友好的农药产品逐渐成为主流。

第二，技术创新与转型升级。面对市场变化和政策要求，农药企业加大技术创新和转型升级力度。通过研发新产品、优化生产工艺、提高产品质量等方式来提升企业竞争力。

总之，我国农药市场呈现出产量略有下降、价格大幅下跌、出口量增价跌、供需矛盾加剧等特点。在此背景下，农药企业需要加大技术创新和转型升级力度，提高产品质量和环保性能，以适应市场变化和政策要求。

二、我国化肥市场供求基本情况分析

（一）我国化肥供给基本情况及变化

1. 化肥产量与产能

我国是全球最大的化肥生产和消费国，化肥产量一直保持较高水平。近年来，化肥产量和产能均有所增长，但增速有所放缓。例如，2023 年中国尿素产能达到 6823 万吨，同比增长 4%；产量 6291.5 万吨，同比增长 9.2%。截至 2024 年 9 月 11 日，中国国内尿素企业库存量 74.99 万吨，环比增加 11.37 万吨；中国主要港口尿素库存统计 21.3 万吨，环比增加 0.8 万吨。尿素日产量在 18.3 万～19 万吨。

磷肥和钾肥的产能和产量也有一定增长。磷肥方面，2023 年磷肥产能达到 2170 万吨，同比增加 2.4%；磷肥产量达到 1615.1 万吨，同比增长 6.1%。钾肥方面，近年来，国内钾肥产量相对稳定，但存在波动。例如，2022 年国内钾肥生产企业青海盐湖工业股份有限公司、国投新疆罗布泊钾盐有限责任公司、格尔木藏格钾肥有限公司等都积极挖潜，当年产量增加到 580 万吨（以 K_2O 计），而 2023 年则稳定在 517 万吨。产量结构，国内钾肥产量中，氯化钾与硫酸钾的产量走势相悖。2024 年 1～7 月份，国产氯化钾的产量达到了 321.6 万吨，但同比减少了 10.53%；而硫酸钾的产量则在不断增加，达到了 275.68 万吨，同比增幅在 27.11%。2023 年我国钾肥进口量达到了 696.4 万吨（以 K_2O 计），同比增长了 45.6%。这一增长主要是由于白俄罗斯和俄罗斯钾肥产量及供应量的恢复，以及老挝钾肥产量和回运量的增加。另外，2023 年我国氯化钾的进口量也达到了历史新高，全年总进口量达到 950 万吨左右。然而，进入 2024 年后，进口量出现了下降的趋势。例如，2024 年 7 月我国进口钾肥实物量合计约 72.45 万吨，同比下降了 27.6%。这可能是由于多种因素的综合影响，包括国际市场供应情况的变化、国内需求的调整以及国际贸易环境的不确定性等。虽然国内产量有限，但进口量持续增加，以满足国内市场需求。

2. 化肥市场供给结构

化肥市场供给结构主要包括氮肥、磷肥、钾肥和复合肥等。在我国化肥市场总体销售额中，氮肥、磷肥、钾肥以及复合肥的占比具有一定的差异。根据最新的数据和报告，可以大致概括如下：

（1）氮肥　在我国化肥市场中，氮肥的销售额占据了主要份额，大约占总销售额的70%。这主要是由于氮肥在农业生产中的广泛应用和大量需求。氮肥的主要品种包括尿素、硝铵、碳铵、硫铵等，其中尿素是主要品种，占中国氮肥总消费量的60%以上。

(2) 磷肥　磷肥在我国化肥市场中的销售额占比约为20%。磷肥是农业生产中重要的营养元素之一，对于提高作物产量和品质具有重要作用。近年来，我国磷肥产量稳步增长，市场结构也在不断优化。

(3) 钾肥　钾肥在我国化肥市场中的销售额占比约为10%。尽管我国是钾肥需求大国，但国内产量相对不足，依赖进口。然而，随着国内钾肥生产企业的不断努力和海外钾资源开发项目的推进，国内钾肥的供应能力正在逐步提升。

(4) 复合肥　复合肥在我国化肥市场中也占据一定的份额。复合肥具有多种营养元素，可以满足作物生长的不同需求。近年来，随着农业现代化的推进和农民科学施肥意识的提高，复合肥的市场需求不断增加，市场规模也在不断扩大。

因此，氮肥是我国化肥市场的主导产品，占据化肥市场总体销售额的大部分份额。磷肥和钾肥市场也保持稳定增长，但受国际市场价格波动的影响较大。复合肥以其养分全面、施肥效果好的特点，受到农民的广泛欢迎，市场持续扩大。

3. 化肥进出口情况

我国化肥进出口实行配额管理制度，对尿素、复合肥、磷酸氢铵等化肥的进口实行暂定税率。在出口方面，自2019年起，我国对多项化肥商品不再征收出口关税，以消化国内产能过剩压力。尽管如此，随着国际市场形势的变化，化肥进出口也面临诸多挑战。例如，国际氮肥市场新增产能的增加，以及印度等国尿素自给率的提升，都对我国尿素出口市场空间造成挤压。2019年后，我国氮肥、钾肥、磷肥的进出口均发生了一定的变化。具体分析如下：

(1) 氮肥

① 出口方面。2019年，由于国内化肥出口关税的全面取消，以及国际市场上对氮肥的需求增加，我国氮肥出口量显著增长。数据显示，2019年我国氮肥出口量达到较高水平，其中尿素作为氮肥的主要品种，其出口量也大幅增加。进入2020年，我国氮肥出口量继续保持增长态势，成为全球最大的氮肥出口国之一。出口市场分布广泛，印度、巴西、韩国、印度尼西亚等国家是我国氮肥的主要出口目的地。

② 进口方面。相较于出口，我国氮肥的进口量较小。2019年和2020年，氮肥进口量均保持在较低水平，且进口金额相对较小。进口地主要集中在德国、挪威及意大利等地，这些地区的氮肥产品具有一定的质量和价格优势。

(2) 钾肥

① 出口方面。我国钾肥出口量相对较小，且近年来整体呈现波动下降的态势。这主要是由于国内钾肥产量有限，且大部分需求依赖进口。尽管出口量不大，但钾肥的出口市场相对分散，出口至多个国家和地区。

② 进口方面。我国是全球钾肥的主要进口国之一，钾肥进口量较大。进口来源国主要集中在俄罗斯、加拿大、白俄罗斯等国家，这些国家拥有丰富的钾矿资源。钾肥进口金额在近年来也呈现出先增长后下降的变化态势，但整体仍保持较高水平。

（3）磷肥

① 出口方面。我国是全球磷肥出口的主要国家之一，磷肥出口量较大。数据显示，2019 年中国磷肥出口金额占全球磷肥出口额的 26.6%，排名全球第一。主要出口品种包括磷酸一铵和磷酸二铵等。近年来，磷酸一铵的出口规模逐年递增，而磷酸二铵的出口数量则有所波动。出口市场分布较广，如印度尼西亚、伊朗、巴西等国家是我国磷肥的主要出口去向国。

② 进口方面。相较于出口，我国磷肥的进口量较小。进口磷肥主要用于满足国内高端农业生产和特殊需求。

综上所述，2019 年后我国氮肥和磷肥的出口量相对较大，且在全球市场中占据重要地位；而钾肥则主要依赖进口，以满足国内需求。

4. 政策导向与环保要求

近年来，国家对化肥行业的环保要求日益严格，推动化肥行业向绿色化、环保化转型。例如，“十四五”期间，全国科学施肥工作以保障国家粮食安全为底线，以绿色发展为引领，提出了化肥减量增效的目标。同时，国家也鼓励企业研发新型环保肥料，提高化肥利用率，减少化肥对环境的污染。新型环保肥料通常指的是那些选用新材料、采用新方法和新工艺制备的，具有环保、高效、可持续等特性的肥料。这些肥料包括但不限于有机肥、生物肥、微生物肥料、缓控释肥料等。从市场规模来看，新型肥料行业在过去几年中经历了显著增长。这表明新型肥料的产量也在逐年增加，以满足不断增长的市场需求。

5. 市场供给变化分析

产量增长放缓。近年来，化肥产量增长放缓，主要是由于环保政策压力、生产成本上升以及市场需求变化等因素。

（1）结构调整　随着农业绿色发展理念的深入，化肥供给结构也在发生变化。传统单一肥料的市场份额逐渐下降，而复合肥料、专用肥料等新型产品逐渐占据市场主导地位。

（2）国际影响　国际市场的变化对我国化肥供给产生重要影响。例如，国际氮肥市场新增产能的增加，以及全球宏观经济压力、地缘冲突等因素，都对我国化肥进出口造成一定影响。

（3）绿色发展　绿色化、环保化成为化肥行业发展的重要趋势。企业需加大环保技术的研发和应用，提高产品质量和生产效率，以满足市场对高品质肥料的需求。

（二）我国化肥需求现状及变化

1. 市场需求基本情况

2017～2023 年期间，全球化肥产量及需求量呈现出波动变化趋势。根据 FAO 数据，2023 年全球化肥产量约为 20863 万吨，同比增长 0.96%。而我国作为农业大国，化肥需求量巨大。随着农业现代化的推进和农业生产效率的提升，化肥在保障粮食安全和提高农作物产量方面发挥着重要作用。根据历史数据和行业发展趋势，中国化肥市场需求量保持稳定增长态势，特别是随着全球人口的增长和农业生产对化肥依赖性的增强，化肥需求持续上升。

化肥市场需求结构主要包括氮肥、磷肥、钾肥和复合肥等。2023 年氮肥、复合肥等其他规模占比 82.64%，其中氮肥市场需求最大，占化肥市场总体销售额的大部分份额，复合肥以其养分全面、施肥效果好的特点，受到农民的广泛欢迎，市场需求持续增长。随着农业科技的发展和农业种植结构的优化，复合肥市场有望进一步扩大。钾肥和磷肥市场也保持稳定增长，2023 年钾肥规模为 672.16 亿元，占比 9.57%，磷肥规模占比 7.79%，但受国际市场价格波动的影响较大。

化肥主要应用于农业领域，包括种植各种大田作物和特种作物。此外，化肥还应用于园艺及其他领域，但农业领域占比最高，达 45%左右。

2. 市场需求变化

近年来，全球化肥需求增长放缓。主要原因是农业生产效益下降、农民种植意愿减弱以及环保政策的压力。这些因素导致我国化肥市场需求增速也有所放缓。同时，2015 年农业部印发《〈到 2020 年化肥使用量零增长行动方案〉推进落实方案》导致此后全国化肥施用量逐年下降。2015～2020 年，我国农用化肥施用折纯量复合增速为－2.7%；2020 年我国农用化肥施用折纯量为 5250.65 万吨；2021 年我国农用氮磷钾化肥产量为 5446 万吨，2022 年有小幅增长，达到 5471.9 万吨，全国农用化肥施用总量趋于平稳。

随着市场需求的多样化和个性化发展，化肥市场需求结构也在发生变化。复合肥料、专用肥料等新型产品逐渐占据市场主导地位，而传统单一肥料的市场份额则逐渐下降。近年来，我国化肥复合化率处于持续改善状态，复合肥施用量增速显著高于化肥总施用量的增速，复合化率稳步提高，资料显示，2022 年我国化肥折纯施用量为 5079.2 万吨，其中复合肥折纯施用量约为 2297.33 万吨，复合化率约为 45.2%，较 2015 年增长 9.1 个百分点。同时，随着消费者对食品安全和品质农产品的关注度提高，对高品质肥料的需求持续增长。这要求化肥企业不断创新产品，提高产品质量和性能以满足市场需求。

第二节　农资营销战略

在现代企业生产过程中，产品营销是企业产品运作过程的核心环节，而制订一个好的营销战略是做好企业营销工作的基础，企业的产品从研发过程开始，首先要考虑市场的需要，找好企业在市场生产活动中的位置才能打开企业发展的道路，这不仅要求企业关注现有需求还要开发消费者的潜在消费能力，更好地占领市场份额。这些工作将直接影响企业的盈利和持续发展能力，因此创新企业的营销战略是实现企业稳步发展、实现利益最大化的重要前提。只有关注市场变化及时改进企业营销策略，才能实现企业市场营销战略的与时俱进。传统的观念认为，市场营销战略是服从于并受企业战略指导和约束的一个子战略，但是越来越多的成功企业案例表明，市场营销战略的好坏直接关系到企业发展的生死存亡，更加影响着企业整体战略的制订，二者之间的关系也发生了彻底改变，市场营销战略的核心地位逐渐突显出来。

在农资市场竞争已趋于白炽化的今天，农资产业竞争的加剧和新一轮的产能过剩已将企业再次推向了微利时代，越来越多农资企业开始感受到传统营销模式的尴尬，企业盈利能力越来越微弱。一方面，传统的广告促销、人员推广、返利销售等营销组合已无法有效激发消费者的消费诉求；另一方面，企业相互间的竞争在传统营销的各个层面上进行肉搏战，价格战、成本战、促销战等恶性竞争已经将企业推向尴尬境地。在日益复杂的现代营销环境下，虽然农资行业新产品、新品牌迅速地被推出，但相当比例的这些策划出的新产品、新品牌往往昙花一现，不适应市场需求。深陷于营销困境和产能过剩的农资企业又将如何寻求企业生存与持续发展呢？是持续进行市场无限细分、运用4P营销组合策略开发新产品与新市场，还是另辟蹊径开拓具有新功能新价值的产品适应新市场形势的需求？所以，做好农资营销规划，明确发展目标和实现通道，制订清晰的营销战略，将成为决定公司发展的关键。

一、营销战略的概念

战略是确定企业长远发展目标，并指出实现长远目标的策略和途径。战略是一种思想，一种思维方法，也是一种分析工具和一种较长远和整体的计划规划。战略确定的目标，必须与企业的宗旨和使命相吻合。市场营销是指企业为满足消费者或用户的需求而提供商品或劳务的整体营销活动。而市场营销战略（marketing strategy）是指企业在现代市场营销观念下，为实现其经营目标，对一定时期内市场营销发展的总体设想和规划。在农资企业市场营销战略中要明确企业使命、企业价值观、企业竞争力、企业发展目标和职能战略等基本要素，即要确定经营的总目标和方向、价值观和行为准则、竞争能力与资源配置。

1. 企业战略

企业战略是企业面对激烈变化、严峻挑战的环境，为求得长期生存和不断发展而进行的总体性的谋划。企业战略对企业利润实现有着最重大影响，抓企业经营就必须抓好企业战略。企业战略服从和服务于企业经营目的，企业战略在本质上是保障企业获得最大利润的途径和手段。企业战略作为一种理论来研究，虽然起步较晚但成果丰硕，新观点新方法不断涌现。无论是从 1962 年钱德勒提出"结构追随战略"，到著名的 SWOT 模型［一种用于分析组织或个人内部优势（strengths）、劣势（weaknesses）、机会（opportunities）和威胁（threats）的工具］，还是 1980 年迈克尔·波特提出的产业竞争五力模型和一般竞争战略等，他们都认为竞争是企业成败的关键。企业战略的核心就是要获取竞争优势，并在产业结构中合理定位。1990 年，普哈德提出了企业核心竞争力的观点，将战略研究重点由外部环境分析转移到企业内部环境分析上。1996 年，詹姆斯·莫尔提出企业生态系统的论点，并使战略联盟成为研究热点。面对纷繁复杂的战略管理观点和方法，企业应该如何选择？这是一个非常值得深思的问题。在企业战略层次的划分上，1998 年，托马森提出，对集团企业有公司战略、经营战略、职能战略、运作战略四层，对子公司有经营战略、职能战略、运作战略三层。从内容上可分为：发展战略、竞争战略、营销战略、财务战略、人力资源战略、组织战略、研发（R&D）战略、生产战略、品牌战略等。

2. 市场营销战略

市场营销战略，即指企业为适应环境和市场的变化，站在战略的高度，以长远的观点，从全局出发来研究市场营销问题，策划新的整体市场营销活动。它具备以下几个特点：①以创造客户为目的；②立足于市场调研；③是战胜竞争对手的策略组合；④注重监控，持续改进；⑤以结果为导向原则。一个市场营销的总体战略包括指定产品的产品策略、价格策略、分销策略等。但是市场营销战略不是将这些不同领域中各个独立制订的决策累加在一起；正相反，总体战略必须先于并指导具体的产品、价格、分销（渠道）等策略的制订，这其实需要的是一个逆向的制订过程。

制订一个市场营销战略所遵循的一般方法包括四个主要步骤，第一个步骤是分析——诊断市场、竞争和企业本身。第二个步骤是准确地为战略指定目标。第三个步骤是确定基础战略选择，即目标、定位、总量资源和优先权的选择。第四个步骤就是根据基础选择制订和评估一个具体的混合市场营销，就是产品、价格、分销和传播策略的一个结合体。当然，一个市场营销战略一旦被确定采纳，将必须通过一些短期的可操作的行动计划延续。一个市场营销战略贯穿于企业的各级层次。在最高层次上，市场营销战略关系到的是整个企业，即选择活动组合和品牌策略的双重方面。主要是从若干年的远景角度出发确定企业所希望的活动组合。在这个层次上，市场营销战略连同财务策略、产业策略以及人力资源策略对所谓的企业“综合策略”做出了根本的贡献。

3. 企业战略与市场营销战略的关系

传统观念认为，市场营销战略只是企业战略的一部分，大多数的营销战略都是根据企业的总体战略来制订的，也就是说，先有了企业的整体战略才有市场营销战略。很多企业往往都是先由企业的最高领导层为企业描绘出企业的宏伟蓝图，然后再让各职能部门的管理者或事业部的管理者在此基础上制订各事业部或职能部门的战略计划。由于各层级的战略制订是自上而下的，他们就只能通过提案的形式向公司最高领导层提供有关产品、产品线和责任领域的信息以及战略信息；并且自己制订市场营销目标和市场营销战略时也要受战略计划所引导。成功的企业在战略上各有各的绝活，而失败的企业却是相似的：它们都从根本上失去了自己的顾客基础或市场基础。

（1）市场需求是企业战略规划的基础条件　随着市场营销战略在企业实现目标的过程中起到越来越大的作用，市场营销战略已经逐步挣脱了企业总体战略对其的制约和主导，越来越偏向以目标市场和顾客为导向，同时遵循总体成本领先战略、差异化战略、专一化战略三大成功通用战略的原则，成为企业战略取胜的不二法宝。从战略制订方向上已经从以前的自上而下变成了自下而上，形成了新型的逆向关系。但是，往往很多企业都太执着于实现企业的愿景和战略而忽略了市场和顾客的客观性，总是要在经历了坎坷后才恍然大悟，可是商机稍纵即逝。

营销导向理论表明，现代市场营销具备一种统括职能，起到一种导向作用。企业要根据市场营销的需要来确定其职能部门和分配经营资源，并要求其他职能部门服从市场营销，服务于市场营销，从而在其基础上决定企业总体发展方向和制订企业战略。

（2）市场营销战略成为企业战略的核心战略　企业战略有不同的层次和不同的职能，过去市场营销战略只是企业总体战略的一个分支，一项内容而已，是企业战略的组成部分，诚然，不能用市场营销战略替代企业战略的谋划，但是随着市场营销战略的不断完善和取得成效，其为企业的总体战略成功奠定了不可替代的基础。世界500强企业里，在企业战略上取胜的IBM、海尔、宝洁、沃尔玛等无一不是在市场营销战略上取得巨大成功的。当然这也就要求企业的其他职能战略也必须以市场营销战略为导向，与之配备，这样才能形成以市场营销战略为核心的企业总体战略。

在企业战略越来越被重视的今天，其意义不言而喻，从市场营销战略对企业战略的影响上看，农资企业制订一个市场营销战略是一项至关重要的工作，研究市场营销战略与企业战略之间的关系，看似只论证了一个关系，但更多的是找到了制订企业战略的一个关键性突破口，对制订更加有效的企业战略，达到企业生产经营获取最大利润并能持续良性发展有着不可忽略的意义。

二、市场营销战略的类别

当今社会处在知识爆炸的新经济时代，市场营销的基本战略可归结为以下几类：

1. 创新战略

创新是知识经济时代的灵魂。知识经济时代为企业创新提供了极好的外部环境。创新作为企业营销的基本战略，主要包括以下几个方面。

（1）观念创新　为了适应新的经济时代，使创新战略卓有成效，必须树立新观念，即以观念创新为先导，带动其他各项创新齐头并进。首先要正确认识和理解知识的价值。知识不仅是企业不可缺少的资源，也是企业发展的真正动力源。同时，在市场经济条件下，知识本身又是商品，也具有价值。其次，要有强烈的创新意识，自觉地提高创新能力。不创新，只能是山穷水尽，走绝路；创新是提高企业市场营销竞争力最根本最有效的手段。营销创新不是企业个别人的个别行为，而是涉及企业全体员工的有组织的整体活动。

例如，诱虫灯在植保领域是一种常用的害虫预测预报工具，主要用于教学、科研和推广工作，市场需求量较小。从 21 世纪初开始，随着农药不科学大面积应用导致的生态环境问题和农产品质量安全问题的出现，绿色防控技术成为科研领域和农技推广领域广泛关注的热点。诱虫灯因对大部分鳞翅目害虫的成虫具有较好的诱杀效果，而列入绿色防控技术主推产品。河南某企业和深圳某企业及时调整思路，根据全国绿色防控技术推广要求，先后开发出太阳能诱虫灯创新产品，用于各类开放式农田，并配置专业技术团队配合全国各地绿色防控项目实施，在广西、新疆等地实现诱虫灯的广泛销售，而深圳某企业还把相关产品推广到欧洲、南美洲的种植农场，获得了较好的经济效益。

（2）组织创新　组织创新包括企业的组织形式、管理体制、机构设置、规章制度等广泛的内容，它是营销创新战略的保证。这方面要做的工作还十分艰巨，在组织形式上，许多企业还没有完成现代公司制的改造，旧的组织形式在某种程度上成为企业创新的羁绊。机构设置得不合理，分工过细，都不利于创新。

例如，深圳某农药企业在上市前，在全国建立了多个同类企业，各企业进行单独经营，以实现企业快速复制，实现集团企业的快速规模化扩张。而在企业上市后，则进行集团内部整合，进行网络终端下沉，以提高经营质量。这些措施均是为适应企业在不同阶段的发展需求而实施的组织创新工作。

（3）技术创新　随着科技进步的加快，新技术不断涌现，技术的寿命期趋于缩短，技术创新是企业营销创新的核心。一般地说，大中型企业都要有自己的研究开发机构。要不断开发新技术，满足顾客的新需求，即使传统产品，也要增加其技术含量。作物种植结构、病虫危害、耕作方式是持续变化的，对农资新产品新技术的需求是一个动态的过程，所以，农资产品开发和技术创新是一个持续性的工作。

（4）产品创新　技术创新最后要落实到产品创新上，所以产品创新是关键。由于技术创新频率加快，所以新产品的市场寿命期也越来越短。

（5）市场创新　市场是复杂多变的。消费者未满足的需求是客观存在的。营销者要善于捕捉市场机会，发现消费者新的需求，寻求最佳的目标市场。我国有许多企业不注重市场细分，看不到消费者需求的差异性，把全国各地都看成是自己的市场，因而在市场创新中缺乏针对性，导致竞争力的降低，营销效果大打折扣。在市场创新中，要在科学细分市场的基础上，从对消费者不同需求的差异中找出创新点，这是至关重要的。

总之，在知识经济时代，创新战略是企业生存发展的生命线。观念创新是先导，组织创新是保证，技术创新是核心，产品创新是关键，市场创新是归宿。

2. 人才战略

创新是知识经济时代的灵魂和核心，但创新要高素质的人才才能创新。知识经济时代的竞争，其实质是人与人、人的群体与个人高科技知识、智力、智能的竞争；是人的创新能力、应变能力、管理能力与技巧的综合素质的竞争。人才战略主要包括以下几个方面。

（1）人本智源观念　营销者要牢固树立人才本位思想。知识经济时代，知识和能力是主要资源，知识和能力的生命载体是人。

（2）终身学习观念　由于知识更新节奏的加快，一个大学毕业生工作5年后，将有50%～60%的知识被更新掉。对于个人来说，要树立终身学习观念；对企业来说，要树立全员培训观念。

3. 文化战略

企业文化包括企业经营观念、企业精神、价值观念、行为准则、道德规范、企业形象，以及全体员工对企业的责任感、荣誉感等。它不仅是提高企业凝聚力的重要手段，同时，它又以企业精神为核心，把企业成员的思想和行为引导到企业确定的发展目标上来，它又通过企业所形成的价值观念、行为准则、道德规范等以文字或社会心理方式对企业成员的思想、行为施加影响。价值观是企业文化的基石。许多企业的成功，是由于全体员工能够接受并执行组织的价值观。

知识经济时代企业文化战略的特殊重要性，主要在于知识经济时代所依赖的知识和智慧不同于传统经济所依赖的土地、劳动力与资本等资源，它是深埋在人们头脑中的资源。知识和智慧的分享是无法捉摸的活动，上级无法监督，也无法强制，只有员工自愿并采取合作态度，他们才会贡献智慧和知识。

4. 品牌战略

在信息爆炸的知识经济时代，农资产品广告、销售信息等很难引起消费者注意和识别，更谈不到留下什么深刻印象。在此情形下，企业间竞争必然集中到品牌竞争上。品牌竞争，企业已经在应用，但很多农资企业并没有足够的重视。在农资行业，用户以效果为先导，所以，企业应开展广泛的技术服务和示范推广工作，再加上各种广告宣传和促销手段，不断提高企业声誉，创立名牌产品，使消费者可以根据企业的名声和印象选购产品。

5. 产品战略

产品战略基于企业战略，将公司愿景、使命和战略目标分解到产品群、产品线和产品，最后到各区域。产品战略通过产品的客户划分确定平台战略、产品线战略，并在产品的指导下确定资源配置计划。

三、市场营销战略的制订方法

在变化莫测的农资市场中，如何在市场竞争占据一席之地，也成为众多的农资企业在市场营销战略制订中不可忽略的问题，市场营销战略的制订要采取以下步骤。首先是市场分析，分析市场上的消费者的特征。其次是市场细分，根据你的产品能够满足消费者的需求来细分市场。再次是选择你的细分市场，选择你觉得有吸引力的市场。目前，农资企业已经很难同时满足所有消费者的需求，所以，选择最容易进入的、相对来说利润最大的一个或几个市场是农资企业决策的关键与智慧。最后是市场定位，市场定位是非常重要的一步，它反映了企业希望在消费者心中达到一个什么样的位置。一个失败的市场定位可能对品牌造成极为严重的打击。重塑由于市场定位错误而受损的品牌比建立一个新品牌的成本还要高。具体来讲，营销战略要确定以下内容：

1. 整体战略方向

经营理念、方针、企业战略、市场营销目标等是企业制订市场营销战略的前提条件，是必须适应或服从的。一般是既定的，像市场营销目标也许尚未定好，但在市场营销战略的制订过程中首先要确定的就是市场营销目标。确定目标时必须考虑与整体战略的联系，使目标与企业的目的以及企业理念中所明确的、对市场和顾客的姿态相适应。

2. 市场营销目标

市场营销目标应包括：量的目标，如销售量、利润额、市场占有率等；质的目标，如提高企业形象、知名度，获得顾客等；其他目标，如市场开拓，新产品的开发、销售，现有产品的促销等。

3. 战略的内外环境因素

主要是对宏观环境、市场、行业动向及企业状况等进行分析，以准确、动态地把握市场机会。

(1) 宏观环境　即围绕农资企业和市场的环境，包括政治、法律、社会、文化、经济、技术等。了解分析这些环境对制订市场营销战略至关重要。原因如下：一是市场营销的成果很大程度上要受到其环境左右；二是这些属不可控制因素，难以掌握，企业必须有组织地进行调研、收集信息，并科学地对其进行分析；三是这些环境正加速变化。

环境的变化对企业既是威胁也是机遇，关键是能否抓住这种机遇或者使威胁变为机遇。例如，根据农业部第 322 号公告，我部决定分三个阶段消减甲胺磷、甲基对硫磷、对硫磷、久效磷、磷胺等 5 种高毒有机磷农药的使用，自 2007 年 1 月 1 日起，全国禁止甲胺磷等 5 种高毒农药在农业上使用。农药企业在产品开发、市场营销等各个环节就要提前进行规划，否则将会造成巨大损失。

(2) 市场特性与市场状况　首先看市场特性，它包括以下几个方面：一是互选性，即企业可选择进入的市场，市场（顾客）也可选择企业（产品）；二是流动性变化，即市场会随经济、社会、文化等的发展而发生变化，包括量和质的变化；三是竞争性，即市场是企业竞争的场所，众多的企业在市场上展开激烈的竞争；四是导向性，即市场是企业营销活动的出发点，也是归着点，担负着起点和终点的双重作用；五是非固定性，即市场可通过企业的作用去扩大、改变甚至创造。

其次，市场状况也应考虑几个问题：①市场由规模、人口、购买欲望三大要素构成。②市场是同质还是异质。至今我国人们的需求呈现出两种倾向：一是丰富化和多样化；二是两极分化越来越明显、突出。③绝大部分产品供大于求，形成买方市场。

(3) 行业动向和竞争　把握住了行业动向和竞争就等于掌握了成功的要素，所以一要了解和把握企业所在行业的现状及发展动向；二要明确竞争者是谁，竞争者在不断增加和变化，它不再只是同行业者，而相关行业、新参与者、采购业者、代理商、顾客等都可能处于竞争关系，如铁道运输业的竞争对手包括汽车运输业和航空运输业等。

(4) 企业状况　利用过去实绩等资料来了解公司状况，并整理出其优势和劣势。战略实际上是一种企业用以取胜的计划，所以，企业在制订战略时必须充分发挥本公司的优势，尽量避开其劣势。

4. 市场营销战略的实施

在营销理论中，市场细分（segmentation）、目标市场（targeting）、定位

（positioning）是构成公司营销战略的STP三要素。市场细分的概念是美国市场学家温德尔·史密斯（Wendell R. Smith）于20世纪50年代中期提出来的。市场细分是指营销者通过市场调研，依据消费者的需要和欲望、购买行为和购买习惯等方面的差异，把某一产品的市场整体划分为若干消费者群的市场分类过程。每一个消费者群就是一个细分市场，每一个细分市场都是具有类似需求倾向的消费者构成的群体。细分市场不是根据产品品种和产品系列来进行的，而是从消费者（指最终消费者和工业生产者）的角度进行划分的，是根据市场细分的理论基础，即消费者的需求、动机、购买行为的多元性和差异性来划分的。市场细分对企业的生产、营销起着极其重要的作用。

（1）市场细分的作用

① 有利于选择目标市场和制订市场营销策略。市场细分后的子市场比较具体，比较容易了解消费者的需求，企业可以根据自己经营思想、方针及生产技术和营销力量，确定自己的服务对象，即目标市场。针对较小的目标市场，便于制订特殊的营销策略。同时，在细分的市场上，信息容易了解和反馈，一旦消费者的需求发生变化，企业可迅速改变营销策略，制订相应的对策，以适应市场需求的变化，提高企业的应变能力和竞争力。

② 有利于发掘市场机会，开拓新市场。通过市场细分，企业可以对每一个细分市场的购买潜力、满足程度、竞争情况等进行分析对比，探索出有利于本企业的市场机会，使企业及时做出投产、移地销售决策或根据本企业的生产技术条件编制新产品开拓计划，进行必要的产品技术储备，掌握产品更新换代的主动权，开拓新市场，以更好适应市场的需要。

③ 有利于集中人力、物力投入目标市场。任何一个企业的资源、人力、物力、资金都是有限的。通过细分市场，选择适合自己的目标市场，企业可以集中人、财、物及资源，去争取局部市场上的优势，然后再占领自己的目标市场。

④ 有利于企业提高经济效益。前面三个方面的作用都能使企业提高经济效益。除此之外，通过市场细分，企业可以面对自己的目标市场，生产出适销对路的产品，既能满足市场需要，又可增加企业的收入；产品适销对路可以加速商品流转，加大生产批量，降低企业的生产销售成本，提高生产工人的劳动熟练程度，提高产品质量，全面提高企业的经济效益。

（2）市场细分的条件　企业进行市场细分的目的是通过对顾客需求差异予以定位，来取得较大的经济效益。众所周知，产品的差异化必然导致生产成本和推销费用的相应增长，所以，企业必须在市场细分所得收益与市场细分所增成本之间做一权衡。由此，我们得出有效的细分市场必须具备以下特征：

① 可衡量性，指各个细分市场的购买力和规模能被衡量的程度。如果细分变数很难衡量的话，就无法界定市场。

② 可赢利性，指企业新选定的细分市场容量足以使企业获利。

③ 可进入性，指所选定的细分市场必须与企业自身状况相匹配，企业有优势占领这一市场。可进入性具体表现在信息进入、产品进入和竞争进入。考虑市场的可进入性，实际上是研究其营销活动的可行性。

④ 差异性，指细分市场在观念上能被区别并对不同的营销组合因素和方案有不同的反应。

（3）市场细分的步骤

① 选定产品市场范围。公司应明确自己在某行业中的产品市场范围，并以此作为制订市场开拓战略的依据。

② 列举潜在顾客的需求。可从地理、人口、心理等方面列出影响产品市场需求和顾客购买行为的各项变数。

③ 分析潜在顾客的不同需求。公司应对不同的潜在顾客进行抽样调查，并对所列出的需求变数进行评价，了解顾客的共同需求。

④ 制订相应的营销策略。调查、分析、评估各细分市场，最终确定可进入的细分市场，并制订相应的营销策略。

（4）选择目标市场的策略　选择目标市场，明确企业应为哪一类用户服务，满足他们的哪一种需求，是企业在营销活动中的一项重要策略。为什么要选择目标市场呢？因为不是所有的子市场对本企业都有吸引力，任何企业都没有足够的人力资源和资金满足整个市场或追求过分大的目标，只有扬长避短，找到有利于发挥本企业现有的人、财、物优势的目标市场，才不至于在庞大的市场上瞎撞乱碰。选择目标市场一般运用下列三种策略：

① 无差别性市场策略。无差别性市场策略就是企业把整个市场作为自己的目标市场，只考虑市场需求的共性，而不考虑其差异，运用一种产品、一种价格、一种推销方法，吸引尽可能多的消费者。

这种策略的优点是产品单一，容易保证质量，能大批量生产，降低生产和销售成本。但如果同类企业也采用这种策略，必然要形成激烈竞争。

② 差别性市场策略。差别性市场策略就是把整个市场细分为若干子市场，针对不同的子市场，设计不同的产品，制订不同的营销策略，满足不同的消费需求。针对每个子市场的特点，制订不同的市场营销组合策略。这种策略的优点是能满足不同消费者的不同要求，有利于扩大销售、占领市场、提高企业声誉。其缺点是由于产品差异化、促销方式差异化，增加了管理难度，提高了生产和销售费用。目前只有实力雄厚的大公司采用这种策略。

③ 集中性市场策略。集中性市场策略就是在细分后的市场上，选择两个或少数几个细分市场作为目标市场，实行专业化生产和销售，在个别少数市场上发挥优势，提高市场占有率。采用这种策略的企业对目标市场有较深的了解，这是大部分中小型企业应当采用的策略。

采用集中性市场策略，能集中优势力量，有利于产品适销对路、降低成本，提高企业和产品的知名度。但有较大的经营风险，因为它的目标市场范围小，品种单一。如果目标市场的消费者需求和爱好发生变化，企业就可能因应变不及时而陷入困境。同时，当强有力的竞争者打入目标市场时，企业就会受到严重影响。因此，许多中小企业为了分散风险，仍应选择一定数量的细分市场为自己的目标市场。

三种目标市场策略各有利弊。选择目标市场时，必须考虑企业面临的各种因素和条件，如企业规模和原料的供应、产品类似性、市场类似性、产品寿命周期、竞争的目标市场等。

选择适合本企业的目标市场策略是一个复杂多变的工作。企业内部条件和外部环境在不断发展变化，经营者要不断通过市场调查和预测，掌握和分析市场变化趋势与竞争对手的条件，扬长避短，发挥优势，把握时机，采取灵活的适应市场态势的策略，去争取较大的利益。

（5）市场定位策略　市场定位策略就是市场定位的手段，所谓市场定位，就是根据竞争者现有产品在市场上所处的位置，针对消费者对该产品某种特征或属性的重要程度，强有力地塑造出本企业产品与众不同的、给人印象鲜明的个性或形象，并把这种形象生动地传递给消费者，从而使该产品在市场上确定适当的位置。也可以说，市场定位是塑造一种产品在市场上的位置，这种位置取决于消费者或用户怎样认识这种产品。企业一旦选择了目标市场，就要在目标市场上进行产品的市场定位。市场定位是企业全面战略计划中的一个重要组成部分。它关系到企业及其产品如何与众不同，与竞争者相比是多么突出。市场定位策略实施的步骤如下文所述：

① 识别可能的竞争优势。消费者一般都选择那些给他们带来最大价值的产品和服务。因此，赢得和保持顾客的关键是比竞争者更好地理解顾客的需要和购买过程，以及向他们提供更多的价值。通过提供比竞争者较低的价格，或者是提供更多的价值以使较高的价格显得合理。企业可以把自己的市场定位为：向目标市场提供优越的价值，从而使企业赢得竞争优势。

a. 产品差异。企业可以使自己的产品区别于其他产品。

b. 服务差异。除了靠实际产品区别外，企业还可以使其与产品有关的服务不同于其他企业。

c. 人员差异。企业可通过雇用和训练比竞争对手好的人员取得很强的竞争优势。

d. 形象差异。即使竞争的产品看起来很相似，购买者也会根据企业或品牌形象观察出不同来。因此，企业通过树立形象使自己不同于竞争对手。

② 选择合适的竞争优势。假定企业已很幸运地发现了若干个潜在的竞争优势。现在，企业必须选择其中几个竞争优势，据以建立起市场定位战略。企业必须决定促销多少种，以及哪几种优势。许多营销商认为企业针对目标市场只需大力促销一种利益，其他的经销商则认为企业的定位应多于 7 个不同的

因素。

总的来说，企业需要避免三种主要的市场定位错误。第一种是定位过低，即根本没有真正为企业定好位。第二种错误是定位过高，即传递给购买者的公司形象太窄。第三种是企业必须避免混乱定位，给购买者一个混乱的企业形象。

③ 传播和送达选定的市场定位。一旦选择好市场定位，企业就必须采取切实步骤把理想的市场定位传达给目标消费者。企业所有的市场营销组合必须支持这一市场定位战略。给企业定位要求有具体的行动而不是空谈。

第三节　农资经营规划

一、市场调研

市场调研，是指为了提高产品的销售决策质量、解决存在于产品销售中的问题或寻找机会等而系统地、客观地识别、收集、分析和传播营销信息的工作。市场调研是运用科学的方法，有目的、有计划地收集、整理、分析有关供求、资源的各种情报、信息、资料。它把握供求现状和发展趋势，是一种为制订营销策略和企业决策提供正确依据的信息管理活动。是市场调查与市场研究的统称，它是个人或组织根据特定的决策问题而系统地设计、搜集、记录、整理、分析及研究市场各类信息资料、报告调研结果的工作过程。市场调研是市场预测和经营决策过程中必不可少的组成部分。

1. 步骤流程

市场调研流程的步骤：

① 确定市场调研的必要性；

② 确定要解决的问题；

③ 确立调研目标；

④ 确定调研设计方案；

⑤ 确定信息的类型和来源；

⑥ 确定收集资料；

⑦ 问卷设计；

⑧ 确定抽样方案及样本容量；

⑨ 收集资料；

⑩ 分析资料；

⑪ 撰写调研报告。

调研工作要遵循图 2-1 的流程。

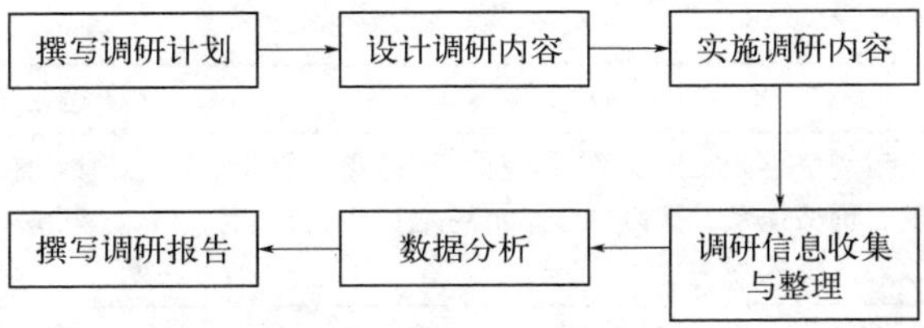

图 2-1　调研工作流程图

2. 市场调研方法

（1）文案调研　主要是二手资料的收集、整理和分析。主要的渠道为网上资料搜索，专业期刊、报纸、书籍等信息搜索。

（2）实地调研　实地调研可分为询问法、观察法和实验法三种。

① 询问法。就是调查人员通过各种方式向农民、零售商、批发商、农技人员等被调查者发问或征求意见来搜集市场信息的一种方法。它可分为访谈、座谈会、问卷调查等方法，其中问卷调查又可分为电话访问、邮寄调查、留置问卷调查、入户访问、田间拦访等调查形式。

采用此方法时要注意，所提问题确属必要，被访问者有能力回答所提问题，访问的时间不能过长，询问的语气、措辞、态度、气氛必须合适。

② 观察法。它是调查人员在调研现场，直接或通过仪器观察、记录被调查者行为和表情，以获取信息的一种调研方法。

③ 实验法。它是通过实际的、小规模的营销活动来调查关于某一产品或某项营销措施执行效果等市场信息的方法。实验的主要内容有产品的质量、品种、商标、外观、价格、促销方式及销售渠道等，它常用于新产品的试销和展销。例如，农资企业要开发一个新市场时，主要调研内容见表 2-1。

表 2-1　新市场调研内容

类别	调研内容	调研途径来源	实施人员
经销商信息	公司名称、成立日期、注册资金、公司电话、公司地址、法定代表人、网址、主营业务、客户照片、资金状况、经营思路、渠道情况、核心市场、信誉、主营产品（种类、数量、金额）	经销商、网点、农户	市场人员
核心零售店信息	店面名称、成立日期、店面地址、客户姓名、电话、店面照片、客户照片、核心作物、投放产品（种类、数量、金额）、核心产品、新产品推广能力、与周边农户关系	经销商、网点、农户、业务员、网站	市场人员、客户
农户信息	姓名、身份证号码、电话、种植作物、种植面积、农资使用情况、使用的主要农资品牌	经销商、零售店、农民	市场人员、客户
政府部门信息	单位名称、地址、主要领导姓名、电话、资源优势、地区政策、农业示范园区	经销商、零售店、农民	市场人员、客户

续表

类别	调研内容	调研途径来源	实施人员
竞争对手信息	主要竞争企业及竞争产品名称、产品组成、销售量、价格体系、推广措施、市场定位、营销政策、人员投入等	经销商、网点、农户、业务员	市场人员
市场信息	作物名称、作物面积、分布、用药次数、平均用药成本/次、市场容量、种植时间、收获时间、生育期、产量、投入成本、农产品销售金额、栽培方式、病虫害发生规律及防治技术	经销商、网点、农户、业务员、政府部门	市场人员、客户

（3）特殊调研　特殊调研有固定样本、零售店销量、消费者调查组等持续性实地调查等。

3. 市场调研的具体执行

市场调研是一项繁杂的工作，即便是具备独立的市场部门、专职的市调人员的大公司，市场调研工作也不是由市场调研人员“包干到底”的，市场调研人员的工作是负责策划、组织、指导、控制调研活动，对农资企业而言，具体执行工作可借助于农资销售人员或市场人员。

（1）由公司销售人员借工作之便进行调研或临时执行调研任务　销售人员是工作在农业生产第一线的服务人员，最了解市场动态。借助销售人员一方面可以节省公司人力、物力和财力，起到事半功倍的效果；另一方面可以督促销售人员加深对市场的了解。

（2）借助公司的经销商或代理商来完成调研工作　农资企业代理商在做好地方市场调研方面工作的想法与公司是完全一致的。公司可以策划、指导经销商或代理商做好该地区的农资市场调研工作，包括该地区作物种植结构和作物病虫害发生情况等基本状况、农民用药习惯和用药水平等使用状况、竞争品牌状况，以及当地媒介状况、当地政府、民间活动调查等；同时，实施动态市场策划，抓住机会，巧妙借势，做好在当地的广告、促销活动。这样不仅解决了调研的一大难题，也有助于巩固双方的合作关系。

（3）收集研究二手信息　农资企业不仅要做好市场调研的策划、组织、指导、控制工作，还必须做好二手信息的收集研究工作。很多农资企业虽然订有各种专业报刊，拥有自己的网站，但并未能有效地利用这些宝贵的资源，从中分析和利用大量有价值的市场信息。对于农资企业来讲，专业报刊也并非多多益善，订几种综合性、权威性的即可。通过这些专业报刊，企业可以尽快地了解业界动态。另外，农资企业要充分重视地方报纸及营销类杂志。地方报纸和期刊专注于当地农资市场，更加了解区域农资市场动态和行业变化、区域变化，这对于了解当地及周边市场信息非常有用。

营销类杂志则向企业打开了一扇学习别人市场调研和营销经验的窗口，只有虚心学习，才能有所进步。企业自有网站也是获取市场信息的有效渠道，要有效利用。利用网络可以便捷地查询各种有用信息；网上传播省时省力，当前很多专业的市调公司已开始利用网站开展调研活动。常用的信息量较大的期刊如《中国农资》《农资与市场》《农药》《中国植保导刊》《农药科学与管理》《中国土壤与肥料》等。

4. 市场信息的消化与吸收

若农资企业配有专职的信息人员，必须具备较强的计划、分析和文字表达能力，及时将市场信息消化、整理，上达主管。而作为公司的经营和销售人员，应主动地研究市场，并及时反馈意见，以求改进及更好地配合。把市场信息进行分类汇总后，可用于企业自身产品、渠道、市场、客户的性能与服务的针对性改进和提升，这对于提高企业市场竞争力和品牌建设是非常有益的。

二、市场分析

市场分析是根据已获得的市场调查资料，运用统计原理，分析市场及其销售变化。从市场营销角度看，它是市场调查的组成部分和必然结果，又是市场预测的前提和准备过程。市场分析是一门综合性科学，它涉及经济学、统计学、经济计量学、运筹学、心理学、社会学、语言学等学科。市场分析已经成为现代企业管理市场分析人员不可缺少的分析技术。要想及时了解市场变化情况，或者说对市场变化保持敏感的触觉，关键的办法就是：做好经常性的市场调查研究工作。市场分析的一个重要内容就是市场调查，只有通过市场调查，才能得到直接来自市场第一线的详实资料。许多大公司通常设有专职部门负责进行此项工作。当然，处于创业阶段的企业通常难以仿效此做法。不过也可以采用其他途径和方法进行此项工作。如果运用得当，同样会收到良好的效果。

对于中小型农资企业来讲，可通过以下途径和方法实现：经常订阅有关行业的各种期刊杂志，参加行会或其他专业性的社团组织，争取机会多参加某些贸易展销会之类的公众集会，也要密切注意你所组织的各类营销业务活动的效果，察悉变化情况，查明造成销售增长或销售衰退的原因。

对于农资营销企业来讲，更直接的市场信息来源于一线营销人员或市场人员。国内农资经销企业多配备有营销人员，有能力的企业也配备了市场推广人员或产品经理。对于获取的市场、渠道、客户、产品、气象、作物、竞争对手等系列信息，要进行详细分析，以获得产品改进、市场布局、产品竞争、物流服务等有用信息，用于市场运营和管理，这对于市场营销工作是非常有帮助的。

1. 市场分析的作用

市场分析对于企业营销规划和经营决策具有重要作用。在营销规划方面主要表现在两个方面。

（1）企业正确制订营销规划的基础　企业的营销规划决策只有建立在扎实的市场分析的基础上，只有在对影响需求的外部因素和影响企业购、产、销的内部因素充分了解和掌握以后，才能减少失误，提高决策的科学性和正确性，从而将经营风险降到最低限度。

（2）企业实施营销规划的保证　企业在实施营销规划的过程中，可以根据市场分析取得的最新信息资料，检验和判断企业的营销规划是否需要修改，如何修改以适应新出现的或企业事先未掌握的情况，从而保证营销规划顺利实施。

只有利用科学的方法去分析和研究市场，才能为企业的正确决策提供可靠的保障。市场分析可以帮助企业解决重大的经营决策问题，比如说通过市场分析，企业可以知道自己在某个市场有无经营机会或是能否在另一个市场将已经获得的市场份额扩大。市场分析也可以帮助企业的销售经理对一些较小的问题做出决定，例如公司是否应该立即对价格进行适当调整，以适应顾客在节日期间的消费行为；或是公司是否应该增加营业推广所发放的奖品，以加强促销工作的力度。

2. 市场分析主要内容

市场分析的研究对象是整个市场，必须揭示这些市场活动的特点和规律。市场分析的内容和市场分析的研究对象是紧密相连的，根据市场分析的研究对象，市场分析的基本内容包括基础理论分析、市场技术分析、市场宏观分析等。基础理论分析是进行市场分析的必备工具，包括市场调查、市场预测和数据资料的分析与处理等；市场技术分析又称市场微观分析，主要包括消费者购买行为分析、产品分析、营销管理分析等；市场宏观分析主要包括国内市场环境分析、国际市场环境分析等。要进行市场分析，首先需要有基本的统计数据，因而要进行市场调查；调查得到的数据，又要进一步加工处理才能用于实际的分析。

3. 市场分析的基本原则

（1）明确市场分析的目的，服务于领导决策和工作指导　市场分析要为领导科学化、民主化决策服务，为领导机关了解基层情况、指导实际工作、解决具体问题服务。因此必须围绕“服务决策，指导工作”这个根本目的开展市场分析，向领导提供观念正确、事实准确、分析科学、结论可靠的分析报告，以便领导全面、客观地了解情况，进而做出正确决策，更有效地指导工作。

（2）选择市场分析课题，要联系实际，有针对性解决市场问题　必须坚持对现实工作有针对性和对解决问题有指导性两条原则，做到务准唯需、适销对路。坚持从实际出发，紧紧围绕工作中心，针对工作中出现的新矛盾、新情况，选取那些带有苗头性、倾向性、关键性的问题，作为市场分析选题，要特别注意从亟待解决的疑难性问题中选取课题，从市场开发如何抢抓机遇中选择课题，从同业竞争的热点、焦点中选取课题。

（3）要深入调查，精心研究，用事实说话　正确的观点和科学的结论，只能产生于社会实践之中。市场分析贵在求是，要获得真知灼见，就必须改进工作作风，真正做到深入调查、精心研究，做到务真唯实，自觉克服主观臆断和闭门造车的不良倾向。

（4）市场分析方法要科学严谨，结果要客观公正　市场分析的方法是否运用得当，直接影响着市场分析报告的质量。在市场分析方法的选择和运用上，要提倡科学性、客观性，反对片面性、局限性。

4. 市场分析方法

市场分析的方法很多，一般可按统计分析法进行趋势和相关分析。市场分析中在对市场这一对象进行研究时，首先对市场问题进行概括的阐述，继而又以基础理论、微观市场、宏观市场对市场进行较为详尽的分析，最后对市场的各种类型进行具体解剖。常用方法主要有系统分析法、比较分析法、结构分析法、演绎分析法、案例分析法、定性与定量分析结合法、宏观与微观分析结合法、复合因素法等。

三、市场营销规划

在对市场充分调研和分析的基础上，既要充分发挥企业自身市场和产品优势，又要充分考虑市场竞争和自身不足，制订切实可行的年度市场营销规划。农资企业如果能做到全面、细致地做好年度市场营销规划，离成功的市场运营就不远了。

1. 市场营销年度目标

农资企业要依据上一年度的销售完成、自然增长、人员、费用、渠道等情况，制订一个复合增长率，确定企业年度营销目标和市场管理目标，并分解到销售部门和市场部门。销售目标主要体现在销售额和销售量两个指标，而市场管理目标主要体现在市场开拓目标和产品提升目标。市场销售目标要进行分解，分几个维度进行分解，分解到区域内的每个渠道、每个经销商、每个产品，每月、每季度、半年、年度完成情况，这样的目标才有意义。

对于渠道、终端的网络覆盖，也是目标分解细化的过程，分解之后，销售人员就知道销量的来源，做到心中有数。对于年度市场开发、会议、试验也要进行市场布局和分解，以实现市场与销售的同步发展和有效协作。

2. 市场布局

市场布局包含以下四个内容。一是整体市场布局；二是区域市场的定位；三是区域市场分类；四是确定渠道模式。整体市场布局是根据农资企业市场销售战略规划，明确整体市场发展要求，区别对待，该部分工作由公司销售部门进行整体规划和实施。对于区域市场定位，由企业区域销售管理部门根据市场情况，用STP战略营销分析，进行区域细分，确定目标市场，进行清晰的市场定位，以便于销售部门确定发展方向和资源配置。而市场分类则是销售部门进行市场规划的重点，也是进行市场指导的依据；销售人员要根据区域市场的类型，制订有针对性的渠道模式和开发计划。不同类型的市场，渠道模式是不同的；有直销的、有通过经销商实现覆盖终端的，也有协助重点客户分销到终端的。

从国内农资市场发展和企业竞争来看，农资市场主要分为以下几类：第一类是优势市场，指企业具有很好的市场基础和消费群基础。产品、品牌、渠道、终端综合实力明显优于竞争企业，企业主导产品市场占有率在30%以上。第二类是发展性市场，指企业具有较好的市场基础和消费群基础，市场容量大，有较大的发展空间，是企业下一步成长和发展的主导市场。第三类是潜力市场，指企业具有一定好的市场基础和消费群基础，市场容量大，有较大的发展空间，相关产品在某一方面或几方面具有优势。第四类是渗透市场，指企业市场基础和消费群基础较差，综合实力与竞品比较明显处于劣势，借助经销商分销网络或自然销售进行渗透。

在确定市场类别后，根据市场特点，确定各自的营销渠道模式。根据企业、行业的属性和市场的具体情况，可以分为直销、直供和代理等几种情况。一般农资企业的方式为区域经销方式，目前，大的农资企业实施网络下沉战略，营销网络呈扁平化发展，以市场县级代理或直供为主；而一般的中小型农资企业以省市级代理为主。但在一个区域内渠道设计多以地级市1～2家经销商，县级城市1家经销商，乡镇设立特约分销商，部分种田大户由经销商直供的模式进行规划。

3. 总体市场策略

确定了年度市场营销目标和市场分解后，要制订相关的市场策略来保障这些目标的实施，即开展营销的目标管理。农资企业要围绕市场营销目标制订一整套的市场管理策略，也就是要对市场营销所需的组织架构、营销团队、市场考核与激励、市场与营销资源配置、营销管理流程等进行制度和流程化，以便于日常管理。

在企业内部年度市场营销策略应该是一致的，只是针对不同区域和市场情况做一些调整。年度总体的策略，可以针对不同区域、不同类型的市场制订，成熟市场以渠道控制、品牌推广、产品结构优化、新产品导入，以及团队的激励为主；而发展型市场以渠道激励、优化产品结构、培育重点市场和产品为主；潜力市场以市场开拓、团队培训、渠道建设、终端覆盖和活动推广为主，要快速打开知名度，借助渠道力量进行分销和推动销售。从营销管理的角度来看，对于具有普遍意义的年底的经销商会议、年初的二批商订货会、二批商的分销网络、经销商对终端的直供和开发、旺季前的消费者活动等工作，要以制订的形式进行固化，以便于管理和有效执行。

4. 组织架构及业务团队

农资企业要构建具有高水平执行力和专业素质的业务团队。对于区域市场业务团队，既要高度认可企业文化和管理制度，又要专注于市场管理和团队协作。对于团队管理人员，既要注重督促或帮助下属做好阶段性市场规划，明确具体的日常工作和学习内容，更要做好业务培训和市场考核与激励的标准化与规范化，以提升团队的整体业绩。

5. 渠道规划

首先要确定好渠道的政策，有政策才能将经销商管理好。而在进行渠道规划时，区域的渠道模式是否需要调整，二级及以下的分销网络是否需要提升和完善，终端网络是否需要开发，是否要进入新的渠道等，都要进行详细分析和规划布局。要制订科学的年度渠道规划，需要明确以下内容：①本年度渠道策略实施报告与总结；②下一年度行业及渠道发展趋势报告；③下一年度企业渠道战略规划及策略；④下一年度支持渠道策略实现的各项政策及执行落地方案。渠道战略规划关系到企业对渠道发展动向的判断，关系到企业渠道资源的投放，关系到企业产品的销售通路，要引起足够重视。

6. 产品规划

对于区域市场，可以用 SWOT 进行分析，然后再开展营销组合方法分析，即 4P 分析，对产品（product）、价格（price）、分销（place）、促销（promotion）进行组合分析。对产品来说，要分析产品的生命周期和市场表现，分析其竞争力，分析产品结构、品牌影响、利润产品、走量产品及竞争产品是否合理，是否能够稳固市场。在此基础上，根据区域作物种植结构、病虫害发生情况、客户产品构成、自身产品优势等确定具有竞争力的产品组合和产品策略。

产品价格是比较敏感的，各农资企业在产品定价上往往是统一的。但在不同类别的区域市场，需要具有相对优势的价格策略，这主要通过产品政策来实现。对于竞争力较弱的中小企业或者新产品来讲，往往需要有较高的利润空间保障企业运营和新产品推广，若没有较高的利润空间，则只能靠渠道和分销商的力量快速到达市场终端来实现。如果新产品持续销售量上不去，而其利润空间偏低，渠道利润也不够时，就要规划新品和新包装或者产品升级进行置换。

7. 市场推广

市场推广主要包括试验示范、推广会、宣传、促销等。新产品试验示范是打开新市场的重要措施，一定要选择交通便利的试验示范地点、当地主导作物、具有带动作用的农户等，最好请当地农技推广专家参与示范工作。而常规的促销活动有多种形式，例如短期产品做特价销售，利润产品可以搭配礼品销售，新品搭配做促销，上量产品做捆绑销售等；在品牌宣传上，也要结合公司的推广创新方式，从品牌的层面上降低产品价格的依赖。

8. 激励与考核

从营销管理来讲，明确的市场营销目标是团队奋斗的方向。目标明确和分解后，就要根据实施计划，在企业整体管理要求下，制订适合区域部门管理的管理标准和组织流程。特别是工作考核标准和激励措施要制度化和标准化，并适时进行业绩评估，根据制度进行工作激励和处罚。好的管理制度一定要规范化实施，尽量减少“人治”的因素，这样才能公正客观地进行团队评价，才能提升团队的整体活力。这对于团队管理者的个人素质和能力要求是比较高的。

例如，阶段性业务评估是为了营销工作的持续提升和改进，所以，任何规划实施后都要有评估报告。首先对规划的执行情况及影响力进行总体概括。其次，检查目标的达成情况，查找达不到的原因。最后，总结活动的经验教训，比如，投入和产出情况，消费者接触数量，影响人数等；对于促销活动，则要统计销售量、销售额、顾客购买数量、目标人群、陈列、人员投入、现场气氛等等。

9. 年度经费预算

费用的预算也是根据年度营销目标和目标分解进行制订的。农资企业要根据行业现状、上一年度市场营销费用、下一年度市场营销目标等综合因素制订年度费用，并进行详细的费用预算。市场营销费用主要包括以下几类：

（1）基本费用　人员工资、提成、奖金等；

（2）渠道费用　经销商进货奖励和销售返利、二批商活动经费和销售返利、换货和破损费用等；

（3）终端维护费用　铺货费、礼品费以及其他日常费用；

（4）市场推广费用　消费者活动费用、促销费用、品牌宣传费用、推广费用。

第四节　农资营销渠道管理

一、农资渠道类别

1. 传统农资流通渠道

传统农资经销商是农资经销商中最大的群体，也是目前农资流通的主渠道，这是由地域广阔、散耕散种为主的农业生产特点决定的。单说种植类农资——农药、种子、化肥，按全国每个县、区每个品类按照各有10个经销商计算，全国就有约10万个种植类农资经销商。

早期的农资经销大多不规范。国务院〔2009〕31号《关于进一步深化化肥流通体制改革的决定》进一步加快了农资经销的市场化。2009年以后，很多返乡农民工加入农资经销的大军，农资经销商队伍越来越庞大，同时，大部分实力弱小的农资经销商生存状态越来越恶劣。

在小经销商不断涌现和消亡的过程中，一批跨区域、多品类经营的大流通商涌现出来，逐渐成为区域市场流通的主力军。这些优秀的经销商把传统区域性经销商的地缘背景、贴近区域的推广服务、广而深的客情关系、综合信息反馈能力、多品类分销规模性、渠道融资功能、组合配送与仓储功能等优势充分地发挥出来，再加上常年积累的、丰富的行业经营经验，在区域市场的优势越来越明显，经营区域也越来越大。

2. 农资连锁经营企业

许多集团携巨资大举进军农资市场，对农资连锁的探索就没有停止过。例如，由经销商发起的千村植保、中诚国联等活动，由制造商发起的喜洋洋、红太阳、惠万家等活动。

现在大多数农资连锁企业的门店经营权属于传统终端，由于产品资源有限，企业的产品控制权比较弱，对终端农户缺乏有效的服务，或者说比不上终端门店“土专家”提供的服务，所以，企业也“掌控”不了农户话语权。如果直营终端，就可以拥有门店经营权、产品控制权，但是，经营成本太高，难以实施。最现实的就是以区域优秀经销商为母体，从区域连锁店做起。单独的制造商做不起来，产品资源太少的流通商也做不起来，不能以“产品＋服务”的力量“拴住”农户的厂家也做不了，这就是连锁企业做了几年仍然没有大的起色的原因。

二、渠道建设

在确定年度市场营销规划后，就要开展渠道建设与管理工作。渠道作为企业重要的一项资源，在营销活动中处于重要的位置。

1. 经销商

（1）经销商选择原则

① 理念匹配原则。农资企业在开拓新市场、选择经销商之前，要根据市场调研和营销规划，确定区域市场的发展思路和经营策略，根据这些要求，寻找适

合自身发展的合作伙伴。在经销商筛选过程中要综合考虑自己市场策略的连续性，寻找与自身发展理念相一致的经销企业。

② 资源匹配原则。选择经销商时要全面调研和评比，对经销商的品德、团队、资金、网络、创新意识和社会关系等进行全面调研，选择最适合企业市场运营的经销商。考评经销商自身经营管理状态如何；考评同业（其他厂家）、同行（其他批发商）对经销商的评价，是否有带头低价窜货、截流费用、截流货款等行为；是否有区域运营团队，是否能够承接企业产品市场拓展；是否有足够的运营资金实施产品运作，而不是靠赊欠；考评经销商是否有足够的网络资源，现在代理的品牌做得怎么样；考评经销商对做终端市场的意识是否强烈（行商），是否易接受新事物、新产品，是否属于坐在家里等生意上门的老式经销商（坐商）；考评经销商是否具备相关社会资源，以满足农药、肥料这类行业许可要求较高的产品运营需求等。

（2）经销商选择标准

① 资金实力。资金实力是选择区域经销商的首要条件。选择资金雄厚、财务状况良好的经销商，能保证及时回款。

② 市场范围。市场覆盖范围能力是选择经销商最关键的因素。首先，经销商的客户网络要与厂家的目标市场一致；其次，经销商的下线客户应是厂家的目标客户。

③ 商业声誉。多数厂家都会回避与没有良好声誉的经销商建立关系。相对信誉而言，经销商的经验和能力都可以退而求其次。但很多厂家由于缺乏信用考察手段，而最终上当受骗。

④ 发展历程。许多厂家在选择经销商时，往往会考察经销商的发展历程，如是否有成功的经验，是否有创新的案例，是否有不良的记录，与厂家的关系是否和谐等。

（3）调研经销商的方法

① 内部信息调研。对于经营多年的农资企业，若建立了比较完善的市场档案，在新产品推广时可优先进行内部候选经销商调研；对于经常在市场一线的老业务员，对农资行业的区域经销商一般比较了解。一旦平时积累了这些候选经销商资料，寻找经销商就轻松得多。

② 外部信息获得。对于历史很短或新办农资企业，可以通过参加行业会议、行业协会、农资展销会等获得经销商的信息，从中筛选后进行进一步调研。对于市场人员来讲，通过同行介绍也是一种较好的方法。

③ 市场调查。市场调查既可以从终端入手，看谁的终端做得好，然后往上游寻找经销商；也可以从供货商（生产厂家）入手，哪些供货商的市场做得好，就把它们的经销商找出来。

④ 借助网络信息。厂家可以在自己的网站或门户网站发布招商启事，从而

获得经销商信息。

2. 销售终端

(1) 终端选择　前期要调查市场容量和需求、竞争对手、农户、分销商渠道情况等，再和终端经销商交流情况。

① 区域市场调查

a. 通过县乡政府网站、统计局、基层农技推广站等了解本区域的耕地面积、种植结构、每亩（1 亩$=666.7m^2$）农资需求量等；

b. 询问当地农户农资店名，老板名字、电话，哪家店销量好；本区域的耕地面积、种植结构、每亩农资需求量等；摸清农户的农资使用习惯、所关注的农资产品的主要特性、对价格的敏感性等；

c. 调研主要竞争对手的购货渠道以及产品，包括品种类型、销售价格及数量、销售区域、经销商情况、市场反应情况等；

d. 走完整个区域，考虑地理位置和市场容量，选择靠近国道、省道或区域内主干道路两旁的网点。

② 走访终端网点

a. 考虑农资终端经济实力，选择有相当经济实力的，农资赊销的特性要求终端必须有较强的资金实力才能大量出货；

b. 考虑农资终端的主销意愿，一般来说终端会同时销售多个品牌的同类产品，农资终端的主推意愿直接决定了公司产品的有效销售；

c. 选择店面形象较好的；

d. 调查网点主销农资品种及销量、经济实力、人员配置、企业及负责人信誉、经销区域、零售网点、农化服务能力等情况；

e. 咨询所卖的产品利润率高低、如何选择供应商；

f. 给产品，发报纸；

g. 咨询该终端老板，周围哪些人可以从事农资相关的经营活动，哪些人不可以。

(2) 终端建设　主要宣传手段为在店外、店内进行宣传，以及对店主、进店的农户进行宣传，同时进行信息收集。

三、渠道管理

渠道管理是一个双向过程，一方面农资企业要及时准备把企业的经营信息传达到各个市场客户，使客户按照企业的发展要求推动市场销售；另一方面，要及时把市场信息及时反馈给企业，以利于企业针对市场要求做出准确的决策和调整，进一步促进市场销售。

在农资销售渠道管理上，往往要通过一系列时间、活动和事件等过程管理的安排，来对客户关系进行策略化管理。一方面加强客户与企业的黏合度，进一步降低客户流失率和提高客户成交率；另一方面，帮助企业内部充分挖掘客户资源，实现销售自动化管理。

1. 新客户开发

新客户开发多指农资企业新市场开发或创业初期的中小企业要从所属行业大量的潜在客户群里从头挖掘、拓展自己的客户资源。对处于新客户开发期的企业，要采取以下措施进行管理：

（1）建立强大的销售团队，并提高他们的积极性和工作效率，尽量多找客户；

（2）新客户不论是否有意向都应备案，并按合作机会大小进行分级管理；

（3）客户联系跟进的过程应做记录，从而可以对业务员的跟进过程进行评估及指导，提高业务员能力及签单成功率；

（4）建立知识库和培训体系，并制订考核及淘汰机制，缩短业务员培养周期，不断提升业务员的业务能力和业务水平。

2. 老客户维护

老客户购买的重复度较高，且有一定的规律，重复购买周期较短。需要维护老客户的企业一般都拥有一定数量的较固定的专业客户群长期合作，支撑企业的业务增长，客户群中可能只有极少数是能给企业带来大销量的客户，其他大多都是业务往来较松散的客户或有待拓展的潜在客户。

（1）注重客户关系的长期维护，防止老客户流失；建立相关联系人的个人档案，更容易与客户拉近关系，例如，逢年过节群发短信、过生日问候等；

（2）挖掘老客户销售潜力，扩大客户采购的品种和用量；分析评估客户目前采购的品种及用量，与客户实际使用的品种和用量对比；

（3）按客户的销售贡献、信用度、销售潜力等设定客户等级，进行差异化服务；

（4）在对客户进行全方位分析的基础上合理制订信用额度；统计分析客户的业务往来历史，参考客户等级及信用情况；

（5）自动交货提醒，防止因非生产因素造成交货延时；明确未来应交货的产品，以及已交数量、未交数量、要求交货期等；

（6）通过分析对畅销和滞销产品制订合理有竞争力的价格策略，使利润最大化；哪些产品占销售比重较大，哪些产品占销售比重很小；列出可调价的产品清单，涉及的范围包括哪些市场区域、哪些客户，调价的空间有多大等；

（7）重视新客户的开发，进行规范化管理。

第五节　农资产品管理

一、产品规划

产品规划包含公司发展战略、市场拓展和业务价值等与具体业务相关的内容，也包含公司技术发展战略、技术拓展和架构规划等内容。作为农资市场销售来讲，由于使用技术强，市场竞争激烈，业务连续性相对较弱，要想在一个目标市场持续发展，产品规划工作就不能单纯地理解为产品的业务规划，也包含了技术发展规划。但是作为技术管理者或者公司技术战略的制定者也必须要清醒地认识到技术服务于业务，技术规划是依赖于业务规划而形成的。

产品总体规划应该包含的内容是基于公司业务战略规划的年度发展需求而进行的，包括产品总体架构（业务）、产品层次关系、产品间业务流程、产品的技术规范与标准等。此外，还要明确战略与规划之间的关系，公司业务战略规划高于一切，产品总体规划依赖于战略规划的结果，是战略规划的细化，而技术战略则应依赖于产品总体规划，是总体规划的延续与发展。

二、产品策略

产品策略是指农资企业在其产品营销战略确定后，在实施中所采取的一系列有关产品本身的具体营销策略。主要包括商标、品牌、包装、产品定位、产品组合、产品生命周期等方面的具体实施策略，即产品定位策略、产品组合策略、产品差异化策略、新产品开发策略、品牌策略以及产品的生命周期运用策略。企业的产品策略是其市场营销组合策略中的重要组成部分。要制订农资产品策略主要分析以下因素：

1. 农资产品

农资产品指在市场上能够引起消费者注意并取得的一切因素总和。

（1）农资产品形态、品种、质地、用途、样式、商标、包装。

（2）产品有效成分含量、作用、使用方法。

（3）有服务的产品与没有服务的产品是两种不同产品，顾客买的不是产品而是产品的用途。

2. 产品生命周期

产品生命周期指产品研制成功投入市场到退出市场所经历的全部时间。

（1）推广期　在初销阶段，考虑顾客的接受意愿；对农资销售者来讲，主要考虑市场风险，并重点宣传产品性能、开发用途，要寻找市场机会，控制产量。

（2）成长期　在畅销阶段，重点考虑农资产品的竞争力、品牌管理、市场占有率等。

（3）成熟期　在销售稳定期，主要考虑如何回收资金和延长此阶段。

（4）衰退期　在产品淘汰阶段，考虑如何撤出市场。

三、产品定位

定位是指确定农资企业或农资产品在农民、种植基地管理人员、农业合作社管理人员、农场主等消费者心目中的形象和地位。营销研究与竞争实践表明，除产品定位外，还要扩展到营销定位。一般而言，产品定位采用五步法：目标市场定位（who），产品需求定位（what），企业产品测试定位（if），产品差异化价值点定位（which），营销组合定位（how）。以解决满足谁的需要？他们有些什么需要？我们提供的是否满足需要？需要与提供的独特结合点如何选择？这些需要如何有效实现？五个问题为主要目标。

第一步：目标市场定位

目标市场定位是一个市场细分与目标市场选择的过程，即明白为谁服务（who）。在市场分化的今天，任何一家农资企业和任何一种农资产品的目标顾客都不可能是所有的人，选择目标顾客时，需要确定细分市场的标准对整体市场进行细分，对细分后的市场进行评估，最终确定所选择的目标市场。

根据不同农资产品差异或企业发展需要，目标市场定位主要采取以下三种策略：

（1）无视差异，对整个市场仅提供一种产品；

（2）重视差异，为每一个细分的子市场提供不同的产品；

（3）仅选择一个细分后的子市场，提供相应的产品。

第二步：产品需求定位

产品需求定位是了解需求的过程，即满足谁的什么需要（what）。产品定位过程是细分目标市场并进行子市场选择的过程。这里的细分目标市场是对选择后的目标市场进行细分，选择一个或几个目标子市场的过程。对目标市场的需求确定，不是根据产品的类别进行，也不是根据消费者的表面特性来进行，而是根据农民的需求价值来确定。农民在购买产品时，是为了获取某种产品的价值。产品价值组合是由产品功能组合实现的，不同的农民对产品有着不同的价值诉求，这就要求提供与诉求点相同的产品。在这一环节，需要调研需求，这些需求的获得可以指导新产品开发或产品改进。

第三步：产品测试定位

企业产品测试定位是对企业进行产品创意或产品测试，即确定企业提供何种产品或提供的产品是否满足需求（if），该环节主要是进行企业自身产品的设计或改进。通过使用符号或者实体形式来展示产品（未开发和已开发）的特性，考察消费者对产品概念的理解、偏好、接受。这一环节测试研究需要从心理层面到行为层面来深入探究，以获得消费者对某一产品概念的整体接受情况。

产品测试定位主要考察以下内容：

（1）考察农资产品概念的可解释性与传播性；

（2）同类农资产品的市场开发度分析；

（3）农资产品属性定位与消费者需求的关联分析；

（4）对消费者的选择购买意向分析。

首先，需要进行产品概念与农民认知、接受的对应分析，针对某一给定产品或概念，主要考察其可解释性与可传播性。很多成功的企业家并不一定是新产品的研发者，而是新概念的定义和推广者。

其次，同类产品的市场开发度分析，包括产品渗透水平和渗透深度、主要竞争品牌的市场表现已开发度、消费者可开发度、市场竞争空隙机会，用来衡量产品概念的可推广度与偏爱度。从可信到偏爱，这里有一个层次的加深。有时，整个行业都会面临消费者的信任危机，此时推出新品就面临着产品概念不被信任与不被认可的危机。

再次，分析实际意义上的产品价格和功能等产品属性定位与消费者需求的关联。因为产品概念的接受和理解程度再高，如果没有对产品的需求，如果产品的功能不是恰恰满足了消费者某方面的需求，或者消费者的这种需求有很多的产品给予了很好的满足，这一产品概念仍然很难有好的市场前景。通过对影响产品定位和市场需求的因素关联分析，对产品的设计、开发和商业化进程做出调整。

最后，探究消费者是否可能将心理的接受与需求转化为行为上的购买与使用，即对消费者的选择购买意向进行分析，以进行企业自身产品定位的最终效果测定。针对企业自身产品定位环节，这一层面包括新产品开发研究、概念测试、产品测试、命名研究、包装测试、产品价格研究等。

第四步：差异化价值点定位

差异化价值点定位既需要解决目标需要、企业提供产品以及竞争各方的特点的结合问题，同时，也要考虑提炼的这些独特点如何与其他营销属性综合。在上述研究的基础上，结合基于消费者的竞争研究，进行营销属性的定位，一般的产品独特销售价值定位方法（USP）包括从产品独特价值特色定位、从产品解决问题特色定位、从产品使用场合时机定位、从消费者类型定位、从竞争品牌对比定位、从产品类别的游离定位、综合定位等。在此基础上，需要进行相应的差异化品牌形象定位与推广。

第五步：营销组合定位

营销组合定位即如何满足需要（how），它是进行营销组合定位的过程。在确定满足目标农民的需求与农资企业提供的产品之后，需要设计一个营销组合方案并实施这个方案，使定位到位。这不仅仅是品牌推广的过程，也是产品价格、渠道策略和沟通策略有机组合的过程。正如菲利普·科特勒所言，解决定位问题，能帮助企业解决营销组合问题。营销组合——产品、价格、渠道、促销——是定位战略战术运用的结果。在有的情况下，到位过程也是一个再定位的过程。因为在产品差异化很难实现时，必须通过营销差异化来定位。任何一种新产品畅销不过一个月，就马上会有模仿品出现在市场上，而营销差异化要比产品模仿难得多。因此，仅有产品定位已经远远不够，企业必须从产品定位扩展至整个营销的定位。

四、产品保障

农资产品是一种季度性较强的特殊产品，产品的组织与保障是关系市场营销的重要因素。国内农资市场区域跨度大，作物种植结构复杂，各地作物栽培方式多种多样，这就要求农资市场营销部门充分关注区域内产品需求动态，及时组织好产品备货、仓储、物流等工作，即供应链管理。虽然供应链管理不属于农资市场营销的范畴，但供应链的管理对于抢占市场先机和应对暴发病虫害的发生等具有决定性意义。

农资产品供应链是由农资生产企业、原辅料供应商、仓库、配送中心和渠道商等构成的物流网络。同一企业可能构成这个网络的不同组成节点，但更多的情况下是由不同的企业构成这个网络中的不同节点。在分工愈细的农资行业，不同节点基本上由不同的企业组成。在供应链各成员单位间流动的原材料、在制品库存和产成品等构成了供应链上的货物流。从农资市场营销来看，一个管理规范、运转良好的企业供应链系统具有以下作用：①提高交货的可靠性和灵活性，提升渠道客户的最大满意度；②降低库存，减少渠道费用，降低企业营销成本。国内农资行业竞争激烈，而农资产品品类繁多，所以，农资企业供应链管理要采取快速反应（quick response，QR），以保障产品的市场营销。快速反应（QR）是农资企业在市场充分竞争的情况下，特别是为应对常规农资产品多品种、小批量的买方市场，不是储备了大量“产品”，而是准备了各种“要素”，在客户提出要求时，能以最快速度抽取“要素”，及时“组装”，提供所需农资产品。

第六节　促销策略

一、促销组合

1. 促销组合的含义

商品销售过程是商品流、信息流的高度统一过程，是信息传递的过程。通过广告、人员推销、营业推广及公共关系把生产者、经营者、消费者有机地联系在一起，这种信息沟通的组合与搭配方式就称为促销组合。

2. 影响促销组合的因素

广告、人员推销、营业推广及公共关系之间的组合及搭配，是受许多因素影响的，主要有：

(1) 产品的种类或市场类型　从事工业品营销的企业最重要的促销方式是人员推销，其次是营业推广，然后是广告，最后是公共关系宣传。从事消费品营销的企业最重要的促销方式是广告，其次是营业推广，然后是人员推销，最后是公共关系宣传。

(2) 促销策略　促销策略可分为两类：一是推动策略，就是以中间商为主要促销对象，把产品推向目标市场，采用此策略，人员推销的作用最大；二是拉引策略，就是大量运用广告和其他宣传措施激发消费者对企业产品发生兴趣，产生购买行为，采用此策略，则广告的作用更大。

(3) 购买过程　顾客购买过程一般分为四个阶段，即知晓、了解、确信、购买。在不同阶段，企业应采用不同的促销方式。知晓阶段，广告与公共关系的作用较大；了解阶段，广告作用较大，其次是人员推销；在确信阶段，人员推销的作用最大，广告作用略小于人员推销；在购买阶段，主要是人员推销起作用。

(4) 产品寿命周期　产品在寿命周期的不同阶段，促销目标不同，要相应地选择不同的促销组合。当产品处于介绍期时，需对产品进行广泛宣传，提高知名度，因此广告与公共关系作用最大，营业推广也有一定作用。在成长期，广告和公共关系仍需加强，营业推广则可相应减少。到了成熟期，应增加营业推广，削减广告。产品进入衰退期后，某些营业推广措施可继续保持相当数量，广告与宣传报道可减少或完全停止。

二、人员推销

(一) 人员推销的作用及特点

人员推销是指企业派推销人员直接向中间商、用户和消费者推销产品。

1. 人员推销的作用

人员推销是最古老、最有效的促销方式，它具有以下作用：

(1) 开拓市场　通过人员推销，企业能够与顾客保持广泛的联系，了解行情，判断趋势，不断开拓新的市场，扩大销售。

(2) 传递信息　通过人员推销，企业能够沟通供需关系，及时传递信息。

(3) 提供服务　人员推销不仅能够推销产品，而且能在推销产品过程中向顾客提供各种服务，如咨询、技术指导、简单维修等。

(4) 收集信息　推销人员要及时收集消费者对本企业产品和销售方面的意见，反馈到生产企业中。

(5) 协调平衡　推销人员要利用其接触面广的有利条件，为产需双方穿针引线，调剂余缺。

(6) 机动灵活　每个推销人员可随时根据顾客愿望和需要，以及他们的心理动机，灵活机动地采取有效的经营手段和方法，促成顾客的购买行为。

2. 人员推销的特点

(1) 直接对话　推销人员与顾客直接发生联系，便于直接了解顾客对商品和企业经营的意见及增进顾客对商品的了解，促进销售。

(2) 培养感情　推销人员通过与顾客直接联系，可促使买卖双方超越单纯的买卖关系，而建立友谊，形成融洽的关系。

(3) 反应迅速　通过直接联系，可及时得到对方的反应。

(4) 推销费用高　市场广阔分散时，推销费用高，且人多难管理。

(5) 推销人员素质要求高　理想的推销人员必须具有高水平的社会道德修养和良好的职业风尚及丰富的专业知识。

(二) 推销人员的素质及培训

1. 推销人员的素质

在人员推销活动中，推销人员要代表企业同消费者打交道，因此对推销人员要求较高。一般说来，合格的推销人员必须具备下列条件：

(1) 良好的经营思想和道德品质　推销人员必须具有为人民、为用户服务思想，认真执行国家的方针政策。正确处理好国家、企业、用户的经济利益关系，不能见利忘义、损公肥私、坑害消费者。

(2) 强烈的事业心和责任感　推销人员要深入基层，要积极地参加各种订货会、展销会等，了解市场行情，掌握需求关系，对顾客耐心细致地宣传服务等。这些工作都是相对困难的，没有强烈的事业心和责任感，是很难完成的。

(3) 丰富的业务知识　推销人员应具有商品知识、市场知识、消费者心理学知识，以及熟练的操作技能等。

(4) 一定的文化修养及娴熟的推销技巧　文化修养和推销技巧是做好推销工作的重要条件。推销人员在推销商品的过程中要言谈流利、口齿清楚、表达力强，同时要仪表端庄、举止大方、态度从容、和蔼可亲，给顾客留下一种亲切、愉快、满意的感觉，有助于实现销售。推销人员要取得良好的销售效果必须掌握一定的推销技巧，在深入了解顾客的愿望、需要、爱好、职业等基础上，运用推销技巧，促成销售。应绝对避免与顾客争吵。

（5）健康的身体　推销工作是一项艰苦的工作，要求推销人员身体健康、精力充沛、能吃苦耐劳。

2. 推销人员的选拔

推销人员一般有两方面的来源：一是从本企业职工中选拔，其优点是节约培训时间和培训费用，缺点是挑选余地小；二是向社会公开招聘，优点是来源广、挑选余地大，能更好地发挥其特长，缺点是挑选的人员缺乏专业技术知识，需经较长时间培训，花费较多培训费用。在选聘推销人员时，多采用招考的办法，既要笔试又要口试，从受教育的程度、兴趣爱好、性格、处理人际关系的能力和推销能力等各方面进行考察，择优录用。

3. 推销人员的培训

在推销人员选聘工作完成后和实际工作开始之前，对新录用的推销人员必须进行认真培训，使其具备本企业产品销售的基本知识及技能，并逐步成为一名优秀的推销员。

（1）培训内容　包括国家的方针政策、法律规定，企业的经营方针、销售政策、规章制度，产品的性能、质量、规格、用途、优缺点，市场需求量、供应量、潜在市场情况、消费者购买习惯、消费者地区分布及经济状况，产品推销的程序、规则、宣传方式、商业语言和人际关系等。

（2）培训方法　包括自办培训中心或专门学校模拟示范训练，举办短训班，开展师带徒活动、函授培训等。

（三）人员推销的工作步骤及策略

1. 人员推销的工作步骤

（1）发掘　就是要找出潜在顾客。

（2）事前准备　在进行推销前，推销人员要掌握产品知识、顾客知识、竞争知识。

（3）接近　与顾客进行直接交谈，首先要给顾客留下良好印象。

（4）介绍　是推销的中心环节，将本企业的产品介绍给顾客。

（5）应付异议　随时应付否定意见。

（6）成交　要求对方订货购买。

（7）事后跟踪　了解买主是否对自己的购买感到满意，发现可能产生的各种问题。

2. 人员推销策略

（1）“试探性”策略　又叫“刺激-反应”策略。推销人员在不了解顾客需要的情况下，事先准备说辞，对顾客进行试探，然后根据顾客反应进行说明宣传。

（2）“针对性”策略　又叫“配方-成交”策略。推销人员事先已知顾客要求，针对要求进行有目的的宣传介绍，引起顾客兴趣和好感，从而达成交易。

（3）“诱导性”策略　又叫“诱发-满足”策略。推销人员通过说服、诱导顾客产生需要，并帮助实现这一需要。

三、广告策略

（一）广告的概念

广告即广而告之。是生产者与用户之间传播信息，以达到销售商品的一种行为。它借助一定的媒介，进行有助于销售商品和劳务的公开宣传，包括商业广告、宣传、陈列和展览会等各种形式。商业广告是以付款的形式，借助一定的媒介向广大观众或听众传播信息，促进销售的活动。一般包括微博、微信、抖音等社交媒体平台，以及报纸、杂志、电视、广播、路牌等。最广泛最常用的是以不付款的形式向广大群众传播信息，促进销售的活动，如新闻报道、评比发奖、电影、舞台上使用某种产品等。陈列和展览会也是进行广告推销的重要方式，如橱窗广告、霓虹灯广告等陈列方式，展览会或展销会其形式更是多种多样。

（二）广告媒介的选择

广告媒介又叫广告媒介物，是指广告者与广告对象之间经济信息传播的物质技术手段，是沟通广告者与消费者的信息桥梁。

1. 广告媒介的种类

随着科学技术的发展，广告媒体日益增多，主要有：

（1）社交媒体平台　利用微博、微信、抖音等社交媒体平台发布农资产品的介绍、使用教程、活动信息等内容，吸引用户的关注和讨论。或者与意见领袖或网红合作，进行农资产品体验和推荐，快速提升农资产品的知名度和用户信任度。

（2）报纸　报纸具有宣传面广、传播迅速、简便灵活、保存性好、费用低廉等优点，是主要的广告媒体。但报纸也具有时效性差、注意度低、单调呆板的局限性。

（3）杂志　杂志是重要的印刷宣传品，是以满足读者某方面知识兴趣为主的专业性和综合性读物。杂志一般具有专业性强、发行面广、阅读有效时间长、精美突出等优点。但也具有周期性长、时效性差等不足之处。

（4）广播　包括有线广播和无线广播。通过发射电磁波传递语言、音乐等来做广告。广播一般具有传播速度快、范围广、制作费用低、灵活、最能发挥听觉效果等优点。缺点是有声无形，不利于树立商品形象且持续时间短。

（5）电视　是一种有声、有色、有形的先进宣传工具，是通过发射高频率电波来传递语言、音乐和活动画面等的一种媒介。它具有覆盖面广、收看率高、视听兼优、感染力强、传播迅速、时空性强等优点。缺点是时间短、消失快、制作费用高、制作复杂、信息简单、保存性差。

2. 广告媒体的选择

主要从以下几个方面考虑：

（1）广告目标　广告目标不同，广告媒体也应不同，应具有针对性。推向全国范围内的产品，即人人都能使用的共性商品，广告媒体应是全国性的；局部地区销售的产品，就应选择地方性的广告媒体。

（2）产品特点　不同性质的产品应选择不同的广告媒体。对技术性强的工业品，要采取宣传使用说明书或样品等方式作广告。也可通过报纸或杂志作广告，而一般消费品则应采用广播或电视作广告。

（3）媒体特性　主要指媒体的传递速度、保留时间、色彩性、视听效果等。

（4）消费者的习惯　不同消费者由于习惯兴趣、文化程度等不同，对广告的爱好也不同。

（5）广告的时间性　即媒体的传播频率，要与企业要求的广告信息出现次数相一致。

（6）媒体成本　广告活动要考虑费用与成本的关系，进行广告宣传，既要使广告达到理想效果，又要考虑企业的负担能力。企业要根据自身财力合理选择广告媒体。

（三）广告的设计

1. 广告设计的格式

其格式一般包括五个要素：

（1）标题　是广告中最简洁、最突出的文字，通常以醒目的口号、词语等文字形式表示，它能突出地表达广告客户的最终愿望和所推销商品的本质特征和性能。

（2）短文　是对所宣传商品的简单介绍，一般包括经营规模、经营项目、经营方法、技术水平、产品质量、社会信誉、使用方法、维修保养、商品价格、购买优惠条件等内容。

(3) 商标　突出商标有助于加深观众、听众、读者对商品的印象，以方便购买。

(4) 形象　是展示广告主题的有效办法。一般以实物、图片、录像等形式表示，能使观众、读者更加直观认识商品。

(5) 其他说明　如使用期限、产地、联系电话、禁忌事项等。

2. 广告设计的形式

一般包括：①生活片段。人们日常生活使用本产品的情形。②生活方式。强调本产品如何适应人们的生活。③音乐。将本产品融于广告歌曲中。④幻想。针对本产品的特点及用途，设计出一种幻想境界。⑤气氛或形象。为产品制造可引起某种联想的气氛或形象，给人以暗示，但不对产品性能作任何直接宣传。⑥人格化。即用文字或语言使产品人格化。⑦技术特色。显示企业所拥有生产有关产品的专门技术和丰富经验。⑧科学证明。通过调查证明或科学实验让消费者感到本产品完全合乎科学要求和标准。⑨旁证。请权威人士或机构和普通用户现身说法，证明本产品的性能和质量。

四、推广策略

国内农资产品同质化严重，市场竞争激烈，对于有一定技术创新和区域竞争优势的产品，就要做好推广与服务工作，以保障新产品市场开发和市场竞争。从农资行业发展来看，推广措施和方法多种多样，但要想做好区域产品推广，取得好的业绩，就要把握以下原则：

1. 突出重点，合理分配资源

无论是农资生产企业还是农资经销商，即使在同一地区由于作物种植结构复杂，农资品类也会较多。开展好市场营销工作，要根据年度市场营销规划，确定重点市场、重点产品或组合，进行合理的资源配置，有重点地开展推广工作。合理分配资源，重点市场、最有潜力的区域是销售工作的重中之重，要努力打造优势市场，这样才能带动整体销售，实现推广-销售一体化。

2. 因地制宜，组织差异化竞争活动

即使是同类产品，农资企业不同、资源配置有差异，产品质量、渠道就会有不同，经销企业要依据市场情况，结合自身优势等因素制订适合自己的、差异化的促销方案。通过差异化的市场活动，形成区域产品优势，带动产品销售，而不是采取市场通行的抽奖、捆绑销售、赠送礼品、发活动卡等活动。随着种植水平

的不断提升，农民对于农资企业的这些短期促销活动已不感兴趣了，而是需要物有所值的产品、技术和服务。所以，对于有技术创新的产品和适合区域发展的技术，经销企业一定结合当地实际情况，制订出切合当地需求的竞争措施，推动产品销售。

3. 保持推广活动的连续性，助力区域品牌发展

目前，不少企业在市场营销战略规划中不考虑产品整体推广策略，而是在产品销售旺季为加快出货，大搞短期促销活动，这样往往透支市场，甚至还形成巨大的市场库存，严重影响市场的长远发展。对于企业的目标市场，一定结合自身产品和技术优势，充分调动区域市场资源，做好区域市场规划，量力而行，制订完善的推广方案，保持推广活动的连续性，以保障产品的持续增长，从而带动产品的区域品牌建设。而从市场管理看，对农资经销商来说，推广活动在具体实施时，应重视整体区域的联动性，实现商家“搭台”、厂家“唱戏”、农户参与的整体联动局面，这样才能收获快速出货和市场开拓的成效。

五、推广措施

1. 样板田

（1）农户选择

① 有一定种植规模和技术能力的农户；

② 在当地有一定影响力、人缘好的种植户；

③ 对新产品接受能力强，乐于配合试验示范工作。

（2）试验地选择

① 试验地交通便利，靠近路边，方便交流；

② 种植作物在当地要有代表性，要有成规模的种植面积；

③ 种植管理水平较高，在周边种植区有代表性；

④ 作物处于产品适用期；

⑤ 当前发生的病虫害有区域代表性；

⑥ 病虫害处于发病初期。

（3）操作要点

① 选择在无风或微风的晴天用药，最好安排在傍晚试验；

② 施药方式要能充分发挥产品效果；

③ 药液要充分搅匀，并均匀喷施用药；

④ 与其他产品混用时，要考虑其适应性和安全性。

（4）影响试验效果的因素

① 用药时气象条件的影响（天气、温度等）；

② 水质问题（用清水效果会更好）；

③ 施药方法的合理性；

④ 田间桶混问题（不同产品间的物理化学反应降低施用效果）；

⑤ 产品质量或适用性问题。

（5）产品推广

① 分发宣传单页或技术材料；

② 发放样品给农民使用；

③ 收集种植农户资料以备日后回访；

④ 召开田间观摩会或技术推广会议，安排当地农技专家或示范地农户现身讲解，介绍产品使用方法和效果。在会议前，要做好充分准备，会议车辆和服务人员，以及活动需要的有关物料、宣传材料、礼品、技术手册由推广企业提前准备好，并逐一落实参加农户的详细种植信息，建立农户档案，交由终端进行客户的开发和维护。

2. 会议推广

新产品上市要经过田间试验、示范、推广三个阶段，做好前两步，开推广会就是产品规模进入市场的关键。要开好推广会应做好以下工作：

（1）会议前准备工作

① 会期的确定及人员分工：会议内容、时间、地点、参会人员及构成。

② 会前的实地调查：与业务经理、客户、当地零售商沟通。了解要推广产品在本区域用药情况、有何疑问等。

③ 互动人员的选择：选择 2～3 个销售该产品的零售商，让其谈一下为什么要卖该产品，该产品都有哪些优势，从而引起其他经销商及零售商对此产品的兴趣。

④ 会议布置：从开会的宾馆到会场，要有鲜明的指示标牌，路程中要多张贴有关本次会议要推广产品的张贴画，给人初步印象。其次在主席台正中央悬挂公司标志、标明企业名称和推广品种的横幅；另外主席台上、入场口可以批量摆放本次推广的产品，吸引到会人员的目光，引起关注。

⑤ 开会前，可以先播放一些公司宣传片、产品的广告带等，并与先到的参会人员广泛沟通会议产品，了解参会者的真实想法，作为会议讲课时的参考，同时可以聚集人气，拉近厂家和终端经销商的距离。

（2）会议热场　推广会最怕也是最忌讳的就是直接进入主题。进入推广会前必须进行一些热场，比如，给参会人员讲一些最新的农资政策、行业新闻、市场分析等，通过对农资行业发展趋势的分析，吸引参会人员的注意，从而为会议主题的介绍奠定基础。

（3）会议讲解注意事项

① 讲解产品时，听众忌讳的是专业术语。一线农资从业人员，文化程度参

差不齐，专业术语会让他们感觉乏味，这会影响下面的产品讲述。专业知识的讲解要通俗易懂，尽量从农民的角度进行内容阐述。

② 产品的作用机理与使用方法，这是讲课的重点内容。如何使听众更容易理解，更容易接受，这些都是需要销售人员仔细琢磨的，比如说可以将今天所讲的内容提纲每人一份，将公司产品的特点简单化、通俗化，比如借用当地熟知的一些事情做比较等。

③ 增加互动内容，这也是加强产品宣传的好方法，互动分两个方面：一是对所讲内容疑问解答，不厌其烦地对听众疑惑的地方进行讲解。二是有奖提问，对刚才所讲内容进行提问，对积极回答问题并回答正确的听众给予适当奖励。

④ 请相关试验人员及销售过该产品的人讲述感受，请已经销售过该产品的零售商，讲解他们对该产品的认识、推广过程中的经验，从而调动参会人员对此产品的销售积极性。

（4）会议现场促销　可以在会议结束前进行该产品的现场促销，用优惠的政策吸引已经对该产品有兴趣的客户。

（5）总结与回访　会议结束后，要及时进行总结，对会议的优点与不足进行总结，以便吸取经验。另外会议结束半个月后要进行回访，对产品销售的有关客户进行再沟通，解决产品销售过程中有关问题。

3. 其他产品促销活动

对于基层促销工作，比较有效和常用的活动举例如下：

（1）电影进村　晚上在大的自然村放电影科技片，同时给农民讲解用药常识，和农民互动，解决农民生产中的疑难问题，开展现场有奖销售活动，奖品多选择农民日常生活用品。

（2）集市宣传　在一些区域性集市，可开展现场宣传工作。在现场布置彩旗、咨询台、宣传幕布、太阳伞或帐篷等。现场布置要有比较大的轰动效果，吸引足够多的人员参与，现场气氛要活跃。一是推广人员要能带头活跃气氛，具有表演才能的人员最佳。二是要用通俗易懂的方式方法进行推介，并赠送一些生动、活泼的纪念品，或开展有奖问答活动等，同时在现场开展活动促销。这样能极大地调动受众的积极性，让他们记住企业及推广的产品，激起强烈的购买欲，从而达到开宣传会的目的。

（3）现场示范　在交通便利、过往农民较多的田块可开展现场产品示范宣传。在示范田上插上标牌，让农民看到实实在在的效果，农民看到产品使用的效果后才会产生购买欲望，同时给农民讲解购买农资产品时的注意事项、真假产品鉴别等，以丰富宣传效果。

六、营业推广

1. 营业推广的含义

营业推广是指企业在特定的目标市场中为迅速刺激需求和鼓励消费而采取的一种促销措施。营业推广促销强烈，可促使消费者当机立断，马上购买，因此见效很快。

2. 营业推广的基本类型

根据推销农资产品的接受者不同，营业推广可分为以下不同类型：

（1）直接针对农户和农业种植养殖企业　如实行有奖销售、样品试用、减价推广、分期付款、现场表演等。

（2）针对企业销售人员的推广方式　包括作为中间商的推销人员和本企业的推销人员，采取适当奖励措施，鼓励他们积极开展推销活动，如发放红利、奖金，组织推销竞赛等。

（3）内容推广　通过提供有价值的内容，建立与农户和农业种植养殖企业的信任和连接，进而促进农资产品的销售。这种方式能够围绕农资品牌的核心价值和产品特点，同时结合用户的热点话题，实现实用性和情感共鸣的统一。

（4）全渠道整合推广　线上方面，除了传统的电商平台，还要积极拓展直播平台、短视频平台等新兴渠道。利用社交媒体进行品牌推广和互动营销，通过直播和短视频展示农资产品的特点，吸引用户下单购买。

线下方面，优化店铺布局和服务体验，打造沉浸式的购物场景。举办线下活动，如新品发布会、用户见面会、主题展览等，增强品牌与用户之间的互动和情感连接。

将线上线下渠道进行融合，实现线上线下数据互通、会员体系互通，为农户和农业种植养殖企业提供更加便捷的购物体验。

3. 营业推广应注意的问题

营业推广措施的优点是对消费者、中间商及推销人员有较大的吸引力，能起到立竿见影的效果，但如果应用不当，也会降低产品信誉，使顾客产生怀疑心理，因此应注意以下问题：

（1）明确营业推广目标　营业推广目标是根据目标市场的购买者和企业经营目标决定的。对消费者的营业推广目标应是鼓励老顾客重新购买本产品，吸引新顾客试用本产品；对中间商的营业推广目标应是鼓励中间商大量进货及持续经营本企业产品；对推销人员的营业推广目标是鼓励推销人员开拓新市场。

（2）选择适当的营业推广方式　营业推广方式甚多，不同方式作用不同，如运用不当不仅起不到应有的作用，反而造成不必要的经济损失，降低本企业声誉。

（3）确定合理的营业推广期限　营业推广是一种适用于较短周期的促销方式，因此这种方式时间不能太长，太长会失去吸引力；但推广时间也不能太短，太短会失掉一部分潜在消费者。

（4）安排好营业推广预算　进行营业推广，需花费一定费用。因此企业要搞好推广预算，考虑自己的支付能力及营业推广带来的效益。

第七节　电子商务对农资经营的影响

一、电商在农资领域的发展现状

1. 农资电子商务交易具有的优势

目前，有很多厂家都想挤进电子商务这个领域，就是看见了电子商务既能保证产品的质量又能最大化地为消费者减少购买成本，还能为生产者省去一部分销售成本。这样既能降低产品的流通成本，又能为消费者降低购买成本，简单来说，就是快捷、节省。这是目前农资销售分销模式所不具备的。分销模式使农资能快速进入终端，达到面对面销售，产品购买风险减小，但其也存在着难以得到消费者认可的难题。为了得到农民用户的认可，要做大量的推广和宣传，这无疑为产品的流通推广增加了成本，使农资产品再次到达终端时物超所值，导致销售滞缓。

2. 农资电子商务交易发展将面临的问题

电子商务交易模式是由于当今市场竞争激烈，一般营销方式成本加大、风险增高的必然结果之一，因此电子商务前景广阔。但其受到供货方资金与仓储的影响，会导致电子商务正常交易产生麻烦，市场产品价格受到销售季节的影响，价格会有少许上下波动，而且电子商务交易模式对厂家或中间商的资金量、仓储要求大幅提高，没有快速的反应机制和运输通道，势必会导致农资电商模式发展进入瓶颈。农资中的肥料、农药等运输相对不便，不可能和一般快递那样运作，因此物流水平必须要跟上电子商务交易平台的要求和步伐。要是无法满足，则势必会给供货方的仓储和物流带来很大影响。无法及时供货和发货会导致广大顾客对电商的信誉度降低等。

在互联网上网民很容易知道一个品牌，但却不会轻易做出购买决策，网民往往要经历“知晓—感兴趣—搜索—了解—洽购”才会做出购买决定，在这个过程中企业要依托网络完成对潜在客户的产品介绍、价值塑造、文化传达才有可能达成交易。

3. 农资电子商务模式的特殊性导致整体市场发展缓慢

现在各大厂家的模式不是层层销售就是农资连锁。其价格和利润空间相对来说狭小，但农资电商的发展势必会打破这一体系。如果没有价格差异的吸引，未必会有人放弃原有的进货渠道。但要是价格体系过低，加上电子商务的强势宣传性，则势必会与原有销售模式的价格体系和利润体系发生冲突。这样一来，原有的市场价格保护和产品保护壁垒，势必会被破坏。所以运作电子商务模式，需要一个中间商进行平台运作，统一操作和管理。假如每个农资企业都发展电商，势必会造成市场的恶性竞争。但目前来看，没有哪个生产型企业敢于投入巨大精力、人力、财力去做这件事，这种思维的局限性导致农资电商之路的前进步伐缓慢。

4. 消费者对产品企业信任度不足导致影响农资电子商务发展

如何能保持用户对电子商务的信任度是其发展过程中面临的一大难题。阿里巴巴有属于自己独特的方式，但是是否能拿来直接用于农资电子商务还值得考虑。因为农资电子交易，产品的真伪、正规，是否有效果，以及不易鉴定的特殊性，一旦哪一项有问题都会导致信任度降低，所以中间商的信任构建很重要，因为这不仅仅关系到消费者手中资金的安全性，更关系到产品安全性和一旦最后出现问题后企业厂家是否会去解决。因为农资产品不属于快速消费品，客户信任度不足会导致消费低迷，致使农资电子商务之路发展缓慢。

二、农资电商的发展前景

1. 目标人群的定位

普通销售模式的定位在于经销商，经销商的定位在于种植户。但农资电商平台的定位则是面向大众，这就难免会出现一些农户不会进行手机平台或电脑平台操作的情况，从而导致农资电子商务进程缓慢。在很长一段时间内，农资电商的目标人群将定位在具有一定知识水平，并方便使用网络等的用户。从现有农资销售来看，这些人主要包括：一是能够承担农资直供业务的人员，例如新知识农民、农场主、种植基地人员、合作社人员；二是缺少产品资源的基层经销商。

2. 发展农资电商的一些硬性条件

首先必须拥有大量的成熟稳定客户，包括终端和中层客户。因为大量的合作社、种植团体的产生，直接改变了往常的零散销售的模式，为电子商务平台的发展提供了基本的必要条件。同时，构建拥有一个良好的、稳定的电子商务网络平台也很重要，物流能力的强弱决定了购买能力和销售利润的大小，所以前期可以选择成熟的物流企业进行合作，这是很有必要的一项工作。其次是要拥有一些样板田，以供客户进行参观和了解，这样可以帮助消费者更好地了解产品。

总之，农资的电商是将来农资销售不可避免的选择和发展方向，但需要一个较长的发展过程，其出路必然是线上线下一体化，生产企业-电商-基层服务一体化发展的模式。

第三章

农　药

第一节　农药的分类

农药品种繁多，在世界各国登记的品种有1000多种，每年不断推陈出新，其中常用的有300余种。为了研究和使用方便，将农药进行如下分类。

一、按原料来源分类

（1）无机农药　来源于天然矿物的无机化合物。例如硫黄、波尔多液、氢氧化铜等。

（2）有机农药　通过化学合成手段获得的一类含碳氢的化合物。有机农药品种多，生产量大，应用范围广。目前使用的绝大部分农药都属于有机农药。

（3）生物农药　利用天然生物资源（如植物、动物、微生物）开发的农药。根据来源不同，可分为植物源农药，如除虫菊素、烟碱、鱼藤酮、藜芦碱等；动物源农药，如斑蝥毒素、沙蚕毒素、蜕皮激素等；微生物农药，如白僵菌、绿僵菌、苏云金杆菌（Bt）等。

二、按化学结构分类

根据农药分子的结构类型或含有的元素进行分类。如有机氯杀虫剂、有机磷杀虫剂、氨基甲酸酯杀虫剂、拟除虫菊酯杀虫剂、三唑类杀菌剂、磺酰脲类除草剂等。

三、按用途和防治对象分类

1. 杀虫剂

对有害昆虫机体有毒或通过其他途径控制其种群形成或减轻、消除为害的药剂。按其作用方式可分为：

（1）胃毒剂　只有被昆虫取食后经肠道吸收进入体内，到达靶标才起到毒杀作用的药剂。

（2）触杀剂　接触到昆虫体（常指昆虫的表皮）后便可起到毒杀作用的药剂。

（3）熏蒸剂　以气体的状态通过昆虫的呼吸器官进入体内而引起昆虫中毒死亡的药剂。

（4）内吸剂　使用后可以被植物体（包括根、茎、叶及种、苗等）吸收，并可传导运输到其他部位组织，使害虫吸食或接触后中毒死亡的药剂。

（5）拒食剂　可影响昆虫的味觉器官，使其厌食、拒食，最后因饥饿、失水而逐渐死亡，或因摄取营养不足而不能正常发育的药剂。

（6）驱避剂　施用后可依靠其物理、化学作用（如颜色、气味等）使害虫忌避或发生转移、潜逃，从而达到保护寄主植物或特殊场所目的的药剂。

（7）引诱剂　使用后依靠其物理、化学作用（如光、颜色、气味、微波信号等）将害虫诱聚而利于歼灭的药剂。

2. 杀菌剂

对病原菌能起毒害、杀死、抑制或中和其有毒代谢物，可使植物及其产品免受病菌为害或可消除病征、病状的药剂。按其作用方式可分为：

（1）保护性杀菌剂　在病害流行前（即当病原菌接触寄主或侵入寄主之前）施到植物体可能受害的部位，以保护植物不受侵染的药剂。

（2）治疗性杀菌剂　在植物感病后，可用一些非内吸杀菌剂，如硫黄直接杀死病菌；或用具内渗作用的杀菌剂，渗入植物组织内部，杀死病菌；或用内吸杀菌剂直接进入植物体内，随着植物体液运输传导而起治疗作用的杀菌剂。

（3）铲除性杀菌剂　对病原菌有直接强烈杀伤作用的药剂。这类药剂常为植物生长期难以忍受，一般只用于播前土壤处理、植物休眠期或种苗处理。

3. 除草剂

对杂草具有杀灭或抑制作用的药剂。按其对杂草作用的性质可分为灭生性除草剂，如草甘膦、百草枯；选择性除草剂，如异丙隆、乙草胺、禾草灵等。按其对杂草作用方式可分为内吸性除草剂，如利谷隆、扑草净；触杀性除草剂，如地乐胺。

（1）内吸性除草剂　施用后通过内吸作用传至杂草的敏感部位或整个植株，使之中毒死亡的药剂。

（2）触杀性除草剂　不能在植物体内传导移动，只能杀死所接触到的植物组织的药剂。

（3）灭生性除草剂　在常用剂量下，可杀死所有与绿色植物体接触的药剂。如百草枯、草甘膦等。

（4）选择性除草剂　在一定剂量或浓度下，除草剂能杀死杂草而不杀伤作物；或杀死某些杂草而对另一些杂草无效；或对某些作物安全而对另一些作物有伤害，具有这种特性的除草剂称为选择性除草剂。目前使用的除草剂大多数属于此类。

四、按性能特点分类

（1）广谱性农药　针对杀虫、治病、除草等几类主要农药各自的防治谱而言。如一种杀虫剂可以防治多种害虫，则称其为广谱性农药。同理可以定义广谱性杀菌剂与广谱性除草剂。

（2）兼性农药　兼性农药常用两个概念：一是指一种农药有两种或两种以上的作用方式和作用机理，如敌百虫既有胃毒作用，又有触杀作用；二是指一种农药可兼治几类害物，如吡虫啉、二嗪磷等，可防治多种害虫。

（3）专一性农药　指专门对某一两种病、虫、草害有效的农药。如氯虫苯甲酰胺只对鳞翅目害虫有效。专一性农药有高度的选择性，有利于协调防治。

（4）无公害农药　指用药量少，防治效果好，对人畜及各种有益生物毒性小或无毒，要求在外界环境中易于分解，对环境及农产品不造成污染的高效、低毒、低残留农药。具体来说在防治蔬菜病虫害时，只能使用无公害农药，如生物源农药，如除虫菊素、烟碱、性信息素、井冈霉素、农抗120、浏阳霉素、农用链霉素、多氧霉素、阿维菌素、芸苔素内酯、除螨素、生物碱等；无机农药，如氧氯化铜、络氨铜、硫黄等；有机农药，限于毒性较小、残留低、使用安全的有机合成农药，如菊酯类、新烟碱类、甲氧丙烯酸酯类等。

五、按施用方法分类

1. 喷粉法

用喷粉机具或其他工具把粉剂喷施到农作物或防治对象上的施药方法。该法不用兑水，直接使用，工效高，是防治暴发性病虫害的有效手段。

2. 喷雾法

利用喷雾机械将悬浮液、乳状液或水剂、油剂等均匀地喷洒在作物上或防治对象表面上，来防治有害生物。适合喷雾法的农药剂型有可湿性粉剂、可溶粉剂、乳油、微乳剂、水乳剂、悬浮剂和其他水基化剂型等。

3. 土壤处理法

将药剂用喷粉、喷雾或毒土等方法施放在土面后再耕耙入土壤中，使药剂分散在耕作层内，或用药液淋于根部附近，或用注射方法注入土壤中。这种方法主要用来防治地下害虫、土壤传播的病害及杂草的萌动种子或幼芽。

土壤处理效果的好坏与土壤的酸碱度有关，中性土壤最好。其次，与处理时的土壤温度有关。最后与药剂的理化性质有关，即与药剂在土壤中的渗透性和扩散性有关。一般说来，蒸气压较高的药剂，在土壤中易于扩散。该法有利于保护天敌，但是药剂容易流失。目前主要用于处理苗床、植穴、根部周围的土壤。

4. 拌种和浸种（苗）法

将药剂与干种子混合拌匀的方法。这种方法可防地下害虫，以及土传或种子传播的病害。常用拌种药剂为高浓度粉剂、可湿性粉剂、乳油等。或把种子（种苗）浸泡在药液中，过一定时间后捞出，直接杀死种子（种苗）上携带的病原菌。药液浓度和药液温度不宜过高，浸种时间应按农药说明书的要求严格掌握，时间过长影响种子的萌发，也容易产生药害。

5. 毒谷、毒饵和毒土

这是防治蝼蛄、地老虎、蟋蟀等地下害虫和鼠类的有效方法。将害虫喜食的饵料如豆饼、麦麸、花生饼等煮熟或炒熟，与具有强胃毒作用的药剂混拌制成。毒土是由药剂与湿润细土均匀混合而成的。用时撒于地面、水面或与种子混播。毒土配制方法简单，不需药械，使用方便，工效高，用途广。

第二节　杀虫剂

S-氰戊菊酯（esfenvalerate）

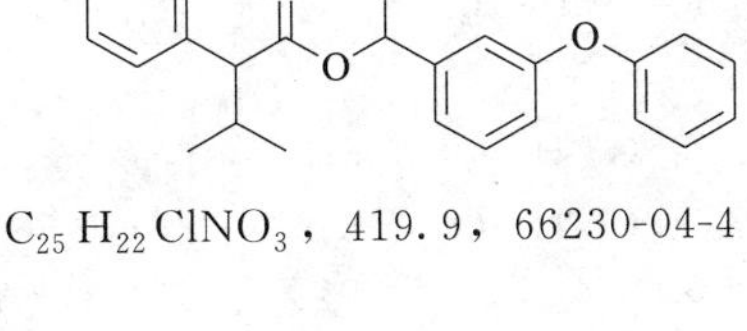

$C_{25}H_{22}ClNO_3$，419.9，66230-04-4

其他名称 速灭、来福灵、高效杀灭菊酯、顺式氰戊菊酯、万福灵、大富灵、福目特、双爱士、菜杰清、莱就林、棉丰宝、强力农、劲戈、住杀、安捕、白蚁灵。

主要剂型 5%、50g/L水乳剂，25g/L、50g/L、100g/L、5%乳油。

作用特点 中等毒性杀虫剂。杀虫活性要比氰戊菊酯高出4倍。作用于昆虫的神经系统，使昆虫过度兴奋、麻痹而死亡。具有触杀、胃毒和一定的驱避作用。

防治对象 广泛用于苹果、梨、桃、葡萄、山楂、枣、柑橘等果树，小麦、水稻、大豆、花生、棉花、甜菜等粮棉油糖作物，辣椒、番茄、茄子、十字花科蔬菜、马铃薯等蔬菜，及烟草、茶树、森林等多种植物。对多种咀嚼式口器和刺吸式口器害虫均具有很好的杀灭作用，如食心虫类、棉铃虫、红铃虫、菜青虫、小菜蛾、甜菜夜蛾、斜纹夜蛾、潜叶蛾、豆荚螟、草地螟、玉米螟、卷叶螟、松毛虫等毛虫类、尺蠖类、刺蛾类、黏虫类、食叶甲虫类、蚜虫类、叶蝉类等，但对叶螨类无效。

注意事项

（1）施药时要均匀周到，且尽可能减少用药量和用药次数，以减缓抗性的产生，或与有机磷等其他农药轮用、混用。

（2）由于该药对螨无效，在害虫、螨并发的作物上要配合杀螨剂使用，以免螨害猖獗。

（3）不能与碱性物质混合使用，且随配随用。

（4）使用时不要污染河流、桑园、养蜂场所。

（5）注意个人防护，避免药液进入口、眼、鼻，打药后用肥皂清洗。

阿维菌素（abamectin）

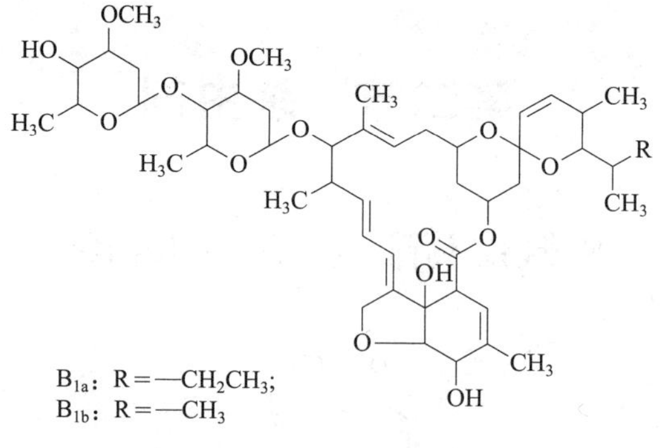

B_{1a}：R＝—CH_2CH_3；

B_{1b}：R＝—CH_3

B_{1a}：$C_{48}H_{72}O_{14}$，873.1，65195-55-3

B_{1b}：$C_{47}H_{70}O_{14}$，859.1，65195-56-4

其他名称　除虫菌素、爱福丁、虫螨光、绿菜宝、阿巴丁、害极灭、齐墩螨素、螨虫盖特、虫螨克、螨虱净、毒虫丁、菜蛾灵、菜虫星、菜宝、菜农乐、杀虫丁。

主要剂型　1.8%、2%、3.2%、5%、10%乳油，1%、1.8%可湿性粉剂，3%微乳剂，5%悬浮剂，2%微胶囊剂等。

作用特点　高毒杀虫剂。阿维菌素对螨类和昆虫具有胃毒和触杀作用，不能杀卵。作用机制是干扰神经生理活动，刺激释放γ-氨基丁酸，而氨基丁酸对节肢动物的神经传导有抑制作用。螨类成虫、若虫和幼虫与阿维菌素接触后即出现麻痹症状，不活动、不取食，2～4天后死亡。因不引起昆虫迅速脱水，所以阿维菌素致死作用较缓慢。阿维菌素对捕食性昆虫和寄生天敌虽有直接触杀作用，但因植物表面残留少，因此对益虫的损伤很小。阿维菌素在土内被土壤吸附不会移动，并且被微生物分解，因而在环境中无累积作用，可以作为综合防治的一个组成部分。

防治对象　对柑橘、蔬菜、棉花、苹果、烟草、大豆、茶树等多种农作物的害虫有较好防治效果，用于防治蔬菜、果树等作物上小菜蛾、菜青虫、黏虫、跳甲等多种害虫，尤其对其他农药产生抗性的害虫尤为有效。对线虫、昆虫和螨虫均有驱杀作用，用于治疗畜禽的线虫病、螨和寄生性昆虫病。

注意事项

(1) 对鱼高毒，应避免污染水源和池塘等。

(2) 对蚕高毒，桑叶喷药后40天还有明显毒杀蚕作用；对蜜蜂有毒，不要在开花期施用。

(3) 最后一次施药距收获期20天。

吡丙醚（pyriproxyfen）

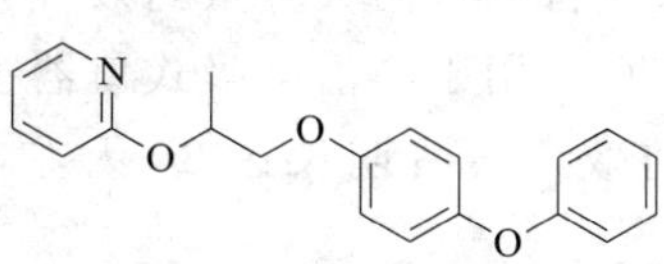

$C_{20}H_{19}NO_3$，321.37，95737-68-1

其他名称　灭幼宝、蚊蝇醚。

主要剂型　5%微乳剂、10%乳油、5%水乳剂、0.5%颗粒剂。

作用特点　吡丙醚属苯醚类昆虫生长调节剂，具有抑制蚊、蝇幼虫化蛹和羽化作用，是保幼激素类型的几丁质合成抑制剂。具有高效、用药量少、持效期长、对作物安全、对鱼类低毒、对生态环境影响小的特点。

防治对象　广泛应用于水果、蔬菜、棉花和观赏植物等，以及用于防治公共卫生（如家蝇、蚊、孑孓、红火蚁和家白蚁等）和动物保健上的害虫。防治同翅目（烟粉虱、温室白粉虱、桃蚜、矢尖蚧、吹绵蚧和红蜡蚧等）、缨翅目（棕榈蓟马）、鳞翅目（小菜蛾）、啮虫目（嗜卷书虱）、蜚蠊目（德国小蠊）、蚤目（跳蚤）、鞘翅目（异色瓢虫）、脉翅目（中华通草蛉）等昆虫，对粉虱、介壳虫和蜚蠊具有特效。

注意事项

（1）吡丙醚对眼睛有轻微刺激作用，使用过程中应注意安全。

（2）当昆虫体内存在保幼激素时，吡丙醚就难以发挥作用，所以最好在昆虫不分泌或极少分泌保幼激素的阶段（如幼虫末龄期和蛹期）施用该药。

吡虫啉（imidacloprid）

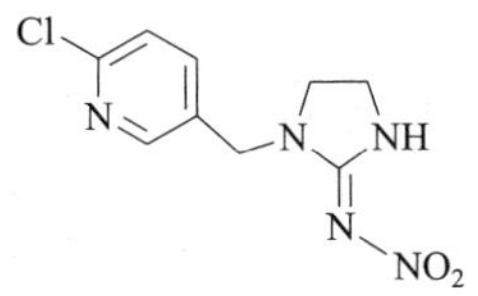

$C_9H_{10}ClN_5O_2$，255.66，138261-41-3

其他名称 咪蚜胺、灭虫精、扑虱蚜、一遍净、蚜虱净、大功臣。

主要剂型 5%缓释粒剂，35%种子处理悬浮剂，10%、25%、30%、50%可湿性粉剂，10%、20%可溶液剂，5%、10%乳油，5%片剂，70%水分散粒剂，600g/L悬浮种衣剂，350g/L悬浮剂，10%微乳剂。

作用特点 低毒。吡虫啉是硝基亚甲基类内吸杀虫剂，是烟碱乙酰胆碱酯酶受体抑制剂。具有广谱、高效、低残留，害虫不易产生抗性，对人、畜、植物和天敌安全等特点，并有触杀、胃毒和内吸多重药效。害虫接触药剂后，中枢神经正常传导受阻，使其麻痹死亡。用于防治刺吸式口器害虫及其抗性品系。速效性好，药后1天即有较高的防效，残留期长达25天左右。药效和温度呈正相关，温度高，杀虫效果好。

防治对象 用于防治水稻、小麦、棉花等作物上的刺吸式口器害虫，如蚜虫、叶蝉、蓟马、白粉虱及马铃薯甲虫和麦秆蝇等。

注意事项

（1）本品不可与碱性农药或物质混用。

（2）使用过程中不得污染养蜂、养蚕场所及相关水源。

（3）适期用药，收获前两周禁止用药。

（4）如不慎食用，立即催吐并及时送医院治疗。

（5）贮藏要与食品远离，以免发生危险。

吡蚜酮（pymetrozine）

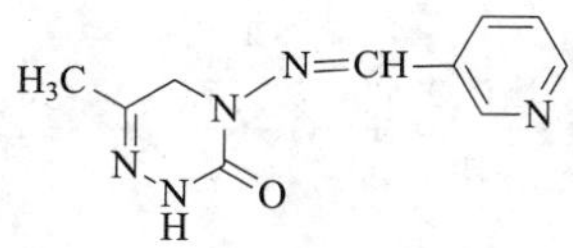

$C_{10}H_{11}N_5O$，217.23，123312-89-0

其他名称 吡嗪酮、派灭净。

主要剂型 25%、50%、70%可湿性粉剂，50%、70%水分散粒剂，25%悬浮剂。

作用特点 低毒。作用于害虫内血流中胺［5-羟色胺（血管收缩素），血清素］信号传递途径，从而导致类似神经中毒的反应，取食行为的神经中枢被抑制，通过影响流体吸收的神经中枢调节而干扰正常的取食活动。此外，小麦蚜虫、水稻飞虱接触药剂即产生口针阻塞效应，停止取食，丧失对植物的危害能力，并最终饥饿致死，而且此过程不可逆转。吡蚜酮对害虫具有触杀作用，同时还有内吸活性。在植物体内既能在木质部输导也能在韧皮部输导；因此既可用于叶面喷雾，也可用于土壤处理。由于其良好的输导特性，在茎叶喷雾后新长出的枝叶也可以得到有效保护。

防治对象 用于防治蚜科、飞虱科、粉虱科、叶蝉科等多种害虫，如甘蓝蚜、棉蚜、麦蚜、桃蚜、小绿斑叶蝉、褐飞虱、灰飞虱、白背飞虱、甘薯粉虱及温室粉虱等。适用于蔬菜、小麦、水稻、棉花、果树。

注意事项

（1）喷雾时要均匀周到，尤其对目标害虫的危害部位。

（2）对水稻的安全间隔期为 7 天，每季最多使用 2 次。

（3）本品对蜜蜂、鱼类等水生生物、家蚕有毒，施药期间应避免对周围蜂群的影响，蜜源作物花期、蚕室和桑园附近禁用。养育稻田区禁用，远离水产养殖区施药，禁止在河塘等水体中清洗施药器具。

（4）使用本品时应穿戴防护服和手套，避免吸入药液。施药期间不可吃东西和饮水。施药后，彻底清洗器械，并将包装袋深埋或焚毁，并立即用肥皂洗手和洗脸。

（5）本品对瓜类、莴苣苗期及烟草有毒，应避免药液飘移到上述作物上。

（6）不得与碱性农药等物质混用。为延缓抗性产生，可与其他作用机制不同的杀虫剂轮换使用。

丙溴磷（profenofos）

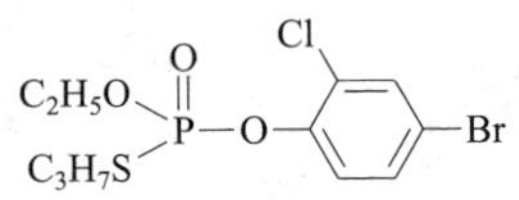

$C_{11}H_{15}BrClO_3PS$，373.63，41198-08-7

其他名称 溴氯磷、多虫磷、布飞松、菜乐康。

主要剂型 500g/L、20%、40%、50%乳油，50%水乳剂，20%微乳剂。

作用特点 丙溴磷为中等毒性杀虫剂，具有强烈的触杀、胃毒作用和一定熏蒸作用。在植物叶片上有较好的渗透性，有一定的杀卵作用。

防治对象 对其他有机磷、拟除虫菊酯产生抗性的害虫有效，是防治抗性棉铃虫的有效药剂。对水稻二化螟、钻心虫、稻纵卷叶螟、水稻稻飞虱同样有效。

注意事项

（1）严禁与碱性农药混合使用。

（2）丙溴磷与氯氰菊酯混用增效明显，商品多虫清（丙溴磷＋氯氰菊酯）是防治抗性棉铃虫的有效药剂。

（3）对鱼、鸟、蜜蜂有毒。

（4）安全间隔期 14 天，在棉花上的安全间隔期为 5～12 天，每季节最多使用 3 次。

（5）果园中不宜用丙溴磷，高温对桃树叶造成药害。该药对苜蓿和高粱有药害。

（6）中毒者送医院治疗，治疗药剂为阿托品或解磷定。

虫酰肼（tebufenozide）

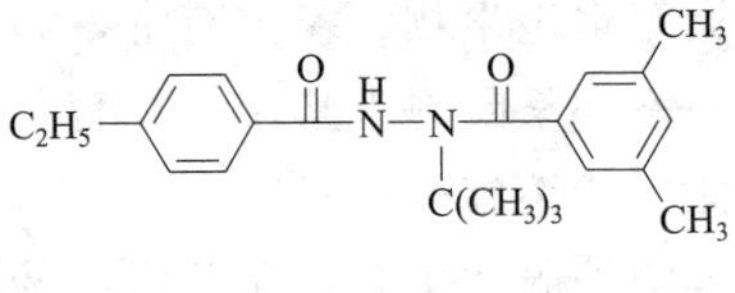

$C_{22}H_{28}N_2O_2$，352.47，112410-23-8

其他名称 米满、抑虫肼。

主要剂型 10%、20%、30%、200g/L 悬浮剂，20%可湿性粉剂。

作用特点 虫酰肼属低毒杀虫剂。属昆虫激素类生长调节剂，能够诱导鳞翅目幼虫在还没进入蜕皮阶段提前产生蜕皮反应，并抑制取食，导致害虫因生理失调、饥饿而死。具有胃毒作用，杀虫活性高，选择性强。对所有鳞翅目幼虫均有效，对抗性害虫棉铃虫、菜青虫、小菜蛾、甜菜夜蛾等有特效。

防治对象 用于防治棉花、观赏作物、马铃薯、大豆、烟草、果树和蔬菜等上的蚜科、叶蝉科、斑潜蝇属、鳞翅目如甜菜夜蛾等害虫。对抗性害虫棉铃虫、菜青虫、小菜蛾、甜菜夜蛾等有特效，对非靶标生物安全。

注意事项

（1）该药对卵效果差，在幼虫发生初期喷药效果好。

（2）虫酰肼对鱼和水生脊椎动物有毒，对蚕高毒，用药时不要污染水源；严禁在桑蚕养殖区用药。

除虫脲（diflubenzuron）

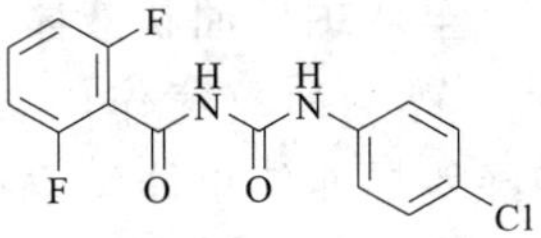

$C_{14}H_9ClF_2N_2O_2$，310.68，35367-38-5

其他名称 敌灭灵、伟除特、斯代克、斯迪克、斯盖特、蜕宝、卫扑、易凯、雄威。

主要剂型 20%悬浮剂，5%、25%、75%可湿性粉剂，5%乳油。

作用特点 低毒杀虫剂。除虫脲为苯基脲类杀虫剂，杀虫机理是通过抑制昆虫的几丁质合成酶的合成，从而抑制幼虫、卵、蛹表皮几丁质的合成，使昆虫不能正常蜕皮，虫体畸形而死亡。害虫取食后造成积累性中毒，由于缺乏几丁质，幼虫不能形成新表皮，蜕皮困难，化蛹受阻；成虫难以羽化、产卵；卵不能正常发育、孵化的幼虫表皮缺乏硬度而死亡，从而影响害虫整个世代。

防治对象 广泛使用于苹果、梨、桃、柑橘等果树，玉米、小麦、水稻、棉花、花生等粮棉油作物；十字花科蔬菜、茄果类蔬菜、瓜类等蔬菜；及茶树、森林等多种植物。主要用于防治鳞翅目害虫，如菜青虫、小菜蛾、甜菜夜蛾、斜纹夜蛾、金纹细蛾、桃线潜叶蛾、柑橘潜叶蛾、黏虫、茶尺蠖、棉铃虫、美国白蛾、松毛虫、卷叶蛾、卷叶螟等。对人畜和环境中其他生物安全，属低毒无公害农药。

注意事项

（1）除虫脲属蜕皮激素，不宜在害虫高、老龄期施药，应掌握在幼龄期施药，效果最佳。

（2）药液不要与碱性物接触，以防分解。

（3）蜜蜂和蚕对本剂敏感，因此养蜂区、蚕业区谨慎使用，如果使用一定要采取保护措施。沉淀摇起，混匀后再配用。

（4）对甲壳类（虾、蟹幼体）有害，应注意避免污染养殖水域。

敌敌畏（dichlorvos）

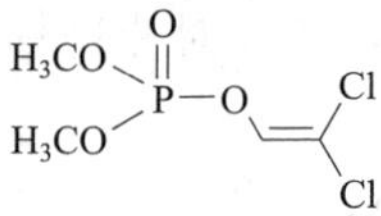

$C_4H_7Cl_2O_4P$，220.98，62-73-7

其他名称 二氯松、O,O-二甲基-O-2,2-二氯乙烯磷酸酯。

主要剂型 30%、40%、48%、77.5%、80%乳油，22.5%油剂，90%可湿性粉剂，15%、22%、30%烟剂，28%缓释剂。

作用特点 中等毒性。无色至琥珀色油状液体，有芳香味，有挥发性，属有机磷杀虫、杀螨剂。具有触杀、胃毒和熏蒸作用。抑制害虫体内的乙酰胆碱酯酶，使乙酰胆碱积累，影响神经传导而使虫体发生痉挛、麻痹，直至死亡。对咀嚼式口器害虫（如蚜虫、红蜘蛛等）和刺吸式口器害虫（如黄条跳甲等）均有良好的防治效果。敌敌畏的蒸气压较高，对害虫有极强的击倒力，对一些隐蔽性害虫有良好的防治效果。对瓢虫、食蚜蝇等天敌及蜜蜂具有杀伤力。

防治对象 用于蔬菜、果树和多种农田作物。

注意事项

（1）蔬菜收获前 7 天停止用药。

（2）豆类和瓜类的幼苗易产生药害，使用浓度不能偏高。

（3）该品对人、畜毒性大，易被皮肤吸收而中毒。中午高温时不宜施药，以防中毒。

（4）不能与碱性农药混用。

（5）该品水溶液分解快，应随配随用。

（6）禽、鱼、蜜蜂对该品敏感，应慎用。

丁醚脲（diafenthiuron）

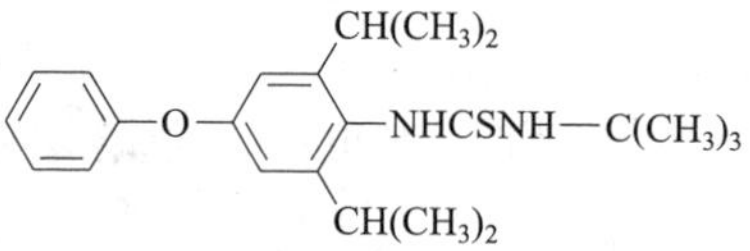

$C_{23}H_{32}N_2OS$，384.58，80060-09-9

其他名称 杀螨隆、宝路、杀螨脲。

主要剂型 25%、43.5%、50%、500g/L 悬浮剂，50%可湿性粉剂，10%

微乳剂，25%乳油。

作用特点 一种新型硫脲类低毒杀虫、杀螨剂。通过干扰神经系统的能量代谢，破坏神经系统的基本功能，抑制几丁质合成。具有触杀、胃毒、内吸和熏蒸作用，且具有一定的杀卵效果。低毒，但对鱼、蜜蜂高毒。选择阳光直射天气进行喷雾（如晴天喷雾，不选择阴天、清晨、傍晚喷雾等）效果最佳。分子结构上的硫脲基在阳光及多功能氧化酶作用下，把硫原子的共价键切断使变成具有强力杀虫、杀螨作用的碳化二亚胺，因此，在晴天使用为宜。

防治对象 对蔬菜上已产生严重抗药性的害虫具有较强的活性。对成螨、幼螨、若螨及卵均有效，可用于防治果树（柑橘、苹果）、棉花、蔬菜、茶及观赏植物上的螨类（叶螨、锈螨）、蚜虫、粉虱、叶蝉、各种蛾类害虫，以及产生了抗性的小菜蛾、菜青虫及卷叶蛾等。

注意事项

（1）不能与碱性农药混合使用，但可与波尔多液现混现用，短时间内完成喷雾，不影响药效。

（2）不伤天敌，安全环保。对鱼和蜜蜂毒性大，应慎用。

（3）光照有利于发挥药效，宜在晴天使用本品。

（4）花椰菜、西兰花在开花后，花球对丁醚脲敏感，开花后不宜使用。

（5）在十字花科蔬菜5叶期以前，在高温时使用可能出现轻微卷叶或在叶片边缘现白斑，但以后能恢复，不影响产量。

啶虫脒（acetamiprid）

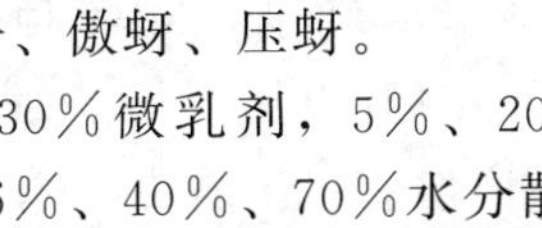

$C_{10}H_{11}ClN_4$，222.68，135410-20-7

其他名称 莫比朗、金烈、喜办蚜、破蚜、吡虫清、乙虫脒、力杀死、蚜克净、乐百农、赛特生、农家盼、傲蚜、压蚜。

主要剂型 6%、10%、30%微乳剂，5%、20%、60%可湿性粉剂，5%、10%乳油，20%可溶液剂，36%、40%、70%水分散粒剂。

作用特点 中等毒性。作用于昆虫神经系统突触部位的烟碱乙酰胆碱受体，干扰昆虫神经系统的刺激传导，引起神经系统通路阻塞，造成神经递质乙酰胆碱在突触部位的积累，从而导致昆虫麻痹，最终死亡。具有触杀、胃毒和较强的渗透作用；杀虫速效，用量少、活性高、杀虫谱广，持效期长达20天左右，与环境相容性好。对对有机磷、氨基甲酸酯类及拟除虫菊酯类产生抗性的害虫有特效。

防治对象 适用于防治果树、蔬菜等多种作物上的半翅目害虫；防治黄瓜、菜豆、茄子、番茄、青椒、甘蓝、花椰菜、白菜、油菜、萝卜上白粉虱，番茄、黄瓜、辣椒等蔬菜上烟粉虱，节瓜、冬瓜、西瓜、苦瓜、番茄、茄子、豆类蔬菜上的蓟马等。

注意事项

（1）本品对桑蚕有毒性，切勿喷洒到桑叶上。

（2）不可与强碱性药液混用。

（3）本品应贮存在阴凉干燥的地方，禁止与食品混贮。

（4）本品虽毒性小，仍需注意不要误饮或误食，万一误饮，立即催吐，并送医院治疗。

（5）本品对皮肤有低刺激性，注意不要溅到皮肤上，万一溅上，立即用肥皂水洗净。

毒死蜱（chlorpyrifos）

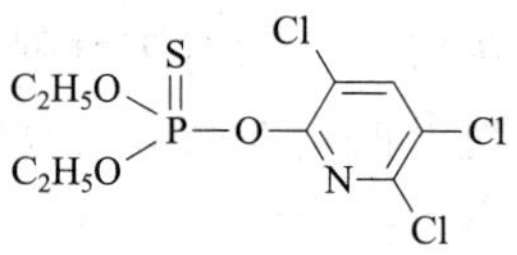

$C_9H_{11}Cl_3NO_3PS$，350.59，2921-88-2

其他名称 氯吡硫磷、乐斯本、久敌、神农宝、落螟、农斯特、雷丹、思虫净、绵贝、枪击、千钧棒、紫丹、地虫清、农本得、阿麦尔、刹必可、双盈、裕民、能打、地贝得、虫败、连击、斯皮锐、地下伏手、巨雷、谍虫、东浪、酷龙、锐矛、佳斯本、斯地克、搏乐丹。

主要剂型 30%、40%微乳剂，0.5%、5%、15%、25%颗粒剂，400g/L、480g/L、20%、40%、45%乳油，25%、30%微囊悬浮剂，30%可湿性粉剂，15%烟雾剂，25%、30%、40%水乳剂，30%种子处理微囊悬浮剂，0.1%、0.2%、0.52%、1%、2.6%、2.8%饵剂。

作用特点 中等毒性。为广谱有机磷杀虫、杀螨剂，具有接触、胃毒和熏蒸作用，无内吸作用。主要抑制害虫体内的乙酰胆碱酯酶，使乙酰胆碱积累，影响神经传导而使虫体发生痉挛、麻痹，直至死亡。在土壤中残留期较长，对地下害虫防治效果较好。

防治对象 适用于防治柑橘、棉花、玉米、苹果、梨、水稻、花生、大豆、小麦及茶树等多种作物上的害虫和螨类。也可以防治蚊蝇、蟑螂、白蚁等家庭害虫、粮仓害虫，以及牛、羊体外寄生物和地下害虫。

注意事项

（1）安全间隔期，大豆 14 天，叶菜类 7 天。

（2）在叶菜上最高用药量，每亩每次 75mL，最大残留限量（MRL）甘蓝中为 1mg/kg。

（3）不能与碱性农药混用，为保护蜜蜂，应避免在开花期使用。

（4）对烟草有药害。

（5）解毒剂为阿托品。

多杀菌素（spinosad）

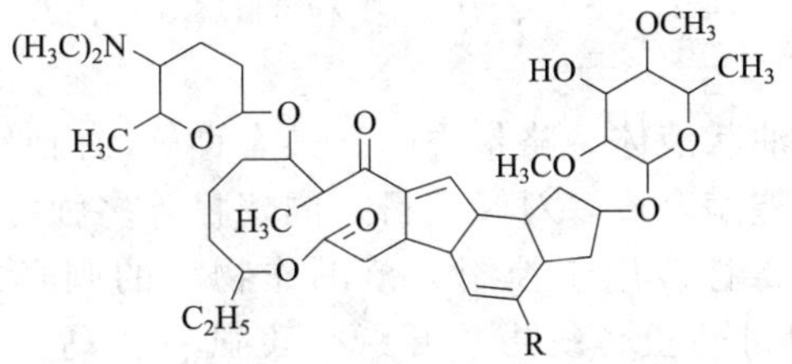

spinosyn A, R=H；spinosyn D, R=CH_3

spinosyn A：$C_{41}H_{65}NO_{16}$，731.98，131929-60-7

spinosyn D：$C_{42}H_{67}NO_{16}$，746.0，168316-95-8

其他名称 多杀霉素、刺糖菌素、赤糖菌素、多杀霉素 A、多杀菌素 D。

主要剂型 2.5%、48%悬浮剂。

作用特点 低毒杀虫剂。多杀菌素对昆虫有快速触杀和摄食毒性，它具有神经毒剂特有的中毒症状，它的作用机制是通过刺激昆虫的神经系统，增加其自发活性，导致非功能性的肌收缩、衰竭，并伴随颤抖和麻痹，显示出烟碱型乙酰胆碱受体被持续激活引起乙酰胆碱延长释放反应。多杀菌素同时也作用于 γ-氨基丁酸（GABA）受体，改变 GABA 门控氯离子通道的功能，进一步促进其杀虫活性的提高。

防治对象 能有效控制的害虫包括鳞翅目、双翅目和缨翅目害虫，同时对鞘翅目、直翅目、膜翅目、等翅目、蚤目、革翅目和啮虫目的某些特定种类的害虫也有一定的毒杀作用，但对刺吸式口器昆虫和螨类防效不理想。

注意事项

（1）可能对鱼或其他水生生物有毒，应避免污染水源和池塘等。

（2）最后一次施药距离收获的时间为 7 天。避免喷药后 24 小时内遇降雨。

（3）应注意个人的安全防护，如溅入眼睛，立即用大量清水冲洗。如接触皮肤或衣物，用大量清水或肥皂水清洗。如误服不要自行引吐，切勿给不清醒或发生痉挛的患者灌喂任何东西或催吐，应立即将患者送医院治疗。

二嗪磷（diazinon）

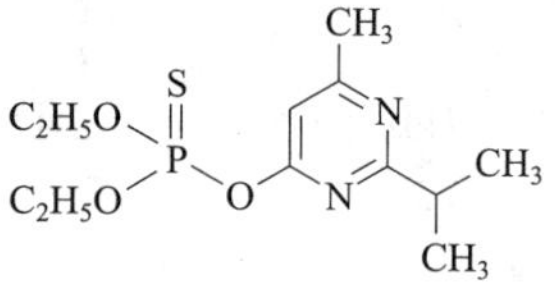

$C_{12}H_{21}N_2O_3PS$，304.35，333-41-5

其他名称　二嗪农、地亚农。

主要剂型　0.1%、4%、5%、10%颗粒剂，25%、30%、50%、60%乳油，40% 可湿性粉剂。

作用特点　无色油状液体，略带香味。具有良好的内吸传导作用，能够抑制昆虫体内的乙酰胆碱酯酶合成，对鳞翅目、同翅目等多种害虫有较好的防效。

防治对象　中等毒性。用于控制大范围作物上的刺吸式口器害虫和食叶害虫，如鳞翅目、双翅目幼虫、蚜虫、叶蝉、飞虱、蓟马、介壳虫、二十八星瓢虫、锯蜂等；拌种可防治蝼蛄、蛴螬等土壤害虫；颗粒剂灌心叶，可防治玉米螟。兼有一定的杀螨、杀线虫活性。

注意事项

（1）本品不可与碱性农药混用。不可与敌稗混用，也不可在施用敌稗前后两周内使用。

（2）本品在水田、土壤中半衰期 21 天，施药安全期为 4～5 天。作物收获前 10 天内，停止用药。

（3）本品不能用铜、铜合金罐、塑料瓶盛装。贮存时放置在阴凉干燥处。

（4）解毒剂有硫酸阿托品、解磷定等。

（5）本品易燃，远离火种并存放于阴凉处。

呋虫胺（dinotefuran）

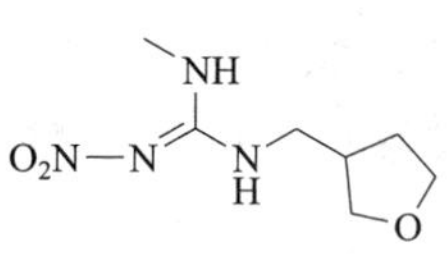

$C_7H_{14}N_4O_3$，202.21，165252-70-0

其他名称　呋喃烟碱、丁诺特呋喃。

主要剂型　1%、2%颗粒剂，20%水溶性粒剂，0.5%粉粒剂，25%可湿性粉剂。

作用特点 低毒杀虫剂。呋虫胺作用于昆虫神经传递系统，引起害虫麻痹而发挥杀虫作用。具有触杀、胃毒作用，根部内吸性强，具速效、持效性。杀虫谱广。

防治对象 主要用于防治小麦、水稻、棉花、蔬菜、果树、烟叶等多种作物上的蚜虫、叶蝉、飞虱、蓟马、粉虱及其抗性品系，同时对鞘翅目、鳞翅目、双翅目、甲虫目和总翅目害虫高效，且对刺吸式口器害虫有优异防效，如蚜虫类、粉虱类、蚧类、珀蝽、桃小食心虫、黄条跳甲、二黑条叶甲、茶黄蓟马、烟蓟马、黄蓟马、柑橘黄蓟马、大豆荚瘿蚊，并对蜚蠊、白蚁、家蝇等卫生害虫有高效。

注意事项

(1) 不宜与碱性农药或物质（如波尔多液、石硫合剂等）混用。

(2) 由于其残效期较长，应严格执行安全间隔期。

(3) 对蜜蜂、家蚕等有较高毒性，因此不适宜在蜂场附近、桑树和蜜源作物上使用。

(4) 注意与其他类型杀虫剂轮换、交替或混合使用，以延缓害虫抗药性的产生。

氟啶虫酰胺（flonicamid）

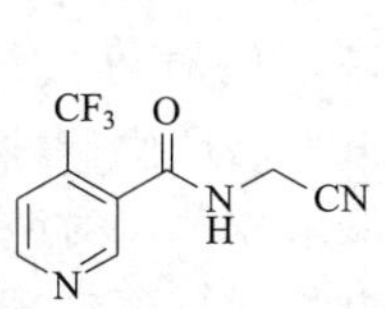

$C_9H_6F_3N_3O$，229.16，158062-67-0

主要剂型 10%、50%水分散粒剂，10%、20%悬浮剂，5%微乳剂。

作用特点 氟啶虫酰胺是一种新型低毒吡啶酰胺类昆虫生长调节剂类杀虫剂，除具有触杀和胃毒作用外，还具有很好的神经毒性和快速拒食作用。对各种刺吸式口器害虫有效，并具有良好的渗透作用。它可从根部向茎部、叶部渗透，但由叶部向茎、根部渗透作用相对较弱。该药剂通过阻碍害虫吮吸作用而致效。害虫摄入药剂后很快停止吮吸，最后饥饿而死。

防治对象 主要防治棉蚜、粉虱、车前圆尾蚜、假眼小绿叶蝉、桃蚜、褐飞虱、小黄蓟马、麦长管蚜、蓟马、温室粉虱等。

注意事项

(1) 每个生长季节使用次数不超过3次。

(2) 该药剂与其他昆虫生长调节剂类杀虫剂相似，速效性一般，但持效性较好，药后两三天才可看到蚜虫死亡，一次施药可维持14天左右。

氟啶脲（chlorfluazuron）

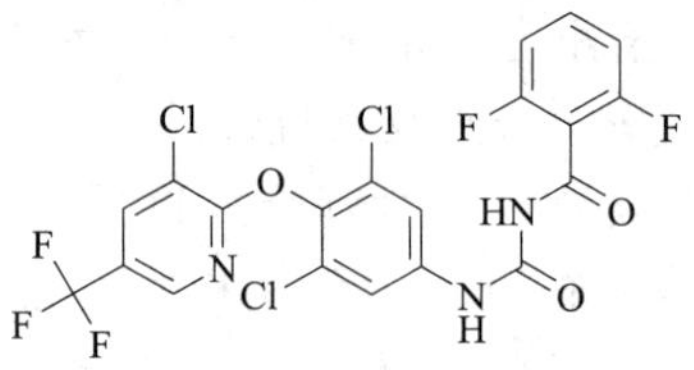

$C_{20}H_9Cl_3F_5N_3O_3$，540.65，71422-67-8

其他名称　抑太保、定虫脲、氟伏虫脲、农美、莱得隆、仰大一保、保胜、瑞照、抑统。

主要剂型　10%水分散粒剂，0.1%浓饵剂，2.5%、5%、30%乳油，10%水乳剂，75%可湿性粉剂。

作用特点　低毒杀虫剂。氟啶脲是一种昆虫生长调节剂，主要抑制几丁质合成，阻碍昆虫正常蜕皮，使卵的孵化、幼虫蜕皮以及蛹发育畸形，成虫羽化受阻，最终导致害虫死亡。以胃毒作用为主，兼有触杀作用，无内吸性。该药药效高，但作用速度较慢，幼虫接触药剂后不会很快死亡，但取食活动明显减弱，一般在药后5～7天才能达到防效高峰。对多种鳞翅目害虫以及直翅目、鞘翅目、膜翅目、双翅目等害虫杀虫活性高，但对蚜虫、飞虱无效。适用于对有机磷类、拟除虫菊酯类、氨基甲酸酯等杀虫剂已产生抗性的害虫的综合治理。

防治对象　氟啶脲用于多种瓜果蔬菜，对鳞翅目害虫具有特效。如十字花科蔬菜的小菜蛾、甜菜夜蛾、菜青虫、银纹夜蛾、斜纹夜蛾、烟青虫等，茄果类及瓜果类蔬菜的棉铃虫、甜菜夜蛾、烟青虫、斜纹夜蛾等，豆类蔬菜的豆荚螟、豆野螟等。

注意事项

（1）本品是阻碍幼虫蜕皮致使其死亡的药剂，从施药至害虫死亡需3～5天，使用时需在低龄幼虫期进行。

（2）本品无内吸传导作用，施药必须均匀周到。

（3）本品对蜜蜂、鱼类等水生生物、家蚕有毒，施药期间应避免对周围蜂群的影响，蜜源作物花期、蚕室和桑园附近禁用。远离水产养殖区施药，禁止在河塘等水体中清洗施药器具。

（4）远离孕妇和哺乳期妇女。

（5）棉花和甘蓝每季作物使用不超过3次，柑橘不超过2次。安全间隔期棉花和柑橘均为21天，甘蓝7天。

（6）不能与碱性药剂混用。

（7）如果在药液中加入0.03%有机硅或0.1%洗衣粉，可显著提高药效。

氟铃脲（hexaflumuron）

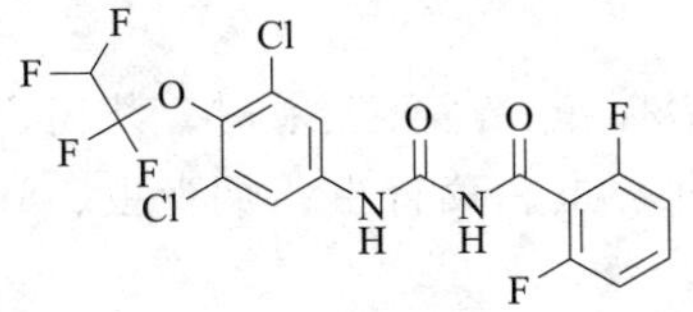

$C_{16}H_8Cl_2F_6N_2O_3$，461.15，86479-06-3

其他名称 盖虫散、氟灵脲、六伏隆、定打、包打、主打。

主要剂型 5%、10%、15%、20%、25%、32%、42%乳油，10.5%水分散粒剂，60%可湿性粉剂，4%、6%微乳剂，20%悬浮剂，0.5%饵剂。

作用特点 低毒杀虫剂。氟铃脲为苯甲酰脲类几丁质合成抑制剂，抑制昆虫蜕皮而杀死害虫，同时抑制害虫取食速度，故有较快的击倒力，对舞毒蛾、天幕毛虫、冷杉毒蛾、甜菜夜蛾、谷实夜蛾等害虫效果良好，对螨无效。具有较高的接触杀卵活性，可单用也可混用。

防治对象 可以防治对有机磷及拟除虫菊酯已产生抗性的害虫。主要用于防治鳞翅目害虫，如菜青虫、小菜蛾、甜菜夜蛾、甘蓝夜蛾、烟青虫、棉铃虫、金纹细蛾、潜叶蛾、卷叶蛾、造桥虫、刺蛾类、毛虫类等。

注意事项

（1）对食叶害虫应在低龄幼虫期施药。钻蛀性害虫应在产卵盛期、卵孵化盛期施药。该药剂无内吸性和渗透性，喷药要均匀、周密。

（2）不能与碱性农药混用。但可与其他杀虫剂混合使用，其防治效果更好。

（3）对鱼类、家蚕毒性大，要特别小心。

高效氟氯氰菊酯（beta-cyfluthrin）

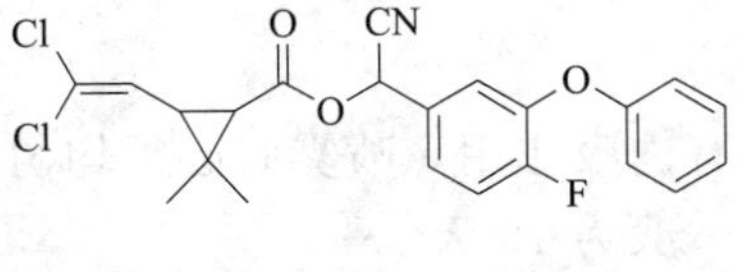

$C_{22}H_{18}Cl_2FNO_3$，434.29，68359-37-5

其他名称 保得、β-氟氯氰菊酯。

主要剂型 2.5%、5%水乳剂，25g/L、2.8%乳油，2.5%、7%微乳剂，15%可溶液剂，1.25%、1.5%、2.5%、6%悬浮剂，2.5%微囊悬浮剂。

作用特点 低毒杀虫剂。高效氟氯氰菊酯是一种合成的拟除虫菊酯类杀虫剂，具有触杀和胃毒作用，能够引起昆虫极度兴奋、痉挛与麻痹，能诱导产生神经毒素，最终导致神经传导阻断，还能引起其他组织产生病变。杀虫谱广，击倒迅速，持效期长，植物对它有良好的耐药性。无内吸及穿透性。对害虫具有迅速击倒和长残效作用。

防治对象 适用于防治棉花、蔬菜、果树、茶树、森林树木等多种植物上的害虫及卫生害虫，对桃小食心虫、菜青虫、烟青虫、卷叶蛾、蚜虫等害虫有良好的防治效果。

注意事项

(1) 对水生生物有极高毒性，可能对水体环境产生长期不良影响。

(2) 对人畜毒性较强，在不少地方曾发生过中毒，甚至死亡事故，因此使用应按高毒农药加以防护。

(3) 不能与碱性农药混用，蔬菜收获前 3 天停用。

高效氯氰菊酯 (beta-cypermethrin)

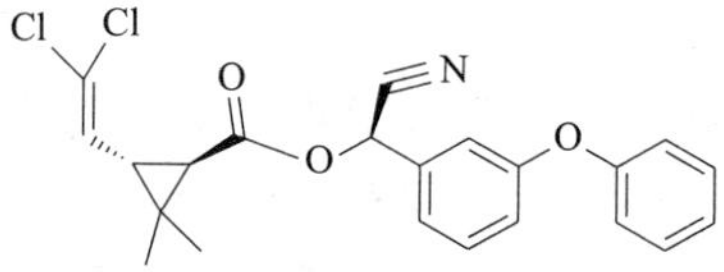

$C_{22}H_{19}Cl_2NO_3$，416.3，86752-99-0

其他名称 高效百灭可、高效安绿宝、奋斗呐、快杀敌、好防星、甲体氯氰菊酯。

主要剂型 4.5%乳油，3%水乳剂，4.5%微乳剂，4.5%可湿性粉剂。

作用特点 一种拟除虫菊酯类杀虫剂，生物活性较高，是氯氰菊酯的高效异构体，具有触杀和胃毒作用。杀虫谱广、击倒速度快，杀虫活性较氯氰菊酯高。

防治对象 适用于防治棉花、蔬菜、果树、茶树、森林等多种植物上的害虫及卫生害虫。

注意事项

(1) 高效氯氰菊酯没有内吸作用，喷雾时必须均匀、周到。

(2) 安全采收间隔期一般为 10 天。

(3) 对鱼、蜜蜂和家蚕有毒，不能在蜂场和桑园内及其周围使用，并避免药液污染鱼塘、河流等水域。

核型多角体病毒 (nuclear polyhedrosis viruses)

其他名称 虫瘟一号、绞蛾、科云。

主要剂型 20 亿 PIB/mL、30 亿 PIB/mL 悬浮剂，10 亿 PIB/g 可湿性粉剂，600 亿 PIB/g 水分散粒剂。

作用特点 核型多角体病毒多在寄主的血液、脂肪组织、气管、皮肤等细胞的细胞核内发育，故称核型多角体病毒。核型多角体病毒寄主范围较广，主要寄生鳞翅目昆虫。经口或伤口感染。经口进入虫体的病毒被胃液消化，游离出杆状病毒粒子，通过中肠上皮细胞进入体腔，侵入细胞，在细胞核内增殖，之后再侵入健康细胞，直到昆虫死亡。病虫粪便和死虫再传染其他昆虫，使病毒病在害虫种群中流行，从而控制害虫危害。病毒也可通过卵传到昆虫子代。专化性强，一种病毒只能寄生一种昆虫或其邻近种群。只能在活的寄主细胞内增殖。比较稳定，在无阳光直射的自然条件下可保存数年不失活。核型多角体病毒有很多种类，如棉铃虫核型多角体病毒、粉纹夜蛾核型多角体病毒、甘蓝夜蛾核型多角体病毒等。

防治对象 用于防治农业和林业害虫。棉铃虫核型多角体病毒已在约 20 个国家用于防治棉花、高粱、玉米、烟草、番茄的棉铃虫。世界上成功大面积应用过的还有用于防治松黄叶蜂、松叶蜂、维吉尼亚松叶蜂、舞毒蛾、毒蛾、天幕毛虫、苜蓿粉蝶、粉纹夜蛾、实夜蛾、斜纹夜蛾、金合欢树蓑蛾等害虫的核型多角体病毒。中国自己分离培养，大面积田间治虫取得良好效果的有防治棉铃虫、桑毛虫、斜纹夜蛾、舞毒蛾的核型多角体病毒。

注意事项

(1) 不耐高温，易被紫外线杀灭，阳光照射会失活，制剂应在阴凉干燥处保存，不能暴晒和淋雨。能被消毒剂杀死。

(2) 不能与碱性及酸性物质混用，也不能与病毒裂解剂混用。

(3) 该药杀虫作用缓慢，从喷药到死虫一般需要几天时间。

甲氨基阿维菌素苯甲酸盐 (emamectin benzoate)

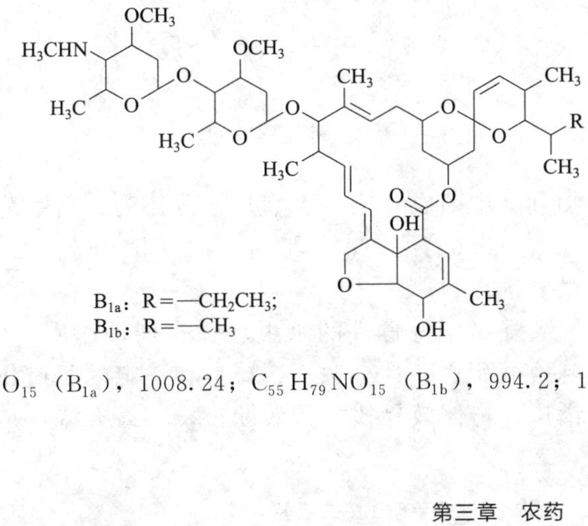

$C_{56}H_{81}NO_{15}$ (B_{1a})，1008.24；$C_{55}H_{79}NO_{15}$ (B_{1b})，994.2；155569-91-8

其他名称 甲维盐、威克达、抗蛾斯、饿死虫、菜乃馨、因灭汀苯甲酸盐、埃玛菌素苯甲酸盐、富表甲氨基阿维菌素。

主要剂型 0.5%、0.8%、1%、1.5%、2%、2.2%、3%、5%、5.7%乳油，1%微乳剂。

作用特点 中等毒性杀虫剂。甲氨基阿维菌素苯甲酸盐是一种微生物源杀虫、杀螨剂，是在阿维菌素的基础上合成的高效生物药剂，具有活性高、杀虫谱广、可混用性好、持效期长、使用安全等特点，作用方式以胃毒为主，兼有触杀作用。其杀虫机制是阻碍害虫运动神经的传导。增强神经质如谷氨酸和γ-氨基丁酸（GABA）的作用，从而使大量氯离子进入神经细胞，使细胞功能丧失，扰乱神经传导，幼虫在接触后马上停止进食，发生不可逆转的麻痹，在3～4天内达到最高致死率。

防治对象 甲维盐对鳞翅目、双翅目、蓟马类超高效，如红带卷叶蛾、烟芽夜蛾、棉铃虫、烟草天蛾、小菜蛾、黏虫、甜菜夜蛾、草地贪夜蛾、粉纹夜蛾、甘蓝银纹夜蛾、菜粉蝶、菜螟、番茄天蛾、马铃薯甲虫、墨西哥瓢虫等。

注意事项

（1）对蜂、鸟、鱼、蚕有毒，不要在果树开花期使用。应避免污染水源和池塘等。禁止在河塘等水体中清洗施药器具。

（2）本品属微毒制剂，但使用时应穿防护用品，施完后用肥皂彻底清洗着药部位。请按照国家农药安全使用准则使用本品。

（3）本品对昆虫主要是胃毒作用，因此喷雾要均匀周到，保证足够的药液量。叶片正反及幼嫩部位有药液均匀分布。

（4）在十字花科蔬菜上使用的安全间隔期3天，每季最多使用2次。一般作物的安全采收间隔期为7天。

甲氰菊酯（fenpropathrin）

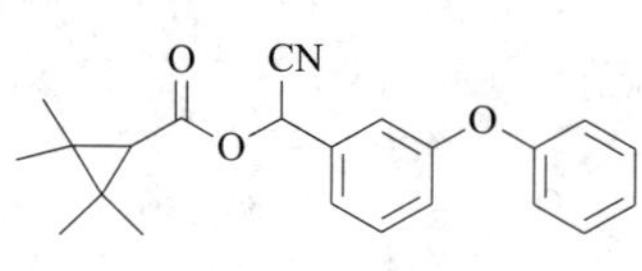

$C_{22}H_{22}NO_3$，348.42，39515-41-8

其他名称 灭扫利、中西农家庆、农螨丹、分扑菊、腈甲菊酯、螨菊酯。

主要剂型 2.5%、8.05%、20%乳油，10%增效乳油，10%高渗乳油，20%水乳剂，10%微乳剂。

作用特点 甲氰菊酯属中等毒性的杀虫、杀螨剂，作用于昆虫的神经系统，使昆虫过度兴奋、麻痹而死亡。具有触杀、胃毒和一定的驱避作用，无内吸、熏蒸作用。该药杀虫谱广，击倒效果快，持效期长，其最大特点是对许多种害虫和多种叶螨同时具有良好的防治效果，特别适合在害虫、害螨并发时使用。主要通过喷雾防治害虫、害螨，在卵盛期至孵化期或害虫害螨发生初期或低龄期用药防治效果好。

防治对象 用于苹果、柑橘、荔枝、桃树、栗树等果树及棉花、茶树、十字花科蔬菜、瓜果类蔬菜、花卉等植物；也防治叶螨类、瘿螨类、菜青虫、小菜蛾、甜菜夜蛾、棉铃虫、红铃虫、茶尺蠖、小绿叶蝉、潜叶蛾、食心虫、卷叶蛾、蚜虫、白粉虱、蓟马及盲蝽类等多种害虫、害螨。

注意事项

(1) 与有机磷类、有机氯类等不同类型药剂交替使用或混用，以防产生抗药性。

(2) 在低温条件下药效更高、持效期更长，特别适合早春和秋冬使用。采收安全间隔期棉花为 21 天、苹果为 14 天。

(3) 该药对鱼、蚕、蜂高毒，避免在桑园、养蜂区施药及药液流入河塘。

甲氧虫酰肼 (methoxyfenozide)

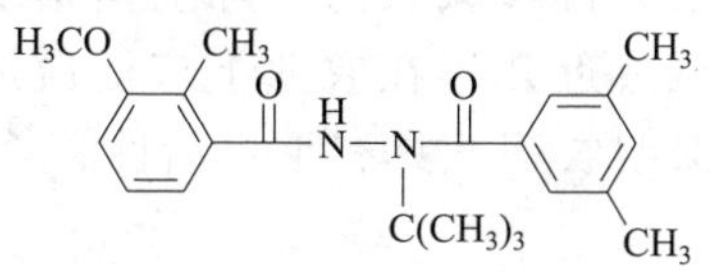

$C_{22}H_{28}N_2O_3$，368.47，161050-58-4

其他名称 氧虫酰肼、雷通。

主要剂型 5%乳油，5%、24%悬浮剂，0.3%粉剂。

作用特点 甲氧虫酰肼是一种新型特异性苯酰肼类低毒杀虫剂，主要是干扰昆虫的正常生长发育，致使昆虫蜕皮而死，并能抑制摄食。对鳞翅目害虫具有高度选择杀虫活性，以触杀作用为主，并具有一定的内吸作用。该药与抑制害虫蜕皮的药剂的作用机制相反，可在害虫整个幼虫期用药进行防治。

防治对象 主要用于防治鳞翅目害虫的幼虫，如甜菜夜蛾、甘蓝夜蛾、斜纹夜蛾、菜青虫、棉铃虫、金纹细蛾、美国白蛾、松毛虫、尺蠖及水稻螟虫等，适用作物如十字花科蔬菜、茄果类蔬菜、瓜类、棉花、苹果、桃、水稻、林木等。

注意事项

(1) 施药时期掌握在卵孵化盛期或害虫发生初期。

(2) 为防止抗药性产生，害虫多代重复发生时建议与其他作用机理不同的药剂交替使用。

(3) 对鱼类毒性中等。

苦参碱（matrine）

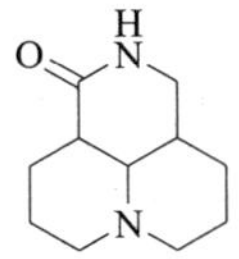

$C_{15}H_{24}N_2O$，248.36，519-02-8

其他名称 母菊碱、苦甘草、苦参草、苦豆根、西豆根、苦平子、野槐根、山槐根、苦骨、绿宝清、百草一号、绿宝灵、维绿特、碧绿。

主要剂型 0.3%、0.36%、0.5%、0.6%、1.3%、2%、13.7%、20%水剂，1%微囊悬浮剂，1.2%烟雾剂，0.3%、0.36%、0.5%、1%可溶液剂，0.3%、1.2%乳油，0.3%水乳剂，1%苦参碱醇溶液。

作用特点 苦参碱是一种低毒的植物杀虫剂。害虫一旦触及，神经中枢即被麻痹，继而虫体蛋白质凝固，虫体气孔堵死，使害虫窒息而死。对害虫具有触杀和胃毒作用。在农业中使用的苦参碱农药实际上是指从苦参中提取的全部物质，叫苦参提取物或者苦参总碱。近几年在农业上广泛应用，且有良好的防治效果，是一种低毒、低残留、环保型农药。具有杀虫活性、杀菌活性、调节植物生长等多种功能。

防治对象 对于蔬菜、苹果树、棉花等作物上的菜青虫、蚜虫、红蜘蛛防治效果较好。

注意事项

(1) 严禁与碱性药混用，本品速效性差，应做好虫情预测预报，在害虫低龄期施药防治。

(2) 贮存在避光、阴凉、通风处。

(3) 如作物用过化学农药，5 天后方可施用此药，以防酸碱中和影响药效。

喹硫磷（quinalphos）

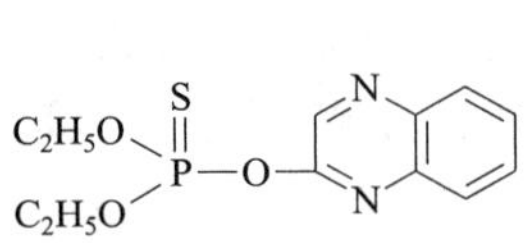

$C_{12}H_{15}N_2O_3PS$，298.3，13593-03-8

其他名称 喹噁硫磷、爱卡士、喹噁磷。

主要剂型 10%、25%、35%高渗乳油，12.5%增效乳油，5%颗粒剂等。

作用特点 喹硫磷属中等毒性杀虫剂。为广谱性杀虫、杀螨剂，具有触杀、胃毒和渗透性，无内吸和熏蒸作用，有一定的杀卵作用。

防治对象 对咀嚼式口器、刺吸式口器害虫有效，用于防治红铃虫、棉铃虫、红蜘蛛及蔬菜上的菜青虫等。对稻瘿蚊有特效。此外还可防治棉蓟马、柑橘潜叶蛾、介壳虫、小绿叶蝉、茶尺蠖等。在植物上有良好的渗透性，残效期短。对光稳定，耐热性差，遇碱易分解。

注意事项

（1）不能与酸性农药混合使用，以免分解。

（2）喹硫磷的安全使用、中毒症状、急救措施与一般有机磷相同。

联苯肼酯（bifenazate）

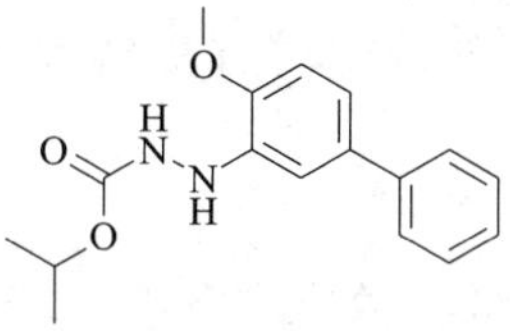

$C_{17}H_{20}N_2O_3$，300.35，149877-41-8

其他名称 爱克螨。

主要剂型 24%、43%、50%悬浮剂，2.5%水乳剂。

作用特点 低毒杀螨剂。作用于螨类的中枢神经传导系统的氨基丁酸（γ-GABA）受体。对螨的各个生活阶段有效，具有杀卵活性和对成螨的击倒活性（48～72h），持效期长。推荐使用剂量范围内对作物安全；对寄生蜂、捕食螨、草蛉低风险，是一种新型选择性叶面喷雾用杀螨剂。

防治对象 用于苹果和葡萄防治苹果红蜘蛛、二斑叶螨和 McDaniel 螨，以及观赏植物的二斑叶螨和 Lewis 螨。

注意事项 该品对鱼类高毒，使用时应注意远离河塘等水体施药，禁止在河塘内清洗施药器具。

联苯菊酯（bifenthrin）

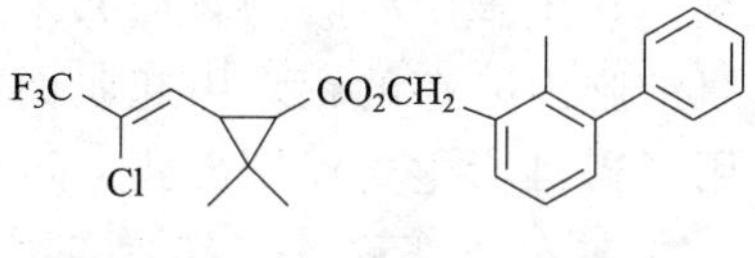

$C_{23}H_{22}F_3ClO_2$，422.87，82657-04-3

其他名称 天王星、虫螨灵、毕芬宁。

主要剂型 2.5%、4.5%、5%、7.5%、10%水乳剂，2%、15%、100g/

L、150g/L 悬浮剂，25g/L、100g/L 乳油，0.2%颗粒剂，2.5%、4%、20%、25g/L 微乳剂。

作用特点 中等毒性杀虫剂。联苯菊酯属于拟除虫菊酯类杀虫、杀螨剂。具有触杀、胃毒作用，无内吸、熏蒸作用。作用迅速，持效期长，杀虫谱广，对螨也有较好防效。作用迅速。在土壤中不移动，对环境较为安全，残效期长。对蜜蜂毒性中等，对家蚕高毒。

防治对象 主要防治棉铃虫、棉红蜘蛛、桃小食心虫、梨小食心虫、山楂叶螨、柑橘红蜘蛛、黄斑蝽、茶翅蝽、菜蚜、菜青虫、小菜蛾、茄红蜘蛛、茶细蛾、温室白粉虱、茶尺蠖、茶毛虫等 20 多种害虫。

注意事项

（1）在叶类蔬菜上的安全间隔期为 4 天。

（2）不宜长期单一使用本剂，应与有机磷类杀虫剂或有机氯类杀虫剂轮换使用。

（3）不能与碱性物质混用。

（4）在低温下更能发挥药效，故宜在冬季栽培期使用。

（5）对蜜蜂、水生生物毒性高，不可污染水源、池塘、养蜂场。

（6）皮肤沾药用清水冲洗或用肥皂冲洗，眼睛着药要用大量清水冲洗。

氯虫苯甲酰胺（chlorantraniliprole）

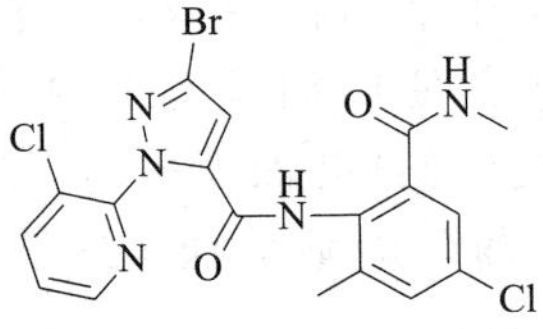

$C_{18}H_{14}BrCl_2N_5O_2$，483.15，500008-45-7

其他名称 康宽。

主要剂型 50%悬浮种衣剂，200g/L 悬浮剂，35%水分散粒剂，0.4%颗粒剂。

作用特点 低毒杀虫剂。氯虫苯甲酰胺为新型邻苯二甲酰胺类鱼尼丁受体激活剂，释放平滑肌和横纹肌细胞内贮存的钙，引起肌肉调节衰弱、麻痹，直至害虫死亡。具胃毒和触杀作用，胃毒为主要作用方式，可经茎、叶表面渗透入植物体内，还可通过根部吸收，并在木质部移动。持效期长达 15 天以上。氯虫苯甲酰胺高效广谱，对鳞翅目的夜蛾科、螟蛾科、蛀果蛾科、卷蛾科、菜蛾科、麦蛾科、细蛾科等均有很好的控制效果，还能控制鞘翅目象甲科、叶甲科，双翅目潜蝇科，烟粉虱等多种非鳞翅目害虫。

防治对象 用于防治水稻主要害虫，能迅速保护水稻生长，尤其对其他水稻杀虫剂已经有抗性的害虫更有特效，如稻纵卷叶螟、二化螟、三化螟、大螟，对稻瘿蚊、稻象甲、稻水象甲也有很好的防治效果。

注意事项

(1) 由于该农药具有较强的渗透性，药剂能穿过茎部表皮细胞层进入木质部，从而沿木质部传导至未施药的其他部位。因此在田间作业时，用弥雾或细喷雾喷雾效果更好。但当气温高、田间蒸发量大时，应选择早上10点以前，下午4点以后用药，这样不仅可以减少用药液量，还可以更好地增加作物的受药液量和渗透性，有利于提高防治效果。

(2) 为避免该农药抗药性的产生，一季作物或一种害虫宜使用2～3次，每次间隔时间在15天以上。

(3) 该农药在我国登记时还有不同的剂型、含量及适用作物，用户在不同的作物上应选用该农药的不同含量和剂型。

氯氟氰菊酯（cyhalothrin）

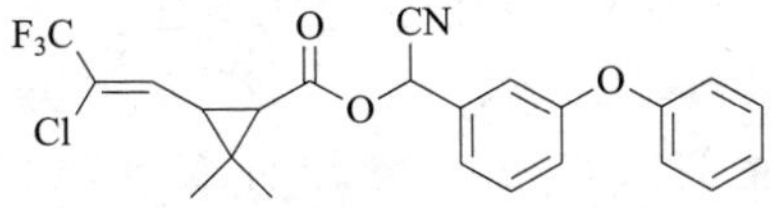

$C_{23}H_{19}ClF_3NO_3$，449.86，68085-85-8

其他名称 功夫菊酯、氟氯氰醚菊酯、拉不达菊酯、赛落宁、三氟氯氟氰菊酯。

主要剂型 2.5％、10％可湿性粉剂，2.5％乳油，2.5％水乳剂，1.5％悬浮剂，2.5％微胶囊剂。

作用特点 中等毒性杀虫剂。高效、广谱、速效拟除虫菊酯类杀虫、杀螨剂，以触杀和胃毒作用为主，无内吸作用。它的药效特点为抑制昆虫神经轴突部位的传导，对昆虫具有驱避、击倒及毒杀的作用，杀虫谱广，活性较高，药效迅速，喷洒后耐雨水冲刷，但长期使用易对其产生抗性，对刺吸式口器的害虫及害螨有一定防效。它对螨虫有较好的抑制作用，在螨类发生初期使用，可抑制螨类数量上升，当螨类已大量发生时，就控制不住其数量，因此只能用于虫螨兼治，不能用作专用杀螨剂。

防治对象 对鳞翅目、鞘翅目和半翅目等多种害虫和其他害虫，以及叶螨、锈螨、瘿螨、跗线螨等有良好效果，在虫、螨并发时可以兼治，可防治棉红铃虫和棉铃虫、菜青虫、菜缢管蚜、茶尺蠖、茶毛虫、茶橙瘿螨、叶瘿螨、柑橘叶蛾、橘蚜以及柑橘叶螨、锈螨、桃小食心虫及梨小食心虫等；也可用来防治多种地表和公共卫生害虫。

注意事项

（1）氯氟氰菊酯对鱼虾、蜜蜂、家蚕高毒，因此在使用时应防止污染鱼塘、河流、蜂场、桑园。禁止在水田使用。

（2）对拟除虫菊酯类农药产生抗性的害虫，应适当提高药液使用浓度。

（3）由于在碱性介质及土壤中易分解，不要与碱性物质混用以及作土壤处理剂使用。

（4）收获前21天停用。

（5）应存放在阴凉通风干燥处。

氯氰菊酯（cypermethrin）

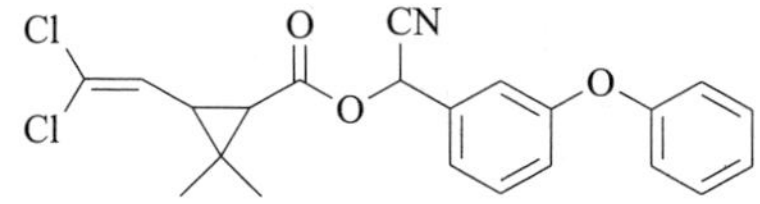

$C_{22}H_{19}Cl_2NO_3$，416.3，52315-07-8

其他名称 灭百可、兴棉宝、赛波凯、安绿宝。

主要剂型 2.5%、5%、10%、20%、25%、50g/L、100g/L、250g/L乳油，5%微乳剂，8%微囊剂，300g/L悬浮种衣剂，25%水乳剂，10%可湿性粉剂。

作用特点 中等毒性杀虫剂，作用于昆虫的神经系统，通过与钠通道作用来扰乱昆虫的神经功能。具有触杀和胃毒作用，无内吸性。杀虫谱广，药效迅速，对光、热稳定，对某些害虫的卵具有杀伤作用。药效比氯菊酯高，适用于防虫、杀虫，如防治蝇类、蚊类和蚋类等昆虫。适用于防治棉花、蔬菜、果树、茶树、森林树木等多种植物上的害虫及卫生害虫。用此药防治对有机磷产生抗性的害虫效果良好，但对螨类和盲蝽防治效果差。该药残效期长，正确使用时对作物安全。

防治对象 可用于公共场所防治苍蝇、蟑螂、蚊、跳蚤、虱和臭虫等许多卫生害虫，也可防治牲畜外寄生虫（如蜱、螨等）。在农业上，主要用于苜蓿、禾谷类作物、棉花、葡萄、油菜、梨果、马铃薯、大豆、甜菜、烟草和蔬菜上防治鞘翅目、鳞翅目、直翅目、双翅目、半翅目和同翅目等害虫。

注意事项

（1）不要与碱性物质混用。

（2）注意不可污染水域及饲养蜂、蚕场地。

（3）人体每日允许摄入量为0.6mg/kg。本品无内吸和熏蒸作用，喷药要周到。在害虫和螨类同时发生时，应与杀螨剂混用或交叉使用。蚜虫、棉铃虫等极易产生抗药性，尽可能轮用、混用。

(4) 防治钻蛀性害虫，应在孵化期或孵化前 1～2 天施药。

(5) 不能在桑园、鱼塘、养蜂场所使用。

螺虫乙酯（spirotetramat）

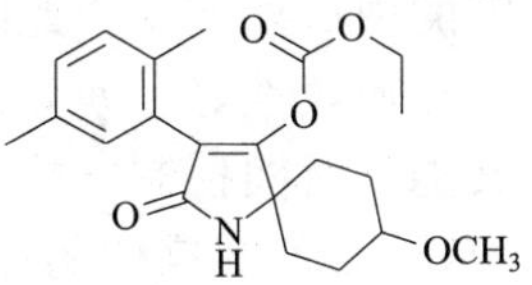

$C_{21}H_{27}NO_5$，373.45，203313-25-1

其他名称 亩旺特。

主要剂型 15%、24%悬浮剂。

作用特点 螺虫乙酯是季酮酸类化合物，具有独特的作用特征，是迄今具有双向内吸传导性能的杀虫剂之一。该化合物可以在整个植物体内向上向下移动，抵达叶面和树皮，从而防治如生菜和白菜嫩叶上，及果树皮上的害虫。这种独特的内吸性能可以保护新生茎、叶和根部，防止害虫卵和幼虫生长。其另一个特点是持效期长，可提供长达 8 周的有效防治。对重要益虫如瓢虫、食蚜蝇和寄生蜂具有良好的选择性。

防治对象 螺虫乙酯高效广谱，可有效防治各种刺吸式口器害虫，如蚜虫、蓟马、木虱、粉蚧、粉虱和介壳虫等。可应用的主要作物包括棉花、大豆、柑橘、热带果树、坚果、葡萄、啤酒花、马铃薯和蔬菜等。

螺螨酯（spirodiclofen）

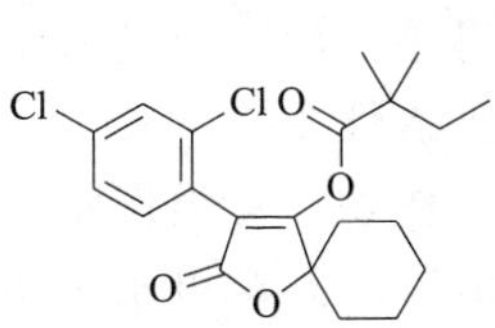

$C_{21}H_{24}Cl_2O_4$，411.32，148477-71-8

其他名称 螨危、螨威多。

主要剂型 24%、29%、34%悬浮剂，15%水乳剂。

作用特点 低毒杀虫剂。螺螨酯抑制害螨体内的脂肪合成，阻断螨的能量代谢。对螨的各个发育阶段都有效，包括卵。具触杀作用，没有内吸性。杀螨谱广、适应性强、持效期长、低残留、安全性好。

防治对象 对红蜘蛛、黄蜘蛛、锈壁虱、茶黄螨、朱砂叶螨和二斑叶螨等均有很好防效，可用于柑橘、葡萄等果树和茄子、辣椒、番茄等茄科作物的螨害治理。此外，螺螨酯对梨木虱、榆蛎盾蚧以及叶蝉类等害虫有很好的兼治效果。

注意事项

(1) 如果在柑橘全爪螨为害的中后期使用，此时成螨数量已经相当大，由于螺螨酯杀卵及幼螨的特性，建议与速效性好、残效短的杀螨剂，如阿维菌素等混合使用，既能快速杀死成螨，又能长时间控制害螨虫口数量的恢复。

(2) 在一个生长季（春季、秋季），螺螨酯的使用次数最多不超过 2 次。

(3) 螺螨酯的主要作用方式为触杀和胃毒，无内吸性，因此喷药要全株均匀喷雾，特别是叶背。

(4) 建议避开果树开花时用药。

马拉硫磷（malathion）

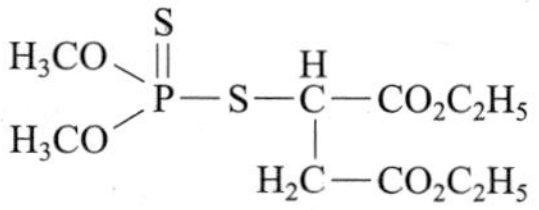

$C_{10}H_{19}O_6PS_2$，330.36，121-75-5

其他名称 马拉松、马拉赛昂、蟑除、储粮灵、旺运、正春、粮虫净、农快马、欧马、富林、飞翔、永安、谷虫治、仓保。

主要剂型 45%、70%乳油，1.2%、1.8%、2.01%粉剂。

作用特点 马拉硫磷毒性低，残效期短，具有良好的触杀、胃毒和一定的熏蒸作用，无内吸作用。对刺吸式口器和咀嚼式口器的害虫都有效。进入虫体后氧化成马拉氧磷，从而更能发挥毒杀作用，而进入温血动物时，则被在昆虫体内所没有的羧酸酯酶水解，因而失去毒性。

防治对象 适用于防治麦类作物、豆类作物、水稻、棉花、果树、蔬菜、烟草、茶、桑树、林木等作物上的害虫，也可用于防治仓储害虫和卫生害虫。

注意事项

(1) 本品易燃，在运输、贮存过程中注意防火，远离火源。

(2) 在蔬菜收获前 7～10 天停用。在瓜类、豇豆作物上慎用，以避免药害。

(3) 中毒症状为头痛、头晕、恶心、无力、多汗、呕吐、流涎、视力模糊、瞳孔缩小、痉挛、昏迷、肌纤颤、肺水肿等。误中毒时应立即送医院诊治，给病人皮下注射 1～2mg 阿托品，并立即催吐。上呼吸道刺激可饮少量牛奶及苏打。眼睛受到沾染时用温水冲洗。皮肤发炎时可用 20%苏打水湿绷带包扎。

醚菊酯（etofenprox）

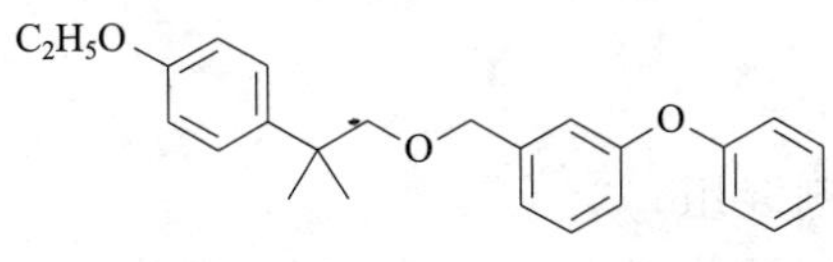

$C_{25}H_{28}O_3$，376.49，80844-07-1

其他名称 多来宝、利来多、依芬宁。

主要剂型 10%、20%、30%悬浮剂，10%、20%、30%乳油，10%、20%、30%可湿性粉剂。

作用特点 低毒杀虫剂。属拟除虫菊酯类杀虫剂，击倒速度快，杀虫活性高，具有触杀和胃毒的特性。对同翅目飞虱科特效，同时对鳞翅目、半翅目、直翅目、鞘翅目、双翅目和等翅目等多种害虫有很好的效果，尤其对水稻稻飞虱的防治效果显著，药后 30min 能达到 50%以上。正常情况下持效期 20 天以上。

防治对象 防治水稻灰飞虱、白背飞虱、甘蓝青虫、甜菜夜蛾、斜纹夜蛾、松毛虫、棉花害虫（如棉铃虫、烟草夜蛾、棉红铃虫等）、玉米螟、大螟等。

注意事项

（1）使用时避免污染鱼塘、蜂场。

（2）使用时若不慎中毒，应立即就医。

灭蝇胺（cyromazine）

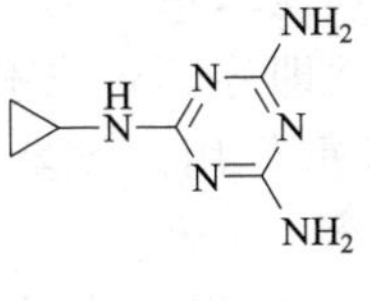

$C_6H_{10}N_6$，166.2，66215-27-8

其他名称 环丙氨嗪、蝇得净、赛诺吗嗪、环丙胺嗪。

主要剂型 20%、50%可溶粉剂，10%、30%悬浮剂，30%、50%、70%、75%可湿性粉剂，60%水分散粒剂。

作用特点 一种昆虫生长调节剂类低毒杀虫剂。灭蝇胺诱使双翅目幼虫和蛹发生畸变，成虫羽化不全或受抑制，具有触杀和胃毒作用，有强内吸传导性，持效期较长，但作用速度较慢。有非常强的选择性，主要对双翅目昆虫有活性。

防治对象 适用于多种瓜果蔬菜，主要对“蝇类”害虫具有良好的杀虫作用。主要用于防治各种瓜果类、茄果类、豆类及多种叶菜类蔬菜的美洲斑潜蝇、南美斑潜蝇、豆秆黑潜蝇、葱斑潜叶蝇、三叶斑潜蝇等多种潜叶蝇，韭菜及葱、蒜的根蛆等。

注意事项

（1）不能与碱性药剂混用。

（2）与不同作用机理的药剂交替使用，以减缓害虫抗药性的产生。

（3）喷药时，若在药液中混加0.03%的有机硅或0.1%的中性洗衣粉，可显著提高药剂防效。

（4）制剂应存放于阴凉、干燥处。

炔螨特（propargite）

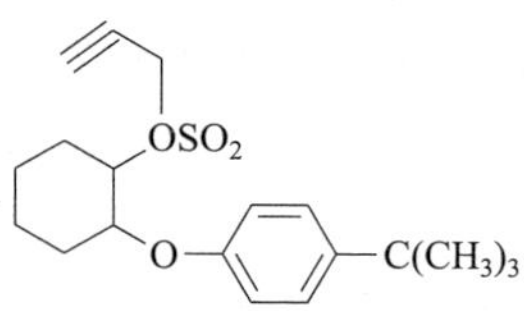

$C_{19}H_{26}O_4S$，350.47，2312-35-8

其他名称 克螨特、丙炔螨特、灭螨净、托螨丹、赛螨、茶净、踢螨、锐螨净。

主要剂型 25%、40%、57%、70%、73%、76%乳油，40%、50%水乳剂，40%微乳剂。

作用特点 低毒杀螨剂。广谱性有机硫杀螨剂。能杀灭多种害螨，对成螨和若螨有特效，杀卵效果差。对对其他杀虫（螨）剂产生抗药性的害螨也有良好防效。害螨接触有效剂量的药剂后立即停止进食和减少产卵，48～96h死亡。在气温高于27℃时具有触杀和熏蒸双重作用。该药不易产生抗药性，药效持久，且对蜜蜂和天敌安全。

防治对象 可用于防治棉花、蔬菜、苹果、柑橘、茶、花卉等作物各种害螨，如棉花红蜘蛛、苹果红蜘蛛、山楂红蜘蛛、柑橘红蜘蛛、柑橘锈壁虱等。

注意事项

（1）在炎热潮湿的天气下，幼嫩作物喷洒高浓度炔螨特可能会有轻微的药害，使叶片卷曲或有斑点，但对于作物的生长没有影响。在25cm以下嫩梢期的柑橘、甜橙和苹果上使用时，不应低于2000倍的浓度。

（2）该药除不能与波尔多液及强碱农药混合使用外，可与一般农药混用。

（3）该药无组织渗透作用，故需均匀喷洒作物叶片的两面及果实表面。

（4）该药应防潮湿、暴晒、受热，不得与食物、饮料或饲料、种子混放。

噻虫胺（clothianidin）

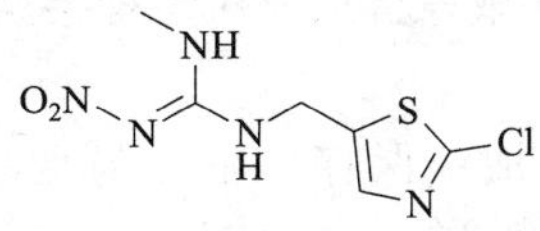

$C_6H_8ClN_5O_2S$，249.68，210880-92-5

其他名称 可尼丁、(*E*)-1-(2-氯-1,3-噻唑-5-基甲基)-3-甲基-2-硝基胍。

主要剂型 35%、50%水分散粒剂，20%、48%悬浮剂，0.5%、1%、1.5%颗粒剂。

作用特点 低毒。噻虫胺是新烟碱类杀虫剂，具有触杀、胃毒和内吸活性。具有高效、广谱、用量少、毒性低、药效持效期长、对作物无药害、使用安全、与常规农药无交互抗性等优点。

防治对象 用于蔬菜、果树及其他作物上防治蚜虫、叶蝉、蓟马、飞虱等害虫。

注意事项

（1）不宜与碱性农药或物质（如波尔多液、石硫合剂等）混用。

（2）由于其残效期较长，应严格执行安全间隔期。

（3）对蜜蜂、家蚕等有较高毒性，因此不适宜在蜂场附近、桑树和蜜源作物上使用。

（4）注意与其他类型杀虫剂轮换、交替或混合使用，以延缓害虫抗药性的产生。

噻虫嗪（thiamethoxam）

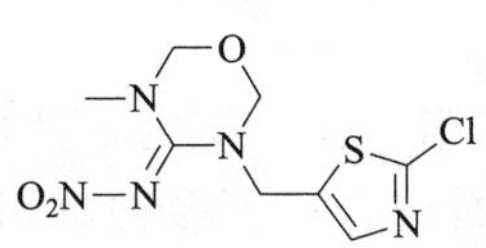

$C_8H_{10}ClN_5O_3S$，291.71，153719-23-4

其他名称 阿克泰、锐胜、快胜、福戈。

主要剂型 30%、46%种子处理悬浮剂，25%可湿性粉剂，25%、50%、75%水分散粒剂，50%、70%种子处理可分散粉剂，35%悬浮种衣剂，21%、25%、30%悬浮剂。

作用特点 噻虫嗪是第二代烟碱类高效低毒杀虫剂，抑制昆虫中枢神经系统烟碱乙酰胆碱酯酶受体，进而阻断昆虫中枢神经系统的正常传导，造成害虫出现麻痹而死亡。具有触杀、胃毒、内吸活性。具有高活性、广谱及作用速度快、持效期长等特点。噻虫嗪在施药以后，害虫接触药剂后立即停止取食等活动，但死亡速度较慢，死虫的高峰通常在药后 2～3 天出现。

防治对象 对鞘翅目、双翅目、鳞翅目，尤其是同翅目害虫有高活性，对刺吸式害虫如蚜虫、飞虱、叶蝉、粉虱等有良好的防效。可有效防治各种蚜虫、叶蝉、飞虱、粉虱、金龟子幼虫、潜叶蛾等害虫及对多种类型化学农药产生抗性的害虫。

注意事项

（1）勿让儿童接触本品。加锁保存。不能与食品、饲料存放一起。尽管本品低毒，但在施药时应遵照安全使用农药守则。

（2）避免在低于−10℃和高于35℃储存。

（3）对蜜蜂有毒。

噻螨酮（hexythiazox）

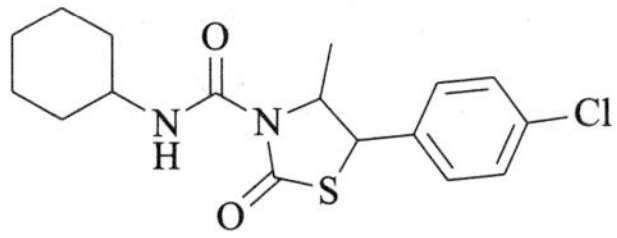

$C_{17}H_{21}ClN_2O_2S$，352.88，78587-05-0

其他名称 尼索朗、尼螨朗、维保郎、天郎、豪顿、卵标郎、卵禁。

主要剂型 5%乳油，5%、10%可湿性粉剂，5%水乳剂。

作用特点 低毒杀虫剂。噻唑烷酮类杀螨剂，对多种植物害螨具有强烈的杀卵、杀幼若螨的特性，对成螨无效，但对接触到药液的雌成虫所产的卵具有抑制孵化的作用。以触杀作用为主，对植物组织有良好的渗透性，无内吸性作用。药效速度缓慢，但残效期可长达1个月以上。对人、畜低毒，对眼有轻微刺激作用，对鸟类低毒，在常量下对蜜蜂无毒性反应，对天敌影响很小，对鱼类有毒。

注意事项

（1）在蔬菜收获前30天停用。在1年内，使用1次为宜。

（2）本剂可与波尔多液、石硫合剂等多种农药混用，但波尔多液的浓度不能过高。

（3）本剂宜在成螨数量较少时（初发生时）使用，若是螨害发生严重，不宜单独使用本剂，最好与其他具有杀成螨作用的药剂混用。

噻嗪酮（buprofezin）

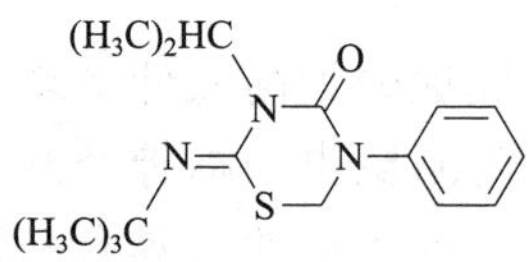

$C_{16}H_{23}N_3OS$，305.4，69327-76-0

其他名称 扑虱灵、稻虱灵、稻虱净、吉米佳、格虱去、格灭、振敌虱、美扑、飞舞、锐蚧、蚧止、川珊灵、稻虱顿、金泽灵1号、佳米多、伏虱乐、总安、壳虱、除虱灵、环丰、七洲盖虱、优乐得。

主要剂型 25%、65%、75%、80%可湿性粉剂，25%、37%、40%、50%悬浮剂，70%水分散粒剂，8%展膜油剂。

作用特点 低毒杀虫剂。一种杂环类昆虫几丁质合成抑制剂，破坏昆虫的新生表皮形成，干扰昆虫的正常生长发育，引起害虫死亡。具触杀、胃毒作用，具渗透性。不杀成虫，但可减少产卵并阻碍卵孵化。药效慢，药后3～7天才能达到药剂高峰。对鞘翅目、部分同翅目以及蜱螨目具有持效性杀幼虫活性。

防治对象 可有效地防治水稻上的叶蝉科、飞虱科，马铃薯上的叶蝉科，柑橘、棉花和蔬菜上的粉虱科，柑橘上的蚧科、盾蚧科和粉蚧科等害虫；对同翅目的飞虱、叶蝉、粉虱及介壳虫类害虫有特效。

注意事项

(1) 药液不宜直接接触白菜、萝卜，否则将出现褐斑及绿叶白化等药害。

(2) 密封后存于阴凉干燥处，避免阳光直接照射。

(3) 使用时应先对水稀释后均匀喷雾，不可用毒土法。

三氟甲吡醚（pyridalyl）

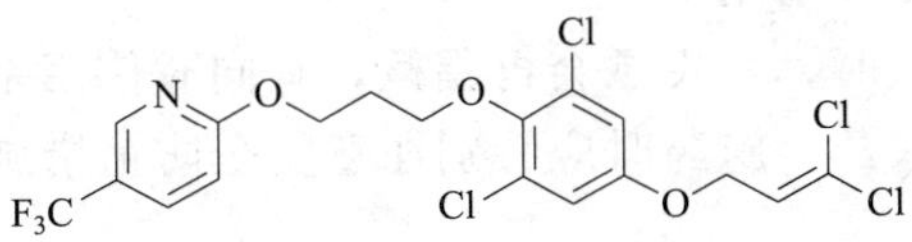

$C_{18}H_{14}Cl_4F_3NO_3$，491.12，179101-81-6

其他名称 啶虫丙醚。

主要剂型 10.5%乳油。

作用特点 三氟甲吡醚属二卤丙烯类高效、低毒杀虫剂，对鳞翅目害虫具有卓越的防效，与现有鳞翅目杀虫剂无交互抗性。与常用农药的作用机理不同，主要用于防治为害作物的鳞翅目幼虫。对现有杀虫剂产生抗性的害虫也具有杰出的防效。同时它对许多有益的节肢动物影响最小。

防治对象 主要用于防治危害作物的鳞翅目害虫幼虫，此外对缨翅目蓟马、双翅目潜叶蝇也具有较好的防效。

注意事项

(1) 本剂对蚕有影响，勿喷洒在桑叶上，在桑园及蚕室附近禁用。

(2) 注意远离河塘等水域施药，禁止在河塘等水域中清洗施药器具，不要污染水源。

三唑磷（triazophos）

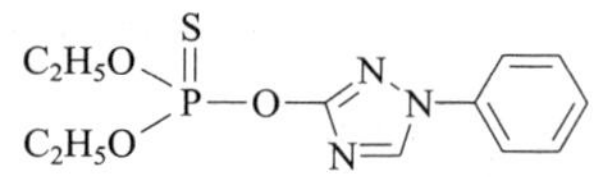

$C_{12}H_{16}N_3O_3PS$，313.31，24017-47-8

其他名称 螟劲死、螟死净、解千愁、惠民、万得星。

主要剂型 2%、5%颗粒剂，20%、30%、40%、60%乳油，25%可湿性粉剂，8%、15%、25%微乳剂，15%水乳剂。

作用特点 一种中等毒性、广谱有机磷杀虫剂。具有强烈的触杀和胃毒作用，杀虫效果好，杀卵作用明显，渗透性较强，无内吸作用。用于水稻等多种作物防治多种害虫，为广谱有机磷杀虫剂、杀螨剂、杀线虫剂。

防治对象 主要用于防治果树、棉花、粮食类作物上的鳞翅目害虫、害螨、蝇类幼虫及地下害虫等。对地下害虫、植物线虫、森林松毛虫也有显著作用，持效期达 2 周以上。其杀卵作用明显，对鳞翅目昆虫卵的杀灭作用尤为突出。

注意事项

（1）不能与碱性物质混用，以防分解失效。

（2）作物收获前 1 周禁用本品。

（3）防治水稻螟虫时，稻飞虱会再猖獗，宜同时使用杀飞虱药剂。

（4）本品为高毒农药，施药时应特别注意安全防护措施，以免污染皮肤和眼睛，甚至中毒。

（5）运输时应注意使用专门车辆，贮存在远离食物、饲料和儿童接触不到的地方。

杀螟硫磷（fenitrothion）

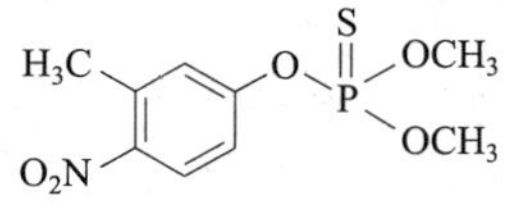

$C_9H_{12}NO_5PS$，277.23，122-14-5

其他名称 杀螟松、杀虫松、速灭虫、速灭松、扑灭松、灭蟑百特、苏米硫磷、灭蛀磷。

主要剂型 50%乳油，40%可湿性粉剂，2%、5%粉剂。

作用特点 属于广谱性有机磷类杀虫剂，作用于胆碱酯酶，具有触杀和胃毒作用，并有一定渗透作用。对鳞翅目幼虫有特效，也可防治半翅目、鞘翅目等害虫。对光稳定，遇高温易分解失效，碱性介质中水解，铁、锡、铝、铜等会引起该药分解。

防治对象 用于防治水稻、玉米、大麦、棉花、茶树、果树和蔬菜以及观赏植物等上多种害虫，如稻纵卷叶螟、稻飞虱、稻叶蝉、玉米象、赤拟谷盗、棉蚜、菜蚜、卷叶虫、茶小绿叶蝉、苹果叶蛾、桃蚜、桃小食心虫、柑橘潜叶蛾和苹果潜叶蛾等。

注意事项

（1）不能与波尔多液、石硫合剂等碱性农药混用。

（2）对十字花科蔬菜和高粱等作物比较敏感，不宜使用。

（3）对蜜蜂有毒，应避免在蜂场或作物开花时节使用。

虱螨脲（lufenuron）

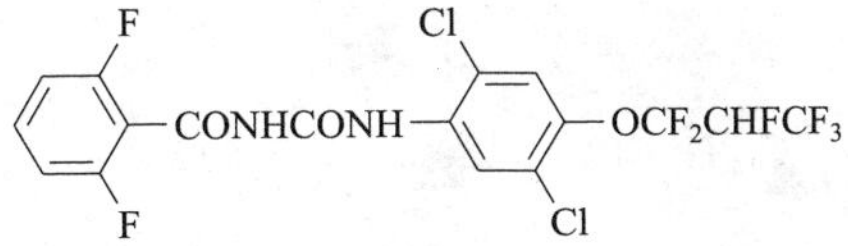

$C_{17}H_8Cl_2F_8N_2O_3$，511.15，103055-07-8

其他名称 氟丙氧脲、禄芬隆、氯芬奴隆、美除、旗诺。

主要剂型 5%、10%悬浮剂，5%、50g/L乳油。

作用特点 低毒杀虫剂。虱螨脲为苯甲酰脲类几丁质生物合成抑制剂，通过影响昆虫表皮的形成而达到杀虫目的。具胃毒和触杀作用，渗透性强；有杀卵功能，可杀灭新产虫卵。药效持久，耐雨水冲刷。对蓟马、锈螨、白粉虱有独特的杀灭作用，适于防治对合成除虫菊酯和有机磷农药产生抗性的害虫。药剂的持效期长，有利于减少打药次数；对作物安全，玉米、蔬菜、柑橘、棉花、马铃薯、葡萄、大豆等作物均可使用，适合于综合虫害治理。药剂不会引起刺吸式口器害虫再猖獗，对益虫的成虫和捕食性蜘蛛作用温和；对有益的节肢动物成虫具有选择性。用药后，首次作用缓慢，施药后2～3天见效。对蜜蜂和大黄蜂低毒，蜜蜂采蜜时可以使用。比有机磷、氨基甲酸酯类农药更安全，可作为良好的混配剂使用，对鳞翅目害虫有良好的防效。对花蓟马幼虫有良好防效；可阻止病毒传播；药剂有选择性、长持性，对后期马铃薯蛀茎虫有良好的防治效果。

防治对象 主要用于防治棉花、玉米、蔬菜、果树等鳞翅目幼虫；也可作为卫生用药；还可用于防治动物如牛等的害虫。

注意事项

（1）在十字花科蔬菜上的安全间隔期为 14 天，每季最多使用 2 次。

（2）与氟铃脲、氟啶脲、除虫脲等有交互抗性；不宜与硫双威等氨基甲酸酯类药剂混用；不宜与 Bt 混用。

（3）建议与其他作用机制不同的杀虫剂轮换使用，以延缓抗性产生。

（4）使用本品时应穿戴防护服和手套，避免吸入药液。施药期间不可吃东西和饮水；施药后应及时洗手和洗脸。

（5）本品对蜜蜂、鱼类等水生生物、家蚕有毒，施药期间应避免对周围蜂群的影响，蜜源作物花期、蚕室和桑园附近禁用。远离水产养殖区施药，禁止在河塘等水体中清洗施药器具。

四螨嗪（clofentezine）

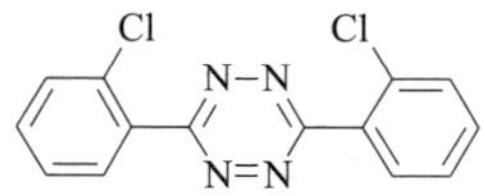

$C_{14}H_8Cl_2N_4$，303.15，74115-24-5

其他名称 阿波罗、螨死净、克芬螨。

主要剂型 20%、50%悬浮剂，10%可湿性粉剂，75%、80%水分散粒剂。

作用特点 低毒。四螨嗪是一种高活性的杀螨卵药剂，对幼、若螨也有效，对成螨无效。具触杀作用，无内吸性。它可穿入螨的卵巢内使其产的卵不能孵化，是胚胎发育抑制剂。但无明显的不育作用。具有亲脂性，故有较强的渗透力。在低温下对卵有很好效果，但对幼、若螨作用慢效果差。对温度不敏感，四季皆可使用。

防治对象 适用于防治多种果树、蔬菜及棉花等作物上的主要害螨。可有效防治全爪螨、叶螨和瘿螨等，对跗线螨也有一定效果。可防治柑橘红蜘蛛、四斑黄蜘蛛、柑橘锈壁虱、苹果红蜘蛛、山楂红蜘蛛、棉红蜘蛛、二斑叶螨、截形叶螨、锈螨和朱砂叶螨等。对植食性螨特效或高效。对天敌安全。

注意事项

（1）与噻螨酮有交互抗性，在长期使用过噻螨酮的果园不宜用，在柑橘和苹果上 1 年只能使用 1 次。其安全间隔为 21 天。

（2）本剂主要杀螨卵，对幼螨也有一定效果。对成螨无效，所以在螨卵初孵用药效果最佳。

（3）在螨密度大或温度较高时施用，最好与其他杀成螨药剂混用，在气温低（15℃左右）和虫口密度小时施用效果好，持效期长。

苏云金杆菌（*Bacillus thuringiensis*）

$C_{22}H_{32}N_5O_{16}P$，625.9，68038-71-1

其他名称 7216杀虫菌、Bt生物农药、Bt杀虫剂、敌宝、康多惠、快来顺、苏云金芽孢杆菌制剂。

主要剂型 15000UI/mg、32000UI/mg、64000UI/mg水分散粒剂，3.2%、8000UI/mg、16000UI/mg、32000UI/mg可湿性粉剂，6000UI/mg、8000UI/mg悬浮剂，4000UI/mg、16000UI/mg粉剂。

作用特点 苏云金芽孢杆菌是一种微生物源低毒杀虫剂，以胃毒作用为主。它的主要活性成分是一种或数种杀虫晶体蛋白（insecticidal crystal proteins，ICPs），又称δ-内毒素。经害虫食入后，寄生于寄主的中肠内，在肠内合适的碱性环境中生长繁殖，晶体毒素经过虫体肠道内蛋白酶水解，形成有毒效的较小亚单位，它们作用于虫体的中肠上皮细胞，引起肠道麻痹、穿孔，致虫体瘫痪、停止进食。随后苏云金芽孢杆菌进入血腔繁殖，导致虫体死亡。该药作用缓慢，害虫取食后2天左右才能见效，持效期约1天，因此使用时应比常规化学药剂提前2～3天，且在害虫低龄期使用效果较好。

防治对象 对鳞翅目、鞘翅目、双翅目、膜翅目、同翅目等昆虫，以及蜱螨等节肢动物都有特异性的毒杀活性，而对非目标生物安全。可用来防治菜青虫、稻苞虫、尺蠖、松毛虫、烟青虫、菜粉蝶、玉米螟、棉铃虫、稻纵卷叶螟、蓑蛾、地老虎等。

注意事项

（1）本品对蜜蜂、家蚕有毒，施药期间应避免对周围蜂群的影响，蜜源作物花期、蚕室和桑园附近禁用；对鱼类等水生生物有毒，远离水产养殖区施药，禁止在河塘等水体中清洗施药器具。

（2）不能与内吸性有机磷杀虫剂或杀菌剂（如乐果、甲基内吸磷、稻丰散、伏杀硫磷、杀虫畏）及碱性农药等物质混合使用。

（3）使用本品时应穿戴防护服和手套，避免吸入药液。施药期间不可吃东西和饮水。施药后应及时洗手和洗脸。

（4）孕妇和哺乳期妇女避免接触。

（5）建议与其他作用机制不同的杀虫剂轮换使用，以延缓抗性产生。

烯啶虫胺（nitenpyram）

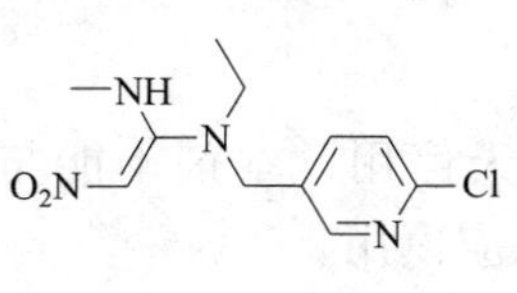

$C_{11}H_{15}N_4O_2Cl$，270.72，150824-47-8

其他名称　吡虫胺、强星。

主要剂型　5%、10%、20%水剂，20%、60%可湿性粉剂，20%、30%、60%水分散粒剂，10%、25%、50%可溶粉剂，50%、60%可溶粒剂。

作用特点　低毒杀虫剂。烯啶虫胺主要作用于昆虫神经系统，对害虫的突触受体具有神经阻断作用，在自发放电后扩大隔膜位差，并最终使突触隔膜刺激下降，结果导致神经的轴突触隔膜电位通道刺激消失，致使害虫麻痹死亡。具有卓越的内吸性及渗透作用。

防治对象　杀虫谱广，是防治刺吸式口器害虫（如白粉虱、蚜虫、梨木虱、叶蝉、蓟马）的换代产品。

注意事项

（1）安全间隔期为7～14天，每个作物周期最多使用次数为4次。

（2）本品对蜜蜂、鱼类等水生生物、家蚕有毒，用药时应远离。

（3）本品不可与碱性物质混用。

（4）为延缓抗性，要与其他不同作用机制的药剂交替使用。

辛硫磷（phoxim）

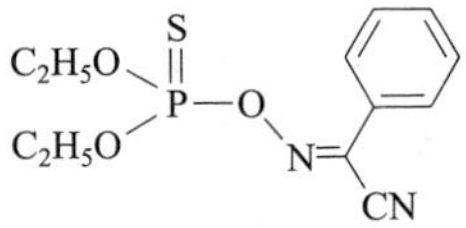

$C_{12}H_{15}N_2O_3PS$，298.30，14816-18-3

其他名称　肟硫磷、倍腈松、拜辛松、巴赛松、腈肟磷、肟磷。

主要剂型　0.3%、1.5%、3%、5%、10%颗粒剂，15%、40%、56%、70%乳油，3%水乳种衣剂，30%、35%微囊悬浮剂，20%微乳剂。

作用特点　低毒杀虫剂。辛硫磷杀虫谱广，击倒力强，以触杀和胃毒作用为主，无内吸作用，有一定的熏蒸作用和渗透性。在田间因对光不稳定，很快分解，所以残留期短，残留危险小。但该药施入土中，残留期很长，适合于防治地下害虫。

防治对象　对危害花生、小麦、水稻、棉花、玉米、果树、蔬菜、桑、茶等作物的多种鳞翅目害虫的幼虫有良好的作用效果，对虫卵也有一定的杀伤作用。也适于防治仓库和卫生害虫。

注意事项

（1）在蔬菜收获前3～5天停用。本剂不能与碱性药剂混用。本剂对黄瓜、大白菜、菜豆等易产生药害，应慎用。

（2）应在傍晚或阴天时喷药。喷药后2天，对蜜蜂及天敌无毒害作用。

（3）应在避光干燥处贮存。

（4）与敌百虫、敌敌畏、杀螟硫磷、丙溴磷、喹硫磷、三唑磷、阿维菌素、氟铃脲、鱼藤酮等有混配剂。

溴氰菊酯（deltamethrin）

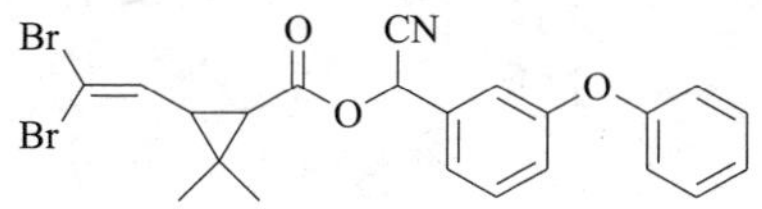

$C_{22}H_{19}Br_2NO_3$，505.24，52918-63-5

其他名称　敌杀死、凯素灵、强力安居保、天马、金鹿、保棉丹、阿尔法、凯安保、节节高、菜保青、科尔、应急、持打、重剑、喜多多、钻歼、法榜、明角、胜筹、粮虫克。

主要剂型　25g/L、50g/L、2.5%、2.8%乳油，2.5%、5%可湿性粉剂，2.5%微乳剂，2.5%、15g/L水乳剂，25g/L悬浮剂。

作用特点　中等毒性杀虫剂。溴氰菊酯是一种神经毒剂，改变昆虫神经膜的渗透性，影响离子通道，而使神经传导受抑制，使昆虫过度兴奋、麻痹而死亡。以触杀和胃毒作用为主，兼有一定的驱避和拒食作用，无内吸和熏蒸作用。对螨、蚧、盲蝽等防效很差或基本无效，对家蚕、蜜蜂、鱼类毒性大，对其他拟除虫菊酯产生抗性的害虫有交互抗性。

防治对象　对多种作物的蚜虫、食叶害虫及钻蛀性害虫都有良好防治效果。如可防治棉花红铃虫、棉铃虫、水稻三化螟、稻蓟马、稻纵卷叶螟、大豆食心虫、柑橘潜叶蛾、梨小食心虫、桃小食心虫、甘蔗螟虫及卫生害虫等。使用时避免高温天气。

注意事项

（1）2.5%乳油防治叶菜上菜青虫、小菜蛾安全间隔期为2天，每季作物最多使用3次。

（2）使用该类农药时，要尽可能减少用药次数和用药量，或与有机磷等非菊酯类农药交替使用或混用，有利于减缓害虫产生抗药性。

（3）不可与碱性物质混用，以免降低药效。

（4）该药对螨、蚧类的防效甚低，不可专门用作杀螨剂，以免害螨猖獗为害。最好不单一用于防治棉铃虫、蚜虫等抗性发展快的害虫。

（5）对鱼、虾、蜜蜂、家蚕毒性大，用该药时应远离其饲养场所，以免损失严重。

乙基多杀菌素（spinetoram）

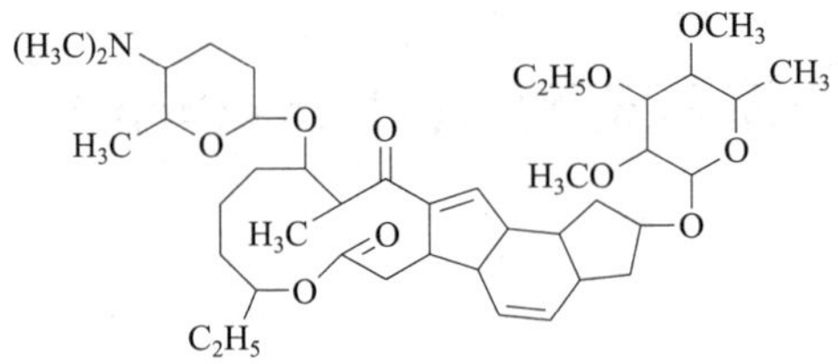

$C_{42}H_{69}NO_{10}$，748.00，187166-40-1

其他名称　艾绿士。

主要剂型　60g/L 悬浮剂。

作用特点　低毒杀虫剂。乙基多杀菌素是从放线菌刺糖多孢菌发酵产生的，作用于昆虫神经中烟碱型乙酰胆碱受体和 γ-氨基丁酸受体，致使虫体对兴奋性或抑制性的信号传递反应不敏感，影响正常的神经活动，直至死亡。乙基多杀菌素具有胃毒和触杀作用。该药速效性一般，持效时间为 7 天左右。推荐施药剂量范围对作物安全。建议与其他作用机理不同的杀菌剂轮换使用，延缓抗药性产生。

防治对象　主要用于防治鳞翅目害虫（小菜蛾、甜菜夜蛾、斜纹夜蛾、豆荚螟等）、双翅目害虫（潜叶蝇）及缨翅目害虫（蓟马）。

注意事项

（1）建议与其他作用机理不同的杀虫剂轮换使用，延缓抗药性产生。

（2）合理使用剂量不超过 37.5g/hm^2，施药次数不超过 3 次。

（3）安全间隔期为 7 天，施药间隔时间为 7 天。

（4）使用该药剂时，在蜜源作物花期禁用，禁止在河塘内清洗施药器具，蚕室及桑园附近禁用。

乙螨唑（etoxazole）

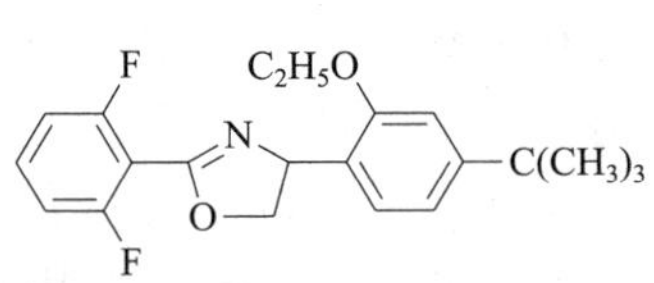

$C_{21}H_{23}F_2NO_2$，359.41，153233-91-1

其他名称　依杀螨、来福禄。

主要剂型　11%悬浮剂。

作用特点 低毒杀螨剂。乙螨唑为二苯基噁唑啉类触杀型杀螨剂，抑制螨卵的胚胎形成以及从幼螨到成螨的蜕皮过程。能有效控制螨的整个幼龄期（卵、幼螨和若螨），对成螨无效，但对雌性成螨具有不育作用。抑制螨卵的胚胎形成以及从幼螨到成螨的蜕皮过程，对卵及幼螨有效，对成螨无效，但是对雌性成螨具有很好的不育作用。因此其最佳的防治时间是害螨为害初期。耐雨性强，持效期长达 50 天。

防治对象 主要防治苹果、柑橘红蜘蛛，对棉花、花卉、蔬菜等作物的叶螨、始叶螨、全爪螨、二斑叶螨、朱砂叶螨等螨类也有卓越防效。

注意事项

（1）每个季节作物使用次数最好不要超过 2 次。

（2）最佳防治时间为害螨为害初期，即每片叶片上有少量卵块和幼螨时。

（3）不能直接杀死成螨，当害螨为害严重时应与能防治成螨的杀螨剂混合使用。

（4）勿与波尔多液混合使用。

（5）为延缓抗性出现，建议与其他杀螨剂交替使用。

茚虫威（indoxacarb）

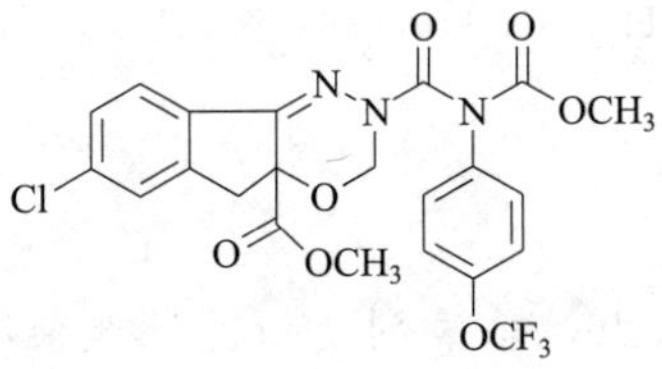

$C_{22}H_{17}ClF_3N_3O_7$，527.83，144171-61-9

其他名称 安打、安美、全垒打。

主要剂型 6%微乳剂，15%、30%水分散粒剂，15%、23%、30%悬浮剂，15%乳油。

作用特点 低毒杀虫剂。茚虫威阻断害虫神经细胞中的钠离子通道，使神经细胞丧失功能，导致靶标害虫协调差、麻痹，最终死亡。具有触杀和胃毒作用，对各龄期幼虫都有效。与其他杀虫剂无交互抗性。对哺乳动物、家畜低毒，同时对环境中的非靶生物等有益昆虫非常安全。在作物中残留低，用药后第 2 天即可采收。尤其是对多次采收的作物如蔬菜类也很适合。可用于害虫的综合防治和抗性治理。

防治对象 适用于防治甘蓝、花椰菜类、芥蓝、番茄、辣椒、黄瓜、小胡瓜、茄子、莴苣、苹果、梨、桃、杏、棉花、马铃薯、葡萄等作物上的甜菜夜蛾、小菜蛾、菜青虫、斜纹夜蛾、甘蓝夜蛾、棉铃虫、烟青虫、卷叶蛾类、苹果蠹蛾、叶蝉、金刚钻、马铃薯甲虫等。

注意事项

（1）施用该品后，害虫从接触药液或食用含有药液的叶片到其死亡会有一段时间，但害虫此时已停止对作物取食和危害。

（2）该品需与不同作用机理的杀虫剂交替使用，每季作物建议使用不超过3次，以避免抗性的产生。

（3）药液配制时，先配制成母液，再加入药桶中，并应充分搅拌。配制好的药液要及时喷施，避免长久放置。

（4）应使用足够的喷液量，以确保作物叶片的正反面能被均匀喷施。

（5）中毒解救：药剂不慎接触皮肤或眼睛，应用大量清水冲洗干净；不慎误服，应立即送医院对症治疗。

唑虫酰胺（tolfenpyrad）

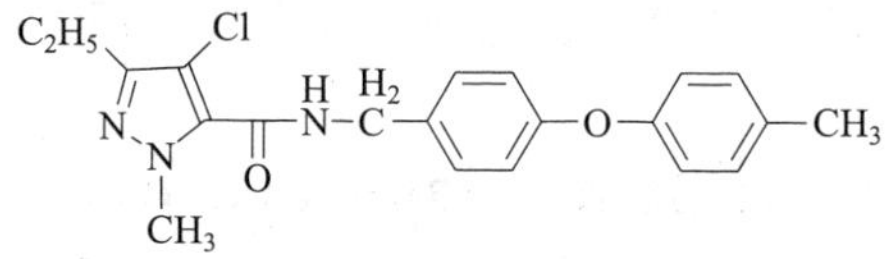

$C_{21}H_{22}ClN_3O_2$，383.87，129558-76-5

其他名称　捉虫朗。

主要剂型　15%乳油。

作用特点　中等毒性杀虫、杀螨剂。新型吡唑杂环类杀虫杀螨剂，其作用机理为阻碍线粒体代谢系统中的电子传达系统复合体Ⅰ，从而使电子传达受到阻碍，使昆虫不能提供和贮存能量，被称为线粒体电子传达复合体阻碍剂（METI）。

防治对象　该品杀虫谱很广，对各种鳞翅目（菜蛾、甘蓝夜蛾、斜纹夜蛾、瓜绢螟等）、同翅目（桃蚜、棉蚜、温室粉虱、康氏粉蚧等）、鞘翅目（黄曲条跳甲、黄守瓜等）、膜翅目（菜叶蜂）、双翅目（茄斑潜蝇、豆斑潜蝇等）、缨翅目（稻黄蓟马、花蓟马等）及螨类（茶半跗线螨、橘锈螨等）具有较高的防治效果，该药还具有良好的速效性，一经处理，害虫马上死亡。此外，该药剂还具杀卵、抑食、抑制产卵及杀菌作用。广泛用于蔬菜、果树、花卉、茶叶等作物的害虫防治。

注意事项

（1）该品应于害虫卵孵化盛期至低龄若虫期施药。

（2）根据虫害发生严重程度，每次施药间隔期在7～15天。

（3）由于小菜蛾易产生抗药性，应与其他杀虫剂轮换使用。

唑螨酯（fenpyroximate）

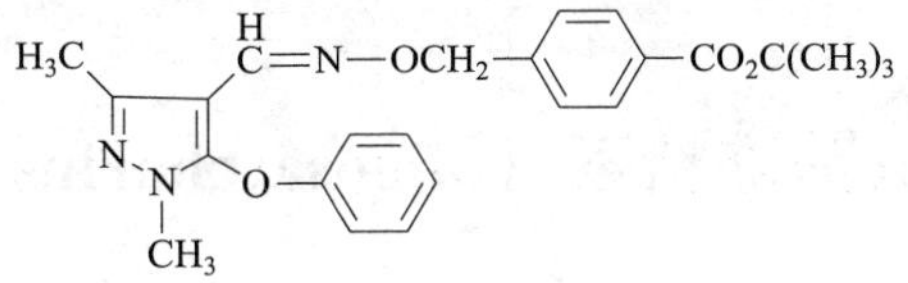

$C_{24}H_{27}N_3O_4$，421.50，111812-58-9

其他名称 霸螨灵、绿敏、螨恐、红卫、杀螨王。

主要剂型 5%、20%、28%悬浮剂，8%微乳剂，10%乳油。

作用特点 中等毒性杀螨剂。唑螨酯为肟类杀螨剂，*E* 体比 *Z* 体杀螨活性高，抑制有害螨体内的脂肪合成。具有触杀作用，没有内吸作用。高剂量时可直接杀死螨类；低剂量时可抑制螨类蜕皮或抑制其产卵。该品对 NADH-辅酶 Q 还原酶具抑制作用，也能使 ATP 供应减少，因此，它具有击倒和抑制蜕皮的作用。它对活动期的螨效果很好，对螨卵也有一定效果，并能杀死孵化后的螨。它对捕食螨、草蛉、瓢虫、蜘蛛和寄生蜂等天敌较安全，对蜜蜂无不良影响。对家蚕有拒食作用。

防治对象 对柑橘红蜘蛛，四斑黄蜘蛛，苹果红蜘蛛，山楂红蜘蛛，棉红蜘蛛，柑橘锈壁虱，梨、桃、葡萄和樱桃上的叶螨，（茶）神泽叶螨，草莓、西瓜和甜瓜上的叶螨和跗线螨等均有较好的防治效果。

注意事项

（1）该品对人、畜有毒，不可吞食或渗入皮肤。使用时应注意安全，作好防护措施。施药后要用肥皂和清水彻底清洗手、脸和衣物等。

（2）该品系触杀剂，无内吸作用。喷药时叶背和叶面均要均匀周到。配药时要充分摇动瓶内的药液。

（3）药液不要污染水井、池塘和水源等。

（4）用接触药液的桑叶喂蚕，会使其产生拒食现象，因此，在桑园附近施药时勿使药液飘移至桑园，以免污染桑叶。在桑树上的安全间隔期为 25 天。

（5）该品在 20℃以下施用时，药效发挥较慢，有时甚至效果较差。虫口密度较大时使用其持效期较短，最好在害螨发生初期使用。

（6）可与包括波尔多液在内的杀虫、杀菌剂混用，但不能与石硫合剂混用，否则会产生凝结。

第三节　杀菌剂

氨基寡糖素（oligosaccharins）

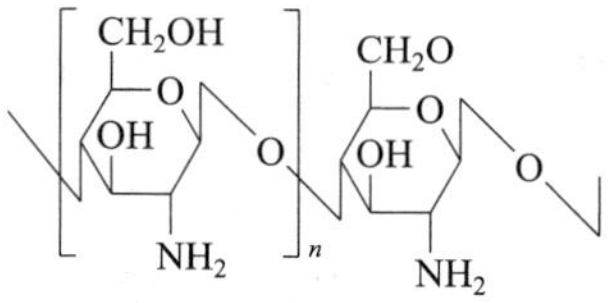

$(C_6H_{11}O_4N)_n$（$n\geqslant2$）

其他名称　好普。

主要剂型　20g/L、0.5%、2%、3%、5%水剂，7.5%母药，0.5%可湿性粉剂。

作用特点　由几丁质降解得壳聚糖后再降解制得，或由微生物发酵提取的低毒杀菌剂。氨基寡糖素溶液对真菌、细菌、病毒具有极强的防治和铲除作用，而且还具有提供营养、调节生长、解毒、抗菌的功效。

防治对象　广泛用于防治果树、蔬菜、地下根茎、烟草、中药材及粮棉作物上的病毒、细菌、真菌引起的花叶病、小叶病、斑点病、炭疽病、霜霉病、疫病、蔓枯病、黄矮病、稻瘟病、青枯病、软腐病等病害。

注意事项

（1）喷施时应避开烈日和阴雨天，傍晚喷施于作物叶片或果实上。

（2）本品含量极高，随配随用，请按照使用浓度配制。

（3）使用时，请预留一块空地不喷，从而更好地检验本品效果。

百菌清（chlorothalonil）

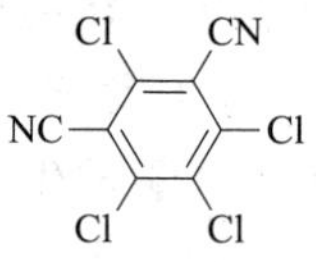

$C_8Cl_4N_2$，265.91，1897-45-6

其他名称　克菌灵、达科宁。

主要剂型　50%、60%、75%可湿性粉剂，40%、72%悬浮剂，5%、10%、15%、20%、30%、45%烟剂，75%水分散粒剂。

作用特点 低毒杀菌剂。有机氯类广谱高效杀菌剂，没有内吸传导作用。杀菌机制是与真菌细胞中的3-磷酸甘油醛脱氢酶中的半胱氨酸的蛋白质结合，破坏细胞的新陈代谢而使其丧失生命力。喷施到植物表面后黏着性能良好，不易被雨水冲刷，药效持效期较长。本品主要是保护作物免受病菌侵染，对已经侵入植物体内的病菌基本无效。必须在病菌侵染寄生植物前用药才能获得理想的防治效果，连续使用的情况下，病菌一般不易产生耐药性。

防治对象 广泛应用于防治蔬菜、果树、观赏植物、大田作物及药用植物的多种真菌性病害。用于防治扁豆炭疽病，胡萝卜和芹菜的早期枯萎及后期枯萎病，黄瓜炭疽病、白粉病，番茄早期枯萎病、灰叶病。

注意事项

（1）防治番茄早疫病等病害安全间隔期为7天，每季作物最多使用3次。

（2）不能与石硫合剂等强碱性农药混用。

（3）使用过的器械和衣物不能在鱼池中洗涤，以防鱼和甲壳类水生动物中毒。

（4）与其他杀菌保护药剂交替使用，以减缓抗药性。

苯菌灵（benomyl）

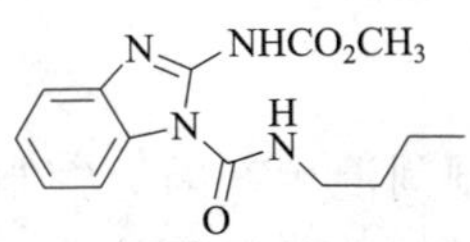

$C_{14}H_{18}N_4O_3$，290.32，17804-35-2

其他名称 苯来特、1-正丁氨基甲酰-苯并咪唑-2-氨基甲酸甲酯。

主要剂型 50%可湿性粉剂。

作用特点 低毒杀菌剂。苯并咪唑类广谱、高效、内吸治疗性低毒杀菌剂，具有保护、铲除和治疗作用。药剂在植物体内代谢为多菌灵和具有挥发性的异氰酸丁酯，杀菌方式与多菌灵相同，通过抑制病菌细胞分裂过程中纺锤体的形成而导致病菌死亡。对谷类、葡萄及核果类、蔬菜上的子囊菌亚门、半知菌亚门及某些担子菌亚门的真菌引起的病害有防效。

防治对象 用于防治黄瓜和甜（辣）椒的炭疽病，番茄灰霉病、叶霉病，黄瓜菌核病、枯萎病，茄子黄萎病、褐纹病。

注意事项

（1）苯菌灵可与多种农药混用，但不能与强碱性药剂及含铜制剂混用。

（2）为避免产生抗性，应与其他杀菌剂交替使用。多菌灵、硫菌灵等与苯菌灵存在交互抗性，不宜将它们作为替换药剂。

苯醚甲环唑（difenoconazole）

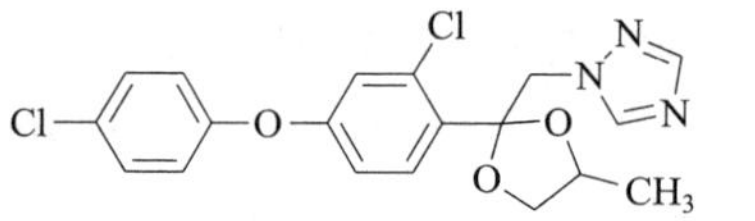

$C_{19}H_{17}Cl_2N_3O_3$，406.26，19446-68-3

其他名称　世高、敌萎丹、噁醚唑。

主要剂型　10%热雾剂，10%、37%、60%水分散粒剂，30g/L悬浮种衣剂，250g/L乳油，10%、20%微乳剂，30%、40%悬浮剂，20%水乳剂。

作用特点　低毒杀菌剂。属于三唑类杀菌剂，是一种内吸性杀菌剂，具保护和治疗作用。抗菌机制是抑制细胞壁甾醇的生物合成，可阻止真菌的生长。叶面处理或者种子处理可提高作物的产量和保证品质。

防治对象　广泛应用于果树、蔬菜等作物，如甜菜、香蕉、禾谷类作物、大豆、园艺作物及各种蔬菜等作物。对子囊菌亚门、担子菌亚门和包括链格孢属、壳二孢属在内的半知菌亚门的真菌和某些种传病原菌有持久的保护和治疗活性。有效防治黑星病、黑痘病、白腐病、斑点落叶病、白粉病、褐斑病、锈病、条锈病、赤霉病等。

注意事项

（1）苯醚甲环唑不宜与铜制剂混用。因为铜制剂能降低它的杀菌能力，如果确实需要与铜制剂混用，则要增加苯醚甲环唑10%以上的用药量。

（2）不要连续多次使用，避免病菌产生耐药性。

（3）苯醚甲环唑虽有保护和治疗双重效果，但为了尽量减轻病害造成的损失，应充分发挥其保护作用，因此施药时间宜早不宜迟，在发病初期进行喷药效果最佳。

吡唑醚菌酯（pyraclostrobin）

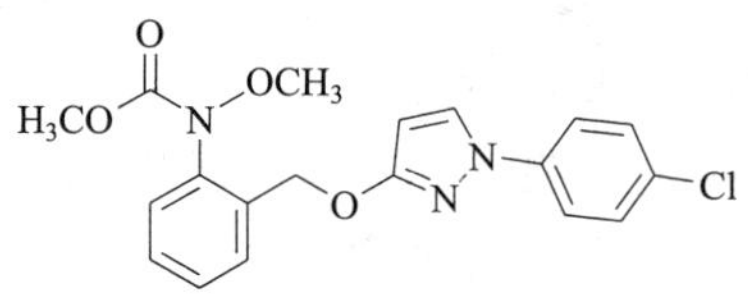

$C_{19}H_{18}ClN_3O_4$，387.82，175013-18-0

其他名称　唑菌胺酯、百克敏、凯润。

主要剂型　25%乳油。

作用特点 低毒杀菌剂。一种新型广谱β-甲氧基丙烯酸甲酯类杀菌剂。作用机理为线粒体呼吸抑制剂，使线粒体不能产生和提供细胞正常代谢所需能量，最终导致细胞死亡。它能控制子囊菌亚门、担子菌亚门、半知菌亚门、鞭毛菌亚门卵菌纲等大多数病害。对孢子萌发及叶内菌丝体的生长有很强的抑制作用，具有保护和治疗活性。具有渗透性及局部内吸活性，持效期长，耐雨水冲刷。

防治对象 广泛用于防治小麦、水稻、花生、葡萄、蔬菜、马铃薯、香蕉、柠檬、咖啡、核桃、茶树、烟草和观赏植物、草坪及其他大田作物上的病害。可防治黄瓜白粉病、霜霉病，以及香蕉黑星病、叶斑病、菌核病等。

注意事项 该制剂对鱼剧毒，对鸟、蜜蜂、蚯蚓低毒。药械不得在池塘等水源和水体中洗涤，施药残液不得倒入水源和水体中。

丙环唑（propiconazol）

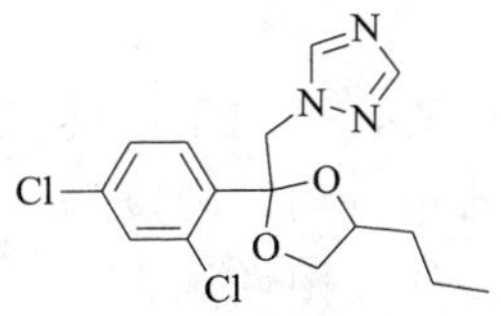

$C_{15}H_{17}Cl_2N_3O_2$，342.22，60207-90-1

其他名称 敌力脱、必扑尔。

主要剂型 250g/L、300g/L、447g/L、50%、62%、70%乳油，45%水乳剂，20%、40%、50%、55%微乳剂。

作用特点 低毒杀菌剂。属于甾醇抑制剂中的三唑类杀菌剂，具有保护和治疗作用。作用机理是影响甾醇的生物合成，使病原菌的细胞膜功能受到破坏，最终导致细胞死亡，从而起到杀菌、防病和治病的功效。

防治对象 防治香蕉叶斑病具有特效。可广泛适用于小麦、水稻、花生、瓜类、蔬菜、草坪、观赏植物等。可防治小麦全蚀病、白粉病、锈病、根腐病，水稻恶苗病。

注意事项

（1）应避免药剂接触皮肤和眼睛，不要直接接触被药剂污染的衣物，不要吸入药剂气体和雾滴。喷雾时不要吃东西、喝水和吸烟。吃东西、喝水和吸烟前要洗手、洗脸。施药后应及时洗手和洗脸。

（2）施药后剩余的药液和空容器要妥善处理，可烧毁或深埋，不得留做它用。

（3）贮存温度不得超过35℃。

（4）药剂要存放在儿童和家畜接触不到的地方。

（5）应贮存在通风、干燥的库房中，防止潮湿、日晒，不得与食物、种子、饲料混放，避免与皮肤、眼睛接触，防止由口鼻吸入。

丙森锌（propineb）

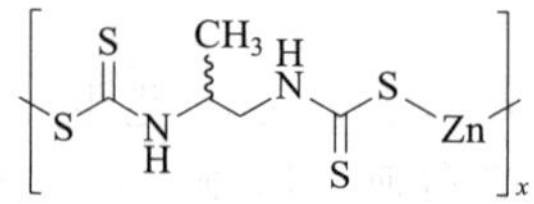

$(C_5H_8N_2S_4Zn)_x$，$(289.8)_x$，12071-83-9

其他名称 安泰生、法纳拉、连冠。

主要剂型 80％母粉，70％、80％可湿性粉剂。

作用特点 低毒杀菌剂。一种代森类广谱保护性低毒杀菌剂，具有较好的速效性，其杀菌机制是抑制病菌体内丙酮酸氧化而导致病菌死亡。该药安全，并对作物有一定的补锌效果。

防治对象 适用作物非常广泛，可用于瓜类蔬菜、苹果、葡萄、梨、桃、柑橘、马铃薯、花卉等多种植物的霜霉病、晚疫病、早疫病、炭疽病、褐斑病、斑点落叶病、黑斑病、轮纹病等多种真菌性病害。

注意事项

（1）不能与碱性药剂或含铜的药剂混用，并前后分别间隔 7 天以上。

（2）与其他杀菌剂混用时，应先进行少量混用试验，以免发生药害或药物分解。

春雷霉素（kasugamycin）

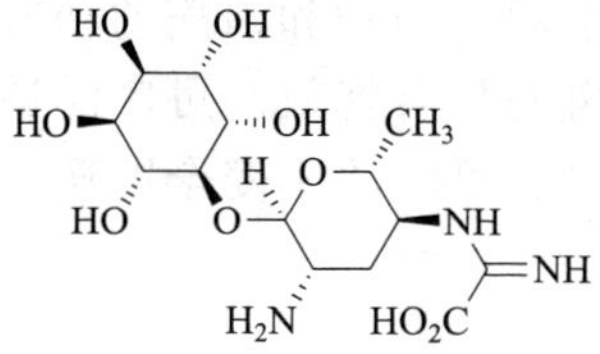

$C_{14}H_{25}N_3O_9$，379.36，6980-18-3

其他名称 春日霉素、加收米、加收热必、加瑞农。

主要剂型 2％、4％、6％、10％可湿性粉剂，2％水剂。

作用特点 低毒杀菌剂。一种放线菌产生的代谢产物，属于农用抗生素类低毒杀菌剂，具有较强的渗透性和内吸性，并能在植物体内移动。其杀菌机制是干扰病菌氨基酸代谢的酯酶系统，影响蛋白质合成，从而抑制菌丝生长并造成细胞颗粒化，但对孢子萌发没有作用。

防治对象 用于防治番茄叶霉病、辣椒疮痂病、黄瓜和甜瓜细菌性叶斑病，水稻稻瘟病、栗瘟病，西瓜细菌性角斑病，桃树流胶病、疮痂病、穿孔病等。

注意事项

（1）贮运时，要防水防潮，不能与碱性物质存放一起，应放在阴凉干燥处。

（2）本药剂在碱性溶液中易失效，药剂随用随配。加 0.2%中性黏着剂可提高防效。喷药后 8 小时内遇雨应补喷。

代森锰锌（mancozeb）

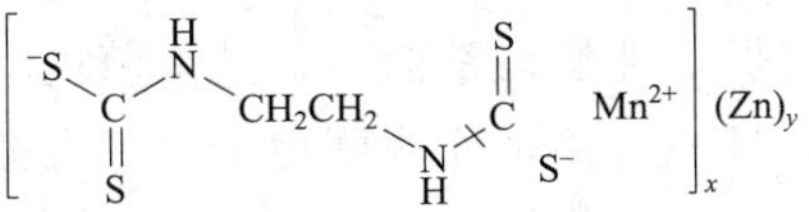

$x:y=1:0.091$

$[C_4H_6MnN_2S_4]_xZn_y$，8018-01-7

其他名称 大生、速克净、新万生、喷克、大生富、大丰。

主要剂型 80%水分散粒剂，50%、70%、80%可湿性粉剂，30%、48%悬浮剂。

作用特点 低毒杀菌剂。属于二硫代氨基甲酸盐类杀菌剂，主要抑制菌体内丙酮酸的氧化，和参与丙酮酸氧化过程的二硫辛酸脱氢酶中的巯基结合，代森类化合物先转化为异硫氰酯，其后再与巯基结合。是一种优良的保护性低毒农药，锰、锌微量元素对作物有明显的促壮、增产作用。对藻菌纲的疫菌属，半知菌亚门的尾孢属、壳二孢属等引起的多种植物病害均有很好的防治效果。

防治对象 主要防治梨黑星病，柑橘疮痂病、溃疡病，苹果斑点落叶病，葡萄霜霉病，荔枝霜霉病、疫霉病，青椒疫病，黄瓜、香瓜、西瓜霜霉病，番茄疫病，棉花烂铃病，小麦锈病、白粉病，玉米大斑病、条斑病，烟草黑胫病，山药炭疽病、褐腐病、根颈腐病、斑点落叶病等。

注意事项

（1）贮藏时，应注意防止高温，并要保持干燥，以免在高温、潮湿条件下使药剂分解，降低药效。

（2）为提高防治效果，可与多种农药、化肥混合使用，但不能与碱性农药、化肥和含铜的溶液混用。

（3）药剂对皮肤、黏膜有刺激作用，使用时留意保护。

（4）对鱼有毒，不可污染水源。

代森锌（zineb）

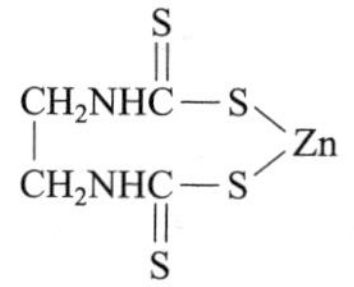

$C_4H_6N_2S_4Zn$，275.75，12122-67-7

其他名称 艾润、奥诺、邦蓝、纯蓝。

主要剂型 90%原药，65%水分散粒剂，65%、80%可湿性粉剂。

作用特点 一种广谱保护性低毒杀菌剂，其杀菌机制为对病原体内含有巯基的酶有强烈的抑制作用，且能直接杀死病菌孢子，并可抑制孢子萌发、阻止病毒侵入植物体内，但对已经侵入植物体内的病菌杀伤作用很小。

防治对象 用于防治多种植物的霜霉病、晚疫病、白粉病、锈病、炭疽病、黑痘病、早疫病、黑星病、疮痂病、溃疡病、蔓枯病、茎枯病、斑点落叶病、灰斑病、紫斑病等。

注意事项

（1）不能与铜制剂或碱性药剂混用。

（2）最佳用药时期为病害发生前至发病初期。

稻瘟灵（isoprothiolane）

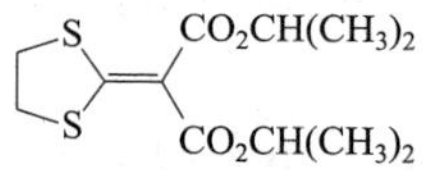

$C_{12}H_{18}O_4S_2$，290.40，50512-35-1

其他名称 富士一号。

主要剂型 30%、40%乳油，30%、40%可湿性粉剂。

作用特点 低毒杀菌剂。属内吸性杀菌剂，属高效、低残留的有机硫杀菌剂。对稻瘟病有特效，水稻植株吸收后，能抑制病菌侵入，尤其是抑制了磷酯*N*-甲基转移酶，从而抑制病菌生长，起到预防和治疗作用。本药剂还兼有控制稻飞虱、白背飞虱密度的效果。

防治对象 主要防治稻瘟病，同时对水稻纹枯病、小球菌核病和白叶枯病有一定防效。

注意事项

（1）不能与强碱性农药混用。

（2）鱼塘附近使用该药要慎重。

（3）安全间隔期为 15 天。

（4）中毒时可用浓盐水洗胃并立即送医院治疗。

啶酰菌胺（boscalid）

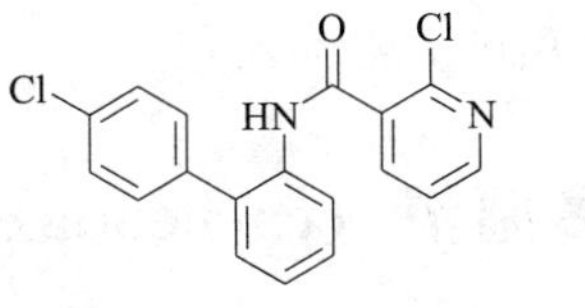

$C_{18}H_{12}Cl_2N_2O$，343.21，188425-88-6

其他名称 2-氯-*N*-(4-氯联苯-2-基) 烟酰胺。

主要剂型 50%、70%水分散粒剂，30%悬浮剂。

作用特点 低毒杀菌剂。啶酰菌胺属于新型烟酰胺类杀菌剂，杀菌谱较广，几乎对所有类型的真菌病害都有活性。通过叶面渗透在植物中转移，抑制线粒体琥珀酸脱氢酶，阻碍三羧酸循环，使氨基酸、糖缺乏，能量减少，干扰细胞的分裂和生长，具有保护和治疗作用，且与其他杀菌剂无交互抗性。除了杀菌活性外，本品还显示出对红蜘蛛等的杀螨活性。对防治白粉病、灰霉病、菌核病和各种腐烂病等非常有效，并且对已对其他药剂产生抗性的病菌有效。

防治对象 用于油菜、果树、蔬菜和大田作物等病害的防治。防治黄瓜灰霉病、腐烂病、霜霉病、炭疽病、白粉病、茎部腐烂病，番茄晚疫病，苹果黑星病、叶斑病，梨黑斑病、锈病，水稻稻瘟病、纹枯病，葡萄灰霉病、霜霉病，柑橘疮痂病，马铃薯晚疫病，草坪斑点病。

啶氧菌酯（picoxystrobin）

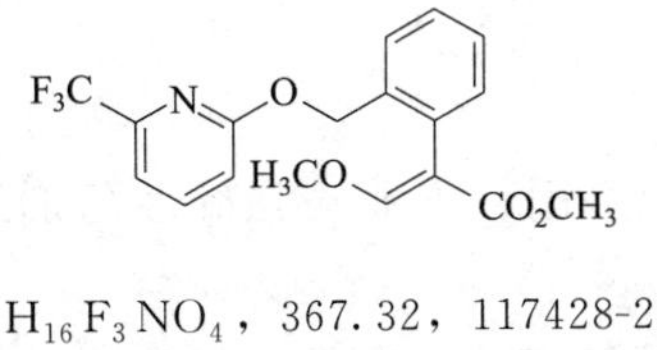

$C_{18}H_{16}F_3NO_4$，367.32，117428-22-5

其他名称 (*E*)-3-甲氧基-2-{2-[6-(三氟甲基)-2-吡啶氧甲基] 苯基} 丙烯酸甲酯。

主要剂型 25％悬浮剂。

作用特点 低毒。广谱、内吸性β-甲氧基丙烯酸甲酯类杀菌剂，是一种线粒体呼吸抑制剂。本品一旦被叶片吸收，就会在木质部中移动，随水流在运输系统中传导，它也在叶片表面的气相中流动，并可以从气相中吸收被进入叶片，之后又进入木质部流动，因而施药后，有效成分能有效再分配及充分传递。

防治对象 用于防治麦类的叶面病害如叶枯病、叶锈病、颖枯病、褐斑病、白粉病等。

注意事项 误食后请勿引吐，对症治疗。

多菌灵（carbendazim）

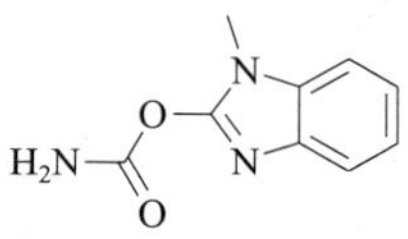

$C_9H_9N_3O_2$，191.19，10605-21-7

其他名称 棉萎灵、枯萎立克、贝芬替。

主要剂型 40％、500g/L悬浮剂，25％、40％、50％、80％可湿性粉剂，15％烟剂，50％、80％、90％水分散粒剂。

作用特点 低毒杀菌剂。苯并咪唑类高效、低残留的内吸性广谱药剂，具有一定的内吸能力，可通过植物叶片和种子渗入植物体内，耐雨水冲刷，持效期长。对许多高等真菌病害均有较好的保护和治疗作用，对真菌和细菌的病害无效。作用机制是干扰真菌细胞有丝分裂中纺锤体的形成，从而影响细胞分裂，导致病菌死亡。多菌灵对许多植物的根部、叶片、花、果实及贮运期的多种真菌病害均具有良好的治疗和预防作用。

防治对象 可有效防治麦类黑穗病、赤霉病，水稻稻瘟病、纹枯病、小粒菌核病，棉花立枯病、炭疽病，油菜菌核病，花生立枯病、茎腐病、根腐病，甘薯黑斑病、番茄早疫病、黄瓜炭疽病、梨黑星病、桃疮痂病、苹果褐斑病、葡萄白腐病、黑痘病、炭疽病。

注意事项

（1）在蔬菜收获前5天停用。不能与强碱性药剂或含铜药剂混用，应与其他药剂轮用。

（2）不要长期单一使用多菌灵，也不能与硫菌灵、苯菌灵、甲基硫菌灵等同类药剂轮用。

多抗霉素B（polyoxin B）

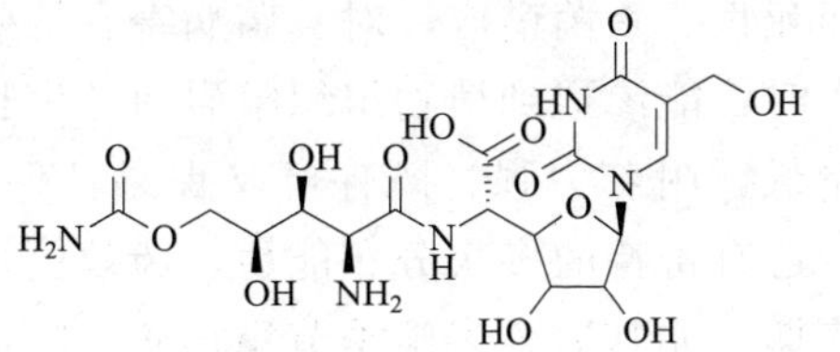

$C_{17}H_{25}N_5O_{13}$，1507.4，19396-06-6

其他名称 多氧霉素、多效霉素、保利霉素、宝丽安、科生霉素、灭腐灵、多克菌。

主要剂型 1.5%、3%、10%可湿性粉剂，0.3%、1%、1.5%、5%水剂。

作用特点 低毒杀菌剂。金色链霉菌所产生的代谢产物，为广谱性抗菌素类杀菌剂，具有内吸传导作用。作用机制是干扰细胞壁壳多糖的生物合成。以壳多糖为基质而构成细胞壁的子囊菌亚门、担子菌亚门和半知菌亚门的一些真菌，芽管和菌丝体接触药剂后会局部膨大、破裂、溢出细胞内含物，从而死亡。

防治对象 主要用于防治小麦白粉病、人参黑斑病、烟草赤星病、黄瓜霜霉病、瓜类枯萎病、水稻纹枯病、苹果斑点落叶病、草莓及葡萄灰霉病、林木枯鞘病等多种真菌病害。

注意事项

(1) 不能与碱性或酸性农药混用。

(2) 密封保存，以防潮解失效。

(3) 虽属低毒药剂，使用时仍应按安全规则操作。

噁唑菌酮（famoxadone）

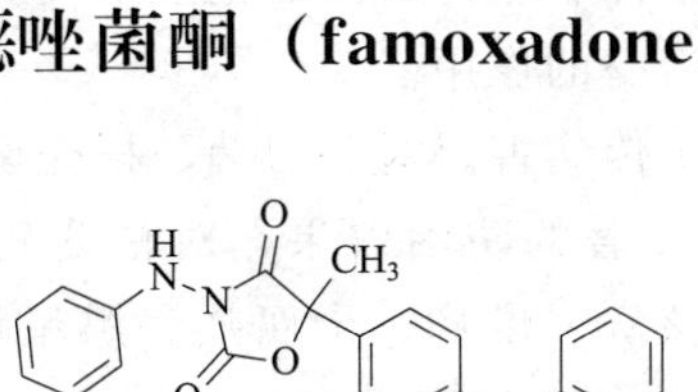

$C_{22}H_{18}N_2O_4$，374.39，131807-57-3

其他名称 易保、抑快净、5-甲基-5-(4-苯氧基苯基)-3-(苯氨基)-2,4-噁唑啉二酮。

主要剂型 6.25%水分散粒剂。

作用特点 低毒杀菌剂。防治果树霜霉病和疫病的最新一代杀菌剂。作用机理是抑制病原菌细胞中线粒体的电子转移，造成氧化磷酸化作用的停止，使病原菌细胞丧失能量来源而死亡。杀菌谱广，对真菌病害有特效，可持久高效地发挥保护作用，当病害发生时，能渗透到植物组织阻碍菌丝生长及孢子形成，达到快速治疗作用。药剂用量低，附着力强，既保叶又保果，保护期长，同时有保护、治疗和铲除作用，雨后还有奇特的多次分布能力，药效更加突出，不会因雨而降低防效和缩短用药间隔期，尤其适合多雨季节霜霉病的防治。

防治对象 适宜作物广泛，如小麦、大麦、豌豆、甜菜、油菜、葡萄、马铃薯、瓜类、辣椒、番茄等。主要用于防治子囊菌亚门、担子菌亚门、鞭毛菌亚门卵菌纲中的重要病害如白粉病、锈病、颖枯病、网斑病、霜霉病、晚疫病等。与氟硅唑混用对防治小麦颖枯病、网斑病、白粉病、锈病效果更好。

注意事项 对眼睛和皮肤具有轻微刺激，使用时注意安全。

噁霉灵（hymexazol）

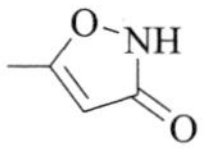

$C_4H_5NO_2$，99.09，10004-44-1

其他名称 土菌消、立枯灵。

主要剂型 70%种子处理干粉剂，8%、15%、30%水剂，70%可湿性粉剂，70%可溶粉剂，0.10%颗粒剂。

作用特点 一种杂环类内吸、低毒、广谱杀菌剂，对光和热稳定，在碱性条件下稳定。有效抑制病原真菌菌丝体的正常生长或直接杀灭病菌，在土壤中可与土壤中的铁、铝离子结合，抑制土传病菌的孢子萌发。同时具有促进作物根系生长发育、生根壮苗提高成活率的作用。

防治对象 用于防治土传病害。对镰刀菌、根壳菌、丝核菌、腐霉菌、苗腐菌、伏革菌等病原菌都有显著的防治效果，对枯萎病、立枯病、黄萎病、猝倒病、纹枯病、烂秧病、菌核病、疫病、干腐病、黑星病、菌核软腐病、苗枯病、茎枯病、叶枯病、沤根、连作重茬障碍有特效。适用作物包括水稻、甜菜、西瓜、番茄、黄瓜、茄子、辣椒等。

注意事项

（1）使用时须遵守农药使用防护规则。用于拌种时，要严格掌握药剂用量，拌后随即晾干，不可闷种，防止出现药害。

(2) 宜无风晴朗天气喷施，喷后 4 小时遇雨不需补喷。

(3) 如有误服，饮大量温水催吐，洗胃，并携带本标签立即就医。

(4) 本品可与一般农药混用，并相互增效。

二氯异氰尿酸钠（sodium dichloroisocyanurate）

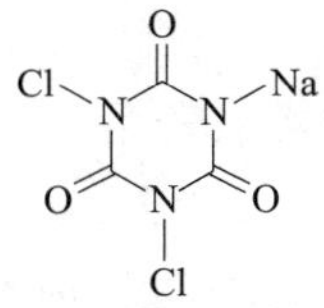

$C_3Cl_2N_3NaO_3$，219.98，2893-78-9

其他名称 优氯净、优氯克霉灵。

主要剂型 20%、40%、50%可溶粉剂。

作用特点 一种脲类低毒广谱杀菌剂，是氧化性杀菌剂中杀菌最为广谱、高效、安全的消毒剂。对食用菌栽培过程中易发生的霉菌及多种病害有较强的消毒和杀菌能力。

防治对象 对蔬菜、果树、小麦、水稻、花生、棉花等田间作物的病原细菌、真菌、病毒均有极强的杀灭能力。可用于食用菌栽培，用于防治霉菌引起的基料感染及杂菌病害。

注意事项 本品宜单独使用，避免与其他药剂混用。

氯溴异氰尿酸（chloroisobromine cyanuric acid）

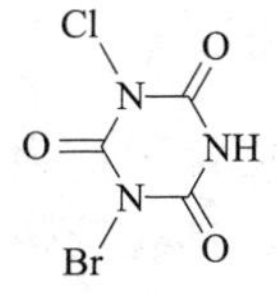

$C_3HBrClN_3O_3$，242.42，89325-49-5

其他名称 消菌灵、溴氯消毒片、菌毒清、溴氯净、绿健氯、溴氯溴宝等。

主要剂型 50%可溶粉剂、50%可湿性粉剂。

作用特点 氯溴异氰尿酸是一种广谱、高效的杀菌剂，能够对细菌、真菌、病毒等多种病原体发挥作用。主要作用机制包括通过释放次溴酸（HBrO）和次氯酸（HClO）来破坏病原体细胞结构，从而迅速杀灭病原体。次溴酸的活性比次氯酸高得多，在防治细菌性病害方面具显著速效性，能够迅速导致病斑干燥并封闭植物的创口，且药剂不会破坏植物的蜡质层，在病斑出现后，能够封闭病斑，防止病害进一步扩展。氯溴异氰尿酸在环境中的持效期较短，尤其是对真菌性病害的防治作用时间有限。

防治对象 对大白菜、水稻、烟草、黄瓜、番茄、柑橘等多种农作物的细菌性病害有较好的防治效果。用于大白菜防治软腐病，用于水稻防治白叶枯病和细菌性条斑病等，用于烟草防治野火病和病毒病，用于黄瓜防治霜霉病，用于番茄防治茎腐病（采用灌根处理）。

注意事项

（1）避免与碱性物质、有机磷类农药混用。碱性物质或有机磷类农药会降低该药药效，或产生有害化学反应。

（2）水稻、黄瓜等作物的安全间隔期分别为 7 天和 3 天，施药次数每季不应超过 3 次。

（3）远离水源及水产养殖区施药，禁止在河塘或水体中清洗施药设备，避免药液污染水体。

（4）在土壤和环境中，它较快分解为无毒的三嗪类物质，因此药剂残留风险相对较低，但其在使用中不当排放可能会对局部环境产生短期影响。

氟吡菌胺（fluopicolide）

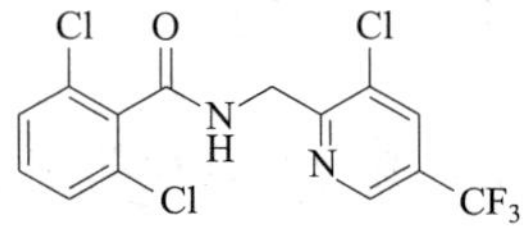

$C_{14}H_8Cl_3F_3N_2O$，383.58，239110-15-7

其他名称 氟啶酰菌胺。

主要剂型 68.7%悬浮剂。

作用特点 低毒。苯甲酰胺类化合物，为广谱杀菌剂，对卵菌纲真菌有很高的生物活性，具有保护和治疗作用，具有较强的渗透性，能从叶片上表面向下表面渗透，从叶基向叶尖方向传导。对幼芽处理后能够保护叶片不受病菌感染。还能从根部沿植株木质部向整株作物分布，但不能沿韧皮部传导。该杀菌剂对环境友好，可用于有害生物的综合防治。

防治对象 防治蔬菜、观赏植物和葡萄上霜霉病以及马铃薯晚疫病。

注意事项

（1）避免与碱性农药混用。

（2）为避免产生抗性，应与不同作用机制的杀菌剂轮换使用。

（3）本品对水生生物有毒，勿将含有本品的固体和液体倒入河流、湖泊和其他水源中。

氟啶胺（fluazinam）

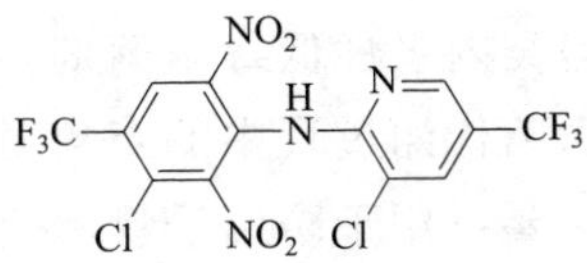

$C_{13}H_4Cl_2F_6N_4O_4$，465.09，79622-59-6

其他名称 福农帅。

主要剂型 50%可湿性粉剂、0.5%粉剂。

作用特点 低毒杀菌剂。吡啶胺衍生物，二硝基苯胺类杀菌剂。是广谱高效的保护性杀菌剂。线粒体氧化磷酰化解偶联剂，通过抑制孢子萌发、菌丝突破和生长以及孢子形成而抑制所有阶段的感染过程。对交链孢属、葡萄孢属、疫霉属、单轴霉属、核盘菌属和黑星菌属病菌非常有效，对抗苯并咪唑类和二羧酰亚胺类杀菌剂的灰葡萄孢也有良好效果。耐雨水冲刷，持效期长，兼有优良的控制植食性螨类的作用，对十字花科植物根肿病也有卓越的防效，对由根霉菌引起的水稻猝倒病也有很好的防效。

防治对象 对疫霉病、腐菌核病、黑斑病、黑星病和其他的病原体病害有良好的防治效果。除了杀菌活性外，氟啶胺还显示出对红蜘蛛等的杀螨活性。具体病害如黄瓜灰霉病、腐烂病、霜霉病、炭疽病、白粉病、茎部腐烂病，番茄晚疫病，苹果黑星病、叶斑病，梨黑斑病、锈病，水稻稻瘟病、纹枯病，燕麦冠锈病，葡萄灰霉病、霜霉病，柑橘疮痂病、灰霉病，马铃薯晚疫病，草坪斑点病。具体螨类如柑橘红蜘蛛、石竹锈螨、神泽叶螨等。

注意事项

（1）在瓜类植物上易产生药害，使用时注意勿将药液飞散到邻近瓜地。

（2）塑料棚内禁止使用该药。

氟硅唑（flusilazole）

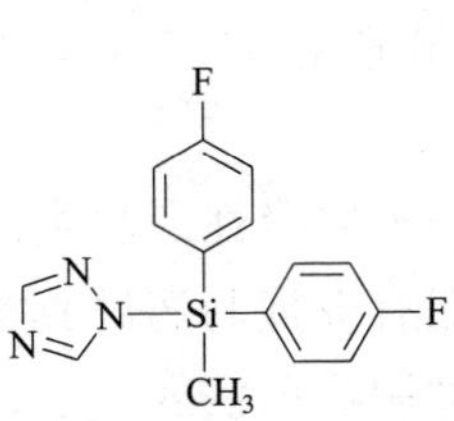

$C_{16}H_{15}F_2N_3Si$，315.39，85509-19-9

其他名称 克菌星、新星、福星、康硕、星标、贵美。

主要剂型 5%、8%、20%、30%微乳剂，20%可湿性粉剂，8%热雾剂，10%、15%、25%水乳剂，40%乳油。

作用特点 一种新型三唑类内吸性低毒杀菌剂，具有内吸治疗和保护双重作用。杀菌机制是破坏和阻止病菌代谢过程中的麦角甾醇的生物合成，使细胞膜不能形成，而导致病菌死亡。主要可用于防治子囊菌亚门、担子菌亚门和半知菌亚门真菌，对梨黑星病有特效。

防治对象 可防治梨、苹果、脐橙、大枣等的黑星病，并有兼治赤星病的作用。也可用于防治苹果黑星病和白粉病，葡萄白粉病，花生叶斑病，谷类白粉病和眼点病，小麦颖枯病、叶锈病和条锈病，大麦叶斑病等。

注意事项

(1) 酥梨类品种在幼果期对此药敏感，应谨慎使用，否则易引起药害。

(2) 为了避免病菌对氟硅唑产生抗性，应和其他保护性杀菌剂交替使用。

(3) 调配药液及施药时，应穿戴保护性衣裤。受孕初期妇女，请勿喷药并避免接触或直接暴露于药物之下。误服者不能引吐和服麻黄碱等药物。药液溅入眼睛，立即用大量清水冲洗至少15min，再就医诊治。

(4) 储于阴凉、干燥、远离食品和饲料及儿童接触不到的地方。

(5) 使用后的空瓶要深埋或按有关规定处理，不可随意抛弃。

氟环唑（epoxiconazole）

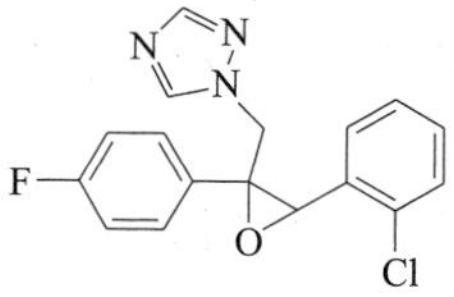

$C_{17}H_{13}ClFN_3O$，329.76，106325-08-0

其他名称 欧博、环氧菌唑。

主要剂型 50%、70%水分散粒剂，125g/L、25%、30%、40%、50%悬浮剂，75g/L乳油。

作用特点 低毒杀菌剂。一种内吸性三唑类杀菌剂，抑制病菌麦角甾醇的合成，阻碍病菌细胞壁的形成，能有效抑制病原真菌。氟环唑可提高作物的几丁质酶活性，导致真菌吸器收缩，抑制病菌侵入。

防治对象 对香蕉、葱、蒜、芹菜、菜豆、瓜类、芦笋、花生、甜菜等作物上的叶斑病、白粉病、锈病以及葡萄上的炭疽病、白腐病等病害有良好的防效。

氟菌唑（triflumizole）

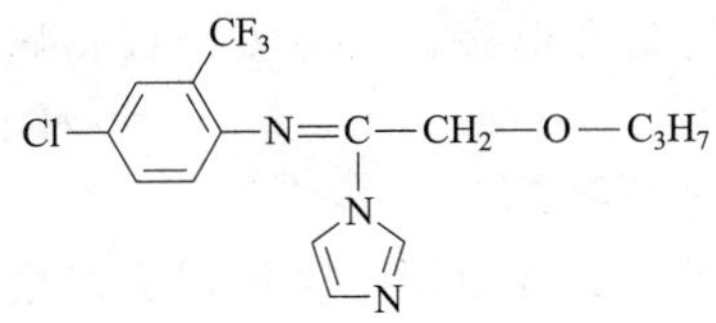

$C_{15}H_{15}ClF_3N_3O$，345.75，99387-89-0

其他名称 特富灵、三氟咪唑。

主要剂型 30%、35%、40%可湿性粉剂。

作用特点 低毒杀菌剂。麦角甾醇脱甲基化抑制剂，属于广谱低毒杀菌剂，具有预防、治疗、铲除效果；具内吸作用，传导性好，抗雨水冲刷，可防多种作物病害。

防治对象 广泛用于麦类、黄瓜、西瓜、甜瓜、南瓜、辣椒、番茄、草莓、苹果、梨、葡萄、豌豆、洋葱、花卉植物等多种植物。可防治麦类、果树、蔬菜等白粉病、锈病、桃褐腐病。

注意事项

（1）该药对鱼类有一定毒性，防止污染池塘。

（2）该药剂放置在远离食物和饲料的阴暗处。

（3）黄瓜上安全间隔期仅为 2 天。

氟吗啉（flumorph）

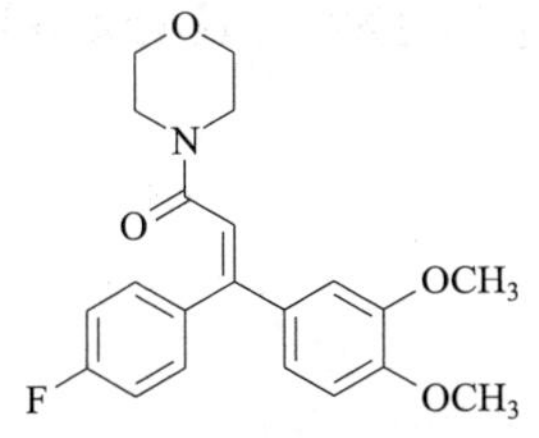

$C_{21}H_{22}FNO_4$，371.41，211867-47-9

其他名称 灭克、福吗啉。

化学名称 4-[3-(3,4-二甲氧基苯基)-3-(4-氟苯基) 丙烯酰] 吗啉。

主要剂型 50%、60%可湿性粉剂，35%烟剂。

作用特点 低毒杀菌剂。属于吗啉类内吸治疗性杀菌剂。本品高效、低毒、低残留、对作物安全，但易诱发病菌抗药性。对葡萄、马铃薯和番茄上的卵菌纲真菌，尤其是霜霉科和疫霉属真菌有杀菌效力，可与触杀性杀菌剂（代森锰锌或铜化合物）混用。

防治对象　防治黄瓜霜霉病、葡萄霜霉病、白菜霜霉病、番茄晚疫病、马铃薯晚疫病、辣椒疫病、荔枝霜疫霉病、大豆疫霉根腐病等。

注意事项

（1）不能与强碱性药剂混用。

（2）注意与不同类型药剂交替使用，尽量避免产生抗药性。

（3）一般条件下易水解、光解。

氟酰胺（flutolanil）

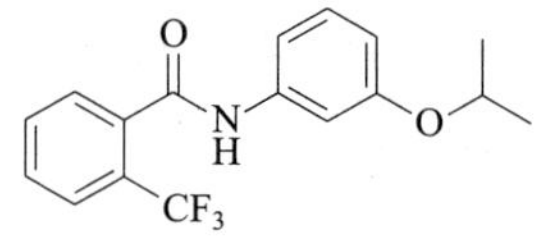

$C_{17}H_{16}F_3NO_2$，323.31，66332-96-5

其他名称　氟纹胺、望佳多、福多宁。

主要剂型　20%可湿性粉剂。

作用特点　低毒杀菌剂。在呼吸作用的电子传递链中作为琥珀酸脱氢酶抑制剂，抑制天冬氨酸盐和谷氨酸盐的合成。是一种具有保护和治疗活性的内吸性杀菌剂，阻碍受感染体上病菌的生长和穿透，导致菌丝消失。

防治对象　用于防治谷类、马铃薯、甜菜、蔬菜、花生、水果、观赏作物等植物的各种立枯病、纹枝病、雪腐病等。对水稻纹枯病有特效。

福美双（thiram）

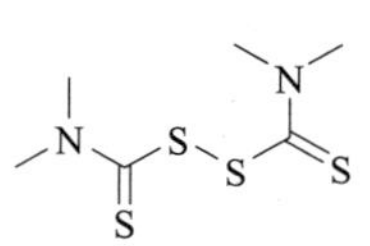

$C_6H_{12}N_2S_4$，240.44，137-26-8

其他名称　秋兰姆、赛欧散、阿锐生。

主要剂型　50%、70%、80%可湿性粉剂，80%水分散粒剂。

作用特点　低毒杀菌剂。用于叶部或种子处理的保护性杀菌剂，对植物无药害。其杀菌机制是通过抑制病菌一些酶的活性和干扰三羧酸代谢循环而导致病菌死亡。该药有一些渗透性，在土壤中持效期长。

防治对象　对根腐病、立枯病、猝倒病、黑星病、疮痂病、炭疽病、轮纹病、黑斑病、灰斑病、叶斑病、白粉病、锈病、霜霉病、晚疫病、早疫病、稻瘟病、黑穗病等真菌性病害均具有很好的防治效果。用于防治麦类条纹病、腥黑穗病；玉米、亚麻、蔬菜、糖萝卜、针叶树立枯病，烟草根腐病；甘蓝、莴苣、瓜类、茄子、蚕豆等苗期立枯病、猝倒病；草莓灰霉病，梨黑星病，马铃薯、番茄晚疫病，瓜菜类霜霉病，葡萄炭疽病、白腐病等。

注意事项

（1）不能与铜、汞及碱性农药混用或前后接连使用。

（2）拌过药的种子有残毒，不能再食用。

（3）对皮肤和黏膜有刺激作用，喷药时注意防护。误服会出现恶心、呕吐、腹泻等症状，皮肤接触易发生瘙痒及出现斑疹等，若发生上述情况应催吐、洗胃，对症治疗。

（4）贮存在阴凉干燥处，以免分解。

腐霉利（procymidone）

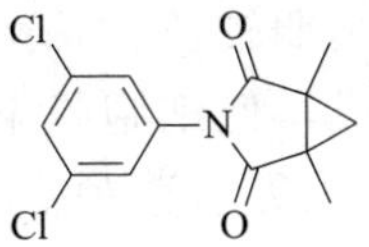

$C_{13}H_{11}Cl_2NO_2$，284.06，32809-16-8

其他名称 速克灵、二甲菌核利、扑灭宁、杀霉利。

主要剂型 80%水分散粒剂，50%、80%可湿性粉剂，20%悬浮剂，10%、15%烟剂。

作用特点 低毒杀菌剂。属内吸性杀真菌剂，对日光和高湿条件稳定。在作物发病前或发病初期使用，可取得满意效果。对葡萄孢属和核盘菌属真菌有特效，能防治果树、蔬菜、作物的灰霉病、菌核病，对对苯丙咪唑产生抗性的真菌亦有效。使用后保护效果好、持效期长，能阻止病斑发展蔓延。

防治对象 防治黄瓜灰霉病、菌核病；番茄灰霉病、菌核病、早疫病；辣椒灰霉病、辣椒等多种蔬菜的菌核病；葡萄、草莓灰霉病，苹果、桃、樱桃褐腐病，苹果斑点落叶病，枇杷花腐病等。

注意事项

（1）该药剂容易产生抗药性，不可连续使用，同时应与其他农药交替喷洒，药剂要现配现用，不要长时间放置。

（2）不要与强碱性药物如波尔多液、石硫合剂混用，也不要与有机磷农药混配。

（3）防治病害应尽早用药，最好在发病前，最迟也要在发病初期使用。

（4）药剂应存放在阴暗、干燥通风处。若不慎皮肤沾染药液，或者眼睛溅入药液，应该立即用大量清水冲洗；误服后要立即送医院洗胃，按照医嘱治疗。

己唑醇（hexaconazole）

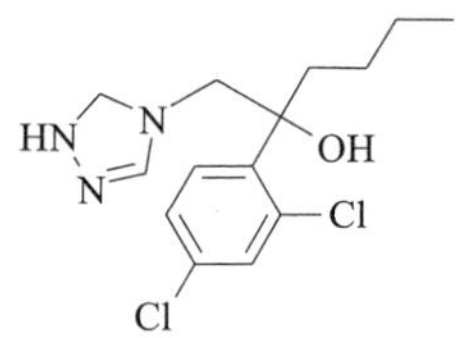

$C_{14}H_{17}Cl_2N_3O$，314.21，79983-71-4

其他名称 开美、绿云罗克、同喜、富绿。

主要剂型 5%、25%、30%、40%悬浮剂，30%、40%、50%、80%水分散粒剂，5%、10%微乳剂，10%乳油。

作用特点 低毒杀菌剂。属于新型三唑类广谱杀菌剂，具有治疗、保护和铲除等多种功效。杀菌活性高，持续期较长。杀菌机制是破坏和阻止病菌细胞膜的重要组成成分麦角甾醇的生物合成，使细胞膜不能形成，从而导致病菌死亡。

防治对象 适用范围广泛，可防治苹果、葡萄、香蕉、蔬菜（瓜果、辣椒等）、花生、咖啡、禾谷类作物和观赏植物等的白粉病、锈病、黑星病、褐斑病、炭疽病等。

注意事项

（1）存放在密封容器内，并放在阴凉、干燥处。储存的地方必须远离氧化剂，避光保存。

（2）喷药时不要随意增加药量或提高药液浓度，以免发生药害。

（3）建议与其他类型杀菌剂交替使用，避免病菌产生抗药性。

（4）乳油在果树幼果期使用可能会刺激幼果表面产生果锈，需要慎重。

甲基硫菌灵（thiophanate methyl）

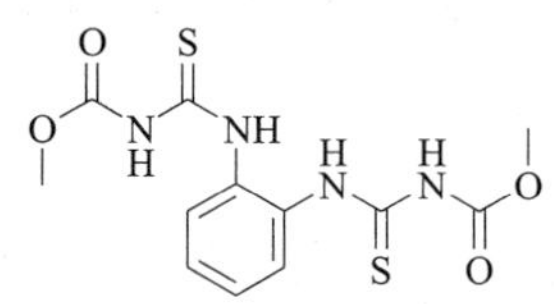

$C_{12}H_{14}N_4O_4S_2$，342.39，23564-05-8

其他名称 甲基托布津、甲基多保净。

主要剂型 70%水分散粒剂，36%、48.5%、500g/L 悬浮剂，3%糊剂，

50%、70%、80%可湿性粉剂。

作用特点 低毒性杀菌剂。苯并咪唑类广谱治疗性杀菌剂，低残留，具有内吸、预防和治疗三重作用。杀菌机制一是在植物体内部分转化为多菌灵，干扰病菌有丝分裂中纺锤体的形成，影响细胞分裂，导致病菌死亡；二是甲基硫菌灵直接作用于病菌，阻碍其呼吸过程，影响病菌孢子的产生、萌发及菌丝体生长。连续使用易诱使病菌产生耐药性。本品对多种病害有预防和治疗作用，对叶螨和病原线虫也有抑制作用。

防治对象 防治黄瓜白粉病、炭疽病，茄子、洋葱、芹菜、番茄、菜豆等灰霉病、炭疽病、菌核病，莴苣灰霉病、菌核病，大丽花花腐病，月季褐斑病，海棠灰斑病，君子兰叶斑病，苹果轮纹病，葡萄褐斑病、炭疽病、灰霉病，桃褐腐病，麦类黑穗病、赤霉病。

注意事项

(1) 不能与碱性及无机铜制剂混用。

(2) 长期单一使用易产生抗性且与苯并咪唑类杀菌剂有交互抗性，应注意与其他药剂轮用。

(3) 药液溅入眼睛可用清水或2%苏打水冲洗。

甲霜灵 (metalaxyl)

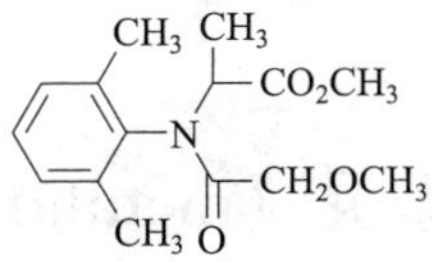

$C_{15}H_{21}NO_4$, 279.33, 57837-19-1

其他名称 雷多米尔、阿普隆、瑞毒霉、甲霜安、灭达乐、瑞毒霜。

主要剂型 35%种子处理剂、25%可湿性粉剂、25%悬浮种衣剂。

作用特点 低毒杀菌剂。属于取代苯酰胺类内吸性特效杀菌剂，具有保护和治疗双重功效，可被植物的根、茎、叶吸收，并转移到植物的各器官。有双向传导性能，持效期10～14天，土壤处理持效期可超过2个月。其杀菌机制是通过影响病菌DNA的生物合成而抑制病菌的菌丝生长，进而导致病菌死亡。

防治对象 主要用于防治霜霉病、疫霉病、腐霉病、疫病、晚疫病、黑胫病、猝倒病等真菌性病害，用于黄瓜、甜瓜、西葫芦、番茄、辣椒、茄子、马铃薯、葡萄、苹果、梨、柑橘、谷子、大豆、烟草等多种植物。

注意事项

(1) 贮运严防潮湿和日晒，保持通风良好，不要与食品、饲料混放，贮存温度不得超过35℃。贮藏于通风阴凉干燥处。

(2) 本品无特效解毒剂，只能对症治疗。

腈菌唑（myclobutanil）

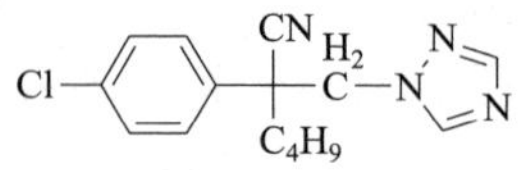

$C_{15}H_{17}ClN_4$，288.78，88671-89-0

其他名称 仙生、2-(4-氯苯基)-2-(1*H*-1,2,4-三唑-1-基甲基）己腈。

主要剂型 40%悬浮剂、40%可湿性粉剂。

作用特点 低毒杀菌剂。一类具保护和治疗活性的内吸性三唑类杀菌剂。主要对病原菌的麦角甾醇的生物合成起抑制作用，对子囊菌、担子菌均具有较好的防治效果。该剂持效期长，对作物安全，有一定刺激生长作用。

防治对象 对苹果、梨、葡萄、葫芦、园艺观赏植物、小麦、大麦、棉花和水稻的白粉病、锈病、黑星病、灰斑病、褐斑病、黑穗病有很好防效。

注意事项

（1）安全间隔期：大豆14天、叶菜类7天。

（2）在叶菜上最高用药量，每亩每次75mL，最大残留限量（MRL）甘蓝中为1mg/kg。

（3）不能与碱性农药混用，为保护蜜蜂，应避免在开花期使用。

（4）对烟草有药害。

精甲霜灵（metalaxyl-*R*）

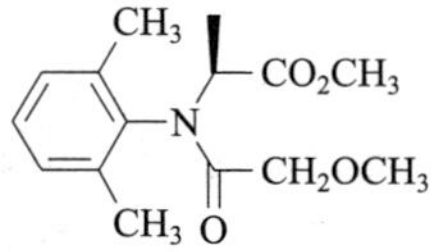

$C_{15}H_{21}NO_4$，279.33，70630-17-0

其他名称 高效甲霜灵。

主要剂型 25%可湿性粉剂、25%悬浮种衣剂。

作用特点 低毒杀菌剂。具有保护、治疗作用的内吸性杀菌剂，可被植物的根、茎、叶吸收，并随着植物体内水分运转而转移到植物的各器官。

防治对象 可有效防治霜霉病菌、疫霉病菌、腐霉病菌所致的蔬菜、果树、烟草、油料、棉花、粮食等作物病害。如黄瓜霜霉病、白菜霜霉病、葡萄霜霉病、马铃薯晚疫病等。

注意事项

（1）不能与碱性药物混用，以免分解失效。

（2）可与多种杀虫剂、杀菌剂混用，应与其他杀菌剂交替使用。

（3）本品对人的皮肤有刺激性，要注意防护。

井冈霉素（validamycin）

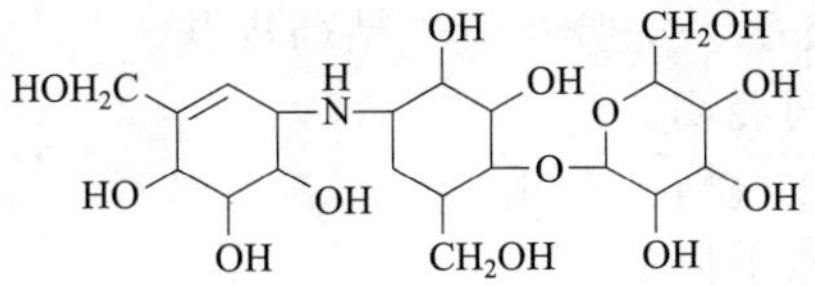

$C_{20}H_{35}O_{13}N$，497.49，37248-47-8

其他名称 百艳、贝博、春雷米尔、世通、有效霉素。

主要剂型 2.4%、3%、4%、5%、10%水剂，5%、8%、16%、20%可溶粉剂。

作用特点 低毒杀菌剂。井冈霉素是一种放线菌产生的抗生素，具有较强的内吸性，具有治疗和保护作用。易被菌体细胞吸收并在其内迅速传导，干扰和抑制菌体细胞生长和发育。

防治对象 用于防治水稻和麦类纹枯病、草坪褐斑病、水稻稻曲病、玉米大小斑病，以及蔬菜和棉花、豆类等作物病害。

注意事项

（1）不能与碱性农药混用。

（2）属抗菌素类农药，应存放在阴凉干燥处，并注意防腐、防霉、隔热。

（3）存放于阴凉、干燥的仓库中，并注意防霉、隔热、防冻。

克菌丹（captan）

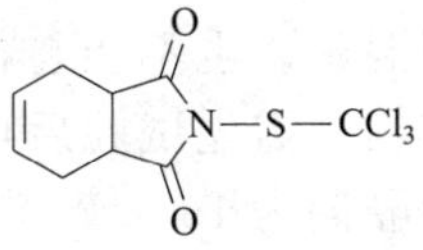

$C_9H_8Cl_3NO_2S$，300.59，133-06-2

其他名称 卡丹、普丹、盖普丹、开普顿、可菌丹。

主要剂型 50%可湿性粉剂，80%、90%水分散粒剂，40%悬浮剂。

作用特点 属于有机硫类广谱低毒杀菌剂，以保护作用为主，兼有一定的治疗作用，对多种作物上的许多种真菌性病害均具有较好的预防效果，特别适用于对铜制剂敏感的作物。在水果上使用具美容、去斑、促进果面光洁亮丽的作用。本品可渗透到病菌的细胞膜，既可干扰病菌的呼吸过程，又可干扰其细胞分裂，具有多个杀菌作用位点，连续多次使用极难诱导病菌产生抗药性。

防治对象 可防治多种蔬菜的霜霉病、白粉病、炭疽病，番茄和马铃薯早疫病、晚疫病，多种蔬菜的苗期立枯病、猝倒病，菜豆和蚕豆炭疽病、立枯病、根腐病，苹果轮纹病、炭疽病、褐斑病、斑点落叶病、煤污病、黑星病等。

注意事项

(1) 用药后要注意洗手、洗脸及清洗粘药皮肤。

(2) 不能与碱性药剂混用。

(3) 拌药的种子勿作饲料或食用。

(4) 药剂放置于阴凉干燥处。

喹啉铜 (copper quinolate)

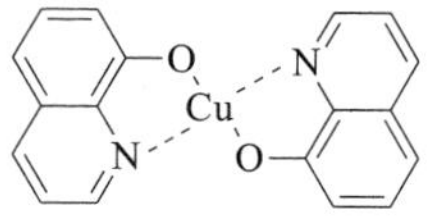

$C_{18}H_{12}CuN_2O_2$，351.9，10380-28-6

其他名称 必绿、净果精、8-羟基喹啉铜、千金。

主要剂型 50%可湿性粉剂、33.5%悬浮剂。

作用特点 一种喹啉类低毒保护性杀菌剂，属于有机铜螯合物。广谱、高效、低残留，使用安全，对真菌性、细菌性病害均具有良好的预防和治疗作用。喷施后在植物表面形成一层严密的保护膜，缓慢释放铜离子抑制细菌萌发和侵入从而达到防病治病的目的，对作物安全。

防治对象 主要用于番茄、辣椒、黄瓜、西葫芦、马铃薯及葡萄等植物，对晚疫病、疫病、疫腐病、霜霉病等具有很好的防治效果，也可用于小麦拌种防治黑穗病。

注意事项

(1) 不能与强酸及碱性农药混用，也不能与含有其他金属离子的药剂混用。

(2) 有些对铜离子敏感的作物，需先试验后再应用。

(3) 一般作物的安全采收间隔期为 15 天。

咯菌腈 (fludioxonil)

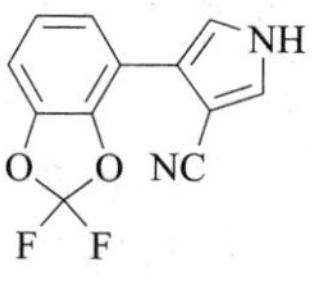

$C_{12}H_6F_2N_2O_2$，248.19，131341-86-1

其他名称 咯菌酯、勿落菌噁。

主要剂型 25g/L 悬浮种衣剂、50%可湿性粉剂。

作用特点 一种新型吡咯类触杀性广谱低毒杀菌剂，杀菌机制主要是通过抑制病菌体内与葡萄糖磷酰化有关的转移，而抑制真菌菌丝体的生长，最终导致病菌死亡。

防治对象 防治小麦黑穗病、雪腐病、雪霉病、纹枯病、根腐病、全蚀病、颖枯病、秆黑粉病；大麦条纹病、网斑病、坚黑穗病；玉米青枯病、茎基腐病、猝倒病；棉花立枯病、红腐病、炭疽病、黑根病、种子腐烂病；大豆、花生立枯病、根腐病（镰刀菌引起）；水稻恶苗病、胡麻叶斑病、早期叶瘟病、立枯病；油菜黑斑病、黑胫病；马铃薯立枯病、疮痂病；蔬菜枯萎病、炭疽病、褐斑病、蔓枯病。

注意事项

(1) 对水生生物有毒，勿把剩余药物倒入池塘、河流。

(2) 农药泼洒在地，立即用沙、锯末、干土吸附，把吸附物集中深埋。曾经泼洒的地方用大量清水冲洗。回收药物不得再用。

(3) 经处理的种子绝对不得用来饲喂禽畜，绝对不得用来加工饲料或食品。用剩种子可以贮放 3 年，但若已过时失效，绝对不可把种子洗净作饲料及食品。

(4) 播后必须盖土。

络氨铜 (cuaminosulfate)

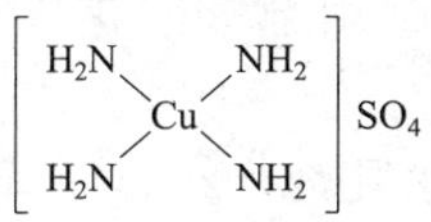

$[Cu(NH_2)_4] \cdot SO_4$，223.7，14283-05-7

其他名称 抗枯宁、络氨铜、胶氨铜。

主要剂型 14%、15%、23%、25%水剂，15%可溶液剂。

作用特点 低毒杀菌剂。主要通过铜离子发挥杀菌作用，铜离子与病原菌细胞膜表面上的钾离子、氢离子等阳离子交换，使病原菌细胞膜上的蛋白质凝固，同时部分铜离子渗透入病原菌细胞内与某些酶结合影响其活性。能防治真菌、细菌和霉菌引起的多种病害，并能促进植物根深叶茂，增加叶绿素含量，增强光合作用及抗旱能力，有明显的增产作用。络氨铜对棉苗、西瓜等的生长具有一定的促进作用，起到一定的抗病和增产作用。对瓜类枯萎病防效达 94%以上。

防治对象 防治黄瓜细菌性角斑病、叶枯病、缘枯病、软腐病、细菌性枯萎病和圆斑病；西葫芦绵腐病；冬瓜疫病、细菌性角斑病；丝瓜疫病；番茄细菌性斑疹病、溃疡病、细菌性髓部坏死病、（匐柄霉）斑点病；茄子绵疫病、（黑根霉）果腐病；甜（辣）椒白星病、黑霉病、细菌性叶斑病、疮痂病、青枯病、软腐病、果实黑斑病；马铃薯软腐病；菜豆根腐病、红斑病、细菌性疫病、细菌性晕疫病；大豆褐斑病、灰斑病；洋葱软腐病、黑斑病；莴苣和莴笋细菌性叶缘坏死病、轮斑病；胡萝卜细菌性软腐病、细菌性疫病；甘蓝类细菌性黑斑病；芥菜类软腐病；乌塌菜软腐病，蕹菜（柱盘孢）叶斑病，结球芥菜、芹菜和香芹菜软腐病；白菜类黑腐病、软腐病、细菌性角斑病、叶斑病等。

注意事项

（1）在蔬菜收获前15天停用。本剂不能与酸性农药混用。

（2）不宜在中午气温高时喷药，可在下午4点以后喷药。喷药后6小时内遇雨，应补喷。

（3）若瓶中出现沉淀，需摇匀后使用，不影响药效。

（4）叶面喷雾时，使用浓度不能低于400倍液，以免发生药害。

咪鲜胺（prochloraz）

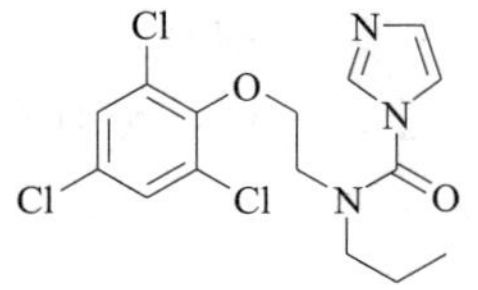

$C_{15}H_{16}Cl_3N_3O_2$，376.67，67747-09-5

其他名称 施保克、施保功、扑霉灵、丙灭菌、咪鲜安、扑克拉、扑菌唑、扑霉唑。

主要剂型 25％、450g/L水乳剂，250g/L乳油，0.5％悬浮种衣剂，15％、25％、45％微乳剂，1.5％水乳种衣剂。

作用特点 低毒杀菌剂。一种广谱性杀菌剂，无内吸作用，有一定的传导作用。通过抑制甾醇的生物合成，使病菌细胞壁合成与稳定性受到干扰。通过种子处理进入土壤的药剂，主要降解为易挥发的代谢产物，易被土壤颗粒吸附，不易被雨水冲刷。此药对土壤内其他生物低毒，但对某些土壤中的真菌有抑制作用。

防治对象 主要防治禾谷类作物、果树、蔬菜等的许多病害，如柑橘果实贮藏期的蒂腐病、青霉病、绿霉病、炭疽病，香蕉果实炭疽病、冠腐病，芒果炭疽病，贮藏期荔枝黑腐病，葡萄黑痘病，水稻恶苗病、稻瘟病、赤霉病，甜菜褐斑病等。

注意事项

（1）本品为环保型水悬浮剂，无公害产品，使用前应先摇匀再稀释，即配即用。

（2）可与多种农药混用，但不宜与强酸、强碱性农药混用。

（3）施药时不可污染鱼塘、河道、水沟。

（4）药物置于阴凉干燥避光处保存。

醚菌酯（kresoxim-methyl）

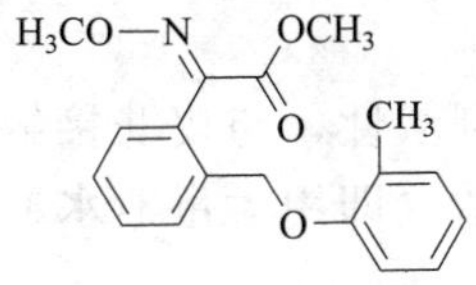

$C_{18}H_{19}NO_4$，313.35，143390-89-0

其他名称 翠贝、苯氧菌酯、苯氧菊酯。

主要剂型 30%、50%、60%水分散粒剂，30%可湿性粉剂，10%、30%、40%悬浮剂。

作用特点 低毒杀菌剂。一种新型仿生类广谱 β-甲氧基丙烯酸甲酯类杀菌剂。对病害具有预防和治疗作用，杀菌机制主要是破坏病菌细胞内线粒体呼吸链的电子传递，阻止能量 ATP 的形成，而导致病菌死亡。醚菌酯对半知菌亚门、子囊菌亚门、担子菌亚门、鞭毛菌亚门卵菌纲等真菌引起的多种病害具有很好的活性。

防治对象 适宜禾谷类作物、马铃薯、苹果、梨、南瓜、葡萄等。可防治葡萄白粉病、小麦锈病、马铃薯疫病、南瓜疫病、水稻稻瘟病等病害，特别对草莓白粉病、甜瓜白粉病、黄瓜白粉病、梨黑星病特效。

注意事项

（1）本品不可与强碱、强酸性的农药等物质混合使用。

（2）产品安全间隔为 4 天，作物每季度最多喷施 3～4 次。

（3）苗期注意减少用量，以免对新叶产生危害。

（4）使用本产品时应穿防护服，戴口罩、手套和护目镜，施药期间不可进食和饮水，施药后应及时洗手和洗脸。

嘧菌环胺（cyprodinil）

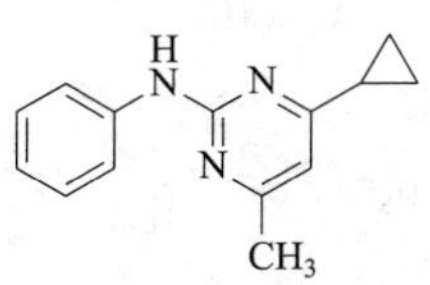

$C_{14}H_{15}N_3$，225.29，121552-61-2

其他名称 4-环丙基-6-甲基-N-苯基嘧啶-2-胺。

主要剂型 40%悬浮剂，50%可湿性粉剂，50%、75%水分散粒剂。

作用特点 低毒杀菌剂。具有保护、治疗、叶片穿透及根部内吸活性。为蛋氨酸生物合成抑制剂，同三唑类、咪唑类、吗啉类、苯基吡咯类等无交互抗性。叶面喷雾或种子处理，也可作大麦种衣剂使用。

防治对象 适宜作物为小麦、大麦、葡萄、草莓、蔬菜、观赏植物等。用于防治灰霉病、白粉病、黑星病、颖枯病以及小麦纹枯病等。

注意事项

（1）本品对眼睛和皮肤有刺激性，与皮肤接触可能致敏。

（2）不慎与眼睛接触后，请立即用大量清水冲洗并征求医生意见。

嘧菌酯（azoxystrobin）

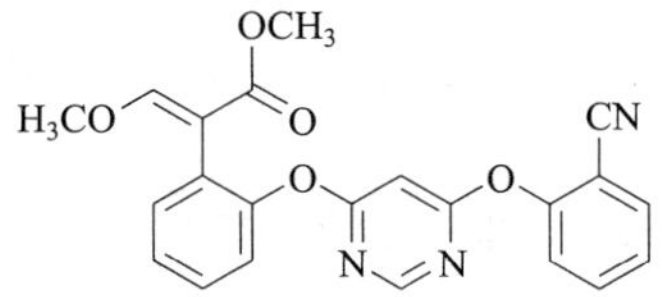

$C_{22}H_{17}N_3O_5$，403.39，131860-33-8

其他名称 阿米西达、安灭达。

主要剂型 20%、50%、60%、80%水分散粒剂，25%、30%悬浮剂，20%可湿性粉剂，10%微囊悬浮剂，10%悬浮种衣剂。

作用特点 低毒杀菌剂。一种β-甲氧基丙烯酸甲酯类杀菌剂，具有内吸性，属于线粒体呼吸抑制剂，对几乎所有的真菌界（子囊菌亚门、担子菌亚门、鞭毛菌亚门和半知菌亚门）病害如白粉病、锈病、颖枯病、网斑病、霜霉病、稻瘟病等均有良好的活性。

防治对象 主要用于谷物、花生、葡萄、马铃薯、果树、蔬菜、咖啡、草坪等。

注意事项 不能与碱性药剂混用，避免病菌产生耐药性。

嘧霉胺（pyrimethanil）

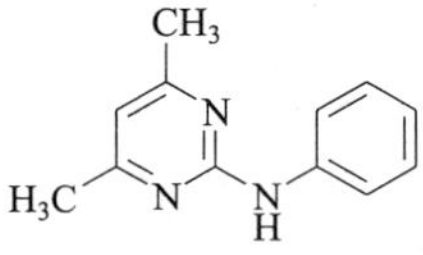

$C_{12}H_{13}N_3$，199.25，53112-28-0

其他名称 甲基嘧啶胺、二甲嘧啶胺、施佳乐。

主要剂型 20%、30%、37%、400g/L 悬浮剂，20%、25%、40%可湿性

粉剂，40%、70%、80%水分散粒剂，25%乳油。

作用特点 低毒杀菌剂。属于苯氨基嘧啶类杀菌剂，作用机理是通过抑制病菌侵染酶的产生从而阻止病菌的侵染并杀死病菌。同时具有内吸传导和熏蒸作用，施药后迅速到达植株的花、幼果等喷雾无法达到的部位杀死病菌，尤其是加入卤族特效渗透剂后，可增加在叶片和果实的附着时间和渗透速度，有利于吸收，使药效更快、更稳定。

防治对象 用于防治黄瓜、番茄、葡萄、草莓、豌豆、韭菜等作物灰霉病、枯萎病以及果树黑星病、斑点落叶病等。

注意事项

(1) 贮存时不得与食物、种子、饮料混放。

(2) 晴天上午 8 时至下午 5 时、空气相对湿度低于 65%时使用；气温高于 28℃时应停止施药。

灭菌唑 (triticonazole)

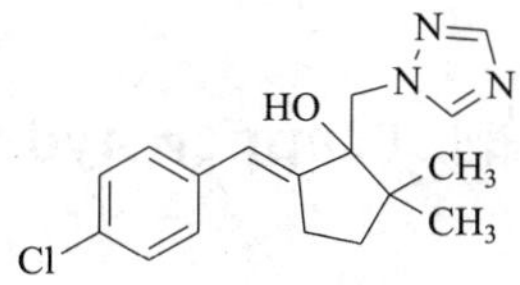

$C_{17}H_{20}ClN_3O$，317.81，131983-72-7

其他名称 扑力猛。

主要剂型 25%、28%悬浮种衣剂。

作用特点 低毒杀菌剂。甾醇生物合成中 C14 脱甲基化酶抑制剂。主要用作种子处理剂，也可茎叶喷雾，持效期长达 4～6 周。

防治对象 适用于禾谷类作物、豆科作物、果树病害，对种传病害有特效。主要防治镰孢（霉）属、柄锈菌属、麦类核腔菌属、黑粉菌属、腥黑粉菌属、白粉菌属、圆核腔菌、壳针孢属、柱隔孢属等引起的病害如白粉病、锈病、黑腥病、网斑病等。

宁南霉素 (ningnanmycin)

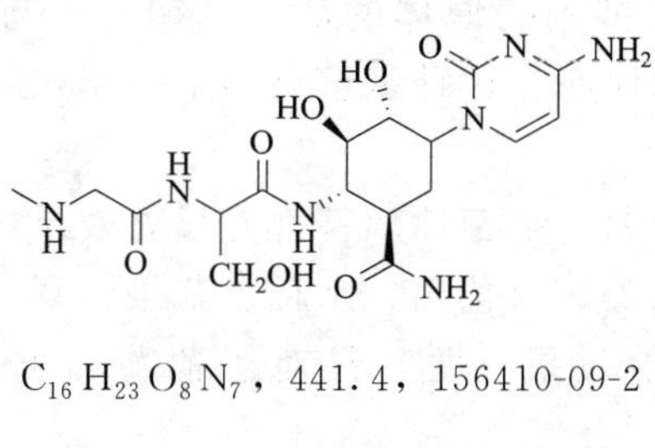

$C_{16}H_{23}O_8N_7$，441.4，156410-09-2

其他名称　菌克毒克、翠美。

主要剂型　2%、8%水剂，10%可溶粉剂。

作用特点　低毒杀菌剂。一种胞嘧啶苷肽型广谱抗生素杀菌剂，可诱导植株对入侵病毒产生抗性和耐病性，对条纹叶枯病、黑条矮缩病等水稻病毒病具有保护作用和一定的治疗作用，可抑制病毒侵染，降低病毒浓度，缓解症状表现。

防治对象　适用作物为烟草、番茄、辣椒、黄瓜、甜瓜、西葫芦、菜豆、大豆、水稻、苹果等。可防治烟草花叶病毒病、番茄病毒病、辣椒病毒病、水稻立枯病、大豆根腐病、水稻条纹叶枯病、苹果斑点落叶病、黄瓜白粉病；此外也可防治油菜菌核病，荔枝霜疫霉病，其他作物病毒病、茎腐病、蔓枯病、白粉病等多种病害。

注意事项

(1) 不能与碱性物质混用，如有蚜虫发生则可与杀虫剂混用。

(2) 存放于阴凉干燥处，密封保管，注意保质期。

氢氧化铜（copper hydroxide）

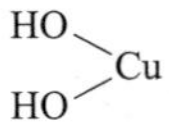

$Cu(OH)_2$，97.5，20427-59-2

其他名称　可杀得3000、冠军、诺多克斯、拜治、蓝盾、交叉、威尔盾。

主要剂型　46%、53.8%、77%水分散粒剂，77%可湿性粉剂，10%、37.5%悬浮剂。

作用特点　通过释放铜离子，直接作用于病原微生物的蛋白质，干扰其酶系统的功能。铜离子能够破坏病菌细胞膜的通透性，干扰病菌细胞的新陈代谢，最终导致细胞死亡。施药后通过接触，在植物表面形成保护膜，在病菌侵染之前阻止其进入植物体内，具有很强的预防作用。特别是在施药后，它能在作物表面形成一层持久的铜离子释放层，延长药效时间。氢氧化铜属于多位点接触杀菌剂，意味着它能够在多个层面抑制病原体的活动。铜离子与病原菌的多种酶系统结合，影响其生长、繁殖和代谢。这种多位点的杀菌模式减少了病原菌产生抗药性的可能。

防治对象　对多种真菌、细菌性病害都有显著效果，常用于防治植物的霜霉病、疫病、细菌性角斑病等。对葡萄、水稻、苹果、梨、番茄、黄瓜、柑橘等农作物的病害有较好的防治效果。尤其是对于葡萄和黄瓜霜霉病有较好的预防效果。

注意事项

(1) 避免与强酸、强碱物质混用。氢氧化铜不能与强酸性或碱性物质(如多硫化物)以及乙磷铝类农药混用,否则会降低药效或产生不良化学反应。

(2) 对铜敏感作物慎用。桃、李、杏、梅等作物对铜制剂较为敏感,因此在这些作物周围或附近施药时应特别小心,避免药液飘移到这些作物上,以免造成药害。

(3) 远离水体和水产养殖区。由于氢氧化铜对鱼类和其他水生生物有毒,禁止在河塘、鱼塘等水域附近使用,也不能在水体中清洗施药设备。

(4) 防护措施。施药时需要穿防护服,戴手套、护目镜、口罩等,避免药液接触皮肤、眼睛或被吸入。施药期间不可进食、饮水或吸烟,施药后应及时清洗暴露部位。

氰霜唑(cyazofamid)

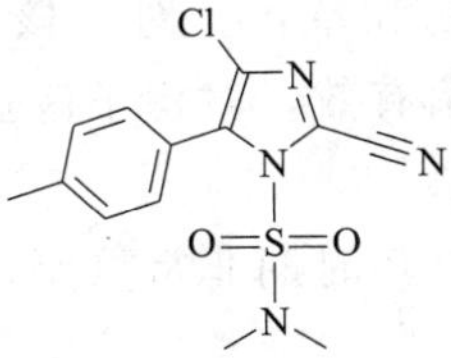

$C_{13}H_{13}ClN_4O_2S$, 324.79, 120116-88-3

其他名称 科佳、赛座灭、氰唑磺菌胺。

主要剂型 100g/L 悬浮剂。

作用特点 低毒杀菌剂。磺胺咪唑类杀菌剂。具有很好的保护活性和一定的内吸治疗活性,持效期长,耐雨水冲刷,使用安全、方便。对卵菌纲真菌如疫霉菌、霜霉菌、假霜霉菌、腐霉菌,以及根肿菌纲的芸薹根肿菌具有很高的生物活性。该药属线粒体呼吸抑制剂,阻断卵菌纲病菌体内线粒体细胞色素 bc_1 复合体的电子传递来干扰能量的供应,其结合部位为酶的 Q_1 中心,与其他杀菌剂无交互抗性。对病菌的所有生长阶段均有作用,对对甲霜灵产生抗性或敏感的病菌均有活性。

防治对象 适用于马铃薯、番茄、辣椒、黄瓜、甜瓜、白菜、莴苣、洋葱、葡萄、荔枝等多种植物。用于防治卵菌类病害,如霜霉病、霜疫霉病、疫病、晚疫病等。

注意事项 不能与碱性药剂混用。注意与不同类型杀菌剂交替使用,避免病菌产生抗药性。

噻呋酰胺（thifluzamide）

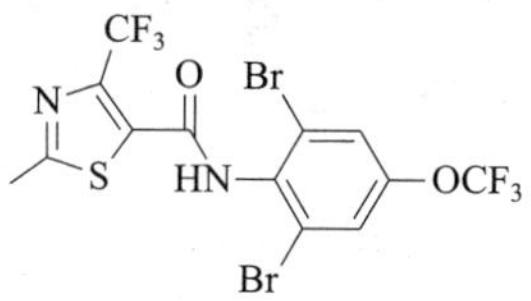

$C_{13}H_6Br_2F_6N_2O_2S$，528.06，130000-40-7

其他名称 千斤丹、满穗、噻氟菌胺、噻氟酰胺。

主要剂型 240g/L悬浮剂。

作用特点 低毒杀菌剂。噻呋酰胺属酰胺类杀菌剂，具有强内吸传导性和长持效性，是琥珀酸脱氢酶抑制剂，由于含氟，其在生化过程中其竞争力很强，一旦与底物或酶结合就不易恢复。

防治对象 用于禾谷类作物和草坪，对丝核菌属、柄锈菌属、腥黑粉菌属、伏革菌属、黑粉菌属等致病真菌有效，对担子菌亚门真菌引起的病害如纹枯病等有特效。

注意事项 防治纹枯病，喷药时期非常重要，一定按时用药。配药前先将药剂摇匀，药液不要污染水源。

噻菌灵（thiabendazole）

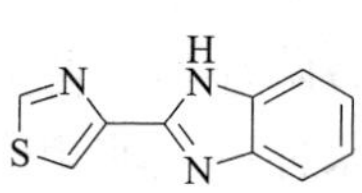

$C_{10}H_7N_3S$，201.25，148-79-8

其他名称 特克多、涕灭灵、硫苯唑、腐绝。

主要剂型 60%水分散粒剂，15%、42%、450g/L、500g/L悬浮剂，40%可湿性粉剂。

作用特点 苯并咪唑类内吸治疗性低毒杀菌剂。杀菌机制主要是抑制真菌线粒体的呼吸作用和细胞增殖，而导致病菌死亡，与苯并咪唑类药剂有交互耐药性。该药根施时能向顶传导，但不能向基传导。

防治对象 用于香蕉和柑橘的保鲜，对冠腐病、青霉病、绿霉病、花腐病及水果腐烂具有很好的防治效果；可防治水稻恶苗病，苹果和梨青霉病、炭疽病、灰霉病、黑星病、白粉病等。

注意事项

(1) 对鱼类有毒，不要污染池塘和水源。

(2) 原药密封保存，置于远离儿童的地方保存，空瓶应妥善处理。

三环唑（tricyclazole）

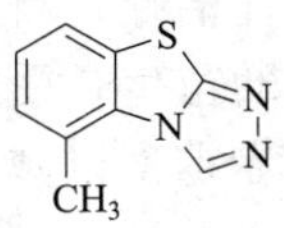

$C_9H_7N_3S$，189.24，41814-78-2

其他名称 比艳、克瘟唑、三唑苯噻。

主要剂型 20%悬浮剂，20%、75%可湿性粉剂。

作用特点 低毒杀菌剂。防治稻瘟病专用杀菌剂，具有较强内吸性的保护性杀菌剂。杀菌机理主要是抑制附着胞黑色素的形成，从而抑制孢子萌发和附着胞形成，阻止病菌侵入和减少稻瘟病病菌孢子的产生。能迅速被水稻各部位吸收，持效期长，药效稳定，用量低并且抗雨水冲刷。

防治对象 主要用于稻瘟病的防治。

注意事项

(1) 浸种或拌种对芽苗稍有抑制但不影响后期生长。

(2) 防治穗颈瘟时，第一次用药必须在抽穗前。

(3) 勿与种子、饲料、食物等混放，发生中毒用清水冲洗或催吐，目前尚无特效解毒药。

(4) 对鱼有一定的毒性，在池塘附近施药要注意安全。

三唑醇（triadimenol）

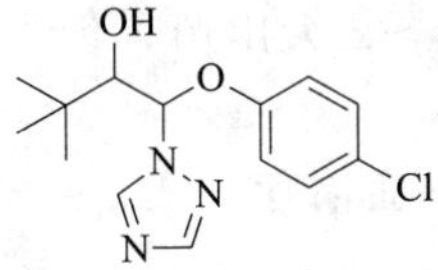

$C_{14}H_{18}ClN_3O_2$，295.79，55219-65-3

其他名称 百坦、羟锈宁、三泰隆。

主要剂型 25%乳油，10%、15%可湿性粉剂。

作用特点 中等毒性。具有内吸传导性，具有保护和治疗作用。杀菌作用机制是影响真菌麦角甾醇的生物合成。用于防治禾谷类作物的白粉病和黑粉病。

防治对象 适用于防治小麦散黑穗病、网腥黑穗病、根腐病，大麦散黑穗病、锈病、条纹病、网斑病等，玉米、高粱丝黑穗病，春大麦散黑穗病、条纹病、网斑病、根腐病，冬小麦散黑穗病、网腥黑穗病、雪腐病，春燕麦条纹病、散黑穗病等。

注意事项

（1）拌种时必须使种子粘药均匀，必要时采用黏着剂，否则不易发挥药效。

（2）如误食应立即送医院，对症治疗，目前尚无特效解毒药。

（3）处理后的麦类种子会出现幼苗生长受抑制的现象，抑制强弱与药剂的浓度有关，可在其中加入生长激素如赤霉素以减轻药害。

三唑酮（triadimefon）

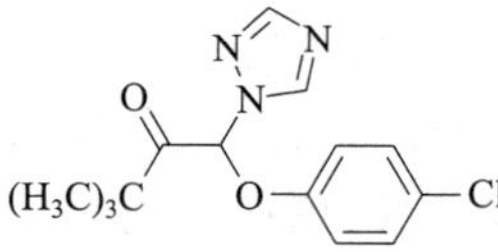

$C_{14}H_{16}ClN_3O_2$，293.75，43121-43-3

其他名称　百里通、百菌酮、粉锈宁。

主要剂型　15%烟雾剂，15%、20%水乳剂，20%可湿性粉剂。

作用特点　低毒性杀菌剂。一种高效、低毒、低残留、持效期长、内吸性强的三唑类杀菌剂。被植物的各部分吸收后，能在植物体内传导。对锈病和白粉病具有预防、铲除、治疗等作用。杀菌机制主要是抑制菌体麦角甾醇的生物合成，因而抑制或干扰菌体附着胞及吸器的发育、菌丝的生长和孢子的形成，对菌丝的活性比对孢子强。三唑酮可以与许多杀菌剂、杀虫剂、除草剂等现混现用。

防治对象　适用于防治多种作物的病害如玉米圆斑病、麦类云纹病、小麦叶枯病、凤梨黑腐病、玉米丝黑穗病等。

注意事项

（1）可与碱性药剂以及铜制剂以外的其他制剂混用。

（2）拌种可能使种子延迟1～2天出苗，但不影响出苗率及后期生长。

（3）药剂置于干燥通风处。

（4）无特效解毒药，只能对症治疗。

十三吗啉（tridemorph）

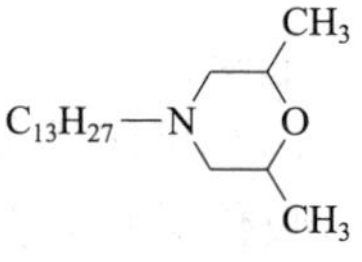

$C_{19}H_{39}NO$，297.52，81412-43-3

其他名称 克啉菌、克力星。

主要剂型 75%、86%乳油。

作用特点 中等毒性。十三吗啉是一种广谱性的内吸性杀菌剂，具有保护和治疗双重作用，可以通过植物的根、茎、叶吸收进入植物体内，并从木质部向上移动，但在韧皮部只有轻微程度的转移，因此十三吗啉施药后仅略受气候因子影响，保持较长的残效期。

防治对象 用于防治谷类白粉病和香蕉叶斑病，对其他真菌病害，如橡胶树的白根病、红根病、褐根病、白粉病，咖啡褐斑病，瓜类白粉病及花木白粉病等具有良好的防效。

注意事项 施药时注意安全，切勿沾污皮肤和眼睛。

双炔酰菌胺（mandipropamid）

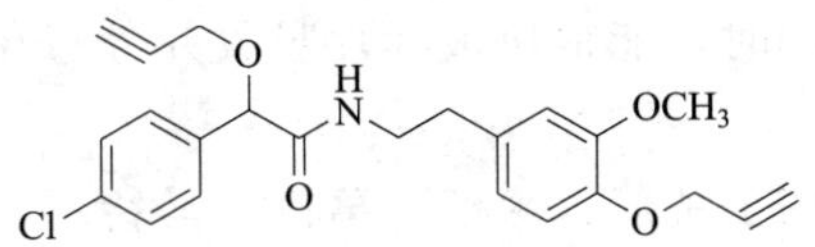

$C_{23}H_{22}ClNO_4$，411.88，374726-62-2

其他名称 瑞凡。

主要剂型 25%悬浮剂。

作用特点 低毒杀菌剂。双炔酰菌胺为酰胺类杀菌剂。作用机理为抑制磷脂的生物合成，对绝大多数由卵菌引起的叶部和果实病害均有很好的防效。对处于萌发阶段的孢子具有较高的活性，并可抑制菌丝成长和孢子形成。可以通过叶片被迅速吸收，并停留在叶表蜡质层中，对叶片起保护作用。

防治对象 可有效防治辣椒疫病、西瓜疫病、马铃薯晚疫病、甜瓜霜霉病。

注意事项

（1）请按照农药安全使用准则使用本品。避免药液接触皮肤、眼睛和污染衣物，避免吸入雾滴。切勿在施药现场抽烟或饮食。

（2）配药和喷药时，应戴手套、面罩和靴子。

（3）施药后，彻底清洗防护用具，洗澡，并更换和清洗工作服。

（4）使用过的空包装，用清水冲洗三次后妥善处理，切勿重复使用或改作其他用途。所有施药器具，用后应立即用清水或适当的洗涤剂清洗。

（5）药液及其废液不得污染各类水域、土壤等环境。勿将药液或空包装弃于水中或在河塘中洗涤喷雾器械，避免污染水源。

霜霉威（propamocarb）

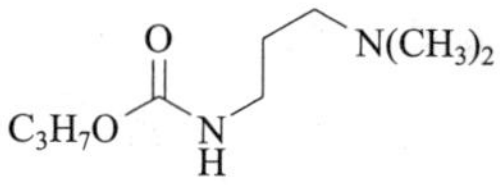

$C_9H_{20}N_2O_2$，188.27，24579-73-5

其他名称 丙酰胺、霜霉威盐酸盐、普力克。

主要剂型 35%、722g/L 水剂。

作用特点 低毒杀菌剂。属氨基甲酸酯类具有局部内吸作用的杀菌剂，对卵菌纲真菌有特效，并对作物的根、茎、叶有明显的促进生长作用。杀菌机制主要是抑制病菌细胞膜中磷脂和脂肪酸的生物合成，进而抑制菌丝生长、孢子囊的形成和萌发。该药内吸传导性好，用于土壤处理时，能很快被根吸收并向上输送到整个植株；用于茎叶处理时，能很快被叶片吸收并分布在叶片中，在 30min 内就能起到保护作用。

防治对象 广泛适用于黄茄、辣椒、莴苣、马铃薯、烟草、草莓、草坪、花卉等。对卵菌纲真菌病害具有很好的防治效果，如霜霉病、疫病、猝倒病、晚疫病、黑胫病等。

注意事项

（1）为预防和延缓病菌抗药性，注意应与其他农药交替使用，每季喷洒次数最多 3 次。配药时，按推荐药量加水后要搅拌均匀，若用于喷施，要确保药液量，保持土壤湿润。

（2）在碱性条件下易分解，不可与碱性物质混用，以免失效。

（3）使用本品时应穿戴防护服和手套，避免吸入药液。施药期间不可吃东西和饮水。施药后应及时洗手和洗脸。

（4）霜霉威与叶面肥及植物生长调节剂混用时需特别注意。

霜脲氰（cymoxanil）

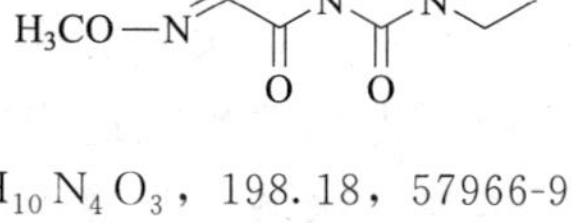

$C_7H_{10}N_4O_3$，198.18，57966-95-7

其他名称 清菌脲、菌疫清、霜疫清、克露（混剂）。

主要剂型 50%可湿性粉剂、45%水分散粒剂。

作用特点 一种高效、低毒杀菌剂，对霜霉目真菌如疫霉属、霜霉属、单轴霉属有效。与其他保护性杀菌剂广泛混用。

防治对象 用于黄瓜、葡萄、番茄、荔枝、苣荬菜及烟草等。可防治枣树、苹果、梨等果树的叶斑病、锈病、黑星病、霜霉病、炭疽病、轮纹病等病害，防治黄瓜霜霉病、疫病，防治番茄早、晚疫病。

注意事项

（1）不宜与碱性农药、肥料混合使用。

（2）使用时穿工作服、戴手套，严防中毒。

四氟醚唑（tetraconazole）

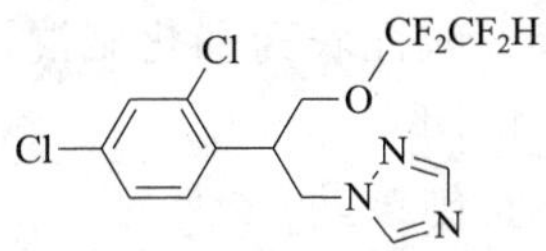

$C_{13}H_{11}Cl_2F_4N_3O$，372.15，112281-77-3

其他名称 氟醚唑、朵麦克。

主要剂型 4%、12.5%水乳剂，25%微乳剂。

作用特点 低毒杀菌剂。四氟醚唑属于第二代三唑类杀菌剂，杀菌活性是第一代的2～3倍，杀菌谱广、高效、持效期长达4～6周，具有保护和治疗作用，并有很好的内吸传导性能。本品对铜有轻微腐蚀性。

防治对象 可防治白粉菌属、柄锈菌属、喙孢属、核腔菌属和壳针孢属病菌引起的病害如小麦白粉病、小麦散黑穗病、小麦锈病、小麦腥黑穗病、小麦颖枯病、大麦云纹病、大麦散黑穗病、大麦纹枯病、玉米丝黑穗病、高粱丝黑穗病、瓜果白粉病、香蕉叶斑病、苹果斑点落叶病、梨黑星病和葡萄白粉病等。

注意事项 贮存在通风、干燥的库房中，防潮湿、日晒，不得与食物、种子、饲料混放，避免与皮肤、眼睛接触，防止由口鼻吸入。

松脂酸铜（copper abietate）

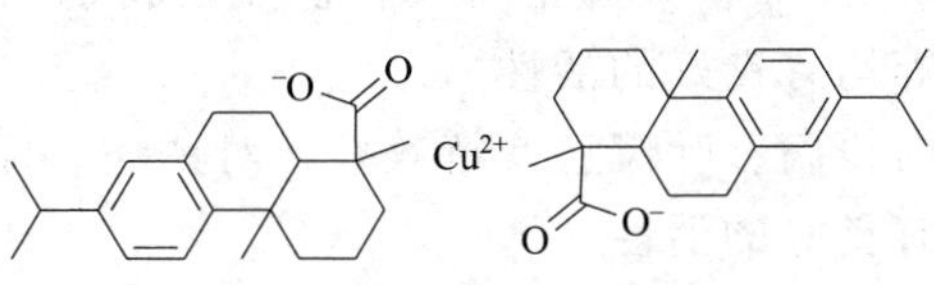

$C_{40}H_{54}CuO_4$，662.40，10248-55-2

其他名称 百康、得铜安、盖波、冠绿、去氢枞酸铜、海宇博尔多乳油。

主要剂型 12%、16%、20%、30%乳油，45%粉剂，20%水乳剂，20%可湿性粉剂。

作用特点 低毒杀菌剂。一种有机铜低毒杀菌剂。通过释放铜离子而起到杀菌作用。其杀菌机制是通过铜离子与病菌细胞膜表面上的阳离子 K^+、H^+ 等交换，使细胞膜上的蛋白质凝固，同时部分铜离子渗透进入病原菌细胞内与某些酶结合，进而影响酶的活性，最终导致细菌死亡。松脂酸铜可与多种杀虫剂、农药杀菌剂、植物生产调节剂现混现用，且能相互增效。

防治对象 可用于防治多种真菌和细菌所引起的常见植物病害，对蔬菜有明显的刺激生长作用。本品用于防治瓜类霜霉病、疫病、黑星病、炭疽病、细菌性角斑病，茄子立枯病，番茄晚疫病等多种蔬菜病害。

注意事项

（1）松脂酸铜不能与强酸、碱性农药和化肥混用。

（2）对铜离子敏感作物要慎用。

（3）大风天或降雨前后不宜施该药。

（4）该药贮存于阴凉干燥通风处，喷雾过程中要安全操作，以防对人造成伤害。

肟菌酯（trifloxystrobin）

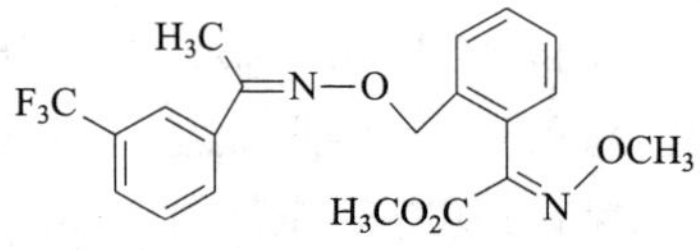

$C_{20}H_{19}F_3N_2O_4$，408.37，141517-21-7

其他名称 三氟敏、肟草酯。

主要剂型 25%悬浮剂、45%可湿性粉剂、45%水分散粒剂。

作用特点 低毒杀菌剂。含氟，第二代β-甲氧基丙烯酸甲酯类杀菌剂，具有高效、广谱、保护、治疗、铲除、渗透、内吸、耐雨水冲刷、持效期长等特性。对对 1,4-脱甲基化酶抑制剂、苯甲酰胺类、二羧胺类和苯并咪唑类产生抗性的菌株有效，与目前已有杀菌剂无交互抗性。对几乎所有真菌（子囊菌亚门、担子菌亚门、鞭毛菌亚门卵菌纲和半知菌亚门）病害如白粉病、锈病、颖枯病、网斑病、霜霉病、稻瘟病等均有良好的活性。

防治对象 除对白粉病、叶斑病有特效外，对锈病、霜霉病、立枯病、苹果黑腥病、油菜菌核病有良好的活性。

注意事项

（1）不能与碱性药剂混合使用。

（2）喷药要均匀，叶片正反面均要着药。

戊唑醇（tebuconazole）

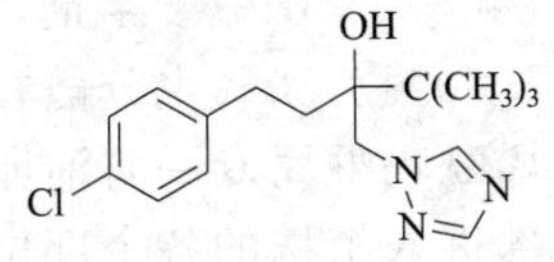

$C_{16}H_{22}ClN_3O$，307.82，107534-96-3

其他名称 立克秀。

主要剂型 50%、75%水分散粒剂，430g/L、50%悬浮剂，60g/L种子处理悬浮剂，2%湿拌种剂，250g/L水乳剂，25%乳油，0.2%、5%悬浮拌种机，2%种衣剂，25%可湿性粉剂。

作用特点 低毒杀菌剂。属于三唑类杀菌剂，具有内吸性，是甾醇脱甲基抑制剂，抑制病菌细胞膜上麦角甾醇的去甲基化，使病菌无法形成细胞膜，从而杀死病菌。可杀灭附着在种子和植物叶部表面的病菌，也可在植物内向顶传导杀灭植物内部的病菌。可用作重要经济作物的种子处理或叶面喷洒的高效杀菌剂。

防治对象 适宜小麦、大麦、黑麦、玉米、高粱、花生、香蕉、葡萄、茶、果树等作物。防治白粉菌属、柄锈菌属、核腔菌属和壳针孢属引起的病害如小麦白粉病、散黑穗病、纹枯病、雪腐病、全蚀病、腥黑穗病，大麦云纹病，玉米丝黑穗病，高粱丝黑穗病，大豆锈病，油菜菌核病，香蕉叶斑病，茶饼病，梨黑星病和葡萄灰霉病。

注意事项

（1）接触本剂应遵守农药安全使用操作规程，穿好防护服。工作时禁止吸烟和进食。工作结束后，应用肥皂和清水洗脸、手和裸露部位。

（2）用本剂处理过的种子，严禁人食或用作动物饲料。

（3）本剂应贮存于干燥、通风、阴凉和儿童触及不到的地方。

（4）如有中毒情况发生，应立即就医。该药无特殊解毒剂，应对症治疗。

烯酰吗啉（dimethomorph）

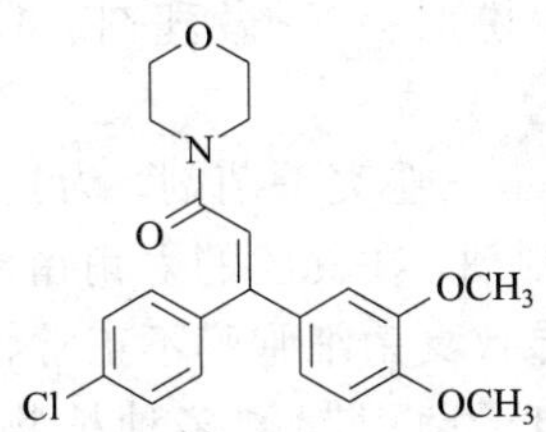

$C_{21}H_{22}ClNO_4$，387.86，110488-70-5

其他名称 霜安、安克、专克、雄克、安玛、绿捷、破菌、瓜隆、上品、灵品、世耘、良霜、霜爽、霜电、雪疫、斗疫、拔萃、巨网、优润、洽益发、异瓜香。

主要剂型 10%、20%、40%、50%悬浮剂，10%、15%水乳剂，25%、30%、50%可湿性粉剂，40%、50%、80%水分散粒剂，25%微乳剂。

作用特点 低毒杀菌剂。烯酰吗啉属专一防治卵菌纲真菌性病害的药剂，内吸性强。根部施药后可通过根部进入植株的各个部位；叶片喷药，可进入叶片内部。作用机制是破坏病菌细胞壁的形成，引起孢子囊壁的分解，而使病菌死亡。除游动孢子形成及孢子游动期外，对卵菌生活史的各个阶段均有作用，尤其对孢子囊梗和卵孢子的形成阶段更敏感，若在孢子囊和卵孢子形成前用药，则可完全抑制孢子的产生。其与甲霜灵等苯甲酰胺类杀菌剂没有交互抗性。

防治对象 对霜霉病、霜疫霉病、晚疫病、疫（霉）病、疫腐病、腐霉病、黑胫病等低等真菌性病害均具有很好的防治效果。可应用于葡萄、荔枝、黄瓜、甜瓜、苦瓜、番茄、辣椒、马铃薯、十字花科蔬菜。

注意事项

（1）当黄瓜、辣椒、十字花科蔬菜等处于幼嫩期时，喷液量和药量用低量。喷药要使药液均匀覆盖叶片。

（2）施药时穿戴好防护衣物，避免药剂直接与身体各部位接触。

（3）如药剂沾染皮肤，用肥皂和清水冲洗。如溅入眼中，迅速用清水冲洗。如有误服，千万不要引吐，尽快送医院治疗。该药没有解毒剂，需对症治疗。

（4）该药应贮存在阴凉、干燥和远离饲料、儿童的地方。

烯唑醇（diniconazole）

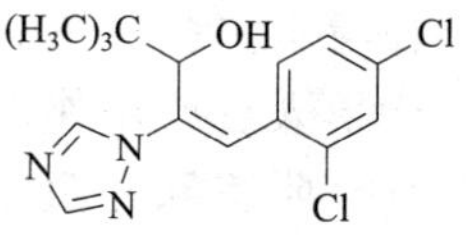

$C_{15}H_{17}Cl_2N_3O$，326.22，83657-24-3

其他名称 速保利、达克利、灭黑灵、特灭唑、特普唑、壮麦灵。

主要剂型 12.5%可湿性粉剂、5%微乳剂、10%乳油、30%悬浮剂、50%水分散粒剂。

作用特点 中等毒性。属于三唑类杀菌剂，为具有保护、治疗、铲除作用的广谱性杀菌剂；是甾醇脱甲基抑制剂，在真菌的麦角甾醇生物合成中抑制 14α-脱甲基化作用，引起麦角甾醇缺乏，导致真菌细胞膜不正常，最终真菌死亡，持效期长久。

防治对象 对子囊菌、担子菌引起的多种植物病害如白粉病、锈病、黑粉病、黑星病等有特效。另外，还对尾孢霉、球腔菌、核盘菌、丝核菌等引起的病害有良效。

注意事项

（1）施药过程避免药剂沾染皮肤。

（2）药剂应存放在阴凉干燥处。

（3）施药后，对少数植物有抑制生长现象。

盐酸吗啉胍（moroxydine hydrochloride）

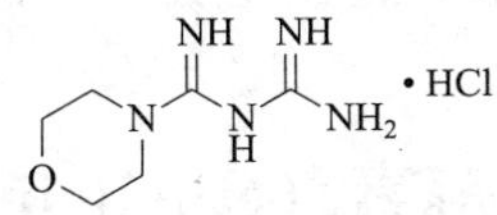

$C_6H_{14}ClN_5O$，207.66，3160-91-6

其他名称 病毒灵。

主要剂型 80%水分散粒剂、50%可溶片剂、20%可湿性粉剂、20%悬浮剂、5%可溶粉剂。

作用特点 为广谱、低毒病毒防治剂。稀释后的药液喷施到植物叶面后，药剂可通过气孔进入植物体内，抑制或破坏核酸和脂蛋白的形成，阻止病毒复制过程，起到防治病毒的作用。

防治对象 不仅对水稻病毒病、纹枯病、全蚀病、赤霉病、稻瘟病以及其他大田作物的真菌性病变和细菌性与病毒病交叉感染病害有强效的防治和灭毒功效，同时对番茄、辣椒、黄瓜、油菜、白菜等瓜果蔬菜类的病毒病也有很好的防治和治疗效果。

注意事项

（1）本品不可与碱性农药混用。

（2）喷施应避开烈日和阴雨天，傍晚喷施于作物叶片或果实上。

（3）本品含量极高，随配随用，请按照使用浓度配制。

（4）使用时，请预留一块空地不喷，从而更好地检验本品效果。

乙嘧酚磺酸酯（bupirimate）

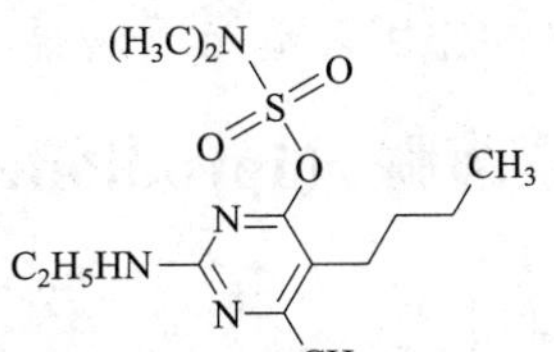

$C_{13}H_{24}N_4O_3S$，316.42，41983-43-6

其他名称 乙嘧酚磺胺酯、白特粉、布瑞莫。

主要剂型 15%、25%乳油，25%微乳剂。

作用特点 低毒杀菌剂。乙嘧酚磺酸酯是嘧啶类杀菌剂，具有内吸性，属于高效、环境相容性好的腺嘌呤核苷脱氨酶抑制剂，可被植物的根、茎、叶迅速吸收，并在植物体内运转到各个部位，具有保护和治疗作用。

防治对象 主要用于小麦、黄瓜等禾本科、葫芦科作物白粉病的防治。对草莓、玉米、瓜类、葫芦科、茄科白粉病有特效。

注意事项 在稀酸中易水解，在37℃以上长期储存不稳定。连续使用时的间隔时间为7天。

乙蒜素（ethylicin）

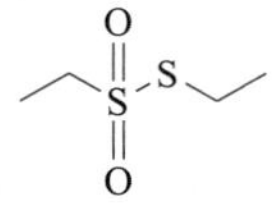

$C_4H_{10}O_2S_2$，154.25，682-91-7

其他名称 抗菌剂402、净刹、亿为克、一支灵、乙基硫代磺酸乙酯。

主要剂型 20%、80%乳油，15%可湿性粉剂。

作用特点 中等毒性。乙蒜素为人工合成的一种广谱性杀菌剂，具有治疗和保护作用，且可促进作物生长发育。杀菌机制是药剂中的硫代亚磺酸酯基团与病菌分子中含—SH的物质反应，进而抑制菌体正常代谢。乙蒜素可抑制粮油、棉花、蔬菜、花卉、药材、茶叶等作物以及蚕业、渔业的数十种病菌。

防治对象 用于防治水稻烂秧病、恶苗病、稻瘟病、白叶枯病；麦类黑穗病、条纹病；棉花枯萎病、黄萎病、炭疽病；果树轮纹病、炭疽病、叶斑病；瓜果蔬菜的青枯病、蔓枯病、枯萎病、炭疽病；作物苗期立枯病、猝倒病、烂根病；茶叶根腐病、芽枯病等。

注意事项

（1）不能与碱性农药混用。

（2）经处理过的种子不能食用或作饲料，棉籽不能用于榨油。

（3）浸过药液的种子不得与草木灰一起播种，以免影响药效。

（4）本剂对铁质容器有腐蚀作用，不能用铁器存放。

异菌脲（iprodione）

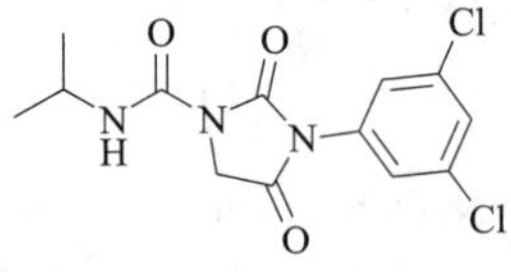

$C_{13}H_{13}Cl_2N_3O_3$，330.2，36734-19-7

其他名称 扑海因、依扑同。

主要剂型 25%、255g/L、500g/L悬浮剂，50%可湿性粉剂，10%乳油。

作用特点 低毒杀菌剂。异菌脲属二羧甲酰亚胺类，是一种触杀型广谱保护性低毒杀菌剂，并有一定治疗作用。杀菌机制是能抑制蛋白激酶，控制许多细胞功能的细胞内信号，包括碳水化合物结合进入真菌细胞组分的干扰作用。该机制作用于病菌生长为害的各个发育阶段，既可抑制病菌孢子萌发，又可抑制菌丝体生长，还可抑制病菌孢子的产生。可广泛应用于多种果树、瓜果蔬菜、观赏植物及大田作物。

防治对象 适用于瓜类、番茄、辣椒、茄子、园林花卉、草坪等多种蔬菜及观赏植物等。主要防治对象为由葡萄孢属、珍珠菌、交链孢属、核盘菌属等病菌引起的病害。如灰霉病、早疫病、黑斑病、菌核病等，也可用于香蕉、苹果、柑橘等采后的防腐保鲜。

注意事项

(1) 不能与腐霉利、乙烯菌核利等作用方式相同的杀菌剂混用或轮用。

(2) 不能与强碱性或强酸性的药剂混用。

(3) 为预防抗性菌株的产生，作物全生育期异菌脲的施用次数要控制在3次以内，在病害发生初期和高峰前使用，可获得最佳效果。

抑霉唑（imazalil）

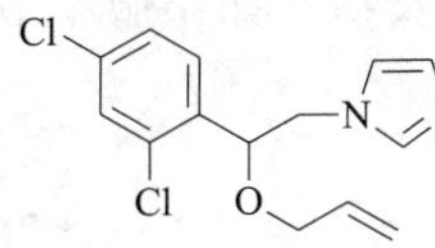

$C_{14}H_{14}Cl_2N_2O$，297.18，35554-44-0

其他名称 万得利、戴唑霉、戴蔻唑、依灭列、烯菌灵。

主要剂型 20%、22%水乳剂，0.1%涂抹剂，22.2%、50%乳油，3%膏剂，15%烟剂。

作用特点 中等毒性杀菌剂。具有内吸、治疗、保护多种作用，广泛用于果品采后的防腐保鲜处理。杀菌机制主要是影响病菌细胞膜的渗透性、生理功能和脂类合成代谢，从而破坏病菌的细胞膜，同时抑制病菌孢子的形成。

防治对象 用于柑橘、芒果、香蕉、苹果、瓜类等的采后保鲜处理；对青霉病、绿霉病、炭疽病等贮藏期果实病害具有很好的防治效果。

注意事项 不能与碱性药剂混用，用药浓度不要随意加大。

中生菌素（zhongshengmycin）

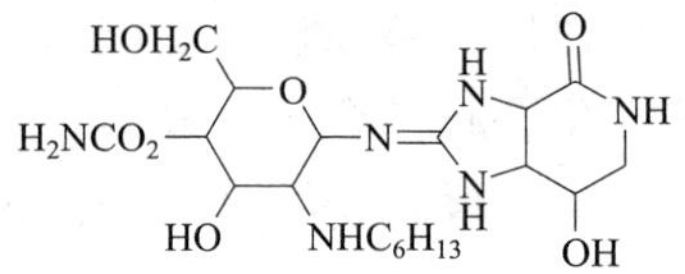

$C_{19}H_{34}N_6O_7$，458.5，861228-39-9

其他名称 克菌康、佳爽。

主要剂型 3%、5%可湿性粉剂，12%母药。

作用特点 低毒杀菌剂。*N*-糖苷类抗生素，其抗菌谱广，能够抗革兰氏阳性菌、革兰氏阴性菌、分枝杆菌、酵母菌及丝状真菌。杀菌机制主要是抑制病原菌菌体蛋白质的合成。

防治对象 可防治蔬菜软腐病、黄瓜角斑病、水稻白叶枯病、苹果轮纹病、小麦赤霉病等；同时可刺激植物体内植保素及木质素前体物质的生成，从而提高植物的抗病能力。

注意事项

（1）本剂不可与碱性农药混用。

（2）贮存在阴凉、避光处。

（3）本品如误入眼睛，立即用清水冲洗15min，仍有不适应立即就医；如接触皮肤，立即用清水冲洗并换洗衣物；如误服不适，立即送医院对症治疗，无特殊解毒剂。

第四节　除草剂

2,4-滴二甲胺盐（2,4-D dimethyl amine salt）

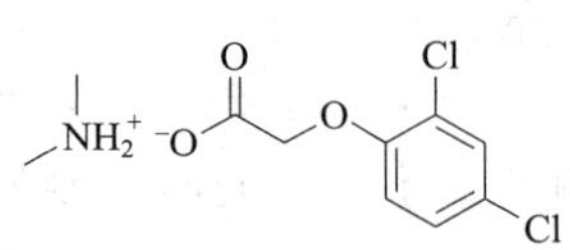

$C_{10}H_{13}O_3Cl_2N$，266.13，2008-39-1

其他名称 2,4-二氯苯氧乙酸二甲胺盐、2,4-二氯苯氧乙酸：*N*-甲基甲胺（1∶1）的化合物。

主要剂型 55%、70%、72%水剂，60%、67%可溶液剂，96%可溶粒剂等。

作用特点 是激素型、选择性除草剂。它通过根、茎、叶吸收进入植物体内，代谢缓慢，可以在植物体内积累一定浓度。这种积累的浓度会干扰植物体内的激素平衡，破坏蛋白质与核酸代谢，进而抑制或促进植物某些器官的生长。2,4-滴二甲胺盐在低浓度时能促进植物生长，可作为植物生长调节剂使用，而在高浓度时表现出除草剂的特性，尤其在阔叶植物上表现更明显。这种特性使得2,4-滴二甲胺盐在农业上被广泛应用于防除双子叶阔叶杂草及其萌芽期禾本科杂草。

防治对象 防治水稻、玉米、高粱、小麦、甘蔗、黄花菜等作物田以及池塘、果园、牧场、沟渠、田埂、草坪的阔叶杂草和部分莎草科杂草。

注意事项

(1) 2,4-滴二甲胺盐的使用受到温度的影响。在20～28℃时，2,4-滴二甲胺盐随着温度上升而提高药效，而在低于20℃时，药效逐渐降低。

(2) 避免在作物生育敏感期使用，如萌芽期、幼芽期和抽穗扬花期，以减少药害风险。

(3) 混用有严格的要求，不可随意与其他除草剂混用，以免产生药害。

2,4-滴异辛酯（2,4-D ethylhexyl）

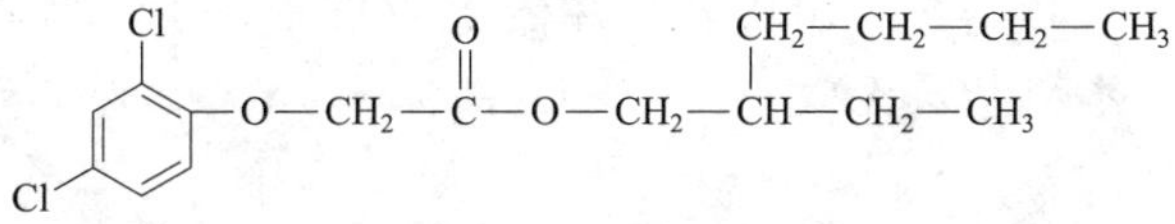

$C_{16}H_{22}Cl_2O_3$，333.25，25168-26-7

化学名称 2,4-二氯苯氧乙酸异辛酯。

主要剂型 77%、86%、87.5%乳油。

作用特点 苯氧乙酸类激素型选择性苗后茎叶处理触杀型除草剂。具有较强的内吸传导性。主要用于苗后茎叶处理，穿过角质层和细胞膜，最后传导到各部分。

防治对象 用于春小麦、春玉米、春大豆田防除一年生阔叶杂草。正常使用条件下，对一年生阔叶杂草如龙葵、藜、苍耳、苘麻等有较好的防效。

注意事项

(1) 每季作物只能使用本品一次。

(2) 禾本科对本品的耐性较大，但在其幼苗、幼芽和幼穗分化期较为敏感。用药过早、过晚或用量大都可能造成药害，因此应严格掌握用药量和用药时期。

(3) 棉花、大豆、向日葵、甜菜、蔬菜、中草药、果树和林木等对本品敏感，配药和喷施过程中应注意方向，以免药雾飘移到上述作物上造成药害。

（4）低洼积水地不宜使用本品，容易造成药害。

苯磺隆（tribenuron-methyl）

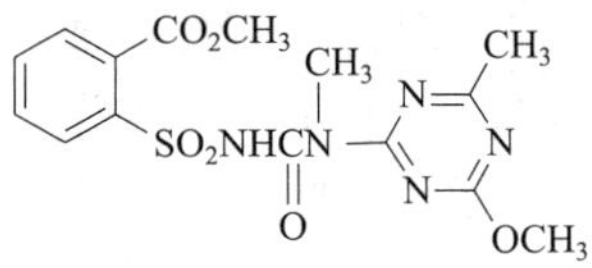

$C_{15}H_{17}N_5O_6S$，395.39，101200-48-0

其他名称 巨星、阔叶净。

主要剂型 10%可湿性粉剂、75%水分散粒剂。

作用特点 低毒除草剂。选择性内吸传导型除草剂，可被杂草的根、叶吸收，并在植株体内传导。通过抑制乙酰乳酸合成酶（ALS）的活性，从而影响支链氨基酸的生物合成。植物受害后表现为生长点坏死、叶脉失绿，植物生长受到严重抑制、矮化，最终全株枯死。敏感杂草吸收药剂后立即停止生长，1～3周后死亡。

防治对象 主要用于防除各种一年生阔叶杂草，对播娘蒿、荠菜、碎米荠菜、麦家公、藜、反枝苋等效果较好，对地肤、繁缕、蓼、猪殃殃等也有一定的防除效果，对田蓟、卷茎蓼、田旋花、泽漆等效果不显著，对野燕麦、看麦娘、雀麦、节节麦等禾本科杂草无效。

注意事项

（1）每季作物只能使用本品1次。

（2）本品只能用于防除已出苗杂草，对未出土杂草防效很差。

（3）大风天气应停止喷雾施药，以免药液飘移对邻近阔叶作物产生药害。

（4）本品在土壤中的残效期为60天左右。

（5）花生对本品敏感，施用过本品的冬小麦田，后茬不得种植花生。

苯噻酰草胺（mefenacet）

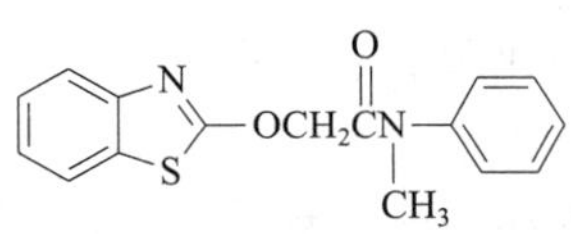

$C_{16}H_{14}N_2O_2S$，298.36，73250-68-7

其他名称 稗弃、稗友、除稗特、稻草必净、稻禾老、拿稗灵、穗宝。

主要剂型 50%可湿性粉剂。

作用特点 低毒除草剂。苯噻酰草胺是选择性内吸传导型酰苯胺类细胞生长和分裂抑制剂。主要通过芽鞘和根吸收，经木质部和韧皮部传导至杂草的幼芽和嫩叶，阻止杂草生长点细胞分裂生长，当禾本科杂草（稗草）接触此药后很快聚集在生长点处。对细胞特别是母细胞起到抑制细胞分裂、增大作用，从而阻碍稗草的生长直至死亡。稗草枯萎时间随叶龄增大而延长。

防治对象 用于移栽稻田，可有效防除禾本科杂草，对稗草有特效，稗草在出苗前至3叶期均能杀死。对牛毛毡、泽泻、鸭舌草、节节菜、异型莎草、扁穗莎草、具芒碎米莎和多年生水莎草等防效也很好。

注意事项

(1) 漏水地段、砂质土、漏水田使用效果差。

(2) 施药后保持水层3～5cm 5～7天，缺水时需缓慢补水，但不能排水，水层淹过水稻心叶或药液飘移易产生药害。

苯唑草酮 (topramezone)

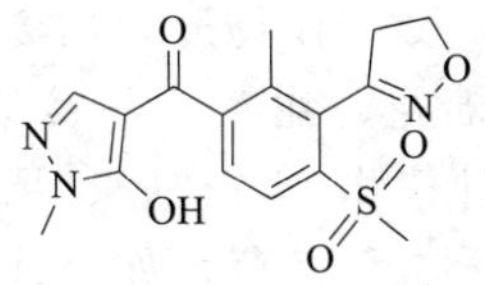

$C_{16}H_{17}N_3O_5S$，363.39，210631-68-8

其他名称 苞卫。

主要剂型 30%悬浮剂。

作用特点 属三酮类苗后茎叶处理除草剂，通过根和幼苗、叶吸收，在植物中向顶、向基传导到分生组织，抑制4-羟基苯丙酮酸双加氧酶 (4-HPPD)，使类胡萝卜素、叶绿素的生物合成受到抑制而致功能紊乱，导致发芽的敏感杂草在处理2～5天内出现漂白症状，14天内植株死亡。

防治对象 玉米田防除一年生禾本科杂草和阔叶杂草，如马唐、稗草、牛筋草、狗尾草、藜、蓼、苘麻、豚草、马齿苋、苍耳、龙葵、一点红等。

注意事项

(1) 间套或混种有其他作物的玉米田，不能使用本品。

(2) 后茬种植苜蓿、棉花、花生、马铃薯、高粱、大豆、向日葵、菜豆、豌豆、甜菜、油菜等作物需先进行小面积试验，然后种植。

(3) 幼小和旺盛生长的杂草对苯唑草酮更敏感，低温和干旱的天气，杂草生长变慢，从而影响到杂草对苯唑草酮的吸收，杂草死亡的时间变长。

(4) 对各种品种的玉米（大田玉米、甜玉米、爆花玉米）显示出较好的安全性，正常使用情况下，对作物安全。

吡氟禾草灵（fluazifop-butyl）

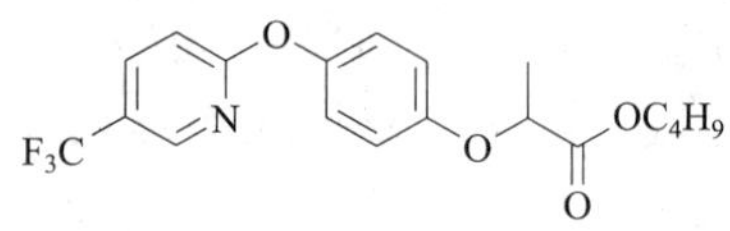

$C_{19}H_{20}F_3NO_4$，383.36，69806-50-4

其他名称 稳杀得、氟草除、氟草灵。

主要剂型 15%、35%乳油。

作用特点 低毒除草剂。乙酰辅酶A羧化酶抑制剂，一种高度选择性的苗后茎叶处理剂，对一年生及多年生禾本科杂草具有较好的杀伤力，对阔叶作物安全，对双子叶杂草无效。杂草主要通过茎叶吸收传导，通过根也可以吸收传导。一般施药后48h可出现中毒症状，但彻底杀死杂草则需15天。用于茎叶处理，可以被茎、叶吸收，通过韧皮部、木质部的输导组织传导到生长点和分生组织，抑制其节、根、茎、芽的生长，受药作物逐渐枯萎死亡。

防治对象 适用于大豆、棉花、甜菜、马铃薯、甘薯、花生、豌豆、蚕豆、菜豆、烟草、亚麻、西瓜等多种作物，及橡胶、果树、种植园、林业苗圃、幼林抚育等。防除一年生和多年生禾本科杂草，如旱稗、狗尾草、马唐、牛筋草、野燕草、看麦娘、雀麦、臂形草、芦苇、狗牙根、双穗雀稗等。

注意事项

(1) 防除阔叶作物田禾本科杂草时，应防止药液飘移到禾本科作物上，以免发生药害。同时，用过吡氟禾草灵的器具应彻底清洗干净后再用于禾本科作物施药。

(2) 空气湿度和土地湿度较高时，有利于杂草对吡氟禾草灵的吸收、输导，药效容易发挥。高温干旱条件下施药，杂草茎叶不能充分吸收药剂，药效会受到一定程度的影响，此时应适当增加用药量。

(3) 吡氟禾草灵仅能防除禾本科杂草，对阔叶杂草无效。因此，用吡氟禾草灵除草的田块应加强对阔叶杂草的防除。

吡嘧磺隆（pyrazosulfuron-ethyl）

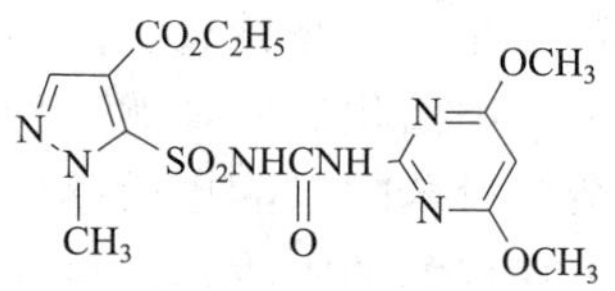

$C_{14}H_{18}N_6O_7S$，414.39，93697-74-6

其他名称 草克星、稻歌、稻月生、吡啶磺隆、嘧啶磺隆。

主要剂型 10%可湿性粉剂，10%可分散片剂。

作用特点 属于磺酰脲类除草剂，为选择性内吸传导型除草剂，主要通过根系吸收，在杂草植株体内迅速转移，抑制生长，致杂草逐渐死亡。水稻能分解该药剂，对水稻生长几乎没有影响。药效稳定，安全性高，持效期 25～35 天。

防治对象 可以防除一年生和多年生阔叶杂草和莎草科杂草，如异型莎草、水莎草、萤蔺、鸭舌草、水芹、节节菜、野慈姑、眼子菜、鳢肠。对稗草、千金子无效。

注意事项

（1）秧田或直播田施药，应保证田板湿润或有薄层水，移栽田施药应保水 5 天以上才能取得理想的效果。

（2）该药对水稻较安全，但不同品种的水稻对吡嘧磺隆的耐药性有较大差异，早稻品种安全性好，晚稻品种相对敏感，应尽量避免在晚稻芽期使用。

苄嘧磺隆（bensulfuron-methyl）

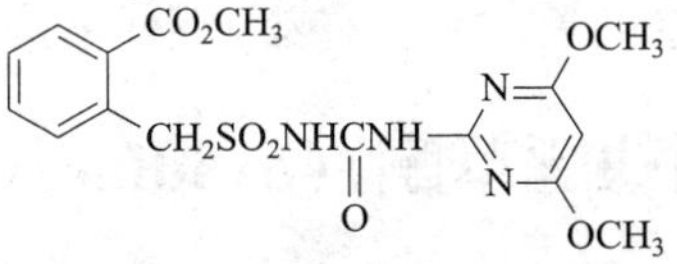

$C_{16}H_{18}N_4O_7S$，410.41，83055-99-6

其他名称 农得时、稻无草、便黄隆、威农、苄黄隆、苄磺隆、农时得。

主要剂型 10%可湿性粉剂。

作用特点 苄嘧磺隆是选择性内吸传导型除草剂。经杂草根部和叶片吸收后转移到其他部位，阻碍支链氨基酸生物合成。能有效防治稻田一年生及多年生阔叶杂草和莎草，能被杂草根、叶吸收并传导到其他部位。

防治对象 可以防除一年生和多年生阔叶杂草和莎草科杂草，如异型莎草、水莎草、萤蔺、鸭舌草、水芹、节节菜、野慈姑、眼子菜、青萍、鳢肠。对稗草有一定防效，对千金子无效。

注意事项

（1）苄嘧磺隆对 2 叶期以内杂草效果好，超过 3 叶效果差。

（2）对稗草效果差，以稗草为主的秧田不宜使用。

丙草胺（pretilachlor）

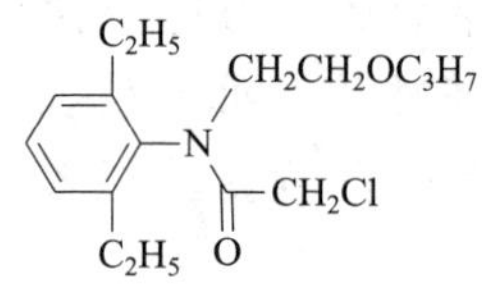

$C_{17}H_{26}ClNO_2$，311.85，51218-49-6

其他名称 扫弗特、扫特。

主要剂型 30%、50%、72%乳油。

作用特点 选择性芽前除草剂，细胞分裂抑制剂。杂草通过中下胚轴和胚芽鞘吸收药剂。作用机制是干扰蛋白质合成，对杂草的光合作用和呼吸作用也有间接影响。一般通过土壤处理防除杂草，对多年生杂草防效较差。

防治对象 适用于水稻防除稗草、光头稗、千金子、牛筋草、牛毛毡、窄叶泽泻、水苋菜、异型莎草、碎米莎草、丁香蓼、鸭舌草等一年生禾本科杂草和阔叶杂草。

注意事项

（1）地整好后要及时播种、用药，否则杂草出土后会影响药效。

（2）播种的稻谷要根芽正常，切忌有芽无根。

丙炔噁草酮（oxadiargyl）

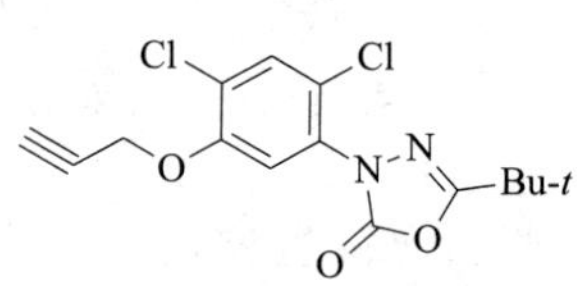

$C_{15}H_{14}Cl_2N_2O_3$，341.19，39807-15-3

其他名称 稻思达、炔噁草酮、炔丙噁唑草。

主要剂型 80%水分散粒剂，25%、80%可湿性粉剂。

作用特点 原卟啉原氧化酶抑制剂。一种高效、低毒、持效期长、适用作物广泛、剂型多样的优秀除草剂新品种。

防治对象 用于水稻、马铃薯、向日葵、蔬菜、甜菜、果树等，防除阔叶杂草如苘麻、鬼针草、藜属杂草、苍耳、圆叶锦葵、鸭舌草、蓼属杂草、梅花藻、龙葵、苦苣菜、节节菜等；禾本科杂草如稗草、千金子、刺蒺藜草、马唐、牛筋草、稷属杂草等；莎草科杂草等。对恶性杂草四叶萍等具有良好的防效。

注意事项

（1）丙炔噁草酮对水稻的安全幅度较窄，不宜用在弱苗田、制种田、抛秧田及糯稻田，否则易产生药害。不推荐在抛秧田和直播水稻田及盐碱地水稻田中使用。

（2）整地时田面要整平，施药时不要超过推荐用量，把药拌匀施用，并要严格控制好水层。以免因施药过量、稻田高低不平、缺水、水淹没稻苗心叶或施药不均匀等造成药害。

（3）在杂草发生严重地块，应与磺酰脲类除草剂混用或搭配使用。

丙炔氟草胺（flumioxazin）

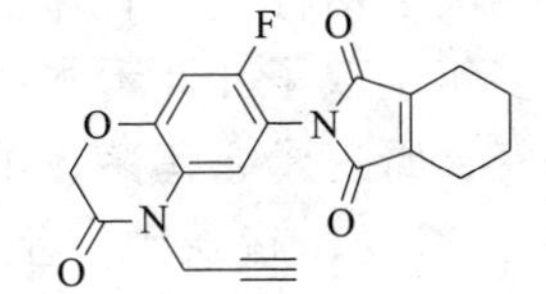

$C_{19}H_{15}FN_2O_4$，354.33，103361-09-7

其他名称 速收、司米梢芽。

主要剂型 50%可湿性粉剂，48%悬浮剂。

作用特点 原卟啉原氧化酶抑制剂，杀草谱很广的接触褐变型土壤处理除草剂，在播种后出苗前进行土壤处理。杂草发芽时，幼芽接触药剂处理层就枯死。丙炔氟草胺为新型的大豆地选择性芽前除草剂。

防治对象 适合于大豆、花生、果园等作物田防除一年生阔叶杂草和部分禾本科杂草。

注意事项

（1）大豆发芽后施药易产生药害，所以必须在苗前施药。大豆播种后如露出地表可能产生药害，应在离地表2.5cm处播种为宜。

（2）土壤干燥影响药效。应先灌水后播种再施药。

（3）禾本科杂草和阔叶杂草混生的地区，与防除禾本科杂草的除草剂混合使用效果会更好。

（4）在无风时施药，避免药液飘移到邻近作物上。不要将本品直接喷洒在水面上。禁止将药剂和清洗喷药用具后的水倒入池塘、河流。

草铵膦（glufosinate ammonium）

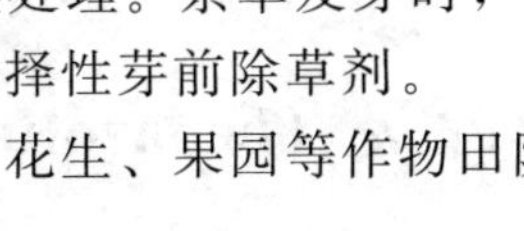

$C_5H_{18}N_3O_4P$，215.19，77182-82-2

其他名称 草胺磷铵盐、草丁磷、保试达、百速顿。

主要剂型 10%、18%、200g/L、23%、30%水剂，18%可溶液剂，88%可溶粒剂。

作用特点 有机磷类除草剂，谷氨酰胺合成抑制剂，非选择性触杀除草剂。有一定内吸作用，作用机制是叶片吸收后，具有部分内吸作用，可由叶片基部向端部转移，向植株其他部位转移较少，对未出土的幼芽和种子无害。植物体内铵代谢在施药后短期内即陷于紊乱，强烈的细胞毒剂铵离子在植物体内积累，使植物中毒而死。同时光合作用也受到严重抑制，受害植物失绿后呈黄白色，2～5天后开始枯黄死去。接触土壤后失去活性，只宜作苗后茎叶喷雾。

防治对象 防除一年生或多年生双子叶及禾本科杂草和莎草等，如鼠尾看麦娘、马唐、稗、狗尾草、野小麦、野玉米、鸭茅、羊茅、曲芒发草、绒毛草、黑麦草、芦苇、早熟禾、野燕麦、雀麦、猪殃殃、宝盖草、小野芝麻、龙葵、繁缕、匍匐冰草、剪股颖、拂子草、田野勿忘草、狗牙根、反枝苋等。

注意事项

(1) 配制草铵膦的用水量一定要充足。因为草铵膦主要依赖触杀作用，充足的用水量加大了叶片的药液浸润时间，大大提高了植物体内局部草铵膦的浓度。

(2) 草铵膦对老茅草、芦苇的防效不佳。

草除灵（benazolin）

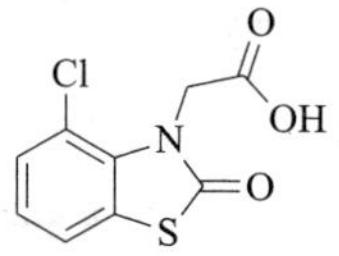

$C_{11}H_{10}ClNO_3S$，243.66，3813-05-6

其他名称 高特克、多油多、好实多、阔草克、旺发、油草除、油高、油兴、油赢。

化学名称 4-氯-2-氧代苯并噻唑-3-基乙酸。

主要剂型 30%、50%悬浮剂，10%、15%乳油。

作用特点 草除灵为苯并噻唑内吸传导型选择性芽后除草剂。由植物的叶片吸收并传导到全身。敏感杂草受药后生长停滞，叶色僵绿，枝叶畸形而死亡。油菜、麦类、苜蓿等耐药性强。属于防除油菜田阔叶杂草及其他旱田作物田阔叶杂草的芽后除草剂。

防治对象 主要防治繁缕、猪殃殃、雀舌草、苋、曼陀罗、地肤、婆婆纳、皱叶酸模等一年生阔叶杂草，但对稻槎菜、荠菜基本无效。

注意事项

(1) 用药时应戴手套和面罩，避免药液接触皮肤和眼睛。操作时不要吸烟或饮食。施药后，立即脱去被污染的衣服，清洗手和裸露的皮肤。

(2) 勿让儿童接触，药无特殊解毒药。如误服本剂，应携带此标签将患者送医院治疗。

(3) 对鱼有毒。

(4) 对芥菜型油菜高度敏感，不能应用；对白菜型油菜有轻微药害。

草甘膦 (glyphosate)

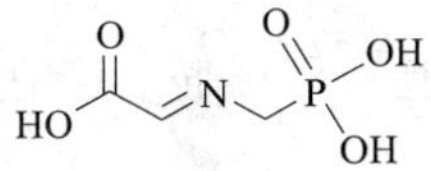

$C_3H_8NO_5P$，169.07，1071-83-6

其他名称 *N*-(膦羧甲基)甘氨酸、农达、镇草宁、膦甘酸。

主要剂型 10%、30%、41%、46%水剂，30%、50%、65%、70%可溶粉剂，74.7%、88.8%可溶粒剂。

作用特点 低毒除草剂。草甘膦为内吸传导型广谱灭生性除草剂。作用过程为喷洒—黄化—褐变—枯死。药剂通过植物茎叶吸收，在体内输导到各部分。不仅可以通过茎叶传导到地下部分，并且在同一植株的不同分蘖间传导，使蛋白质合成受干扰导致植株死亡。对多年生深根杂草的地下组织破坏力很强，但不能用于土壤处理。

防治对象 广泛用于橡胶、桑、茶、果园及甘蔗地，防除马唐、旱熟禾、狗尾草、稗草、牛筋草、看麦娘、雀舌草、漆姑草、益母草、卷耳、繁缕、碎米荠、鼠鼬草、通泉草、紫苏、婆婆纳、猪殃殃、刺苋、斑地锦、酢浆草、藜、空心莲子草、野豌豆、莎草等。

注意事项

(1) 施药时应注意防止药液飘移到作物茎叶上，以免产生药害。

(2) 草甘膦与土壤接触立即钝化，丧失活性，宜作茎叶处理。施药时间以在杂草出齐处于旺盛生长期到开花前，有较大叶面积能接触较多药液为宜。

(3) 草甘膦在使用时可加入适量的洗衣粉、柴油等表面活性剂，可提高除草效果，节省用药量。

(4) 温暖晴天用药效果优于低温天气，施药后4～6小时内遇雨会降低药效，应酌情补喷。

(5) 草甘膦对金属如钢制成的镀锌容器有腐蚀作用，且可起化学反应产生氢气而易引起火灾，故贮存与使用时应尽量用塑料容器。

(6) 易与钙、镁、铝等离子络合失去活性，稀释农药时应使用清洁的软水，兑入泥水或脏水时会降低药效。

(7) 施药后 3 天内请勿割草、放牧和翻地。

敌稗 (propanil)

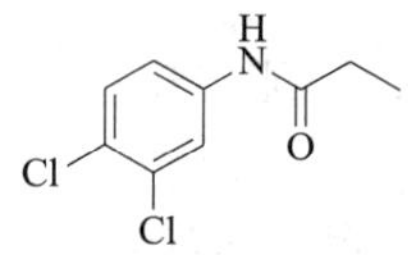

$C_9H_9Cl_2NO$，218.08，709-98-8

其他名称 *N*-(3,4-二氯苯基) 丙酰胺、斯达姆。

主要剂型 20%乳油。

作用特点 酰胺类高选择性的触杀型光合作用除草剂，主要用于秧田或直播田，是防除稗草的特效药，也可用于防除其他多种禾本科杂草和双子叶杂草。敌稗在植物体内几乎不输导，只在药剂接触部位起作用。作用机制是多方面的，不仅破坏植物的光合作用，而且还抑制呼吸作用与氧化磷酸化作用，干扰核酸与蛋白质合成等，从而使敏感植物的生理机能受到影响，加速失水，叶片逐渐枯干，最后死亡。由于敌稗在水稻体内被水解酶迅速分解成无毒物质，所以对水稻安全。

防治对象 防除稗草、千金子、马唐、狗尾草、看麦娘等一年生禾本科杂草，对鸭舌草、水蓼、牛毛草、马齿苋等杂草也有一定的功效。

注意事项

(1) 施药时最好为晴天，但不要超过 30℃。水层不要淹没秧苗。

(2) 敌稗在土壤中易分解，不能作土壤处理剂使用。盐碱较重的秧田，由于晒田引起泛盐，也会伤害水稻，可在保浅水或秧根湿润情况下施药，以免产生药害。

(3) 不能与有机磷和氨基甲酸酯类农药混用，也不能在施用敌稗前两周或施用后两周内使用有机磷和氨基甲酸酯类农药，以免产生药害。

(4) 避免敌稗与液体肥料一起混用。

敌草胺 (napropamide)

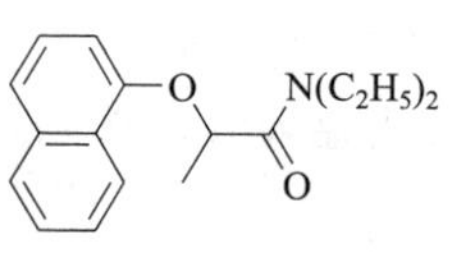

$C_{17}H_{21}NO_2$，271.35，15299-99-7

其他名称 萘丙酰草胺、大惠利、草萘胺、萘丙胺、萘丙安、萘氧丙草胺。

主要剂型 20%乳油，50%可湿性粉剂，50%水分散粒剂。

作用特点 低毒除草剂。敌草胺为酰胺类选择性芽前土壤处理剂。通过杂草的根部或芽鞘进入种子。在湿润土地中，半衰期长达12周。药剂经根和芽鞘进入草种子后，可抑制某些酶的形成而导致根芽不再生长，最后死亡。本品可防除由种子发芽生长的一年生单子叶杂草和主要的阔叶杂草；持效期长，喷施后耐水淋，在土壤中的移渗距离小；是适用于多种作物的选择性旱田除草剂。

防治对象 用于油菜、花生、蔬菜、烟草、西瓜、果、桑、茶园防除稗草、马唐、狗尾草、野燕麦、早熟禾、蟋蟀草、看麦娘、黍草等禾本科杂草，也可防除藜、猪殃殃、马齿苋、野苋、繁缕、宝盖草、萹蓄等双子叶杂草。

注意事项

(1) 敌草胺对芹菜、茴香等有药害，不宜使用。

(2) 本品对已出土的杂草效果较差，故应在杂草出芽前较早施药，土地湿度大，除草效果好。

(3) 使用本品时，应避免吸入和接触皮肤和眼睛。若遇吸入中毒者，应将其移至新鲜空气处，严重者应送医院。药液不慎溅入眼中和皮肤上，用大量清水冲洗15min以上。若误食引起中毒，应立即灌服清水或牛奶，并催吐，但对已昏迷者，不应灌服任何东西。

敌草隆（diuron）

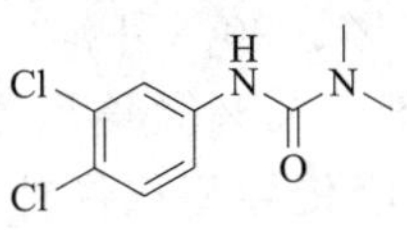

$C_9H_{10}Cl_2N_2O$，233.09，330-54-1

其他名称 达有龙、地草净、敌芜伦。

主要剂型 25%可湿性粉剂。

作用特点 内吸传导型光合作用除草剂，具有一定的触杀活力，可被植物的根和叶吸收，以根系吸收为主。杂草根系吸收药剂后，传到地上叶片中，并沿着叶脉向周围传播，抑制光合作用的希尔反应，致使叶片失绿，叶尖和叶缘褪色，进而发黄枯死。敌草隆在低剂量情况下，可作为选择性除草剂使用，高剂量下则可作为灭生性除草剂。敌草隆对种子萌发及根系无显著影响，药效期可维持60天以上。

防治对象 适于水稻、棉花、玉米、甘蔗，以及果园、橡胶园、桑园、茶园使用，防除稗草、马唐、狗尾草、蓼、藜及眼子菜等。

注意事项

(1) 对水生生物有极高毒性，可能对水体环境产生长期不良影响。

(2) 敌草隆对麦苗有杀伤作用，麦田禁用。在茶、桑、果园宜采用毒土法，以免发生药害。

(3) 敌草隆对棉叶有很强的触杀作用，施药必须施于土表，棉苗出土后不宜使用敌草隆。

(4) 砂性土壤，用药量应比黏质土壤适当减少。砂性漏水稻田不宜用。

(5) 敌草隆对果树及多种作物的叶片有较强的杀伤力，应避免药液飘移到作物叶片上。桃树对敌草隆敏感，使用时应注意。

(6) 喷过敌草隆的器械必须用清水反复清洗。

(7) 单独使用时，敌草隆不易被大多数植物叶面吸收，需加入一定的表面活性剂，提高植物叶面的吸收能力。

丁草胺（butachlor）

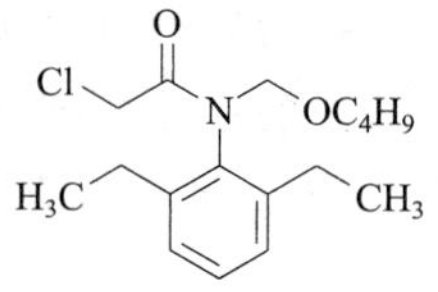

$C_{17}H_{26}ClNO_2$，311.9，3184-66-9

其他名称 马歇特、灭草特、去草胺、丁草锁。

主要剂型 50%、60%、85%、90%乳油，400g/L、600g/L 水乳剂，50%微乳剂，5%颗粒剂，10%微粒剂，25%微囊悬浮剂。

作用特点 低毒除草剂。内吸传导型选择性芽前除草剂。主要通过杂草幼芽和幼小的次生根吸收，抑制体内蛋白质合成，使杂草幼株肿大、畸形、色深绿，最终导致死亡。只有少量丁草胺能被稻苗吸收，而且在体内迅速完全分解代谢，因而稻苗有较大的耐药力。

防治对象 主要用于稻田防除一年生禾本科杂草和一年生莎草科杂草，及某些一年生阔叶杂草，也可用于防除大麦、小麦、棉花、花生作物田的杂草，如防除稻田稗草、水葱、萤蔺、牛毛毡、节节草、鸭舌草等。

注意事项

(1) 丁草胺对 3 叶期以上的稗草效果差，因此必须掌握在杂草 3 叶期以前使用，水不要淹没秧心。

(2) 目前麦田除草一般不用丁草胺；丁草胺用于菜地，若土壤水分过低会影响药效的发挥。

(3) 丁草胺对鱼毒性较强，养鱼稻田不能使用。用药后的田水也不能排入鱼塘。

（4）丁草胺对人的眼睛和皮肤有一定的刺激性，施药时应注意防护。

啶嘧磺隆（flazasulfuron）

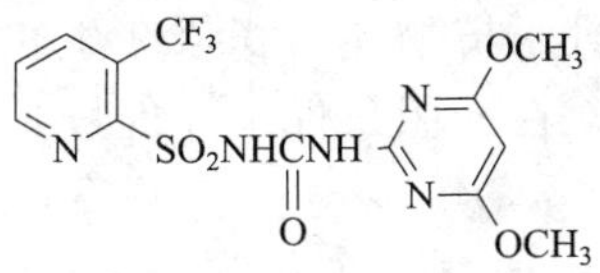

$C_{13}H_{12}F_3N_5O_5S$，407.33，104040-78-0

其他名称 草坪清、绿坊、金百秀、秀百宫。

主要剂型 25%水分散粒剂。

作用特点 药剂能迅速被杂草的茎叶和根系吸收，并传导至整株杂草，主要抑制乙酰乳酸合成酶（ALS）的活性，进而抑制杂草体内支链氨基酸（亮氨酸、异亮氨酸）的合成，阻碍蛋白质的合成和其他代谢过程，致使杂草死亡。

防治对象 防治马唐、稗草、牛筋草、早熟禾、看麦娘等禾本科杂草和空心莲子草、天胡荽、小飞蓬等阔叶杂草，以及碎米莎草、香附子、水蜈蚣等一年生或多年生莎草科杂草。

注意事项

（1）本产品茎叶处理时，药液中加入适量的表面活性剂效果会更理想。

（2）施药4～5天后，修剪草坪不会影响药效。应避免在雨前使用，施药后24小时内降雨会影响药效。

（3）在施药后4～7天杂草出现中毒症状，然后慢慢枯死，部分杂草在施药后20～40天才枯死，请勿重复用药。

（4）对草本花卉会产生一定药害，落叶树木茎叶接触药液的部位也会出现失绿、落叶等药害症状，但不会被树木根系吸收产生药害，使用时避免药液飘移到这些植物及附近农作物上。

噁草酮（oxadiazon）

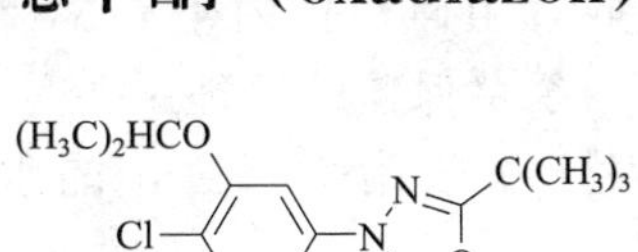

$C_{15}H_{18}Cl_2N_2O_3$，345.23，19666-30-9

其他名称 农思它。

主要剂型 30%微乳剂，35%、380g/L、40%悬浮剂，120g/L、12.5%、13%、250g/L、25.5%、26%乳油，30%可湿性粉剂，30%水乳剂。

作用特点 低毒除草剂。选择性芽前、芽后除草剂，水旱田均可使用，用于土壤处理，通过杂草幼芽或幼苗与药剂接触后被吸收而引起作用。苗后施药，杂草通过地上部分吸收，药剂进入植物体后积累在生长旺盛部位，从而抑制杂草生长，致使杂草组织腐烂死亡。在光照条件下才能发挥杀草作用，但并不影响光合作用的希尔反应。

防治对象 用于稻田防除稗草、千金子、雀稗、异型莎草、鸭舌草、节节菜、瓜皮草等。亦可用于防除棉花、大豆、向日葵、花生、马铃薯、甘蔗、芹菜、果树等作物一年生禾本科杂草和阔叶杂草。对苋科、藜科、大戟科、酢浆草科等杂草有良好防效。

注意事项

(1) 用于水稻插秧田，弱苗、小苗或超过常规用药量，水层过深淹没心叶时，易出现药害。催芽播种秧田，必须在播种前2～3天施药，如播种后马上施药，易出现药害。

(2) 旱田使用时，土壤润湿有助于药效发挥。

噁嗪草酮 (oxaziclomefone)

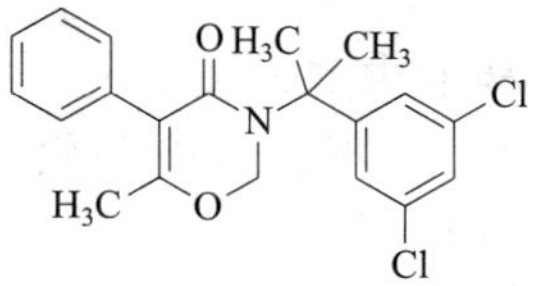

$C_{20}H_{19}Cl_2NO_2$，376.28，153197-14-9

其他名称 去稗安。

主要剂型 21%、25%、40%、48%乳油，10%、16%、20%高渗乳油，15%烟雾剂，30%水乳剂，3%、5%、10%、15%颗粒剂。

作用特点 属于有机杂环类，是内吸传导型水稻田除草剂。除草机理主要是通过杂草的根和茎叶基部吸收，阻碍植株内生 GA_3 激素的形成，使杂草茎叶失绿，生长受抑制，直至枯死。杀草保苗的原理主要是药剂在水稻与杂草中的吸收传导及代谢速度有差异。对土壤吸附力极强，漏水田、药后下雨等均不影响药效。

防治对象 在直播田、秧田、抛秧田、移栽田均可应用，可防除稗草、沟繁缕、千金子、异型莎草等多种杂草。

噁唑酰草胺（metamifop）

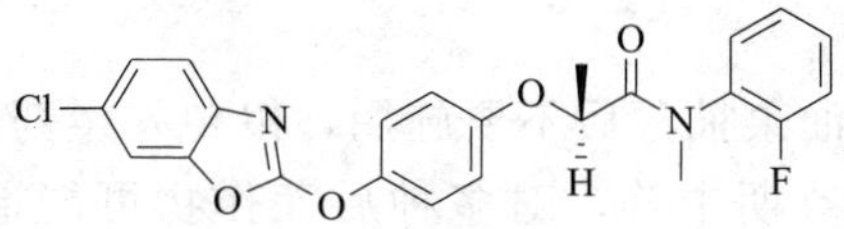

$C_{23}H_{18}ClFN_2O_4$，440.85，256412-89-2

其他名称 韩秋好。

主要剂型 3.3%、10%乳油。

作用特点 噁唑酰草胺属乙酰辅酶A羧化酶抑制剂，能抑制植物脂肪酸的合成。用药后几天内敏感品种出现叶面褪绿，抑制生长，有些品种在施药后2周出现干枯，甚至死亡。适合在缺水地区各种稻作栽培田除草（水直播、旱直播、秧田、移栽田、抛秧田等）；安全性好，对水稻和下茬作物安全，在稻米、水、环境中无残留。

防治对象 水稻田防除大多数一年生禾本科稻田杂草，如稗属杂草、千金子、马唐和牛筋草，对稗草、千金子、马唐等有特效。

注意事项

(1) 禁止使用弥雾机。每亩用水量不少于30kg。喷雾要均匀，不要重喷、漏喷。

(2) 单独使用，不要和其他农药或助剂混用。

(3) 水稻三叶期后用药较为安全。

二氯吡啶酸（clopyralid）

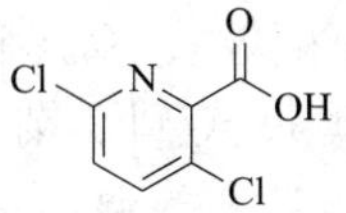

$C_6H_3Cl_2NO_2$，192.00，1702-17-6

其他名称 二氯吡啶酸、毕克草。

主要剂型 75%可溶粉剂，75%可溶粒剂，30%水剂。

作用特点 二氯吡啶酸是一种人工合成的植物生长激素，它的化学结构和许多天然的植物生长激素类似，但在植物的组织内具有更好的持久性。对杂草施药后，它被植物的叶片或根部吸收，在植物体中上下移动并迅速传导到整个植株。低浓度的二氯吡啶酸能够刺激植物的DNA、RNA和蛋白质的合成从而导致细胞分裂的失控和无序生长，最后导致管束被破坏；高浓度的二氯吡啶酸则能够抑制细胞的分裂和生长。

防治对象 可以防除油菜、玉米、草坪、苗圃等田间一年生阔叶杂草和深根多年生（如刺儿菜等）杂草。

注意事项

（1）二氯吡啶酸在油菜抽薹后不要施用，以免发生药害。

（2）在土壤中的持效期中等，对多种后茬作物可能造成不良影响，10 个月后种植不会出现药害。

二氯喹啉酸（quinclorac）

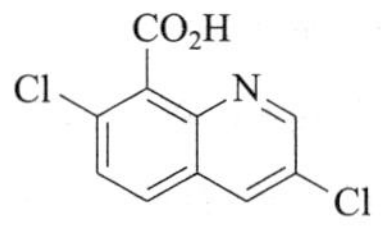

$C_{10}H_5Cl_2NO_2$，242.06，84087-01-4

其他名称 稗草净、氯喹酸、神锄、稗草亡、快杀稗、克稗星、杀稗净。

主要剂型 25%、50%可湿性粉剂，30%悬浮剂，50%水分散粒剂。

作用特点 二氯喹啉酸属激素型喹啉羧酸类除草剂，杂草中毒症状与生长素类作用相似，主要用于防治稗草且适用期很长，1～7 叶期均有效。水稻安全性好。

防治对象 适用于水稻移栽田或秧田直播田，用于防治稗草、马唐、牛筋草、千金子、异型莎草、节节菜、苍耳、苘麻等多种禾本科、莎草科杂草及阔叶草等。

注意事项

（1）土壤中残留量较大，对后茬作物易产生药害，后茬可种水稻、玉米、高粱。

（2）茄科（烟草、马铃薯、辣椒等）、伞形科（胡萝卜、芹菜）、苋科（菠菜、甜菜）、锦葵科、葫芦科（各种瓜类）、豆科、菊科、旋花科作物对该药敏感。

（3）可与禾草丹、苄嘧磺隆、敌稗等混用。

砜嘧磺隆（rimsulfuron）

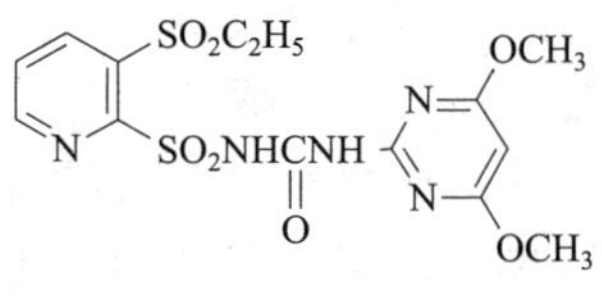

$C_{14}H_{17}N_5O_7S_2$，431.44，122931-48-0

其他名称　玉嘧磺隆、宝成。

主要剂型　20%可湿性粉剂，25%干悬浮剂。

作用特点　磺酰脲类选择性芽后除草剂。砜嘧磺隆是乙酰乳酸合成酶（ALS）的抑制剂，即通过抑制植物的乙酰乳酸合成酶，阻止支链氨基酸的生物合成，从而抑制细胞分裂。植物分生组织经砜嘧磺隆处理后，敏感的禾本科和阔叶杂草停止生长，之后植株褪绿，叶片出现斑枯直至全株死亡。

防治对象　大多数一年生和多年生禾本科及阔叶杂草。可防除稗草、马唐、狗尾草、金狗尾草、野燕麦、野高粱、牛筋草、野黍、藜、风花菜、鸭跖草、荠菜、马齿苋、猪毛菜、狼耙草、反枝苋、野西瓜苗、豚草、苣荬菜、酸模叶蓼、铁苋菜、苘麻、鼬瓣花、刺儿菜、鳢肠、莎草等。

注意事项

（1）使用本剂前后7天内，尽量避免使用有机磷杀虫剂，否则可能会引起玉米药害。

（2）在4叶期前施药，如玉米超过4叶期，单用或混用玉米均有药害发生，药害症状表现为拔节困难，株高矮小，叶色浅、发黄，心叶卷缩变硬、有发红现象，10～15天恢复。

（3）甜玉米、爆玉米、黏玉米及制种田不宜使用。

氟磺胺草醚（fomesafen）

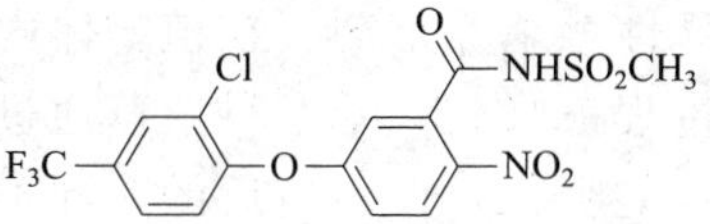

$C_{15}H_{10}ClF_3N_2O_6S$，438.76，72178-02-0

其他名称　氟黄胺草醚、虎威、龙威。

主要剂型　25%水剂。

作用特点　高效、选择性除草剂。主要用于豆田芽后除草，对防除阔叶杂草有特效，作用原理是通过叶部吸收破坏光合作用。药剂在土壤中也有很好活性。缺点是对大豆会有一定药害，但很快恢复，采用播后苗前施药对大豆不易产生药害。

防治对象　适用于大豆、花生田防除苘麻、铁苋菜、三叶鬼针草、苋属杂草、豚草属杂草、油菜、荠菜、藜、鸭跖草属杂草、曼陀罗、龙葵、裂叶牵牛、粟米草、萹蓄、宾州蓼、马齿苋、刺黄花稔、野苋、决明、地锦草、猪殃殃、水棘针、酸浆属杂草、田菁、苦苣菜、蒺藜、车轴草、荨麻、宾州苍耳、刺苍耳、苍耳等阔叶杂草。也可用于果园、橡胶种植园防除阔叶杂草。

注意事项

（1）氟磺胺草醚在土壤中持效期长，如用药量偏高，对第二年种植的敏感作物，如白菜、谷子、高粱、甜菜、玉米、小米、亚麻等均有不同程度药害；如果不翻耕就种玉米、高粱，即使在推荐剂量下也会对作物有轻度影响。应严格掌握药量，选择安全后茬作物。

（2）在果园中使用，切勿将药液喷到树叶上。

（3）氟磺胺草醚对大豆安全，但对玉米、高粱、蔬菜等作物敏感，施药时注意不要污染这些作物，以免产生药害。

氟乐灵（trifluralin）

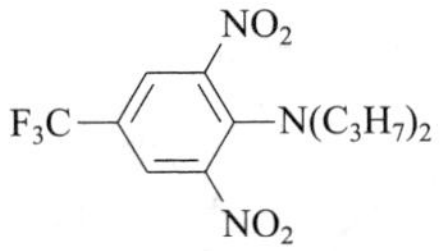

$C_{13}H_{16}F_3N_3O_4$，335.28，1582-09-8

其他名称 茄科宁、氟特力、特福力、氟利克、氟乐宁。

主要剂型 24%、48%乳油，5%、50%颗粒剂。

作用特点 低毒除草剂。二硝基苯胺类选择性芽前土壤处理剂，主要通过杂草的胚芽鞘与胚轴吸收。对已出土杂草无效。对禾本科和部分小粒种子的阔叶杂草有效，持效期长。是选择性触杀除草剂。在植物体内输导能力差。能通过杂草种子发芽生长穿出土层的过程被吸收。禾本科杂草通过幼芽吸收，阔叶杂草通过下胚轴吸收，子叶和幼根也能吸收，但出苗后的茎叶不能吸收。氟乐灵是一种应用广泛的旱田除草剂，作物播前或播后，苗前或移栽前、后进行土壤处理后及时混土 3～5cm，混土要均匀，混土后即可播种。

防治对象 适用于大豆、棉花、玉米、小麦、旱稻、甘蔗、甜菜、向日葵、番茄、甘蓝、菜豆、胡萝卜、芹菜、香菜等 40 多种作物及果园、林业苗圃、花卉、草坪、种植园等防除稗草、野燕麦、狗尾草、马唐、牛筋草、碱茅、千金子、早熟禾、看麦娘、藜、苋、繁缕、猪毛菜、宝盖草、马齿苋等一年生禾本科杂草及部分双子叶杂草。

注意事项

（1）氟乐灵易挥发和光解，喷药后应及时拌土 3～5cm 深。不宜过深，以免相对降低药土层中的含药量和增加药剂对作物幼苗的伤害。从施药到混土的间隔时间一般不能超过 8 小时，否则会影响药效。

（2）药效受土壤质地和有机质含量影响较大，用药量应根据不同条件确定。砂质土地及有机质含量低的土壤宜适当减少用量。

（3）氟乐灵残效期较长。在北方低温干旱地区可长达 10～12 个月，对后茬的高粱、谷子有一定的影响，高粱尤为敏感。

（4）瓜类作物及育苗韭菜、直播小葱、菠菜、甜菜、小麦、玉米、高粱等对氟乐灵比较敏感，不宜使用，以免产生药害。

（5）氟乐灵乳油对塑料制品有腐蚀作用，不宜用塑料桶盛装氟乐灵。以深色玻璃瓶避光贮存为宜，并不要靠近火源和热气，用前摇动。

（6）药液溅到皮肤和眼睛上，应立即用清水大量反复冲洗。

氟唑磺隆（flucarbazone）

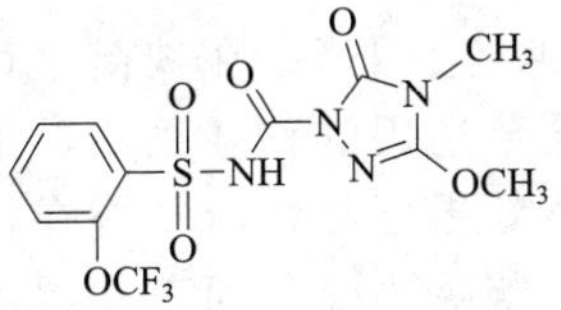

$C_{12}H_{11}F_3N_4O_6S$，396.30，145026-88-6

其他名称 彪虎、氟酮磺隆。

主要剂型 70%水分散粒剂。

作用特点 氟唑磺隆有效成分可被杂草的根和茎叶吸收，通过抑制杂草体内乙酰乳酸合成酶的活性，破坏杂草正常的生理生化代谢而发挥除草活性。氟唑磺隆可有效防除小麦田大部分禾本科杂草，同时也可有效控制部分阔叶杂草。氟唑磺隆在小麦体内可很快代谢，对小麦具有极好的安全性。

防治对象 对野燕麦、雀麦、看麦娘等禾本科杂草和多种双子叶杂草有明显防效。

注意事项

（1）对大麦、荞麦、燕麦、十字花科和豆科作物敏感，因此不能在上述作物使用。

（2）冬小麦区在晚秋或初冬施药时，应注意选择冷尾暖头天气用药，最好在气温高于 8℃时施药；恶劣天气下使用，小麦可能表现受害症状，也可能影响防治效果。

（3）在冬小麦区对玉米、大豆、水稻、棉花及花生的安全间隔期为 60～65 天。

禾草丹（thiobencarb）

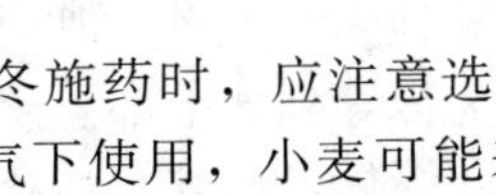

$C_{12}H_{16}ClNOS$，257.78，28249-77-6

其他名称 杀草丹、稻草完、稻草丹、除田莠。

主要剂型 10%颗粒剂，25%速溶乳粉，50%、90%乳油。

作用特点 低毒除草剂。内吸传导型的选择性除草剂。通过抑制α-淀粉酶的生物合成过程，通过杂草的幼芽和根吸收，使发芽种子中的淀粉水解减弱或停止，使幼芽死亡。对杂草种子萌发没有作用，只有当杂草萌发后吸收药剂才起作用。作土壤处理剂使用，对水稻安全，对稗草有优良防治效果。

防治对象 适用于水稻、麦类、大豆、花生、玉米、蔬菜田及果园等防除稗草、牛毛草、异型莎草、千金子、马唐、蟋蟀草、狗尾草、碎米莎草、马齿苋、看麦娘等。

注意事项

（1）在秧田使用，边播种、边用药或在秧苗立针期灌水条件下用药，对秧苗都会发生药害，不宜使用。稻草还田的移栽稻田，不宜使用禾草丹。

（2）禾草丹对3叶期稗草效果下降，应掌握在稗草2叶1心前使用。

（3）禾草丹与2甲4氯、苄嘧磺隆、西草净混用，在移栽田可兼除瓜皮草等阔叶杂草。

（4）禾草丹不可与2,4-滴混用，否则会降低禾草丹除草效果。

禾草灵（diclofop-methyl）

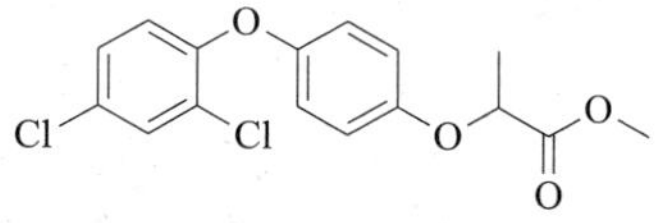

$C_{16}H_{14}Cl_2O_4$，341.19，51338-27-3

其他名称 伊洛克桑、(*RS*)-2-［4-(2,4-二氯苯氧基）苯氧基］丙酸甲酯。

主要剂型 28%、36%乳油。

作用特点 禾草灵是乙酰辅酶A羧化酶抑制剂，用于苗后处理，可被杂草根、茎、叶吸收，但在体内传导性差。用作根吸收药剂，绝大部分停留在根部，杀伤初生根，只有很少量的药剂传导到地上部。用作叶片吸收的药剂，大部分分布在施药点上下叶脉中，破坏叶绿体，使叶片坏死，但不会抑制植株生长。对幼芽抑制作用强，将药剂施到杂草顶端或节间分生组织附近，能抑制生长，破坏细胞膜，导致杂草枯死。

防治对象 适用于小麦、大麦、大豆、油菜、花生、向日葵、甜菜、马铃薯、亚麻等作物地防除稗草、马唐、毒麦、野燕麦、看麦娘、早熟禾、狗尾草、画眉草、千金子、牛筋等一年生禾本科杂草；对多年生禾本科杂草及阔叶杂草无效。也不能用于玉米、高粱、谷子、水稻、燕麦、甘蔗等作物地。

注意事项

（1）禾草灵不能与苯氧乙酸类除草剂2甲4氯以及麦草畏、灭草松等混用，也不能与氮肥混用，否则会降低药效。

(2) 喷施禾草灵后，接触药液的小麦叶片会出现稀疏的褪绿斑，但新长出的叶片完全不会受害。对3～4片复叶期的大豆有轻微药害，叶片出现褐色斑点一周后可恢复，对大豆生长无影响。

环嗪酮（hexazinone）

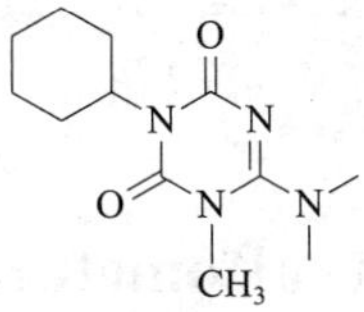

$C_{12}H_{20}N_4O_2$，252.31，51235-04-2

其他名称 林草净、威尔柏、菲草净、3-环己基-6-二甲氨基-1-甲基-1，3,5-三嗪-2,4-二酮。

主要剂型 25%水剂，10%颗粒剂。

作用特点 三嗪酮类芽后触杀型除草剂，抑制植物的光合作用。它的杀草谱和杀灌木谱较广，而且毒力强，持效期长。植物根、叶都能吸收，主要通过木质部传导，对松树根部没有伤害，是优良的林用除草剂。防除一年生和二年生杂草。药效进程较慢，杂草1个月、灌木2个月、乔木3～10个月，才能达到较好的杀灭效果。

防治对象 适用于常绿针叶林，如红松、樟子松、云杉、马尾松等幼林抚育。造林前除草灭灌、维护森林防火线及林分改造等，可防除大部分单子叶和双子叶杂草及木本植物，如黄花忍冬、珍珠梅、榛、柳叶绣线菊、刺五加、山杨、木桦、椴、水曲柳、黄波罗、核桃楸等。

注意事项

(1) 最好在雨季前用药。

(2) 对水稀释药液时，温度不可过低，否则药剂溶解不好，影响药效。

(3) 使用时注意树种，落叶松对其敏感，不能使用。

甲咪唑烟酸（imazapic）

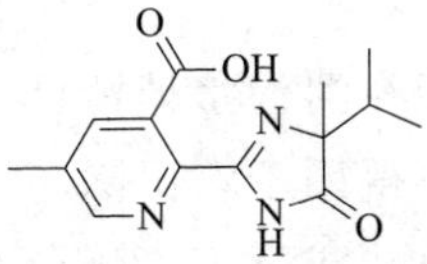

$C_{14}H_{17}N_3O_3$，275.30，104098-48-8

其他名称 百垄通、甲基咪草烟。

主要剂型 24%水剂。

作用特点 甲咪唑烟酸是一种强内吸性除草剂，不仅能很好地杀死杂草地上部分植株，而且对地下部的根及地下茎也有较强的防除效果。

防治对象 可有效地防除或抑制花生田或甘蔗田禾本科杂草和莎草，还可防除部分阔叶杂草。包括稗草、马唐、牛筋草、狗尾草、千金子、碎米莎草、香附子等；阔叶杂草有苋、藜、苘麻、马齿苋、龙葵、芥菜、碎米芥、牛繁缕、苍耳、胜红蓟、莲子草、空心莲子草、打碗花等。

甲嘧磺隆（sulfometuron-methyl）

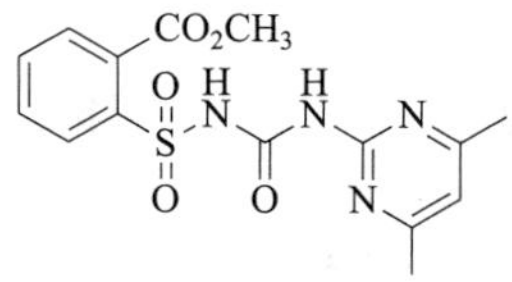

$C_{15}H_{16}N_4O_5S$，364.38，74222-97-2

其他名称 嘧磺隆、傲杀、奥斯达、甲基嗪磺隆、森草净、嘧黄隆甲酯。

主要剂型 75%可湿性粉剂，10%、25%可溶粉剂，10%悬浮剂。

作用特点 磺酰脲类除草剂，抑制支链氨基酸合成，从而抑制植株生长端的细胞分裂，阻止杂草生长致失绿坏死。该品为芽前、芽后灭生性除草剂，适用于林木防除一年生和多年生禾本科杂草及阔叶杂草，或开辟森林隔离带，伐木后林地清理，荒地垦前、休闲非耕地、道路边荒地除草灭灌。

防治对象 用于果园、林地、草场防除一年生和多年生禾本科杂草和双子叶杂草及阔叶杂草灌木。

注意事项

(1) 适于在风力2级以下的晴朗的天气使用，以免飘移而使附近的农作物产生药害。

(2) 甲嘧磺隆显效较慢，一般于施药后6～8小时，杂草即停止生长，先是茎叶由绿变紫红，端芽坏死，直至全株枯死，故施药后不要因显效慢，而重喷或人工除草。

(3) 施药完后喷洒工具不能在河沟水塘清洗，以免污染农业用水。

(4) 本品为林业除草剂，不得用于农田除草。非耕地施药时要保证药液不飘移到农作物和其他植物上，以免造成药害。该药对门氏黄松、美国黄松等松树有药害，不能使用。

甲氧咪草烟（imazamox）

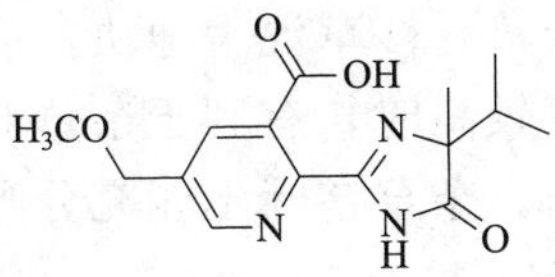

$C_{15}H_{19}N_3O_4$，305.33，114311-32-9

其他名称 金豆。

主要剂型 0.8%、4%、12%水剂，70%水分散粒剂，70%水溶粒剂。

作用特点 甲氧咪草烟为咪唑啉酮类除草剂品种，通过叶片吸收、传导并积累于分生组织，抑制乙酰羟酸合成酶（AHAS）的活性，导致支链氨基酸（缬氨酸、亮氨酸与异亮氨酸）生物合成停止，干扰DNA合成及细胞有丝分裂与植物生长，最终造成植株死亡。

防治对象 甲氧咪草烟可有效防治大多数一年生禾本科与阔叶杂草，如野燕麦、稗草、狗尾草、金狗尾草、看麦娘、稷、千金子、马唐、鸭跖草（3叶期前）、龙葵、苘麻、反枝苋、藜、小藜、苍耳、香薷、水棘针、狼耙草、繁缕、柳叶刺蓼、鼬瓣花、荠菜等，对多年生的苣荬菜、刺儿菜等有抑制作用。

注意事项 甲氧咪草烟施后2天内遇10℃以下低温，大豆对甲氧咪草烟代谢能力降低，易造成药害，在北方低洼地及山间冷凉地区不宜使用甲氧咪草烟。

精吡氟禾草灵（fluazifop-P-butyl）

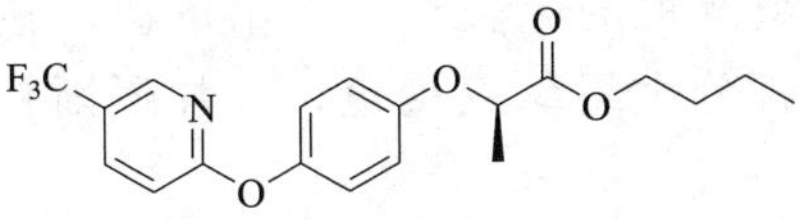

$C_{19}H_{20}F_3NO_4$，383.36，79241-46-6

其他名称 精稳杀得。

主要剂型 15%、150g/L乳油，250g/L水乳剂。

作用特点 吡氟禾草灵结构中丙酸的α-碳原子为不对称碳原子，所以有*R*-体和*S*-体两种旋光异构体，其中*S*-体没有除草活性。精吡氟禾草灵是除去了非活性部分的精制品（即*R*-体）。作用特点同吡氟禾草灵。

防治对象 阔叶作物田防除稗草、马唐、狗尾草、牛筋草、千金子、看麦娘、野燕麦等一年生禾本科杂草及芦苇、狗牙根、双穗雀稗等多年生禾本科杂草有很好效果。

注意事项

（1）在土地湿度较高时，除草效果较好，在高温干旱条件下施药，杂草茎叶未能充分吸收药剂，此时要用剂量的高限。

（2）单子叶杂草与阔叶杂草、莎草混生地块，应与阔叶杂草除草剂混用或先后使用；空气湿度和土地湿度较高时，有利于杂草对药剂的吸收、输导，药效容易发挥。高温干旱条件下施药，杂草茎叶不能充分吸收药剂，药效会受到一定程度的影响，此时应增加用药量。

（3）施药时应注意安全防护，以避免沾染皮肤和眼睛，工作完毕后应洗澡和洗净污染的衣服。防除阔叶作物田禾本科杂草时，应防止药液飘移到禾本科作物上，以免发生药害。同时，使用过的器具彻底清洗干净后方可用于禾本科作物。该药仅能防除禾本科杂草，对阔叶杂草无效。

精噁唑禾草灵（fenoxaprop-P-ethyl）

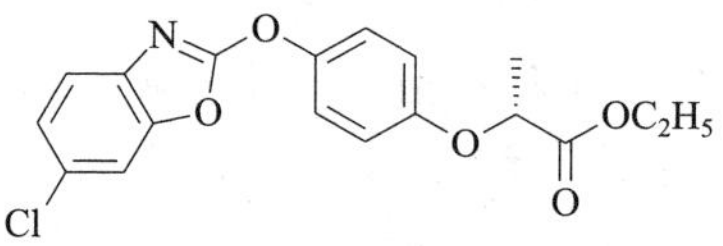

$C_{18}H_{16}ClNO_5$，361.78，71283-80-2

其他名称 骠马、威霸、维利、高噁唑禾草灵。

主要剂型 6.5%、69g/L、7.5%水乳剂，80.5g/L、10%、18%乳油。

作用特点 低毒除草剂。属杂环氧基苯氧基丙酸类除草剂，主要是抑制脂肪酸合成的关键酶——乙酰辅酶A羧化酶，从而抑制了脂肪酸的合成。药剂通过茎叶吸收传导至分生组织及根的生长点，作用迅速，施药后2～3天停止生长，5～6天心叶失绿变紫色，分生组织变褐色，叶片逐渐枯死，是选择性极强的茎叶处理剂。

防治对象 适于双子叶作物如大豆、花生、油菜、棉花、甜菜、亚麻、马铃薯、蔬菜田及桑果园等防除单子叶杂草。

注意事项

（1）对水生生物毒性较强，使用时注意保护水生生物，避免药液流入池塘、水渠，施药稻田勿养鱼。

（2）精噁唑禾草灵用于水稻田应严格控制用药剂量，在大苗、壮苗、湿度状况良好等条件下使用。

（3）在单、双子叶杂草混生地，精噁唑禾草灵可与异丙隆、溴苯腈等除草剂混用。与灭草松等盐制剂混用会降低精噁唑禾草灵对看麦娘、野燕麦等禾本科杂草的防效，但不会降低对双子叶杂草的防效，因此不宜混用，可间隔期7～10天先后使用。

（4）大麦、燕麦、玉米、高粱对本剂敏感，不可使用。

精喹禾灵（quizalofop-P-ethyl）

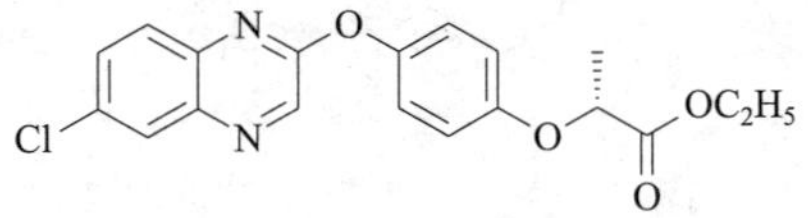

$C_{19}H_{17}ClN_2O_4$，372.8，100646-51-3

其他名称 （*R*）-2-[4-（6-氯喹喔啉-2-基氧）苯氧基]丙酸乙酯、精禾草克。

主要剂型 5%、8.8%、10%、10.8%、15.8%、200g/L乳油，5%、8%微乳剂，20%、60%水分散粒剂，5%、10.8%水乳剂，15%、20%悬浮剂。

作用特点 低毒除草剂。乙酰辅酶A羧化酶抑制剂。精喹禾灵是在合成喹禾灵的过程中去除了非活性的光学异构体后的改良制品。其作用机制和杀草谱与喹禾灵相似，通过杂草茎叶吸收，在植物体内向上和向下双向传导，积累在顶端及居间分生，抑制细胞脂肪酸合成，使杂草坏死。精喹禾灵是一种高度选择性的新型旱田茎叶处理剂，在禾本科杂草和双子叶作物间有高度的选择性，对阔叶作物田的禾本科杂草有很好的防效。精喹禾灵作用速度更快，药效更加稳定，不易受雨水、气温及湿度等环境条件的影响。为选择性、内吸传导型茎叶处理剂。药剂对一年生禾本科杂草在24小时内可传遍全株，使其坏死。一年生禾本科杂草受药后，2～3天新叶变黄，停止生长，一周左右茎叶坏死，10天内整株枯死。对多年生禾本科杂草也有作用，使其失去再生能力。适用于阔叶草坪田，通常用于杂草茎叶喷雾处理。

防治对象 旱田芽后除草剂，主要用于大豆、棉花、花生、甜菜、番茄、甘蓝、葡萄等作物田，防除稗草、马唐、牛筋草、看麦娘、狗尾草、野燕麦、狗牙根、芦苇、白茅等一年生和多年生禾本科杂草。

注意事项

（1）对禾本科作物敏感，喷药时切勿喷到邻近水稻、玉米、大麦、小麦等禾本科作物，以免产生药害。

（2）对莎草科杂草和阔叶杂草无效。

（3）喷雾要均匀，杂草全株喷到。喷药后2小时内遇雨，对药效影响不大，不必重喷。

（4）土壤干燥时，可适当加大用药量。

（5）在天气干燥条件下，作物的叶片有时会出现药害，但对新叶不会有药害，对产量无影响。

精异丙甲草胺（*S*-metolachlor）

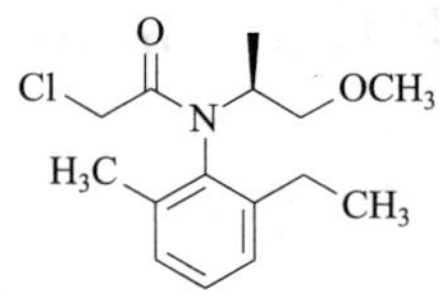

$C_{15}H_{22}ClNO_2$，283.79，178961-20-1

其他名称　（S）-异丙甲草胺。

主要剂型　40%微囊悬浮剂，960g/L乳油。

作用特点　低毒。精异丙甲草胺是一种防治阔叶作物田间杂草的除草剂，一般用于播后芽前或移栽前土壤处理。作用机制主要抑制发芽种子的蛋白质合成，其次抑制胆碱渗入磷脂，干扰卵磷脂形成。

防治对象　主要用于玉米、大豆、花生、甘蔗，也可用于非砂性土壤的棉花、油菜、马铃薯和洋葱、辣椒、甘蓝等作物，防治一年生杂草和某些阔叶杂草。

注意事项

（1）露地栽培作物在干旱条件下施药，应迅速进行浅混土，覆膜作物田施药不混土，施药后必须立即覆膜。药效易受气温和土壤肥力条件的影响。温度偏高时和砂质土壤用药量宜低；反之，气温较低时和黏质土壤用药量可适当偏高。

（2）采用毒土法，应掌握在下雨或灌溉前后施药。

（3）不得用于水稻秧田和直播田，瓜类、茄果类蔬菜使用浓度偏高时易产生药害，施药时要慎重。

氯氟吡氧乙酸异辛酯（fluroxypyr-meptyl）

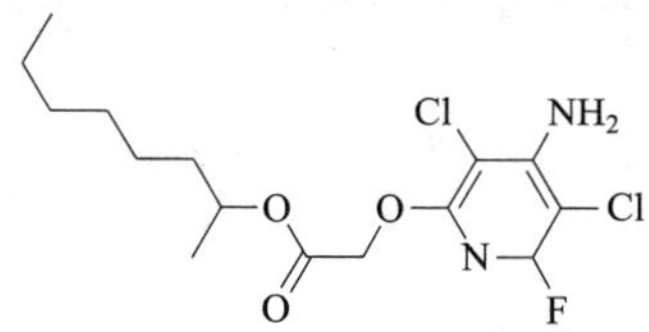

$C_{15}H_{21}Cl_2FN_2O_3$，367.24，81406-37-3

其他名称　使它隆。

主要剂型　20%、25%乳油，20%可湿性粉剂，50%可分散油悬浮剂等。

作用特点　内吸传导型苗后茎叶处理除草剂，施药后很快被杂草吸收，使敏感植物出现典型激素类除草剂的反应并传导到全株各部位，导致植株畸形、扭曲，最后死亡。对作物安全，在耐药作物体内，可结合轭合物而失去毒性。在土壤中易降解，半衰期较短，不会对后茬作物造成药害。

防治对象 防除小麦、大麦、玉米、果园、牧场、林地和草坪等地的阔叶杂草。具体可以防除的杂草种类有猪殃殃、卷茎蓼、马齿苋、龙葵、田旋花、蓼、苋等。对禾本科杂草无效。

注意事项

（1）不可将药剂用在阔叶作物田中，也不能用在间作、套作阔叶作物的麦田中。

（2）合理控制施药量，避免施用量过大从而造成药害。

（3）该药剂对鱼类有害，因此在施药的时候需要远离水产养殖区，而且在施药完毕后，不能够在河塘等水体中清洗施药工具。

氯嘧磺隆（chlorimuron-ethyl）

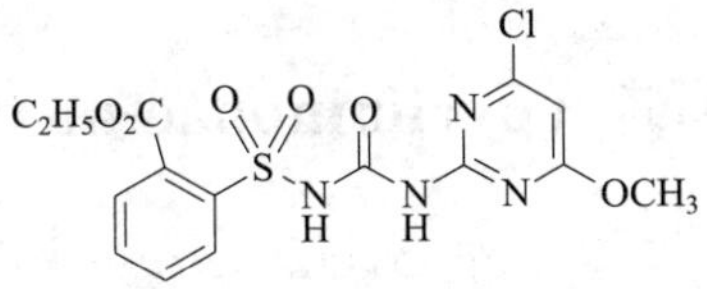

$C_{15}H_{15}ClN_4O_6S$，414.83，90982-32-4

其他名称 豆磺隆、豆草隆、豆威、氯嗪黄隆、乙磺隆。

主要剂型 5%、10%、20%可湿性粉剂。

作用特点 属于磺酰脲类选择性芽前、芽后除草剂，主要从处理部位（根和幼芽）向上传导，至生长点发挥作用。用于大豆田防除阔叶杂草。作用机制为抑制植物体内乙酰乳酸合成酶的活性而干扰支链氨基酸的合成。

防治对象 大豆芽前芽后选择性地防除莎草、阔叶杂草及某些禾本科杂草，如苍耳、反枝苋、蓼、藜、苋、苘麻、独行菜、香薷、铁苋菜、牵牛、狼耙草、苦菜、羊蹄叶、鼠曲草、决明等，对稗草、早熟禾等也有较好的防效作用。

麦草畏（dicamba）

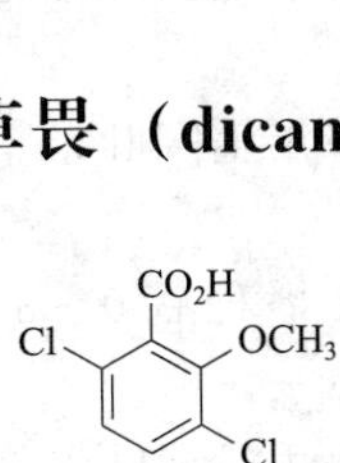

$C_8H_6Cl_2O_3$，221.04，1918-00-9

其他名称 麦草威、百草敌、敌草平、麦草丹。

主要剂型 48%水剂。

作用特点 安息香酸系列除草剂。具有内吸传导作用，对一年生和多年生阔叶杂草有显著防效。苗后喷雾，药剂通过杂草的茎、叶、根吸收，通过韧皮部及木质部上下传导，阻碍植物激素的正常活动，从而使其死亡。

防治对象 用于小麦、玉米、谷子、水稻等禾本科作物防除猪殃殃、荞麦蔓、藜、牛繁缕、大巢菜、播娘蒿、苍耳、薄蒴草、田旋花、刺儿菜、问荆、鳢肠等。

注意事项

(1) 由于麦草畏杀草谱较窄，对某些抗性杂草效果不佳。对小麦安全性较小，小麦3叶前和拔节后禁止使用，常与2甲4氯铵盐混用。

(2) 麦草畏主要通过茎叶吸收，故此药不宜用于土壤处理。

(3) 对水稍微有危害，勿让未稀释或大量的产品接触地下水、水道或者污水系统。

(4) 万一接触眼睛，立即使用大量清水冲洗并送医诊治。

嘧草醚 (pyriminobac-methyl)

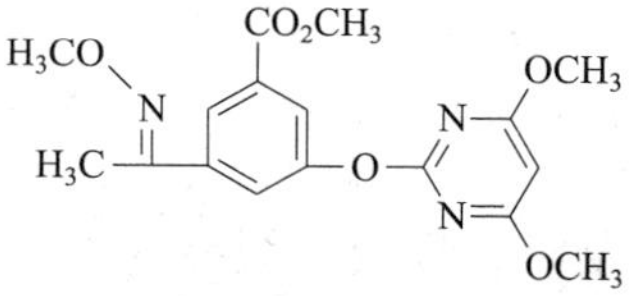

$C_{17}H_{19}N_3O_6$，361.35，147411-69-6

其他名称 必利必能。

主要剂型 10%可湿性粉剂。

作用特点 嘧草醚是内吸传导型专业除稗剂，属嘧啶水杨酸类除草剂。通过杂草的茎叶和根吸收，并迅速传导至全株，抑制乙酰乳酸合成酶（ALS）和氨基酸的生物合成，从而抑制和阻碍杂草体内的细胞分裂，使杂草停止生长，最终使杂草白化而枯死。

防治对象 棉花田一年生和多年生阔叶杂草、稗草。

注意事项

(1) 对水稻极为安全，即使在播种后0～3天也可使用；能防除3叶期以前的稗草。

(2) 使用方便，毒土法、毒肥法或茎叶喷施均可。

(3) 施药后杂草死亡速度比较慢，一般为7～10天，在有水层的条件下，持效期可长达40～60天；嘧草醚对未发芽的杂草种子和芽期杂草无效。

嘧啶肟草醚（pyribenzoxim）

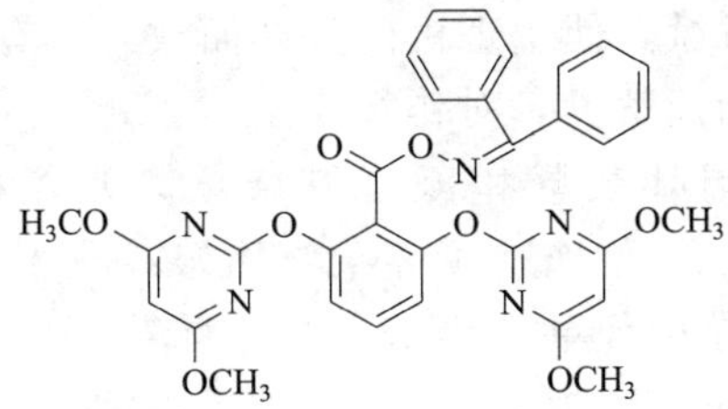

$C_{32}H_{27}N_5O_8$，609.59，168088-61-7

其他名称 嘧啶草醚。

主要剂型 1%、5%乳油。

作用特点 新颖的肟酯类化合物，广谱选择性芽后除草剂，无芽前除草活性。作用机制与磺酰脲类及咪唑啉酮类除草剂相似，均属乙酰乳酸合成酶（ALS）抑制剂。

防治对象 广谱性除草剂，对水稻移栽田、直播田的稗草、一年生莎草及阔叶杂草有较好的防除效果。可以防除稗草、野慈姑、雨久花、谷精草、母草、狼耙草、萤蔺、日本藨草、眼子菜、四叶萍、鸭舌草、节节菜、泽泻、牛毛毡、异型莎草、水莎草、千金子等。

注意事项

(1) 嘧啶肟草醚为茎叶处理剂，药液必须喷到叶面上才有效果，用毒土、毒沙法无效。

(2) 本品具有迟效性，用药7天后逐渐见效。

(3) 药量过高，有效成分$>60g/hm^2$或重复喷施或施药后遇低温对水稻产生药害，表现为抑制水稻生长、水稻叶发黄、对水稻产量有影响。

灭草松（bentazone）

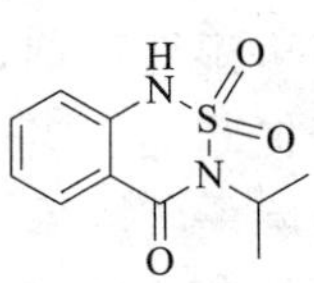

$C_{10}H_{12}N_2O_3S$，240.28，22057-89-0

其他名称 苯达松、噻草平、百草丹、百草克、本达隆、排草丹。

主要剂型 25%、48%水剂。

作用特点 触杀型选择性苗后除草剂，用于苗期茎叶处理，通过叶片接触而起作用。旱田使用，先通过叶面渗透传导到叶绿体内抑制光合作用；水田使用，既能通过叶面渗透又能通过根部吸收，传导到茎叶，强烈阻碍杂草光合作用和水分代谢，造成杂草营养饥饿，使生理机能失调而致死。有效成分在耐性作物体内转化为活性弱的糖轭合物而解毒，对作物安全。

防治对象 一年生阔叶杂草和莎草科杂草。如萹蓄、鸭跖草、蚤缀、苍耳、地肤、苘麻、麦家公、猪殃殃、荠菜、播娘蒿（麦蒿）、马齿苋、刺儿菜、藜、蓼、龙葵、繁缕、异型莎草、碎米莎草、球花莎草、油莎草、莎草、香附子等。

注意事项

(1) 因本品以触杀作用为主，喷药时必须充分湿润杂草茎叶。对禾本科杂草无效。

(2) 喷药后 8 小时内不应降雨，否则影响药效。

(3) 高温、晴朗的天气有利于药效的发挥，故应尽量选择高温晴天施药。在阴天或气温低时施药，则效果欠佳。

(4) 在干旱、水涝或气温大幅度波动的不利情况下使用灭草松，容易对作物造成伤害或无除草效果。施药后部分作物叶片会出现干枯、黄化等轻微受害症状，一般 7～10 天后即可恢复正常生长，不影响最终产量。

(5) 灭草松对棉花、蔬菜等作物较为敏感，应避免接触。

扑草净（prometryn）

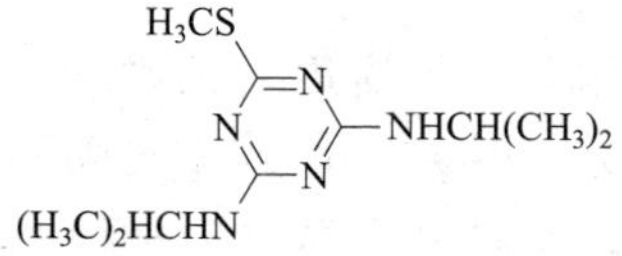

$C_{10}H_{19}N_5S$，241.36，7287-19-6

其他名称 扑蔓尽、割草佳、4,6-双异丙胺基-2-甲硫基-1,3,5-三嗪。

主要剂型 25%、40%、50%可湿性粉剂，50%悬浮剂，25%泡腾颗粒剂。

作用特点 低毒除草剂。均三氮苯类内吸选择性光合作用除草剂。对刚萌发的杂草防效最好，杀草谱广，可防除一年生禾本科杂草及阔叶杂草。选择性内吸传导，主要通过根部吸收，也可以从茎、叶渗入植物体内。吸收的扑草净通过蒸腾流进行传导，抑制光合作用中的希尔反应，使植物失绿、干枯死亡。

防治对象 用于棉花、大豆、麦类、花生、向日葵、马铃薯、果树、蔬菜、茶树及水稻田防除稗草、马唐、千金子、野苋菜、蓼、藜、马齿苋、看麦娘、繁缕、车前草等一年生禾本科杂草及阔叶草。

注意事项

(1) 有机质含量低的砂质土不宜使用。施药时适当的土壤水分有利于发挥药效。

(2) 避免高温时施药，气温超过 30℃时容易产生药害，用于水田一定要在秧苗返青后才可施药。

(3) 施药时应做好人体防护，背风用药。施药时勿吸烟，施药后要用肥皂洗净身体裸露部位，该药吸入高浓度时，可引发支气管炎、肺炎、肺水肿等疾病及肝、肾功能障碍，应对症治疗，并注意保护肝、肾。

(4) 施药后半月不要任意松土或耘耥，以免破坏药层影响药效。

嗪草酮（metribuzin）

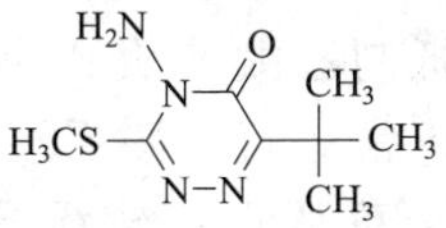

$C_8H_{14}N_4OS$，214.29，21087-64-9

其他名称 赛克津、特丁嗪、赛克、立克除、赛克嗪、甲草嗪。

主要剂型 50%、70%可湿性粉剂，44%、480g/L 悬浮剂，70%、75%水分散粒剂。

作用特点 低毒除草剂。三嗪酮类选择性光合作用除草剂。有效成分被杂草根系吸收随蒸腾流向上部传导，也可被叶片吸收在体内作有限的传导。主要通过抑制敏感植物的光合作用发挥杀草活性，施药后各敏感杂草萌发出苗不受影响，出苗后叶片褪绿，最后营养枯竭而死亡。在播种前或播种后苗前作土壤处理。作为苗后处理除草效果更为显著，剂量要酌情降低，否则会对阔叶作物产生药害。

防治对象 适用于大豆、马铃薯、番茄、甘蔗、玉米等田间作物多种阔叶杂草，也适用于某些禾本科杂草，对多年生杂草药效较差。

注意事项

(1) 嗪草酮的安全性较差，当施药量过高或施药不均匀，施药后遇有较大降雨或大水漫灌时，大豆根部吸收药剂而发生药害，使用时要根据不同情况灵活用药。砂质土、有机质含量 2%以下的大豆田不能施药。土壤 pH 值 7.5 以上的碱性土壤和降雨多、气温高的地区要适当减少用药量。

(2) 大豆播种深度为 3.5～4cm，播种过浅也易发生药害。大豆田只能苗前使用，苗期使用有药害。

(3) 嗪草酮人体每日允许摄入量（ADI）是 0.025mg/kg。在大豆中的最大残留限量（MRL）为 0.1mg/kg（美国标准），安全间隔期为 75～120 天。

(4) 对下茬或隔后茬白菜、豌豆之类有药害。

氰氟草酯（cyhalofop-butyl）

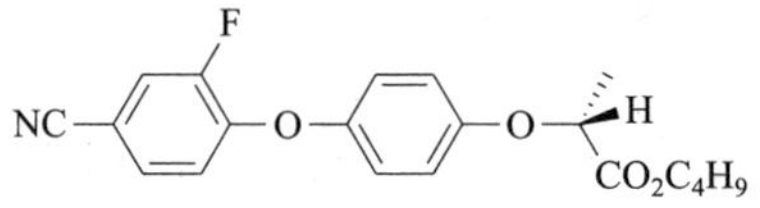

$C_{20}H_{20}FNO_4$，357.38，122008-85-9

其他名称　(*R*)-2-［4（4-氰基-2-氟苯氧基）苯氧基］丙酸丁酯、千金。

主要剂型　15％乳油。

作用特点　氰氟草酯是芳氧苯氧丙酸类除草剂中唯一对水稻具有高度安全性的品种，为内吸传导性除草剂。由植物体的叶片和叶鞘吸收，经韧皮部传导，积累于植物体的分生组织区，抵制乙酰辅酶A羧化酶（ACCase），使脂肪酸合成停止，细胞的生长分裂不能正常进行，膜系统等含脂结构破坏，最后导致植物死亡。从氰氟草酯被吸收到杂草死亡比较缓慢，一般需要1～3周。杂草在施药后的症状如下：4叶期的嫩芽萎缩，导致死亡；2叶期的老叶变化极小，保持绿色。

防治对象　主要用来防治旱稗、稻稗、千金子、马唐、狗尾草、双穗雀稗、牛筋草、剪股颖等禾本科杂草。

注意事项　该药对水生节肢动物毒性大，避免流入水产养殖场所。其与部分阔叶除草剂混用时有可能会表现出拮抗作用。

炔草酯（clodinafop-propargyl）

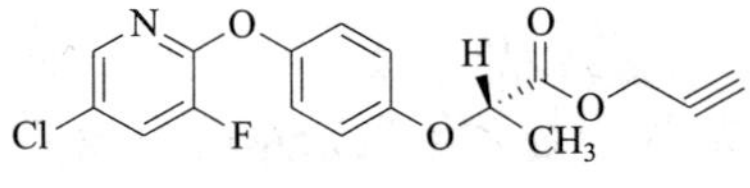

$C_{17}H_{13}ClFNO_4$，349.74，105512-06-9

其他名称　麦极、丙炔酯、炔草酸酯、炔草酸。

主要剂型　15％、24％乳油。

作用特点　属芳氧苯氧丙酸类除草剂，对恶性禾本科杂草特别有效，为乙酰辅酶A羧化酶抑制剂，能有效抑制类酯的生物合成。

防治对象　主要用于防除野燕麦、看麦娘、燕麦、黑麦草、普通早熟禾、狗尾草等。

注意事项　燕麦田或大麦不能使用本品。

乳氟禾草灵（lactofen）

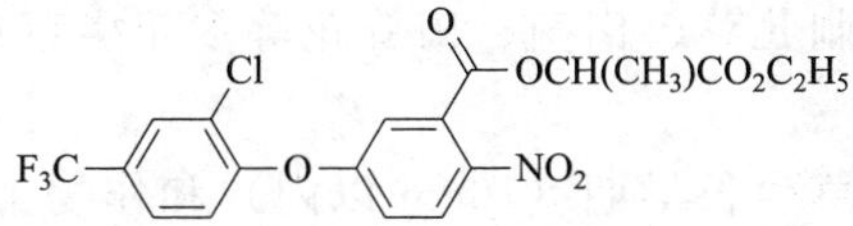

$C_{19}H_{15}ClF_3NO_7$，461.77，77501-63-4

其他名称 克阔乐、眼镜蛇。

主要剂型 24%乳油。

作用特点 乙酰辅酶A羧化酶抑制剂，选择性芽后除草剂。药剂被杂草茎叶吸收，破坏细胞膜而使杂草干枯死亡。当气温与土壤湿度有利于杂草生长时，杀草活性高。

防治对象 有效防治大豆、棉花、花生、水稻、玉米、葡萄等多种作物田间的阔叶杂草。

注意事项

(1) 该药安全性较差，故施药时应尽可能保证药液均匀，做到不重喷、不漏喷，且严格限制用药量。

(2) 该药对4叶期以前生长旺盛的杂草活性高。低温、干旱不利于药效的发挥。

(3) 施药后可能会对大豆产生不同程度的药害，但后期生长的叶片正常。

噻吩磺隆（thifensulfuron-methyl）

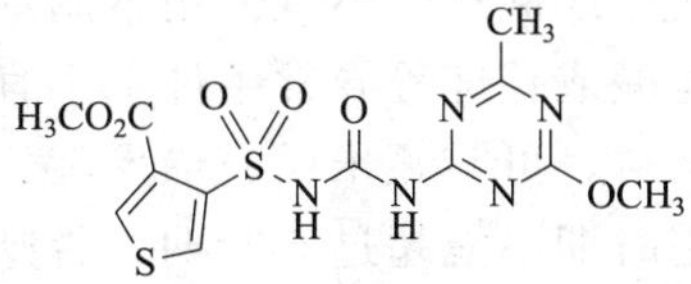

$C_{12}H_{13}N_5O_6S_2$，387.39，79277-27-3

其他名称 阔叶散、宝收、噻磺隆甲酯、噻黄隆。

主要剂型 10%、15%、25%、30%、70%、75%可湿性粉剂，75%干悬浮剂。

作用特点 噻吩磺隆属于磺酰脲类除草剂，作用机理是侧链氨基酸合成抑制剂，抑制缬氨酸和异亮氨酸的生物合成，从而阻止植物细胞分裂。杂草受药后十几小时就受害，虽然仍保持青绿，但已经停止生长，1～3周后生长点的叶片开始褪绿变黄，周边叶片披垂，随后生长点枯死，草株萎缩，最后整株死亡。个别未死草株，生长严重受抑制，萎缩在麦株或玉米株下面，难于开花结实。

防治对象 麦田、玉米田防除一年生阔叶杂草，如播娘蒿、繁缕、牛繁缕、荠菜、猪殃殃、麦瓶草、荞麦蔓、麦家公、大巢菜、猪毛菜、狼粑草、酸模、藜、鬼针草、遏蓝菜、鼬瓣花、麦蓝菜、野西瓜苗、野田芥、羊蹄、3 叶以前的鸭跖草等。对苣荬菜、刺儿菜、田蓟、田旋花等多年生草有一定抑制作用。

注意事项

(1) 施药适期为杂草生长早期（10cm 以内）和作物生长前期。

(2) 对阔叶作物敏感，喷药时切勿污染以防引起药害。

三氟羧草醚（acifluorfen）

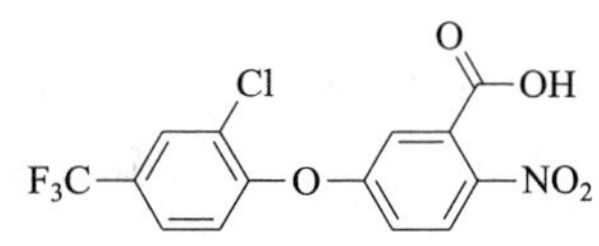

$C_{14}H_7ClF_3NO_5$，361.66，50594-66-6

其他名称 杂草焚、达尔克、羧氟草醚、木星、杂草净、豆阔净。

主要剂型 20%、21%、21.4%、24%水剂。

作用特点 含氟二苯醚类原卟啉原氧化酶抑制剂，为接触性的选择性芽后除草剂。主要通过杂草茎叶被吸收，抑制线粒体电子传导，引起呼吸系统和能量生产系统停滞，抑制细胞分裂而使杂草死亡。

防治对象 用于大豆田防除多种阔叶杂草，如马齿苋、铁苋菜、鸭跖草、龙葵、藜、蓼、苍耳、水棘针、辣子草、鬼针草、粟米草、苋、香薷、葎草、牵牛花、曼陀罗、蒿属杂草等。

注意事项

(1) 大豆与其他作物间作或混种时不宜使用本制剂。

(2) 在干旱、水涝、盐碱或霜冻等异常条件下不宜使用。

(3) 为了防除禾本科杂草，可与氟乐灵、烯禾啶、吡氟禾草灵等混合使用。

(4) 对阔叶杂草的使用时期不能超过 6 叶期，否则防效较差。

(5) 施药时注意风向，不要使雾剂飘入棉花、甜菜、向日葵、观赏植物与敏感作物中。

三氯吡氧乙酸丁氧基乙酯（triclopyr-butotyl）

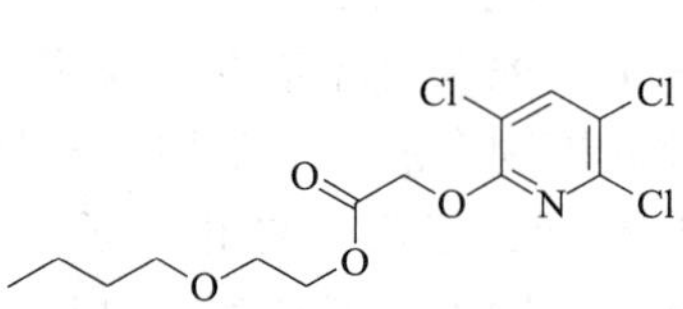

$C_{13}H_{16}Cl_3NO_4$，356.62900，64700-56-7

其他名称 绿草定丁氧乙酯。

主要剂型 48%、58.7%、61.6%乳油等。

作用特点 作用于核酸代谢，使植物产生过量核酸，从而使一些组织转变为分生组织，造成叶片、茎和根畸形，贮藏物质耗尽，维管束组织被栓塞或破裂，植株死亡。

防治对象 对禾本科和莎草科杂草无效，适用于非耕地和森林防除阔叶杂草和木本植物，也可用于禾本科作物如小麦、玉米、燕麦、高粱等田地防除阔叶杂草。对走马芹、胡枝子、榛、山刺玫、山杨、柳树、蒙古柞、铁线莲、山荆子、稠李、山梨、红丁香、柳叶乡菊、婆婆纳、唐松草、蕨、蚊子草等灌木、小乔木和阔叶杂草具有显著的防治效果，尤其是对栎属及其他根萌芽的木本植物。

注意事项

(1) 用药后 2 小时内无雨才能有效。施药时要注意风向，避免将药剂喷洒到阔叶作物如茄科、豆科等作物上，以免造成药害。

(2) 施药后 3～7 天发现杂草心叶卷曲现象，表明杂草已停止生长，对于顽固杂草，施药后 30 天才完全死掉，灌木死掉的时间更长。

(3) 要保持一个有利于树木生长的环境条件，可能需要多次用药。尤其是灌木除去后，应与草甘膦等药剂配合使用，以确保除草效果。

(4) 对人体有一定的毒性，摄入后可能导致神经系统症状，如头晕、恶心等，严重时可能引发中毒反应。

莎稗磷（anilofos）

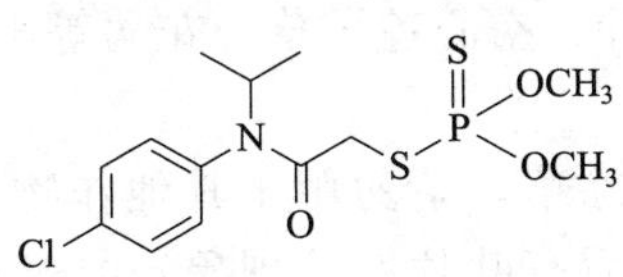

$C_{13}H_{19}ClNO_3PS_2$，367.85，64249-01-0

其他名称 阿罗津。

主要剂型 30%乳油。

作用特点 有机磷类选择性内吸传导型除草剂。通过植物的幼芽和地下茎吸收，抑制细胞裂变伸展，使杂草新叶不易抽出，生长停止，最后枯死。对正萌发的杂草效果最好；对已长大的杂草效果较差。杂草受药后生长停止，叶片深绿，有时脱色，叶片变短而厚，极易折断，心叶不易抽出，最后整株枯死。能有效防除 3 叶期内的稗草和莎草科杂草，对水稻安全。

防治对象 可以用于水稻本田，也能在棉花、油菜、玉米、小麦、大豆、花生、黄瓜田中安全施用，防治一年生禾本科杂草和莎草科杂草，如马唐、狗尾草、蟋蟀草、野燕麦、稗草、千金子、水莎草、异型莎草、碎米莎草、藨草、牛毛毡等；对阔叶杂草防效差。

注意事项 旱育秧苗对本品的耐药性与丁草胺相近，轻度药害一般在3～4周消失，对分蘖和产量没有影响。水育秧苗在栽后3天前施药，药害严重。

双草醚（bispyribac-sodium）

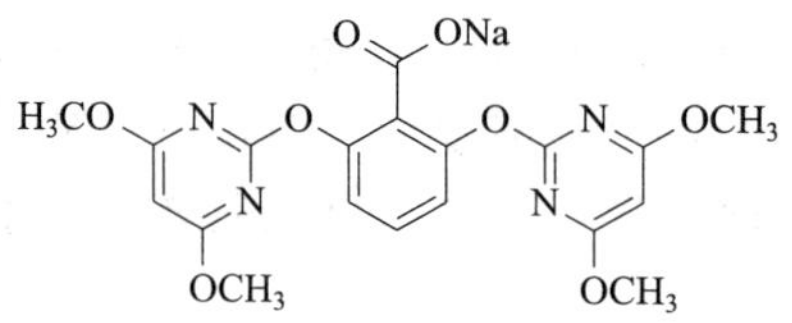

$C_{19}H_{17}N_4NaO_8$，452.35，125401-92-5

其他名称 一奇、水杨酸双嘧啶、农美利、双嘧草醚。

主要剂型 10%悬浮剂，20%可湿性粉剂。

作用特点 双草醚属于嘧啶水杨酸类除草剂，乙酰乳酸酶抑制剂，通过阻止支链氨基酸的生物合成而起作用。本品施药后能很快被杂草的茎叶吸收，并传导至整个植株，抑制植物分生组织生长，从而杀死杂草。高效、广谱、用量极低。

防治对象 有效防除稻田稗草及其他禾本科杂草，兼治大多数阔叶杂草、一些莎草科杂草及对其他除草剂产生抗性的稗草。如双穗雀稗、稻李氏禾、马唐、匍茎剪股颖、看麦娘、东北甜茅、狼耙草、异形莎草、日照飘拂草、碎米莎草、萤蔺、日本草、扁秆草、鸭舌草、雨久花、野慈姑、泽泻、眼子菜、谷精草、牛毛毡、节节菜、陌上菜、水竹叶、空心莲子草、花蔺等水稻田常见的绝大部分杂草。

注意事项

(1) 本品只能用于稻田除草，请勿用于其他作物。

(2) 粳稻品种喷施本品后有叶片发黄现象，4～5天即可恢复，不影响产量。

(3) 稗草1～7叶期均可用药，稗草小，用低剂量；稗草大，用高剂量。

双氟磺草胺（florasulam）

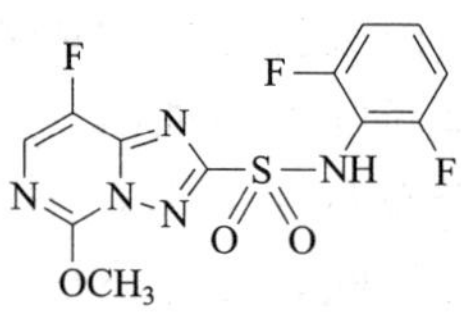

$C_{12}H_8F_3N_5O_3S$，359.28，145701-23-1

其他名称 麦喜为、麦施达。

主要剂型 50g/L悬浮剂。

作用特点 双氟磺草胺是三唑并嘧啶磺酰胺类超高效除草剂，是内吸传导型除草剂，可以传导至杂草全株，因而杀草彻底，不会复发。在低温下药效稳定，即使是在2℃时仍能保证稳定药效，这一点是其他除草剂无法比拟的。

防治对象 主要用于冬小麦田防除阔叶杂草，如猪殃殃、繁缕、蓼属杂草、菊科杂草等。也可有效防除花生、烟草、苜蓿和其他饲料作物中的一年生禾本科杂草及阔叶杂草。

注意事项 死草速度慢，40天后基本杀除草。

五氟磺草胺（penoxsulam）

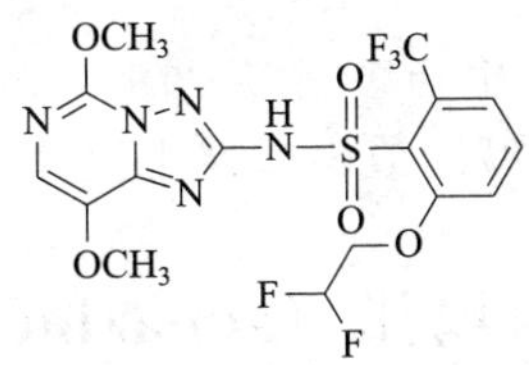

$C_{16}H_{14}F_5N_5O_5S$，483.37，219714-96-2

其他名称 稻杰。

主要剂型 2.5%、5%、10%油悬浮剂。

作用特点 五氟磺草胺为传导型除草剂，经茎叶、幼芽及根系吸收，通过木质部和韧皮部传导至分生组织，抑制植株生长，使生长点失绿，处理后7～14天顶芽变红、坏死，2～4周植株死亡。为乙酰乳酸合成酶抑制剂，药剂发挥作用较慢，需一定时间杂草才逐渐死亡。

防治对象 为稻田用广谱除草剂，可有效防除稗草、一年生莎草科杂草，并对众多阔叶杂草有效，如沼生异蕊花、鳢肠、田菁、竹节花、鸭舌草等。

注意事项

（1）该药对千金子杂草无效，如需防治，可与氰氟草酯混用。

（2）当使用超高剂量时，早期对水稻根部的生长有一定的抑制作用，但可迅速恢复，不影响产量。

西草净（simetryn）

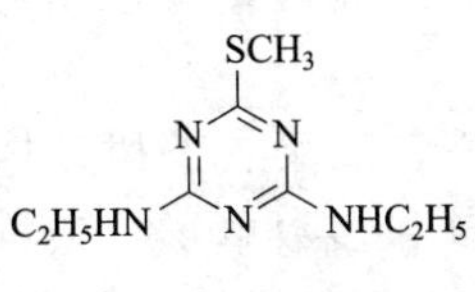

$C_8H_{15}N_5S$，213.30，1014-70-6

其他名称 西散净、西散津、2,4-双乙氨基-6-甲硫基-1,3,5-三氮苯。

主要剂型 25%可湿性粉剂、13%乳油。

作用特点 均三氮苯类选择性内吸传导型光合作用除草剂。可从根部吸收，也可从茎叶渗透入体内，运输至绿色叶片内，抑制光合作用希尔反应，影响糖类的合成和淀粉的积累，发挥除草作用。主要用于稻田防除恶性杂草眼子菜，对早期稗草、瓜皮草、牛毛草均有显著效果，施药晚则防效差，因此应视杂草基数选择施药适期及药用剂量。

防治对象 适用于稻田防除稗草、牛毛草、眼子菜、泽泻、野慈姑、母草、小慈姑等杂草，与禾草丹、丁草胺、禾草敌等除草剂混用，可扩大杀草谱。亦可用于玉米、大豆、小麦、花生、棉花等作物田除草。

注意事项

（1）施药时超过30℃易产生药害。

（2）在低洼积水地、重盐碱地或强酸性土上使用，易受药害。

西玛津（simazine）

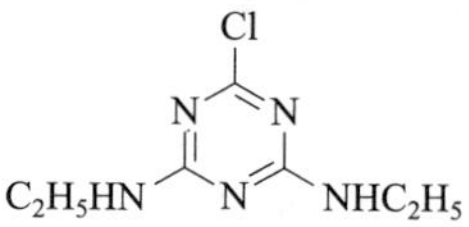

$C_7H_{12}ClN_5$，201.66，122-34-9

其他名称 西玛嗪、田保净。

主要剂型 40%悬浮剂，5%可湿性粉剂。

作用特点 西玛津是均三氮苯类、选择性内吸传导型、土壤处理的抑制光合作用的除草剂。被杂草的根系吸收后沿木质部随蒸腾作用迅速向上传导到绿色叶片内，抑制杂草光合作用，使杂草死亡，温度高时植物吸收传导快。西玛津水溶性小，在土壤中不易向下移动，被土壤吸附在表层形成药层。一年生杂草大多发生于浅层，杂草幼苗根吸收到药剂而死，而深根性作物主根明显，并迅速下扎而不受害。西玛津在抗性植物体内解毒反应式由苯并噁嗪酮所催化水解为无毒的羟基西玛津，此外抗体植物体内含有谷胱甘肽-S-转移酶，通过谷胱甘肽轭合作用，使西玛津在其体内丧失毒性而对作物安全。西玛津在土壤中残效期长，特别在干旱、低温、低肥条件下微生物分解缓慢，持效期可长达一年，因而影响下茬敏感作物出苗生长。

防治对象 用于玉米、甘蔗、高粱、茶树、橡胶园及果园、苗圃除防由种子繁殖的一年生或二年生阔叶杂草和多数单子叶杂草；对由根茎或根芽繁殖的多年生杂草有明显的抑制作用；适当增大剂量也作森林防火道、铁路路基沿线、庭院、仓库存区、油罐区、贮木场等地的灭生性除草剂。

注意事项

（1）本物质残余物和其储存容器必须作为危险废物处理；喷雾器具用后要反复清洗干净。

（2）对水生生物极毒，可能导致对水生环境的长期不良影响。

（3）西玛津的用药量受土壤质地、有机质含量、气温影响很大。一般气温高、有机质含量低、沙质土用量少，药效好，但也易产生药害。反之用量要高。

（4）西玛津残效期长，可持续12个月左右。对后茬敏感作物有不良影响，对小麦、大麦、棉花、大豆、水稻、十字花科蔬菜等有药害。

烯草酮（clethodim）

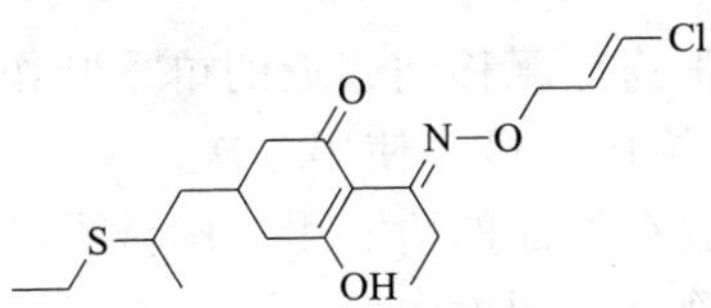

$C_{17}H_{26}ClNO_3S$，359.91，99129-21-2

其他名称 收乐通、赛乐特、氟烯草酸、乐田特。

主要剂型 12％、24％乳油。

作用特点 内吸传导型、高选择性的茎叶处理剂。可防除一年生和多年生禾本科杂草。施药后，能被禾本科杂草茎叶迅速吸收并传导至茎尖及分生组织，抑制分生组织活性和脂肪酸合成，破坏细胞分裂，使植株生长延缓，施药后1～3周植株褪绿，最终导致杂草死亡。

防治对象 适于多数双子叶作物，如棉花、花生、大豆、烟草、油菜及果园中防除一年生禾本科杂草，如稗草、野燕麦、马唐、狗尾草、牛筋草、看麦娘、早熟禾、硬草等。

注意事项 杂草通过叶面的气孔和角质层吸收药剂，干旱、高温、低温等条件下气孔大量关闭，角质层加厚，这些都不利于杂草对药剂的吸收。空气相对湿度65％以上，夏季选择早晚、冬季选择晴天中午时喷药，利于药剂的吸收和药效的发挥。

烯禾啶（sethoxydim）

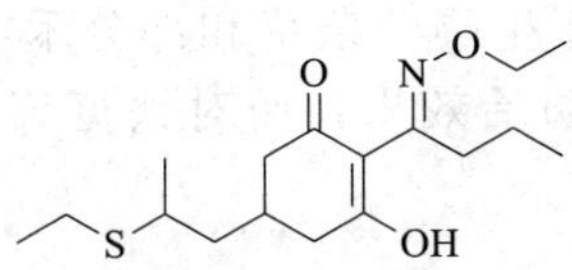

$C_{17}H_{29}NO_3S$，327.48，74051-80-2

其他名称 拿捕净、稀禾定、烯禾定。

主要剂型 50%母药，12.5%、20%、25%乳油。

作用特点 低毒除草剂。属肟类选择性强的内吸传导型茎叶处理剂，能被禾本科杂草茎叶迅速吸收，并传导到顶端和节间分生组织，使其细胞分裂遭到破坏。由生长点和节间分生组织开始坏死，受药植株3天后停止生长，7天后新叶褪色或出现花青素色，2～3周内全株枯死。本剂在禾本科与双子叶植物间选择性很高，对阔叶作物安全。

防治对象 稗草、野燕麦、狗尾草、马唐、牛筋草、看麦娘、野黍、臂形草、黑麦草、稷属杂草、旱雀麦、自生玉米、自生小麦、狗牙根、芦苇、冰草、假高粱、白茅等一年生和多年生禾本科杂草。

注意事项

(1) 喷药后应注意防止药雾飘移到邻近的单子叶作物上。

(2) 在杂草3～5叶期施用，最多使用1次。

(3) 喷药后用肥皂把露在外面的脸、手、腿洗干净；勿吞服，若误服应大量饮水，催吐，之后保持安静，立即就医。

(4) 用后剩余的药剂不要倒进水田、湖沼、河川里。容器不能装其他东西，用后洗净、焚烧或掩埋，妥善处理。

硝磺草酮（mesotrione）

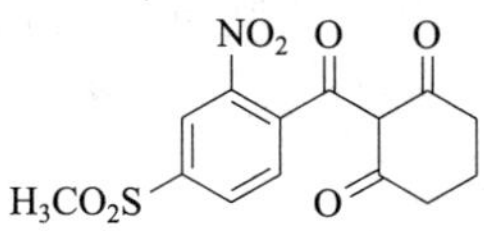

$C_{14}H_{13}NO_7S$，339.32，104206-82-8

其他名称 甲基磺草酮、米斯通、千层红。

主要剂型 40%、100g/L悬浮剂。

作用特点 环己二酮类除草剂，抑制对羟基苯基丙酮酸酯双氧化酶（HPPD酶）的芽前和苗后广谱选择性除草剂，HPPD可将酪氨酸转化为质体醌。质体醌是八氢番茄红素去饱和酶的辅助因子，是类胡萝卜素生物合成的关键酶。使用硝磺草酮3～5天，植物分生组织出现黄化症状随之引起枯斑，两星期后遍及整株植物。温度高，有利于硝磺草酮药效发挥；施药后1h降雨，对硝磺草酮药效无影响。

防治对象 对玉米田一年生阔叶杂草和部分禾本科杂草如苘麻、苋菜、藜、蓼、稗草、马唐等有较好的防治效果，而对铁苋菜和一些禾本科杂草防治效果较差。

注意事项

(1) 温度高于27℃，空气相对湿度低于65%，风速大于4m/s时应停止施药。

（2）人工施药不要左右甩动或随意降低喷头高度喷雾。

辛酰溴苯腈（bromoxynil octanoate）

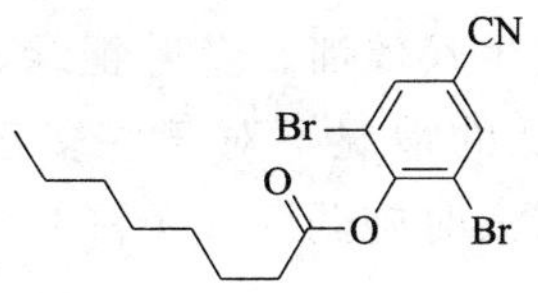

$C_{15}H_{17}Br_2NO_2$，403.11，1689-99-2

其他名称 溴苯腈辛酸酯、阔草克、3,5-二溴-4-辛酰氧基苄腈。

主要剂型 5%、50 g/L 悬浮剂，5%油悬浮剂，10%可湿性粉剂，25%乳油。

作用特点 选择性苗后茎叶处理触杀型除草剂。主要由叶片吸收，在植物体内进行极有限的传导，通过抑制光合作用的各个过程，包括抑制光合磷酸化反应和电子传递，特别是光合作用的希尔反应，使植物组织迅速坏死，从而达到杀草目的，气温较高时加速叶片枯死。

防治对象 防除蓼、藜、苋、麦瓶草、龙葵、苍耳、田旋花等多种阔叶杂草，广泛用于麦田、玉米、高粱、甘蔗、亚麻、洋葱等多种作物田。

注意事项

（1）勿在高温天气或气温低于 8℃，或在近期内有严重霜冻的情况下用药，施药后需 6h 内无雨。

（2）不宜与碱性农药混用，不能与肥料混用。

（3）每季最多使用一次，且有一定的安全间隔期，例如小麦的安全间隔期为 45 天。

（4）本品对鱼类剧毒，应避免残剩药液污染池塘、河流和其他水源，以保护水生生物。

烟嘧磺隆（nicosulfuron）

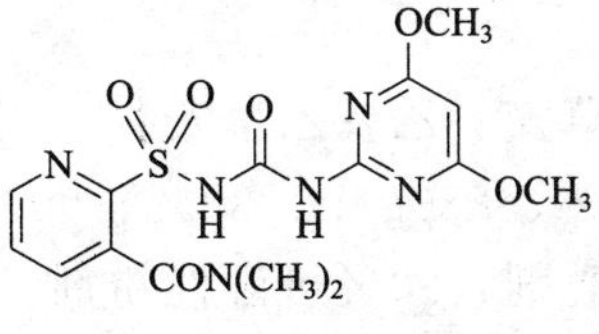

$C_{15}H_{18}N_6O_6S$，410.41，111991-09-4

其他名称 玉农乐、烟磺隆。

主要剂型 4%悬浮剂，40g/L可分散油悬浮剂，10%可湿性粉剂，75%水分散粒剂。

作用特点 烟嘧磺隆是内吸性除草剂，可为杂草茎叶和根部吸收，其被叶和根迅速吸收，并通过木质部和韧皮部迅速传导。通过乙酰乳酸合成酶来阻止支链氨基酸的合成，造成敏感植物生长停滞、茎叶褪绿，直至逐渐枯死，一般情况下20～25天死亡，但在气温较低的情况下对某些多年生杂草需较长的时间。在芽后4叶期以前施药药效好，苗大时施药药效下降。该药具有芽前除草活性，但活性较芽后低。

防治对象 可以防除玉米田中一年生和多年生禾本科杂草、部分阔叶杂草。对药敏感性强的杂草有稗草、狗尾草、野燕麦、反枝苋；敏感性中等的杂草有本氏蓼、葎草、马齿苋、鸭舌草、苍耳和苘麻、莎草；敏感性较差的杂草主要有藜、龙葵、鸭跖草、地肤和鼬瓣花。

注意事项

(1) 施药后观察，玉米叶片有轻度褪绿黄斑，但能很快恢复。

(2) 对后茬小麦、大蒜、苜蓿、马铃薯、大豆等无残留药害；但对小白菜、甜菜、菠菜、黄瓜、向日葵及油葵等有药害。在粮菜间作或轮作地区，应做好对后茬蔬菜的药害试验。

(3) 用有机磷药剂处理过的玉米对该药敏感。两药剂的使用间隔期为7天左右。烟嘧磺隆可与菊酯类农药混用。

(4) 在玉米中最大残留限量(MRL)为0.02mg/kg，最高每亩使用剂量为4g(有效成分)，最多应用次数1次，安全间隔期30天。

乙草胺(acetochlor)

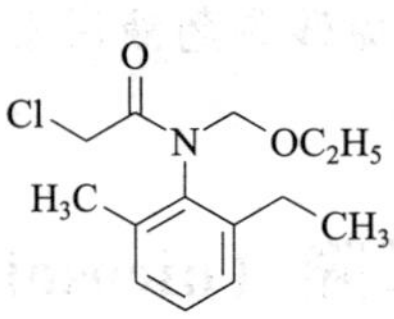

$C_{14}H_{20}ClNO_2$，269.77，34256-82-1

其他名称 禾耐斯、消草安、乙基乙草安。

主要剂型 50%、81.5%、880g/L、89%、900g/L、90.5%、990g/L乳油，50%微乳剂，40%、48%水乳剂，20%可湿性粉剂，25%微囊悬浮剂。

作用特点 低毒除草剂。乙草胺属选择性芽前除草剂，可防除一年生禾本科杂草和某些一年生阔叶杂草，通过单子叶植物的胚芽鞘或双子叶植物的下胚轴吸收，吸收后向上传导，主要通过阻碍蛋白质合成而抑制细胞生长，使杂草幼芽、幼根生长停止，进而死亡。禾本科杂草吸收乙草胺的能力比阔叶杂草强，所以防除禾本科杂草的效果优于阔叶杂草。

防治对象 可用于玉米、棉花、大豆、花生、油菜、马铃薯、甘蔗、芝麻、向日葵，以及豆科、十字花科、茄科、菊科、伞形科等多种蔬菜田及果园防除一年生禾本科杂草。

注意事项

(1) 砂质土壤使用低剂量，黏质土壤使用高剂量。土壤含水量低时，使用高剂量；土壤含水量高时，使用低剂量。

(2) 小麦、水稻、谷子、高粱、黄瓜、西瓜、甜瓜、菠菜、韭菜对乙草胺敏感，应慎用。

(3) 本品只对萌芽出土前的杂草有效，只能作土壤处理剂使用。

(4) 施药后遇连阴雨天低温，作物可能会表现出叶片褪绿，生长缓慢或皱缩，但随着温度升高，便会恢复生长，一般不影响产量。

乙羧氟草醚（fluoroglycofen-ethyl）

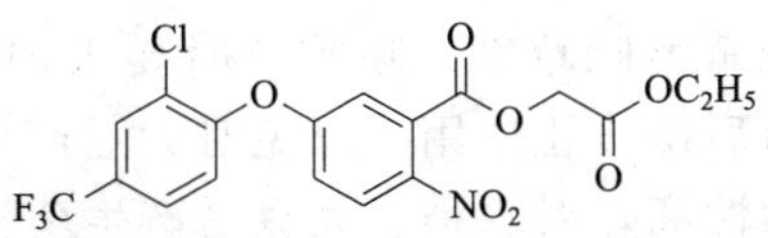

$C_{18}H_{13}ClF_3NO_7$，447.75，77501-60-1

其他名称 阔锄。

主要剂型 10%、15%、20%乳油。

作用特点 乙羧氟草醚是苗后选择性触杀型二苯醚类除草剂，原卟啉原氧化酶抑制剂，芽后施用防除阔叶杂草兼治禾本科杂草。本品一旦被植物吸收，只有在光照条件下才发挥效力。相对于其他二苯醚除草剂而言，乙羧氟草醚的突出特点是高效、广谱、安全和低成本。

防治对象 可用于大豆、花生、棉花、果园、小麦等作物，防除阔叶杂草，尤其是猪殃殃、婆婆纳、堇菜、苍耳属和甘薯杂草。

注意事项

(1) 喷施后，遇到气温过高或在作物上局部施药过多时，作物上会产生不同程度的灼伤斑，由于不具有内吸传导作用，经过10～15天作物会完全恢复，不造成减产，反而能起到增产效果。

(2) 使用时应该穿戴好防护用品，避免药剂接触皮肤和眼睛，喷药时不要吸烟、饮食，身体不适时不宜喷药，用药后及时清洗。

乙氧氟草醚（oxyfluorfen）

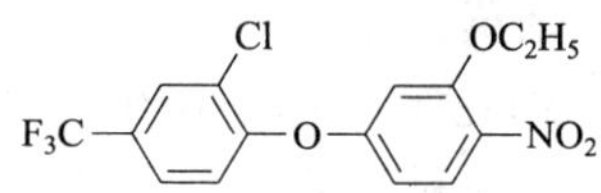

$C_{15}H_{11}ClF_3NO_4$，361.7，42874 03-3

其他名称 果尔、割草醚、氟果尔、割地草。

主要剂型 20%、23.5%、240g/L乳油，25%悬浮剂，2%颗粒剂，10%水乳剂。

作用特点 低毒除草剂。触杀型二苯醚类除草剂，在有光的情况下发挥杀草作用。主要通过胚芽、中胚轴进入植物体内，经根部吸收较少，并有极微量通过根部向上运输进入叶部。芽前和芽后早期施用效果最好，对种子萌发的杂草除草谱较广，能防除阔叶杂草、莎草及稗，但对多年生杂草只有抑制作用。

防治对象 可防除移栽稻、大豆、玉米、棉花、花生、果园、蔬菜田和森林苗圃的单子叶杂草和阔叶杂草。陆稻施药可与丁草胺混用；在大豆、花生、棉花田等施药，可与甲草胺、氟乐灵等混用；在果园等处施药，可与草甘膦混用。

注意事项

（1）乙氧氟草醚为触杀型除草剂，喷施药时要求均匀周到，施药剂量要准。用于大豆田，在大豆出苗后即停止使用，以免对大豆产生药害。

（2）本药用量少，活性高，对水稻、大豆易产生药害，使用时切勿任意提高用药量，以免产生药害。

（3）乙氧氟草醚对人体每日允许摄入量（ADI）是3μg/kg。安全间隔期为50天。

（4）本药剂对人体有害，避免与眼睛和皮肤接触。若药剂溅入眼中或皮肤上，立即用大量清水冲洗，并立即送医院。

乙氧磺隆（ethoxysulfuron）

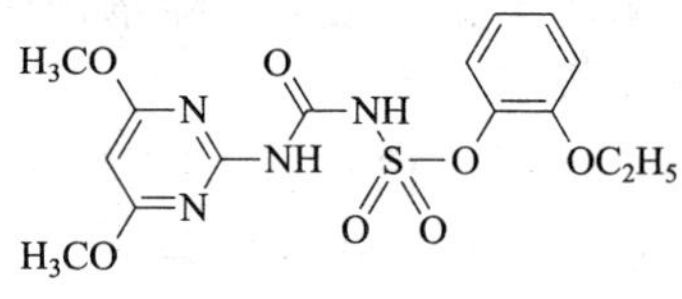

$C_{15}H_{18}N_4O_7S$，398.39，126801-58-9

其他名称 乙氧嘧磺隆、太阳星。

主要剂型 15%水分散粒剂。

作用特点 乙氧磺隆为支链氨基酸合成抑制剂。通过阻断缬氨酸和异亮氨酸的生物合成，从而阻止细胞分裂和植物生长。具有很好的选择性。

防治对象 用于防治水稻田一年生阔叶杂草、莎草及藻类，如鸭舌草、雨久花、飘拂草、异型莎草、牛毛毡、水莎草、萤蔺、野荸荠、眼子菜、泽泻、鳢肠、矮慈姑、长瓣慈姑、狼耙草、鬼针草、草龙、丁香蓼、节节菜、耳叶水苋、水苋菜、小茨藻、苦草、谷精草等杂草。

异丙甲草胺（metolachlor）

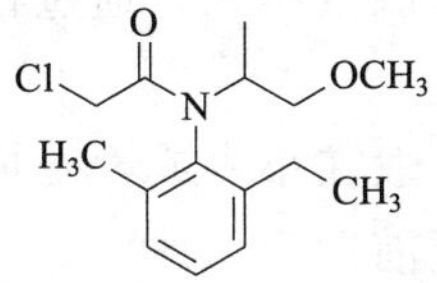

$C_{15}H_{22}ClNO_2$，283.79，51218-45-2

其他名称 都尔、稻乐思、屠莠胺、毒禾草、杜尔、丙草胺。

主要剂型 5%、50%、72%、96%乳油。

作用特点 低毒除草剂。异丙甲草胺为酰胺类选择性除草剂，用于芽前土壤处理。对单子叶杂草，主要被种子上部的幼芽吸收；对双子叶杂草可以被幼芽和根部吸收，抑制蛋白质的分解。土中持效期 20～50 天。作用机制主要抑制发芽种子的蛋白质合成，其次抑制胆碱渗入磷脂，干扰卵磷脂形成。异丙甲草胺主要通过植物的幼芽即单子叶植物的胚芽鞘、双子叶植物的下胚轴吸收向上传导。出苗后主要靠根吸收向上传导，抑制幼芽与根的生长。

防治对象 可防除稗、牛筋草、马唐、狗尾草等一年生禾本科杂草以及反枝苋、马齿苋、苋、藜等阔叶杂草和碎米莎草、油莎草。适用于十字花科、西瓜和茄科蔬菜等除草。

注意事项

（1）露地栽培作物在干旱条件下施药，应迅速进行浅混土，覆膜作物田施药不混土，施药后必须立即覆膜。药效易受气温和土壤肥力条件的影响。温度偏高时和砂质土壤用药量宜低；反之，气温较低时和黏质土壤用药量可适当偏高。

（2）采用毒土法，应掌握在下雨或灌溉前后施药。

（3）不得用于水稻秧田和直播田，瓜类、茄果类蔬菜使用浓度偏高时易产生药害，施药时要慎重。

异丙隆（isoproturon）

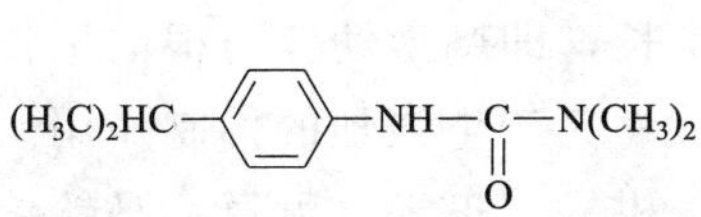

$C_{12}H_{18}N_2O$，206.28，34123-59-6

其他名称 3-(4-异丙基苯基)-1,1-二甲基脲。

主要剂型 50%悬浮剂，25%、50%、70%、75%可湿性粉剂。

作用特点 低毒除草剂。异丙隆属取代脲类选择性芽前、芽后抑制光合作用的除草剂，具有内吸传导作用。主要由杂草根吸收，茎叶吸收少，在导管内随水分向上传导到叶，多分布于叶尖和叶缘，在绿色细胞内发挥作用，它是光合作用电子传递的抑制剂，干扰光合作用的正常进行，在光照下不能放出氧和二氧化碳，有机物生成停止，敏感杂草饥饿而死。通过根部吸收，可用于播后苗前土壤处理，也可用于苗后茎叶处理。

防治对象 播后苗前处理一般在小麦或大麦播种覆土后至出苗前，苗后处理一般在小麦或大麦 3 叶期至分蘖前期。

注意事项

(1) 施用过磷酸钙的土地不要使用。

(2) 作物生长势弱或受冻害的、漏耕地段及砂性重或排水不良的土壤不宜施用。

(3) 为防止产生不良影响，最好在使用前先作小面积试验，确定无不良反应和最佳使用量后再大面积应用。

莠灭净（ametryn）

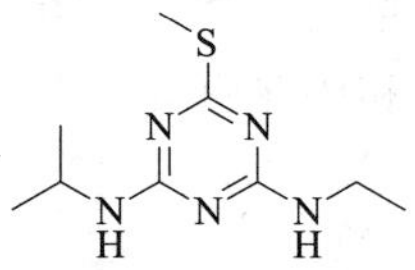

$C_9H_{17}N_5S$，227.33，834-12-8

其他名称 阿灭净。

主要剂型 80%可湿性粉剂，25%泡腾颗粒剂，50%悬浮剂。

作用特点 选择性内吸传导型除草剂。杀草作用迅速，是一种典型的光合作用抑制剂。通过对光合作用电子传递的抑制，叶片内亚硝酸盐积累，致植物受害至死亡；其选择性与植物生态和生化反应的差异有关，对刚萌发的杂草防治效果最好。可被 0～5cm 土壤吸附，形成药层，使杂草萌发出土时接触药剂，莠灭净在低浓度下，能促进植物生长，即刺激幼芽与根的生长，促进叶面积增大、茎加粗等；在高浓度下，则对植物又产生强烈的抑制作用。

防治对象 用于甘蔗、柑橘、玉米、大豆、马铃薯、豌豆、胡萝卜田防除一年生杂草。高剂量可防除某些多年生杂草，还可以防除水生杂草。

注意事项

（1）采用二次稀释法配制药液，喷药时每桶水加 1～2 勺洗衣粉，可提高药效。勿与强酸或强碱性物质混用。

（2）砂性土壤、田内积水或药量过大时，叶片会发黄，但一般 1～2 周可恢复正常，不影响甘蔗生长和产量。

（3）豆类、麦类、棉花、花生、水稻、瓜类及浅根系树木易发生药害，间种这类作物的田块禁用。

莠去津（atrazine）

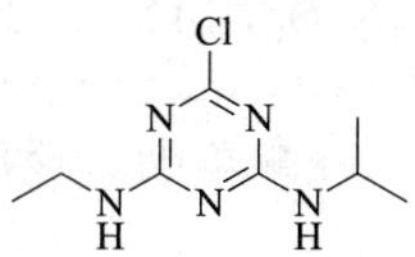

$C_8H_{14}ClN_5$，215.68，1912-24-9

其他名称 阿特拉津、盖萨普林、莠去尽、园保净。

主要剂型 20%、38%、45%、50%、55%、60%悬浮剂，48%、80%可湿性粉剂，90%水分散粒剂，25%可分散油悬浮剂。

作用特点 莠去津是均三氮苯类选择性内吸传导型苗前、苗后抑制光合作用除草剂。根吸收为主，茎叶吸收很少，迅速传导到植物分生组织及叶部，干扰光合作用，致杂草死亡。在玉米等抗性作物体内被分解生成无毒物质，因而对作物安全。易被雨水淋洗至较深层，致使对某些深根性杂草有抑制作用。在土壤中可被微生物分解，残效期视用药剂量、土壤质地等因素影响，可长达半年左右。可防除多种一年生禾本科杂草和阔叶杂草。

防治对象 适用于玉米、高粱、果树、苗圃、林地等旱田作物防除马唐、稗草、狗尾草、莎草、看麦娘、蓼、藜、十字花科、豆科杂草，尤其对玉米有较好的选择性（因玉米体内有解毒机制），对某些多年生杂草也有一定抑制作用。

注意事项

（1）莠去津的残效期较长，对某些后茬敏感作物，如小麦、大豆、水稻等有药害，可降低剂量或与别的除草剂混用，避免对后茬作物的影响。

（2）因桃树对莠去津敏感，果园使用莠去津，对桃树不安全，表现为叶黄、缺绿、落果、严重减产，一般不宜使用。

（3）玉米套种豆类，不宜使用莠去津。

（4）莠去津播后苗前，土表处理时，要求施药前整地要平，土块要整碎。

（5）莠去津可通过食管和呼吸道等引起中毒，中毒急救无特效解毒药。

（6）施药后，各种工具要认真清洗，污水和剩余药液要妥善处理或者保存，不得任意倾倒，以免污染水源、土壤和造成药害。空瓶要及时回收，并妥善处理，不得再作它用。

唑草酮（carfentrazone-ethyl）

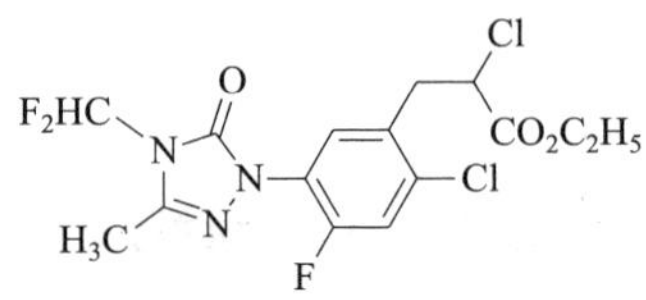

$C_{15}H_{14}Cl_2F_3N_3O_3$，412.19，128639-02-1

其他名称　福农、快灭灵、三唑酮草酯、唑草酯、氟酮唑草。

主要剂型　20％微囊悬浮剂。

作用特点　一种触杀型选择性除草剂，通过抑制原卟啉原氧化酶导致有毒中间物积累，从而破坏杂草的细胞膜，使叶片迅速干枯、死亡。杀草速度快，受低温影响小，用药机会广。由于唑草酮有良好的耐低温和耐雨水冲刷效应，可在冬前气温降到很低时用药，也可在降雨频繁的春季抢在雨天间隙及时用药，而且对后茬作物十分安全，是麦田春季化除的优良除草剂。唑草酮的药效发挥与光照条件有一定的关系，施药后光照条件好，有利于药效充分发挥，阴天不利于药效正常发挥。唑草酮在喷药后15min内即被植物叶片吸收，其不受雨淋影响，3～4h后杂草就出现中毒症状，2～4天死亡。

防治对象　主要用于防除阔叶杂草和莎草如猪殃殃、野芝麻、婆婆纳、苘麻、萹蓄、藜、红心藜、空管牵牛、鼬瓣花、酸模叶蓼、柳叶刺蓼、卷茎蓼、反枝苋 、铁苋菜、宝盖菜、苣荬菜、野芝麻、小果亚麻、地肤、龙葵、白芥等杂草。对猪殃殃、苘麻、红心藜、荠、泽漆、麦家公、空管牵牛等杂草具有优异的防效，对对磺酰脲类除草剂产生抗性的杂草等具有很好的活性。

注意事项

（1）唑草酮只对杂草有触杀作用，没有土壤封闭作用，应尽量在田间杂草大部分出苗后用药。

（2）小麦在拔节期至孕穗期喷药后，叶片上会出现黄色斑点，但施药后1周就可恢复正常绿色，不影响产量。

（3）喷施过唑草酮的药械要彻底清洗，以免药剂残留影响其他作物。

（4）含唑草酮的药剂不宜与精噁唑禾草灵（骠马）等乳油制剂混用，否则可能会影响唑草酮在药液中的分散性，喷药后药物在叶片上分布不均，着药多的部位容易受到药害。

唑啉草酯（pinoxaden）

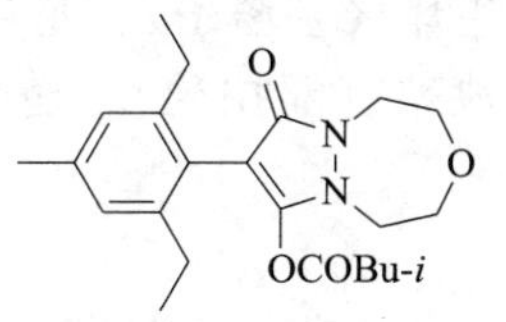

$C_{23}H_{32}N_2O_4$，400.52，243973-20-8

主要剂型　5%、10%乳油，10%、20%可分散油悬剂。

作用特点　唑啉草酯属新苯基吡唑啉类除草剂，作用机理为乙酰辅酶A羧化酶（ACC）抑制剂。造成脂肪酸合成受阻，使细胞生长分裂停止。细胞膜含脂结构被破坏，导致杂草死亡。具有内吸传导性，主要用于大麦田防除一年生禾本科杂草。

防治对象　能有效防除黑麦草、野燕麦、狗尾草、看麦娘、日本看麦娘、硬草、菵草、棒头草等禾本科杂草。

注意事项

（1）高剂量处理大麦产生轻微药害，一周后可恢复正常，对作物的正常生长及产量没有影响。

（2）喷药时要求均匀细致，严格按推荐剂量施药。

（3）避免药液飘移到邻近作物田，避免在极端气候如异常干旱、低温、高温条件下施药。

（4）每季使用1次。

唑嘧磺草胺（flumetsulam）

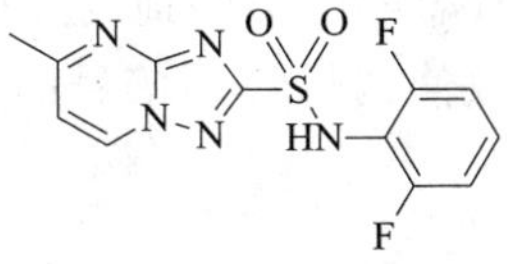

$C_{12}H_9F_2N_5O_2S$，325.294，98967-40-9

其他名称　氟唑嘧磺草胺、氟唑啶草、阔草清、普田庆。

主要剂型　80%水分散粒剂。

作用特点　属三唑并嘧啶磺酰胺类除草剂，是典型的乙酰乳酸合成酶抑制剂。通过抑制支链氨基酸的合成使蛋白质合成受阻，致植物停止生长。残效期长、杀草谱广，土壤、茎叶处理均可。

防治对象 适于玉米、大豆、小麦、大麦、三叶草、苜蓿等田中防治一年生及多年生阔叶杂草如问荆（节骨草）、荠菜、小花糖芥、独行菜、播娘蒿（麦蒿）、蓼、婆婆纳（被窝絮）、苍耳（老场子）、龙葵（野葡萄）、反枝苋（苋菜）、藜（灰菜）、苘麻（麻果）、猪殃殃（涩拉秧）、曼陀罗等。对幼龄禾本科杂草也有一定抑制作用。

注意事项

（1）后茬勿轮作棉花、甜菜、油菜、向日葵、高粱及番茄。

（2）用于芽前表面处理或播前土壤混拌除草剂，能防除大豆、玉米等阔叶杂草，对禾本科和莎草科杂草效果较差。

（3）对鱼类有害，应避免药液流入湖泊、河流或鱼塘中。

（4）施药时地表不宜太干燥或下雨，避免药液飘移到邻近作物上。

第五节 植物生长调节剂及其他

1-甲基环丙烯（1-methylcyclopropene）

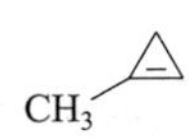

C_4H_6，54.09，3100-04-7

其他名称 聪明鲜、鲜安、1-MCP、甲基环丙烯。

主要剂型 0.014%、3.3%微囊粒剂，0.03%粉剂，0.18%泡腾片，2%片剂。

作用特点 1-甲基环丙烯是一种有效控制乙烯产生和阻碍乙烯作用的抑制剂。生产中施用后，1-甲基环丙烯可以很好地与乙烯受体结合，从而有效地阻碍了乙烯与其受体的正常结合，致使乙烯作用信号的传导和表达受阻，延长了果蔬成熟衰老的过程。

注意事项

（1）1-甲基环丙烯活性成分为无色且不稳定的气体，其本身无法单独作为一种产品存在，使用时应注意保存。

（2）1-甲基环丙烯气体一经生成，便即刻与α-环糊精发生吸附作用，形成一种十分稳定的吸附混合物。所以生产中常根据所需浓度，直接加工成所需制剂，一般不存在高浓度原药直接使用和稀释后使用。

S-诱抗素（abscisic acid）

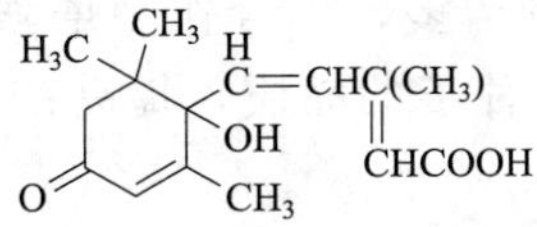

$C_{15}H_{20}O_4$，264.32，21293-29-8

其他名称 壮芽灵、脱落酸、催熟丹、休眠素、ABA。

主要剂型 0.006%、0.1%、0.25 水剂，1%可溶水剂。

作用特点 诱抗素是植物的“抗逆诱导因子”，可诱导植物产生对不良生长环境的抗性，其中在土壤干旱胁迫时，诱抗素可启动叶片细胞质膜上的信号传导，诱导叶面气孔不均匀关闭，减少植物体内水分蒸腾过快，提高植物抗旱能力；在寒冷胁迫下，可启动植物细胞抗冷基因的表达，诱导植物产生抗寒能力；在某些病虫害的危害下，诱导植物叶片细胞 *Pin* 基因活化，产生蛋白酶抑制物，阻碍病虫害进一步危害。

防治对象 用于玉米、小麦、烟草、棉花、水稻、瓜果、花卉等植物提高抗旱性、抗寒性、抗病性和耐盐性。

注意事项

（1）诱抗素为强光分解化合物，应注意避光保存。在配制溶液时，也需注意避光操作。

（2）诱抗素在 0～30℃的水温中溶解缓慢，生产上使用时，可先用少量乙醇溶解。

（3）在田间用药时，为避免强光对药效的影响，施药尽量选择在早晨或傍晚进行。

（4）诱抗素施药一次，可持效 7～15 天，在施药过程中，若施药后 12h 内下雨，需再重新补喷一次。

矮壮素（chlormequat chloride）

$C_5H_{13}Cl_2N$，158.07，999-81-5

其他名称 2-氯乙基三甲基氯化铵、稻麦立、氯化氯代胆碱。

主要剂型 50%水剂，80%可溶粉剂。

作用特点 低毒。矮壮素是一种优良的植物生长调节剂，生理功能是控制植株的营养生长（即根、茎、叶的生长），促进植株的生殖生长（即花和果实的生长），使植株的节间缩短，植株长得矮、壮、粗，根系发达，抗倒伏，同时叶色加深，叶片增厚，叶绿素含量增多，光合作用增强，从而提高某些作物的坐果率，也能改善某些作物果实、种子的品质，提高产量，还可提高某些作物抗旱、抗寒及抗病虫害的能力。

防治对象 适用于棉花、小麦、玉米、水稻、烟草、番茄和各种块根作物。能使植株变矮，茎秆变粗，叶色变绿，防止作物徒长、倒伏，使作物耐旱、耐涝、抗盐碱。

注意事项

（1）不能与碱性农药混用。其水溶液稳定，对金属有腐蚀作用，可贮于玻璃、高密度塑料、橡胶或涂环氧树脂的金属容器中。能被土壤微生物迅速降解。

（2）对人、畜有轻微毒性。误服 50%矮壮素水剂可引起中毒，对中毒者可采用一般急救措施和对症处理，毒蕈碱样症状明显者可用阿托品治疗。

胺鲜酯（diethyl aminoethyl hexanoate）

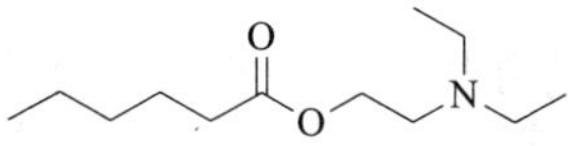

$C_{12}H_{25}NO_2$，215.33，10369-83-2

其他名称 己酸二乙氨基乙醇酯、增效灵、增效胺。

主要剂型 2%、5%、8%水剂，8%可溶粉剂。

作用特点 能提高植株体内叶绿素、蛋白质、核酸的含量和光合速率，提高过氧化物酶及硝酸还原酶的活性，促进植株的碳、氮代谢，增强植株对水肥的吸收能力和对干物质的积累，调节体内水分平衡，增强作物、果树的抗病、抗旱、抗寒能力；延缓植株衰老，促进作物早熟、提高作物的品质；从而达到增产、增质。

防治对象 广泛用于各种农作物、食用菌、花卉、药材，可浸种、蘸根、灌根及叶面喷施。

注意事项

（1）胺鲜酯遇碱易分解，不宜与碱性农药、化肥混用。

（2）不要在高温烈日下喷洒，下午 4 时后喷药效果较好。喷后 6 小时若遇雨应减半补喷。使用不宜过频，间隔至少一周。

苄氨基嘌呤（benzylaminopurine）

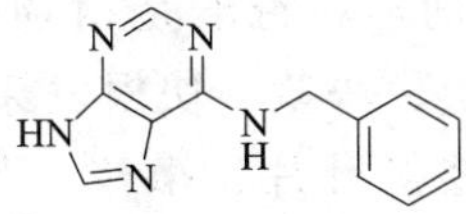

$C_{12}H_{11}N_5$，225.249，1214-39-7

其他名称 6-苄氨基嘌呤、绿丹、6-苯甲基腺嘌呤、细胞分裂素。

主要剂型 2%、5%可溶液剂，1%可溶粉剂。

作用特点 促进细胞的分裂和增长，促进非分化组织的分化，打破顶端优势，促进侧芽生长，抑制或促进茎、叶的伸长生长等。常用于作物从种子发芽到收获的全生育阶段，在生产上主要用于促进作物开花结果和膨大，诱导雌性性状，促进坐果，促进果实生长，诱导块茎形成，促进物质运输、积累，抑制或促进呼吸，促进蒸发和气孔开放，提高抗伤害能力，抑制叶绿素的分解以及促进或抑制酶的活性等。

防治对象 用于苹果、梨、蔷薇以及茶树等顶端生长旺盛阶段，可促进分枝，保花保果，提高坐果率。促进花卉植物的开花和保鲜。有利于莴苣、甘蓝、花椰菜等以及一些切花的保鲜，能有效地保持它们的颜色、香气等。用于玉米上能有效抑制玉米幼苗生长速度，使其生长缓慢，使植株健壮，并且可以提高植物对生物和非生物逆境胁迫的适应性。

注意事项

（1）混用时要注意剂量以及相容性，使用过程中注意环境的温度和湿度等。

（2）苄氨基嘌呤移动性小，单作叶面处理效果欠佳，与某些生长抑制剂混用效果较为理想。

（3）苄氨基嘌呤可与赤霉素混用，效果好，但贮存时间短，若选择好的保护、稳定剂，使两种药剂能存放 2 年以上，则会使它们的应用更广泛。

赤霉酸（gibberellic acid）

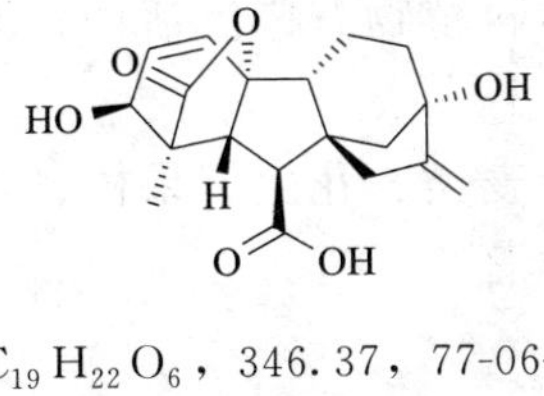

$C_{19}H_{22}O_6$，346.37，77-06-5

其他名称 赤霉素、赤霉素A、九二零、奇宝。

主要剂型 3%乳油，4%、6%可溶液剂，3%、20%、40%可溶粉剂，10%水分散粒剂。

作用特点 低毒生长调节剂。赤霉酸是植物生长激素，能促进茎、叶的生长，提高抽薹开花率，促进种子、块茎、块根发芽，刺激果实生长，增加结果率或形成无籽果实等。赤霉酸主要经叶片、嫩枝、花、种子或果实进入植株体内，然后传导到生长活跃的部位起作用。促进细胞、茎伸长，使叶片扩大、单性结实、果实生长，打破种子休眠，改变雌、雄花比率，影响开花时间，减少花、果的脱落。是多效唑、矮壮素等生长抑制剂的拮抗剂。赤霉酸还可用于从大麦制造麦芽。它对昆虫的发育也有促进作用。

防治对象 用于马铃薯、番茄、稻、麦、棉花、大豆、烟草、果树等作物，促进其生长、发芽、开花、结果。

注意事项

(1) 赤霉酸遇碱易分解，与酸性、中性化肥、农药可混用，与尿素混用增产效果好。在干燥状态下不易分解，其水溶液在5℃以上时易被破坏而失效。

(2) 使用赤霉酸过量，副作用可造成倒伏，常使用助壮素进行调节。

(3) 喷药时间最好在上午10点以前，下午3点以后，喷药后4小时内下雨要重喷。

多效唑(paclobutrazol)

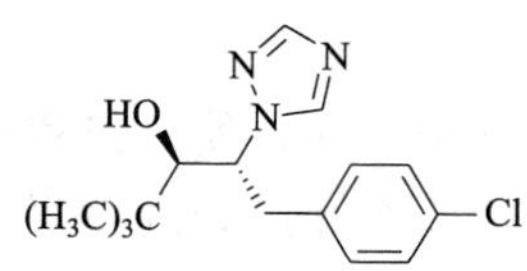

$C_{15}H_{20}ClN_3O$，293.79，76738-62-0

其他名称 氯丁唑、剪板机。

主要剂型 24%、25%悬浮剂，5%乳油，10%、15%可湿性粉剂。

作用特点 低毒生长调节剂。内源赤霉素生物合成抑制剂。可阻碍植物生长、影响植物细胞的分裂和伸长。易被根、茎、叶吸收，通过植物的木质部进行传导，兼有杀菌作用。对禾本科植物有广泛活性，能使植物茎节间变得矮壮，减少倒伏、增加产量。

防治对象 适用于水稻、麦类、花生、果树、烟草、油菜、大豆、花卉、草坪等作(植)物，使用效果显著。

注意事项

(1) 多效唑在土壤中残留时间较长，施药田块收获后，必须经过耕翻，以防对后作有抑制作用。

（2）一般情况下，使用多效唑不易产生药害，若用量过高，秧苗抑制过度时，可增施氮或赤霉酸解救。

（3）不同品种的水稻因其内源赤霉酸、吲哚乙酸水平不同，生长势也不相同，生长势较强的品种需多用药，生长势较弱的品种则少用。另外，温度高时多施药，反之少施。

氟节胺（flumetralin）

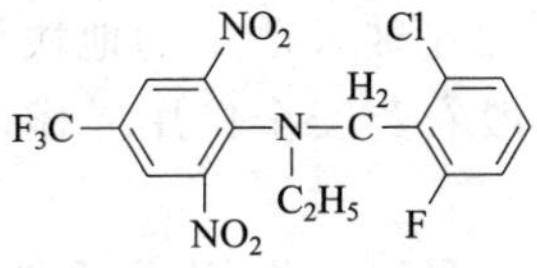

$C_{16}H_{12}ClF_4N_3O_4$，421.73，62924-70-3

其他名称　抑芽敏。

主要剂型　25%乳油，25%悬浮剂，40%水分散粒剂。

作用特点　氟节胺为接触兼局部内吸型的高效烟草侧芽抑制剂，主要用于抑制烟草腋芽发生。作用迅速，吸收快，施药后只要两小时无雨即可完全吸收，雨季中施药方便。药剂对完全伸展的烟叶不产生药害，对预防烟草花叶病有一定作用效果。

防治对象　用于烟草、棉花等作物上抑制侧芽的产生。

注意事项

（1）氟节胺对人畜皮肤、眼、口具有刺激作用，使用时应注意保护，防止药液飘移，施药器械用后及时洗净。

（2）氟节胺勿与其他农药混用，若误服本药中毒时，可服用医用活性炭解毒。

（3）氟节胺对鱼有毒，应避免药剂污染水塘、河流。

（4）氟节胺对温度较为敏感，勿存放在 0 ℃以下和 35 ℃以上环境中。

甲哌鎓（mepiquat chloride）

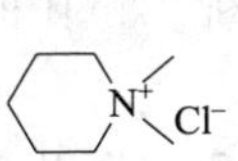

$C_7H_{16}ClN$，149.66，24307-26-4

其他名称　缩节胺、调节啶、皮克斯、缩节安、助壮素、甲哌啶、壮棉素、健壮素。

主要剂型 25%水剂，8%、10%、12.5%、90%、98%可溶粉剂。

作用特点 低毒生长调节剂。甲哌鎓为植物生长调节剂，对植物有较好的内吸传导作用。能增强叶绿素合成，抑制主茎和果枝伸长，用作植物生长调节剂，能促进植物发育、提前开花、防止脱落、增加产量。在棉花上使用较广，可有效地防止棉花疯长，控制株型紧凑，减少落铃，促进成熟，使棉花增产。用于冬小麦可防止倒伏。用于苹果可增加钙离子吸收；用于柑橘可增加糖度。

防治对象 广泛应用于棉花、小麦、水稻、花生、玉米、马铃薯、葡萄、蔬菜、豆类、花卉等作物。

注意事项

(1) 本剂在水肥条件好、棉花徒长严重的地块使用时增产效果明显。

(2) 使用甲哌鎓应遵守一般农药安全使用操作规程，避免吸入药雾和长时间与皮肤、眼睛接触。

(3) 甲哌鎓易潮解，要严防受潮。潮解后可在100℃左右温度下烘干。本剂虽毒性低，但贮存时还需妥善保管，勿使人、畜误食。不要与食物、饲料、种子混放。

氯吡脲（forchlorfenuron）

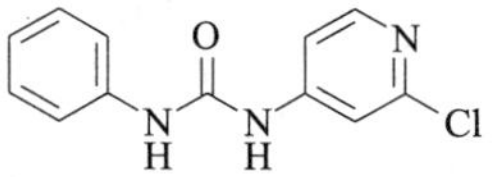

$C_{12}H_{10}ClN_3O$，247.68，68157-60-8

其他名称 氯吡苯脲、吡效隆、吡效隆醇、调吡脲、施特优。

主要剂型 0.1%、0.5%、0.8%可溶液剂。

作用特点 低毒生长调节剂。氯吡脲是苯脲类细胞分裂素，具有影响植物芽的发育、加速细胞有丝分裂、促进细胞增大和分化、防止果实和花脱落的作用，从而促进植物生长、早熟、延缓作物后期叶片的衰老、增加产量。主要表现在：①促进茎、叶、根、果生长，如用于烟草种植可使叶片肥大而增产。②促进结果。可以增加番茄、茄子、苹果等水果和蔬菜的产量。③加速疏果和落叶作用。疏果可增加果实产量，提高品质，使果实大小均匀。对棉花和大豆而言，落叶可使收获易行。④浓度高时可作除草剂。⑤其他。如棉花的干枯作用，增加甜菜和甘蔗的糖分等。

防治对象 葡萄、猕猴桃、甜瓜、苹果等。

注意事项 可与其他农药、肥料混用；应按规定时期、浓度、用量和方法使用，浓度过高可引起果实空心、畸形。

萘乙酸（1-naphthylacetic acid）

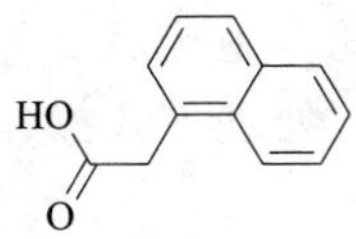

$C_{12}H_{10}O_2$，186.21，86-87-3

其他名称 α-萘乙酸、α-萘醋酸。

主要剂型 20%、40%可溶粉剂，1%、5%水剂，10%泡腾片剂。

作用特点 低毒生长调节剂。α-萘乙酸是萘类具有生长素类活性的植物生长调节剂，它有内源生长素吲哚乙酸的作用特点和生理功能，如促进细胞分裂与扩大，诱导形成不定根，增加坐果，防止落果，改变雌、雄花比率等。由根、茎、叶吸收。广泛用于农业、林业等领域，诱发不定根形成，提高树木扦插成活率，提高坐果率，防止采前落果。

防治对象 通常用于小麦、水稻、棉花、茶、桑、番茄、苹果、瓜类、马铃薯、林木等，是一种良好的植物生长刺激素。

注意事项

（1）中等毒性，刺激皮肤及黏膜，对中枢神经有麻痹作用。

（2）萘乙酸难溶于冷水，配制时可先用少量酒精溶解，再加水稀释或先加少量水调成糊状再加适量水，然后加碳酸氢钠搅拌直至全部溶解。

（3）早熟苹果品种用于疏花、疏果易产生药害，不宜使用。中午前后气温较高时不宜使用，作物开花授粉期不宜使用。

噻苯隆（thidiazuron）

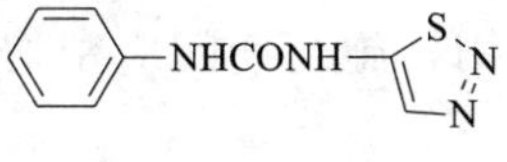

$C_9H_8N_4OS$，220.25，51707-55-2

其他名称 脱叶脲、脱叶灵、脱落宝、塞苯隆、益果灵。

主要剂型 0.1%、0.2%、0.5%可溶液剂，50%、80%可湿性粉剂，50%悬浮剂，80%水分散粒剂。

作用特点 噻苯隆为具有激动素作用的植物生长调节剂，在低浓度下能诱导植物愈伤组织分化出芽来。使用后可促进坐果和延缓叶片衰老。在棉花上使用后被棉株叶片吸收，可及早促使叶柄与茎之间的分离组织自然形成，而加速棉花落叶，有利于机械收棉花并可使棉花收获提前10天左右，有助于提高棉花品级。

防治对象 主要用于棉花、黄瓜、甜瓜、芹菜、苹果、葡萄等坐果、增产。

注意事项

(1) 施药时要严格掌握，不宜在早于棉桃开裂60%时喷洒施药，以免影响产量和质量，同时要注意降水情况，施药后2天内下雨会影响使用效果。

(2) 严格按使用时间、用量、处理方式操作。不要污染其他作物，以免产生药害。

(3) 喷药时要防止药液沾染眼睛，药后需认真清洗喷雾器，余液不要污染水源。

杀螺胺乙醇胺盐 (niclosamide-olamine)

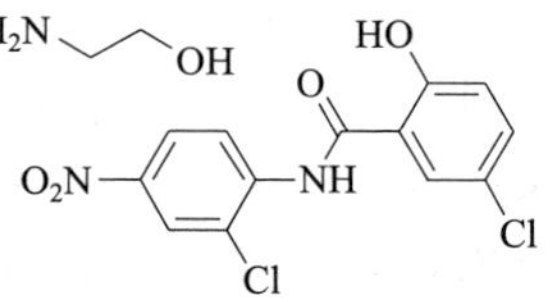

$C_{15}H_{15}Cl_2N_3O_5$，388.2，1420-04-8

其他名称 螺杀灭、百螺杀、杀螺胺、贝螺钉、氯硝柳胺乙醇胺盐。

主要剂型 25%、50%、70%、80%可湿性粉剂，0.6%、5%颗粒剂，25%、50%悬浮剂。

作用特点 对软体动物具有触杀和胃毒作用。作为呼吸作用抑制剂，通过破坏氧化磷酸化和无氧代谢，阻碍糖的摄取及代谢而降低呼吸作用，最终导致软体动物窒息死亡。

防治对象 对成螺、幼螺、螺卵、尾蚴等，有较强的杀灭作用，用于防治水稻福寿螺，对人、畜毒性低，对作物安全，使用方便。并可通过杀死淡水中相关宿主，从而有效防治人类的血吸虫病和片形吸虫病，还可防治绦虫病。

注意事项

(1) 对十字花科蔬菜、棉花有害，不宜使用。

(2) 花期蜜源作物周围禁用，施药期间应密切注意对附近蜂群的影响，蚕室及桑园附近禁用。

(3) 对鱼类等水生生物有毒，养鱼稻田禁用；施药后的田水不得直接排入河塘等水域；远离水产养殖区施药，禁止在河塘等水域内清洗施药器具。

杀鼠醚 (coumatetralyl)

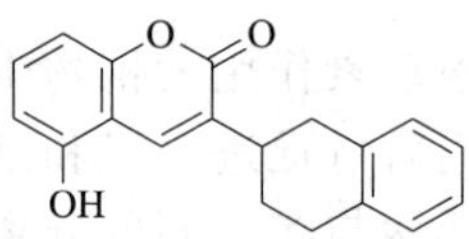

$C_{19}H_{16}O_3$，292.33，5836-29-3

其他名称 立克命、毒鼠萘、追踪粉、杀鼠萘。

主要剂型 0.75%追踪粉剂，0.0375%毒饵，3.75%母粉。

作用特点 杀鼠醚属香豆素类抗凝血杀鼠剂，具有慢性、广谱、高效、适口性好等特点。一般无二次中毒现象，安全性好。主要通过破坏机体凝血机能，损害微血管，引起内出血，导致死亡。鼠类服药后出现皮下、内脏出血，毛疏松，肌色苍白，动作迟钝，衰弱无力等症状，最终衰竭而死。可有效灭杀对杀鼠灵有抗性的鼠类。

防治对象 用于家庭住宅粮、副食仓库，家畜、家禽饲养场以及农田森林草原等地防治黑线姬鼠、黄毛鼠、褐家鼠、黄胸鼠等多种家鼠及野鼠。

注意事项

(1) 投放鼠饵时，尽量避免家禽、家畜与毒饵接近，且毒饵要现配现用。

(2) 剩余毒饵、毒饵包装物及收集的死鼠应烧掉或深埋。

(3) 本品剧毒，维生素 K_1 是其有效解毒剂；若经口中毒，需催吐。

(4) 避免小孩接触或拣拾药剂，使用过程中应避免孕妇和哺乳期妇女接触药剂。

四聚乙醛（metaldehyde）

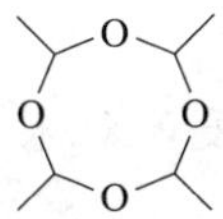

$C_8H_{16}O_4$，176.21，108-62-3

其他名称 密达、蜗牛敌、多聚乙醛。

主要剂型 6%、10%、12%颗粒剂，80%可湿性粉剂，40%悬浮剂。

作用特点 中等毒性杀螺剂。四聚乙醛是杀软体动物剂，一种神经毒物，使螺体内乙酰胆碱酯酶大量释放，破坏螺体内特殊的黏液，从而导致神经麻痹而死亡。在防治蜗牛和蛞蝓的危害方面起重要作用。本品是一种胃毒剂。对蜗牛和蛞蝓有一定的引诱作用。植物体不吸收该药，因此不会在植物体内积累。

防治对象 防治蜗牛和蛞蝓。

注意事项

(1) 施药后，不要在田中践踏。

(2) 使用本剂后应用肥皂水清洗双手及接触药物的皮肤。本品对人、畜中等毒。如误服，应立即喝 3～4 杯开水，但不要诱导呕吐。痉挛、昏迷、休克，应立即送医院诊治。

(3) 对环境有危害，对水体可造成污染。

调环酸钙（prohexadione-calcium）

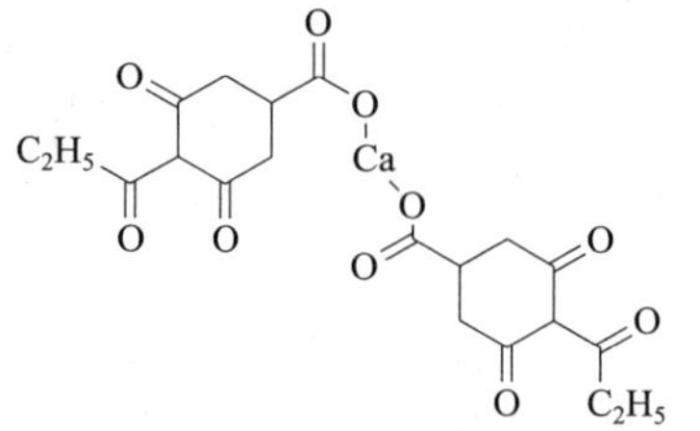

$C_{20}H_{22}CaO_{10}$，462.46，127277-53-6

其他名称 调环酸、立丰灵。

主要剂型 10%、15%、25%可湿性粉剂，5%、15%悬浮剂，5%泡腾剂。

作用特点 调环酸钙为赤霉酸生物合成抑制剂，使用后可降低赤霉酸含量，具有促进植株生长发育，减轻倒伏，促进侧芽生长和发根作用。使用后可使茎叶保持浓绿，控制开花时间，提高坐果率，促进果实成熟，除此之外，调环酸钙还可增强植物抗性。

防治对象 用于水稻、小麦、大麦和玉米等粮食作物抗倒伏；用于花卉、马铃薯、花生等控制旺长。

注意事项

（1）使用过程中应注意控制浓度，对未使用过的作物先进行试验后再推广应用。

（2）当主要用作矮化剂时，需注意作物水肥的田间管理，地块肥力差、长势弱的应控制使用。

溴敌隆（bromadiolone）

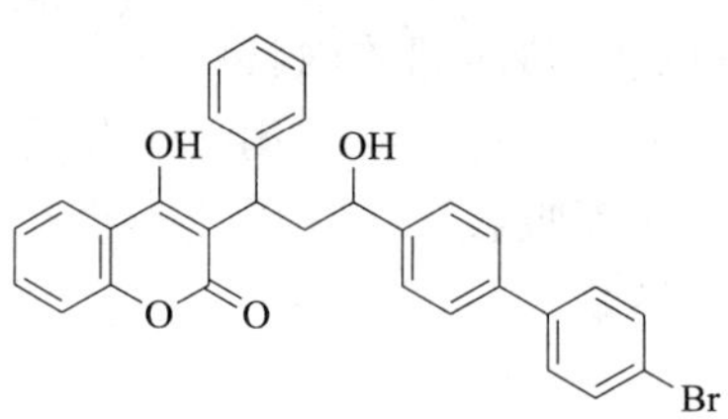

$C_{30}H_{23}BrO_4$，527.41，28772-56-7

其他名称 乐万通、扑灭鼠。

主要剂型 0.5%母液，0.005%饵剂，0.01%毒粒。

作用特点 第1代抗凝血灭鼠剂，作用缓慢、高效、靶谱广、适口性好、毒性大。该药的毒理机制主要是通过阻碍凝血酶原的合成，导致致命的出血。鼠类服药后一般 4～6 天死亡，单剂量使用对各种鼠都能有较好的防效，可以有效地杀灭对第 1 代抗凝血剂产生抗性的害鼠。

防治对象 广泛用于城乡住宅，宾馆，饭店，车，船，粮食、副食仓库，家畜、家禽饲养场，以及农田、森林、草原等各种环境下灭鼠。可有效防治各种家栖和野栖鼠类，如褐家鼠、小家鼠、高原鼢鼠、长爪沙鼠等。

注意事项

（1）避免药剂接触眼睛、鼻、口及皮肤，施药完毕后，施药者应及时彻底清洗，防止中毒。

（2）溴敌隆毒性大，毒饵配制、贮藏、运输及使用过程要有专人负责，做好防护工作，注意人身安全。

（3）溴敌隆对鱼类、水生昆虫等水生生物有中等毒性，动物取食中毒死亡的老鼠后，会引起二次中毒。灭鼠过程中，中毒死鼠应收集深埋或烧掉。

（4）万一误食应及时送医院急救，维生素 K_1 为特效解毒剂。

溴鼠灵（brodifacoum）

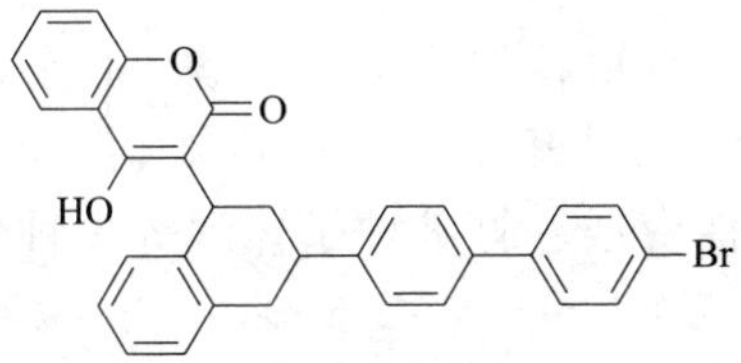

$C_{31}H_{23}O_3Br$，523.42，56073-10-0

其他名称 溴联苯鼠隆、溴鼠隆、溴联苯杀鼠萘、大隆、溴敌拿鼠。

主要剂型 0.005％毒饵，0.5％母液。

作用特点 属剧毒杀鼠剂。第 2 代抗凝血杀鼠剂，对鼠类的毒杀机理和其他 4-羟基香豆素抗凝血性杀鼠剂相同。在动物体内耗尽了维生素 K_1 的提供，使血液不能凝结，出血死亡。靶谱广、毒力强大，居抗凝血剂之首。具有急性和慢性杀鼠剂的双重优点，既可以作为急性杀鼠剂、单剂量使用防治害鼠，又可以采取小剂量、多次投饵的方式达到较好消灭害鼠的目的。中毒潜伏期一般在 3～5 天。

防治对象 用于住宅、宾馆、饭店、仓库、车、船及野外各种环境等灭鼠。

注意事项

（1）高毒杀鼠剂，应小心使用，勿在可能污染食物和饲料的地方使用。有二次中毒现象，所有死鼠应烧掉或深埋，勿使其他动物取食死鼠。

（2）猪、狗、鸟类对溴鼠灵较敏感，对其他动物则比较安全。

（3）如果误服溴鼠灵毒饵（几小时内），可用干净的手指插入喉咙引吐，并立即送往医院，服维生素 K_1 或者缓慢静脉注射均可。

乙烯利（ethephon）

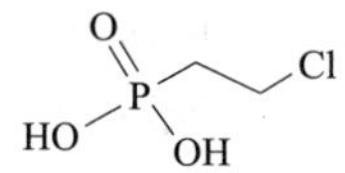

$C_2H_6ClO_3P$，144.49，16672-87-0

其他名称 一试灵、乙烯磷、2-氯乙基膦酸、艾斯勒尔、乙烯膦、玉米健壮素。

主要剂型 2%涂抹剂，40%水剂，40%、70%可溶液剂，20%、85%可溶粉剂，2.5%、5%膏剂，5%糊剂，20%颗粒剂。

作用特点 低毒生长调节剂。具有增进乳液分泌，加速成熟、脱落、衰老以及促进开花的生理效应。在一定条件下，乙烯利不仅自身能释放出乙烯，而且还能诱导植株产生乙烯。乙烯利能在植物的根、荚、花和果实等组织中放出乙烯，以调节植物的代谢、生长和发育，加速水果和蔬菜成熟和收获，还可用作水果收获后的催熟剂。

防治对象 可促进各类瓜果，如香蕉、柑橘、番茄、西瓜等早熟，可促进橡胶、漆树等吐胶，可促进黄瓜早开雌花、多开雌花，可用于棉花、烟叶的催熟，还有抑制植物生长、使植株变矮、打破种子休眠等多种作用。

注意事项

(1) 乙烯利药液对喷雾器械有一定的腐蚀作用，使用结束后，应立即清洗干净。

(2) 乙烯利遇碱金属的盐类即发生分解。因此在运输和贮藏过程中，切勿使这些物质与乙烯利接触。

(3) 乙烯利为强酸性溶液，对皮肤和眼睛有刺激作用。

(4) 不能与碱性农药混用，不能用污水配制。

吲哚丁酸（4-indol-3-ylbutyric acid）

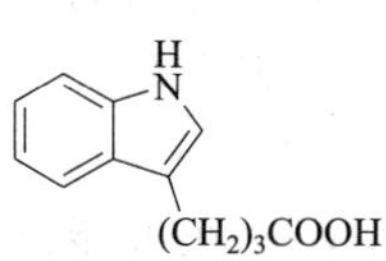

$C_{12}H_{13}NO_2$，203.24，133-32-4

其他名称 3-吲哚基丁酸、氮茚基丁酸。

主要剂型 0.5%、1%可溶液剂，1.2%水剂。

作用特点 是内源生长素，能促进细胞分裂与细胞生长，诱导形成不定根，增加坐果，防止落果，改变雌、雄花比率等。可经由叶片、树枝的嫩表皮、种子进入植物体内，随营养流输导到起作用的部位。

防治对象 广泛应用于树木、花卉的扦插生根，如苹果、桃、梨、柑橘、葡萄、猕猴桃、草莓、一品红、石竹、菊花、月季、木兰、杜鹃、茶、水杉、杨树等。

注意事项 见光易分解，产品需用黑色包装物，存放在阴凉干燥处。

吲哚乙酸（indol-3-ylacetic acid）

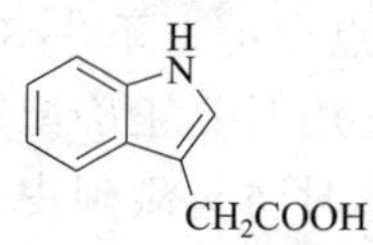

$C_{10}H_9NO_2$，175.18，87-51-4

其他名称 3-吲哚乙酸、氮茚基乙酸、茁长素、生长素、异生长素。

主要剂型 0.11%水剂。

作用特点 吲哚乙酸（IAA）是一种吲哚类具有生长素活性的广谱性植物生长调节剂，促进细胞伸长和细胞分化，进而促进植物的生长与发育。目前主要用于促进草本和木本观赏植物插枝生根。

防治对象 诱导蔬菜和水果单性结实和坐果，提高坐果率；可促进茶树、橡胶树、柞树、水杉、胡椒等作物不定根的形成，加快营养繁殖速度。

芸苔素内酯（brassinolide）

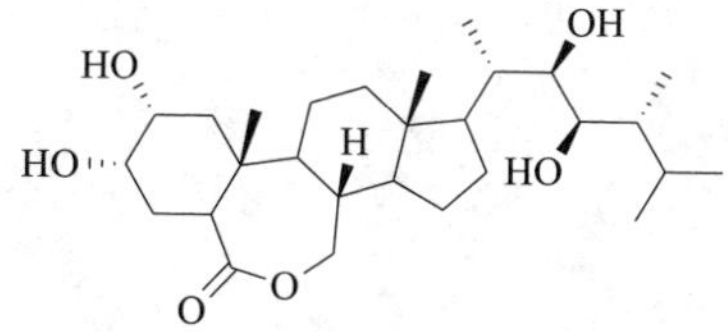

$C_{28}H_{48}O_6$，480.68，72962-43-7

其他名称 金威丰素、益丰素、天丰素、芸天力、果宝、油菜素内酯、保靓、金云大。

主要剂型 0.01%可溶液剂，0.01%、0.15%乳油，0.001%水剂。

作用特点 芸苔素内酯是一种新型甾醇类植物内源激素，在低浓度下能明显增加植物的营养体生长和促进受精作用。是国际上公认活性最高的高效、广谱、无毒的植物生长调节剂，具有使植物细胞分裂和延长的双重作用，促进根系发达，增强光合作用，提高作物叶绿素含量，促进作物对肥料的有效吸收，辅助作物劣势部分良好生长，促根壮苗、保花保果；提高作物的抗寒、抗旱、抗盐碱等抗逆性，显著减少病害的发生；并能显著缓解药害的发生，药害发生后使用可解毒，使作物快速恢复生长，并能消除病斑；芸苔素内酯还能显著增加产量和提高作物的品质。

防治对象　玉米、小麦、水稻、梨树、柑橘、香蕉、荔枝、草莓、小白菜、番茄、黄瓜、大豆、花生、葡萄、茶叶、棉花、烟草等。

注意事项

（1）下雨时不能喷药，喷药后 6 小时内下雨要重喷。

（2）喷药时间最好在上午 10 点以前，下午 3 点以后。

（3）芸苔素内酯活性较高，施用时要正确配制使用浓度，防止浓度过高。

（4）芸苔素内酯有毒性，操作时防止溅到皮肤与眼中，操作后用肥皂和清水洗净手、脸再用餐。

第四章
肥　料

第一节　肥料简介及质量标准

一、肥料及作用

养分归还学说，又称养分补偿学说，由 19 世纪德国杰出的化学家李比希提出。这一理论为现代农业的土壤管理和施肥实践提供了重要的指导原则。养分归还学说认为，随着农作物的每次收获，必然要从土壤中带走一定量的养分。这些养分是植物在生长过程中从土壤中吸收，用于自身的生长和发育。随着收获次数的增加，土壤中的养分含量会逐渐减少，如果不及时补充，将导致土壤肥力下降。为了维持土壤持续生产力和农作物的稳定产量，必须恢复土壤肥力。

将植物带走的矿质养分归还就显得很有必要，这对于恢复和维持土壤肥力具有重要意义。土壤肥力是保证作物产量的基础，不恢复和提高土壤肥力，则不可能实现持续的稳产与高产。施肥是恢复土壤肥力的主要方法。通过施肥，可以将从土壤中带走的养分归还给土壤，从而维持土壤养分的平衡。施肥的种类和数量应根据作物的需求和土壤的养分状况来确定，以确保施肥的针对性和有效性。因此，通过施肥来恢复土壤肥力是农业生产的必然选择。

养分归还学说是合理施肥的理论基础之一，尽管有一定的局限性，但养分归还学说是现代农业土壤管理和施肥实践的重要指导原则。通过了解养分带走现象、肥力恢复需求、施肥归还方法、元素保持平衡、产量提高策略、有机废弃物利用、土壤养分管理以及环保与可持续等内容，可以更好地理解和应用这一学说，它不仅对化学肥料的发展起到了巨大的推动作用，也为农业生产的可持续发展作出了巨大贡献。

什么是肥料？所谓肥料是指能直接供给植物生长发育所必需的养分，并具有培肥改土作用的一类物质。在农业生产中，肥料是不可或缺的重要资源，它们为作物提供了必要的营养元素，促进了作物的生长和发育。根据肥料来源、化学成分及形成过程，可以将肥料划分为无机肥料（化学肥料）和有机肥料两大类（表 4-1）。

表 4-1　有机肥料和化学肥料的区别

项目	有机肥料	化学肥料
来源	动植物残体、排泄物或废弃物等有机物质	大气中的物质和自然界矿石或化学合成过程
加工过程	堆置、发酵	矿物或化学合成过程，通常是通过化学方法从矿石中提取或合成而来
养分种类	成分复杂，除提供氮、磷、钾等元素外，还含有多种中微量元素和有机物质，养分全面平衡	养分种类单一，成分相对单一，主要提供作物所需的氮、磷、钾等大量元素
养分含量	养分浓度低，需要大量施用	养分浓度高，施用量少
养分形态	以有机物形式存在，需要经过微生物的分解转化后才能被作物吸收	以离子或化合物的形式存在，易于被作物吸收利用
养分供应特点	迟效，缓和，肥效期较长，养分释放缓慢，能够持续为作物提供养分	肥效期相对较短，养分释放迅速，能够满足作物快速生长的需求。但过量施用或不合理施用可能导致养分流失和环境污染
对土壤改良的影响	含有大量有机质，能够增加土壤有机质含量，改善土壤结构，提高土壤保水保肥能力，明显改土培肥，有利于土壤肥力不断提高；含有的大量有益微生物，促进土壤中的生物转化过程，促进土壤生态平衡，提高土壤生物活性	只提供无机养分，长期施用对土壤造成不良影响，使土壤“越种越馋”；长期大量施用化学肥料可抑制土壤微生物活动，导致土壤调节能力下降。长期大量施用无机肥料可能导致土壤酸化、盐渍化等问题，破坏土壤结构，降低土壤肥力
对作物的影响	生产加工过程中，只经过充分的腐熟处理，施用后可提高作物的抗旱、抗病、抗虫能力，减少农药的使用量	长期施用化肥，由于降低了植物的免疫力，往往需要施用大量的化学农药维持作物生长，造成作物中有害物质积累

肥料有“植物的粮食”的称号，能提高作物产量和品质。人们将肥料施入土壤，以供给植物所需的养分，必然会对土壤-植物系统产生影响，甚至会波及整个生物圈。因此，施肥具有双重性。科学、正确地施肥能对作物生长发育起到积极作用，从而造福于人类；反之，不但不能增产，还会降低产量，造成农产品品质的下降。其次，施肥的不科学、不合理，还会恶化土壤环境，威胁到农业的持续发展。现代农业，尤其是高度集约化的农业，是以土地的高强度利用及农用化学品的大量投入为主要特征，不合理地施肥造成土壤养分失衡、有害物质积累、

土壤酸化以及微生物种群和功能多样性衰退等退化类型的发生，严重影响土壤生态系统的稳定性及土壤功能的发挥。

科学施肥可以促进和改善农业生态系统中营养元素的平衡、交换和循环，保证作物产量和品质；科学施肥有利于地力的维持和提高，从而使得土壤这一有限资源获得永续的利用，以满足人口不断增长以及生活水平不断提高对各种农产品种类和数量的需求；科学施肥可以使植被生长茂盛，增加了地表覆盖率，减缓和防止雨滴对地表的溅蚀和地表径流的冲刷侵蚀，从而维护地表水环境；最后，科学施肥获得的良好农产品和优美环境，有益于人体健康。

二、化学肥料基本概念及特点

化学肥料，简称化肥，也称无机肥料，是在工厂中用化学方法合成制造或开采矿石，经过简单处理加工或提取而制成的肥料。目前，作为肥料提供给植物需要的氮、磷、钾以及中微量元素大都是以化肥方式投入土壤中。

当前，化学肥料品种繁多，规格各异。化学肥料一般具有以下特点：

1. 养分种类集中，有效成分高

化学肥料的成分为无机物质，养分种类比较集中。单质化学肥料中的有效营养成分只有一种，如尿素的主要营养成分只有氮素。复合或复混肥料的营养成分虽然有几种，但主要还是氮、磷、钾中的两种或三种，或者在此基础上添加中微量营养元素。作物生长需要的养分是全面的，因此，单一施用一种化学肥料满足不了植物对养分的需求，化学肥料的养分单一，可以按不同比例人为进行配合施用，这样一方面满足了各种作物对不同养分的需求，另一方面配合施用比单独施用的肥效更显著。

化学肥料的有效成分是以其中所含有效元素或者该元素氧化物的质量分数来表示。一般而言，氮肥以所含氮的质量分数表示，磷肥以五氧化二磷的质量分数表示，钾肥以氧化钾的质量分数来表示。化学肥料的有效成分远远高于有机肥料，如人粪尿一般含 N 0.5%～0.8%。尿素的氮含量为 46%，1kg 尿素相当于 70～80kg 人粪尿的氮含量。化学肥料养分含量高，便于运输、贮存和施用。

2. 肥效发挥快，但肥效短

除少数难溶于水的化学肥料，如钙镁磷肥、磷矿粉等，以及施肥后其转化成植物能吸收的形态需要较长时间的肥料，如长效氮肥等外，大多数化学肥料中含有植物可以直接吸收的养分形态或者是肥料中的养分能快速转化成植物吸收的养分形态。肥料易溶于水，施入土壤或进行根外追肥后，能够很快被植物吸收利用，肥效快而显著。水溶性肥料施入土壤后，如果不能被植物吸收利用，会流失、挥发或者被土壤固定，肥效不持久，并且肥料的利用率不高。如铵态氮肥在碱性土壤上施用易造成氨挥发；多雨、水田或者灌溉条件下施用硝态氮易随水流失；水溶性磷肥进入土壤后极易发生固定等。

3. 长期大量施用化学肥料，影响土壤性质

长期大量施用化学肥料，会造成一定程度的土壤酸化、板结和结构变差。在设施栽培中，大量施肥还会使土壤盐分增加，发生次生盐渍化，导致土壤通透性变差。长期施用生理酸性肥料，如硫酸钾、氯化钾等，其中阳离子被吸收利用，残留的硫酸根和氯离子等会导致土壤酸化。

4. 化学肥料用途广泛，但应用成本较高

有些化学肥料不但能够提供植物需要的营养元素，而且还具有一定杀虫防病的功能。如氨水对蝼蛄有驱避和杀伤的作用。由于化学肥料是高耗能产品，生产和使用成本较高。

三、化学肥料的质量标准

肥料质量标准分为国家标准、部颁标准（行业标准）和企业标准三个等级。三级标准执行的原则是：部颁标准不得与国家标准相抵触，企业标准不得与国家标准和部颁标准相抵触，也就是下位标准服从于上位标准。但很多情况下，企业标准的一些指标可以超过国家标准和部颁标准，从而使其产品具有独特的质量特点。

化学肥料质量标准是对化学肥料的质量和质量有关的各方面（如原料、工艺、品种、规格、检验方法等）所制定的衡量准则，是化学肥料质量的重要保障。化肥质量标准可以说是对化肥产品相关指标的规范要求，一般由国家或行业制定并得到广泛接受。

化学肥料作为现代农业不可或缺的生产资料，其质量标准的制定与执行对于确保农作物的健康生长和提高农产品质量至关重要。化学肥料质量标准主要涵盖养分含量、有效组分溶解度、粒度与水分要求、酸碱度及杂质限制、环保性能、包装与标识规范以及安全性能等要求。具体如下：

（一）肥料的质量指标和各等级肥料的具体要求

化学肥料类型多，每一类型化学肥料都有对应的标准。不同类型肥料及工艺生产的复合肥等，养分含量有一定差别，因此执行的具体质量标准也难以统一。

化肥质量标准和对各类化肥不同等级的具体要求，是化肥标准的核心内容，是化肥生产企业保证完成质量指标和商业部门做好商品采购、验收和供应工作的依据。掌握肥料标准，可以有效防止质量不合格的肥料产品进入市场。化肥质量的具体指标包括以下内容：

1. 肥料外形

肥料的外形多种多样，主要取决于其类型、生产工艺以及用途。品质好的肥料应保持原来盐分的形状，如尿素，纯的尿素是无色或白色针状或棒状结晶体，而用作肥料的尿素则是白色略带微红色固体颗粒，不应有粉末或少有粉末。化肥的粒度需符合一定的标准，以确保其施用均匀性和有效性。具体粒度要求因化肥种类而异。

2. 有效养分含量

有效养分含量越接近通过肥料的化学式计算的理论值，其品质越好。化学肥料的养分含量是衡量其质量的首要指标。具体标准依据肥料种类而异。如氮肥中，尿素（含氮46%）、硫酸铵（含氮20.5%～21%）、氯化铵（含氮25%）、碳酸氢铵（含氮17%）、硝酸铵（含氮34%）等；磷肥中，有过磷酸钙（含五氧化二磷16%～18%）、重过磷酸钙（含五氧化二磷40%～50%）、钙镁磷肥（含五氧化二磷16%～20%）等；复合肥则按总养分含量分为高浓度（≥40%）、中浓度（≥30%）和低浓度（≥25%）等。

3. 有效组分溶解度

化肥中有效组分在水中的溶解度通常是度量化肥有效性的标准。不同种类化肥在水中的溶解度有所不同。例如，尿素在20℃水中的溶解度为105g/100g，碳酸氢铵在20℃水中的溶解度为21.7g/100g，硝酸铵在20℃水中的溶解度为65.2g/100g。

4. 水分

水分含量是衡量化学肥料质量的重要指标之一，过高或过低的水分都会对肥料的储存、运输和使用效果产生不利影响。化学肥料一般要求水分含量越少越好。对肥料水分有两个方面的要求。其一是合格品限，是指化学肥料在生产过程中允许的水分含量范围。一般来说，化学肥料的水分含量应控制在一定范围内，以确保其稳定性和使用效果。如复合肥料的水分含量通常要求不超过2.0%或2.5%（具体数值依据不同标准而定）。过高的水分含量可能导致肥料在储存过程中结块，影响施用效果。尿素的水分含量一般要求不超过0.5%。尿素极易吸湿，高水分含量会加速其结块和变质过程。磷酸铵类肥料，如磷酸一铵、磷酸二铵等，其水分含量通常要求不超过3.0%或3.5%（依据具体产品标准而定）。这些肥料对水分较为敏感，过高的水分含量可能导致其吸湿、结块或产生不良化学反应。钾肥类肥料，如氯化钾、硫酸钾等，其水分含量要求一般不超过2.0%。钾肥对水分含量的敏感性相对较低，但仍需控制在一定范围内以保持其稳定性。

其二是合格标准，是指化学肥料在出厂前必须达到的水分含量要求。这些标准通常由相关行业协会或政府部门制定，并作为化学肥料质量评价的重要依据。各国或地区通常会根据本地农业生产和肥料使用情况，制定相应的化学肥料水分含量标准。这些标准可能因国家/地区的不同而有所差异，但总体上都是要求肥料的水分含量在一定范围内，以确保其质量和稳定性。除了国家/行业标准外，一些大型化肥生产企业还会根据自身的生产工艺、产品质量控制要求和市场需求，制定更为严格的水分含量标准。这些内部标准通常高于国家或行业标准，以进一步提升产品的质量和竞争力。为了确保化学肥料的水分含量符合相关标准，许多企业会选择将产品送往第三方检测机构进行检测和认证。这些检测机构通常具有专业的检测设备和丰富的检测经验，能够准确测量肥料的水分含量，并出具相应的检测报告和认证证书。

5. 酸碱度

不同类型化肥有不同的酸碱度要求。肥料的酸碱度是肥料的一个重要属性，它不仅影响肥料在土壤中的溶解、转化和有效性，还直接影响土壤的酸碱度和作物生长。肥料改变土壤的 pH，过高或过低的土壤 pH 值可能导致养分锁定，影响作物生长。此外，土壤酸碱度还直接影响土壤中微生物的群落结构，进而影响有机物质的分解、养分循环等生态过程。此外，不同作物对土壤酸碱度的偏好不同。茶树偏好酸性土壤，而甜菜则更适应碱性环境。正确选择肥料以调节土壤 pH 值，可以满足作物的特定需求，促进作物健康生长。化肥的酸碱度对其施用效果有着直接和间接的重要影响。施肥前，进行土壤 pH 值测试。根据作物需求和土壤条件，合理搭配酸碱性肥料。施肥时，还要注意肥料混用禁忌，某些肥料混用可能产生不良反应，降低肥效或产生毒害。如铵态肥料与碱性肥料混用会导致氨气挥发，降低氮元素含量；碱性肥料与速效磷肥混用会影响磷酸的有效性等。

6. 杂质

必须严格控制杂质。杂质的存在不但影响有效养分含量，还可能在施肥后对作物产生毒害。化肥中应严格限制杂质含量，以确保其安全性和有效性。化学肥料的限量指标一般包括砷、汞、铅、镉、铬等重金属含量。此外，尿素中还限制缩二脲的含量。

7. 其他

如磷肥中要控制游离酸的含量，游离酸危害作物生长，应尽可能降低到最低限度。

上述各指标的不同含量对应着肥料的不同等级。对于不同等级的肥料而言，上述要求一般以生产水平为基础，以更高一级水平为方向。原则就是既不宜过高，也不宜过低。过高的要求，如果肥料生产厂家不改进设备，是难以完成的；过低则影响肥料肥效的发挥，也阻碍先进技术的应用与发展。

（二）化学肥料取样方法和检验方法

化学肥料的取样方法和检验方法是确保其质量和安全性的重要手段。通过科学合理的取样和全面准确的检验，可以为农业生产提供有力保障。化学肥料的取样是确保检测结果准确性和代表性的关键步骤。通过选择代表性的肥料样品并采取规定的检验方法，确保获得的化学肥料达到质量标准。其内容包括：每批肥料应抽检多少量；具体的采样方法和数量；采样工具；肥料样品的检验分析前处理和保存方法等。

1. 化学肥料常用取样方法

（1）随机抽样　随机抽样可以避免受主观因素的影响，确保每一样品被抽中的可能性完全相同。在进行取样前，任意选出一定数量的件号，然后从这些件中选取代表样。实际操作中，通常从堆桩的不同部位任意抽取货件，直至件数达到规定量，然后从每件中取样。这种方法应用最广，适用于袋装或容器装的化学肥料。

（2）机械抽样　机械抽样是按照预先定出的规则抽取一定数目的样品。例如，某批化学肥料共 100 件，按规定抽取 10 件，可按件号顺序，每隔 10 件抽取 1 件。这种方法适用于货品数量较多且希望按一定规则进行抽样的情况。

（3）整群取样　整群取样是以一定数量的货品作为一组，再用随机抽样或机械抽样的方法抽出若干组作为抽样样品。例如，在化学肥料装卸过程中，每隔 1h 抽取 5 件，然后从所得的货品中采取代表样。这种方法适用于货品在装卸或运输过程中需要连续取样的情况。

（4）批量取样法　将分散在一个批次中的肥料按比例混合，然后从混合样品中取出一部分进行化学分析或其他检测。这种方法适用于大批量的散装肥料。

（5）袋内混合取样法　对于袋装肥料，首先将袋内的肥料充分混合均匀，然后从中取出一部分肥料进行检测。这种方法适用于袋装肥料，尤其是当袋内肥料可能存在不均匀分布时。

（6）井孔取样法　对于散装肥料储存在井孔或仓库中的情况，可以使用钢管或者其他取样器从井孔或仓库中取出一部分肥料进行检测。这种方法适用于储存条件较为特殊的散装肥料。

根据肥料的形态（固体或液体）和储存方式（袋装、散装等）选择合适的取样方法和工具。在取样过程中，要保持取样工具的清洁，避免污染样品。同时记录好取样的位置、时间等信息，以便后续对样品进行准确分析和评价。

每项指标的检验都有具体规定的检验方法。内容包括：每项指标的概念、含义；检验分析所需要的仪器种类和规格；检验所需试剂的种类、规格和配制方法；检验的操作程序、注意事项以及操作方法；检验分析获得数据的计算方法等。

2. 化学肥料常见的检验方法

（1）理化项目检验　pH 值测定（pH 计法）、水分测定（干燥法或卡尔·费休法）、密度测定（密度计或比重瓶法）、粒度测定（筛分法或激光粒度分析仪测定）。

（2）元素项目检验　总氮（凯氏定氮法）、有效磷（钒钼黄比色法）、钾（火焰光度计法）、微量元素（原子吸收光谱法、电感耦合等离子体发射光谱法）；重金属元素（原子荧光光谱法、电感耦合等离子体质谱法）。

（3）其他检验方法　外观检查：观察肥料的颜色、形态、结晶状态等；溶解性检查：将肥料置于水中观察其溶解情况；灼烧检查：将肥料样品置于高温下灼烧，观察其燃烧、熔化、焰色、烟味与残渣等情况。

在检验过程中，应严格按照相关标准和规定进行操作，确保检测结果的准确性和可靠性。同时，对于不同类型的肥料，应根据其特点和检测需求选择合适的检验仪器和方法。

（三）化学肥料的标识

市场上经常发现一些肥料只标出总养分，而不标出易引起作物伤害的成分，如氯离子；或者用大字体标明养分含量，而在不容易引起人注意的地方用小字体标出其含量误差范围。这严重损害消费者的经济利益，也破坏了肥料市场的经济秩序。为强化肥料生产企业的诚信意识，杜绝包装标识混乱、产品名不副实等现象，让农民对所购买肥料的基本情况有所了解，国家质量监督检验检疫局于 2021 年 4 月 30 日发布了国家标准《肥料标识　内容和要求》（GB 18382—2021）。自 2022 年 5 月 1 日起，肥料生产企业生产的肥料销售包装上的肥料标识应符合该标准；自 2022 年 5 月 1 日起，市场上停止销售肥料标识不符合该标准的肥料。该标准为强制执行性标准，由全国肥料和土壤调理剂标准化技术委员会归口并负责解释。因此，应按照规定对肥料进行标识。

1. 标识内容遵循的基本原则

（1）标识所标注的所有内容必须符合国家法律和法规的规定，并符合相应产品标准的规定；

（2）标识所标注的所有内容，必须准确、科学、通俗易懂；

（3）标识所标注的所有内容，不得以错误的、引起误解的欺骗性的方式描述或介绍肥料；

（4）标识所标注的所有内容，不得以直接或间接暗示性的语言、图形、符号导致用户将肥料或肥料的某一性质与另一肥料产品混淆。

2. 标识内容

（1）标明执行国家标准、行业标准、地方标准的产品按相应标准中的规定标注通用名称。标明执行团体标准、企业标准的产品，通用名称应使用GB/T 32741—2016的“4.1 按养分分类”中相对应的类别名称，或使用GB/T 6274—2016的“2.2 产品术语”中相对应的产品名称。需要肥料登记管理的产品按已取得的有效登记的名称标注。

（2）如标注商品名称（或者特殊用途的肥料名称），不应引起用户、消费者误解和混淆。已获登记的肥料产品，按有效登记批准的名称标注。商品名称仅可在通用名称（标准名称）下以小于通用名称的字体予以标注。商品名称应以文字标注，不应以图案标注，如含有修饰性词语，应符合相应国家标准、行业标准、地方标准要求。

（3）肥料名称（包括商品名称）中不应带有不实、夸大性质的词语及谐音，包括但不限于：高效、特效、全元、多元、高产、双效、多效、增长、促长、高肥力、霸、王、神、灵、宝、圣、活性、活力、强力、激活、抗逆、抗害、高能、多能、全营养、保绿、保花、保果等。与肥料名称标注在同一行的内容（包括文字和图案）也应符合本条要求。

（4）所标注的带标记的商标应为经注册登记的合法商标。

3. 养分含量

养分含量标识有通用的规定，具体如下：

（1）应以单一数值标明养分的含量，固体产品用质量分数（%）计、液体产品用质量分数（%）或体积浓度（g/L）计；

（2）氮含量以N计，磷含量以P_2O_5计，钾含量以K_2O计，中量和微量元素以元素单质计；

（3）养分含量应以单一包装声明净含量的总物料为基础计算并标明，不应将包装容器内的物料拆分标注养分含量（如黑粒中有机质20%，灰粒中总养分25%）；

（4）不应以“总有效成分”“总含量”“总指标值”等与总养分相混淆。

细分到具体的肥料类型，养分含量的标注要求如下：

（1）单一肥料

① 应标明单一养分的百分含量；

② 若加入中量元素、微量元素，可标明中量元素、微量元素（以元素单质计，下同），应按中量元素、微量元素两种类型分别标明各单养分含量及各自相应的总含量，不得将中量元素、微量元素含量与主要养分相加。微量元素含量低

于0.02%或（和）中量元素含量低于2%的不得标明。

（2）复混肥料（复合肥料）

① 应标明N、P_2O_5、K_2O总养分的百分含量，总养分标明值应不低于配合式中单养分标明值之和，不得将其他元素或化合物计入总养分。

② 应以配合式分别标明总氮、有效五氧化二磷、氧化钾的百分含量，如氮磷钾复混肥料15-15-15。二元肥料应在不含单养分的位置标以“0”，如氮钾复混肥料15-0-10。

③ 若加入中量元素、微量元素，不在包装容器和质量证明书上标明（有国家标准或行业标准规定的除外）。

（3）中量元素肥料

① 应分别单独标明各中量元素养分含量及中量元素养分含量之和。含量小于4.0%的单一中量元素不得标明。

② 若加入微量元素，可标明微量元素，应分别标明各微量元素的含量及总含量，不得将微量元素含量与中量元素相加。微量元素的质量分数低于0.02%的不得标明。

（4）微量元素肥料　应分别标出各种微量元素的单一含量及微量元素养分含量之和。

（5）其他添加含量

① 若加入其他添加物，可标明其他添加物，应分别标明各添加物的含量及总含量，不得将添加物含量与主要养分相加。

② 产品标准中规定需要限制并标明的物质或元素等应单独标明。

4. 生产许可证编号

对国家实施生产许可证管理的产品，应标明生产许可证的编号。

5. 生产者或经销者的名称、地址

应标明经依法登记注册并能承担产品质量责任的生产者或经销者名称、地址。

6. 生产日期或批号

应在产品合格证、质量证明书或产品外包装上标明肥料产品的生产日期或批号。

7. 肥料标准

应标明肥料产品所执行的标准编号。

有国家或行业标准的肥料产品，如标明标准中未有规定的其他元素或添加物，应制定企业标准，该企业标准应包括所添加元素或添加物的分析方法，并应

同时标明国家标准（或行业标准）和企业标准。

8. 警示说明

运输、贮存、使用过程中存在不当行为，易造成财产损坏或危害人体健康和安全的，应有警示说明。

(四) 肥料的包装和贮存

1. 包装材料选择

肥料的包装材料应具备良好的物理和化学稳定性，能够抵抗肥料可能产生的腐蚀、渗透和化学反应。常见的包装材料包括聚乙烯（PE）、聚丙烯（PP）、多层复合膜等塑料材料，以及牛皮纸、编织袋等纸质或纤维材料。选择包装材料时，应考虑肥料的种类、性质、存储期限及运输条件，确保包装材料能有效隔绝空气、水分和杂质，防止肥料变质或污染。

2. 包装密封性要求

包装密封性是防止肥料在储存和运输过程中受潮、挥发或混入杂质的关键。所有包装必须紧密无漏，采用热封、缝制或使用黏合剂等方式确保密封效果。对于液体或膏状肥料，应采用防漏容器，如塑料桶、玻璃瓶等，并配备紧密的瓶盖或塞子。

3. 标志内容规范

肥料包装上的标志应清晰、准确、不易褪色。

4. 警示标识设置

对于具有腐蚀性、易燃性、有毒性或其他特殊性质的肥料，包装上应设置醒目的警示标识，如“腐蚀性”“易燃”“有毒”“勿食”“戴手套操作”等，以提醒使用者注意安全，采取必要的防护措施。

此外，标准还规范了肥料的保存环境、防火防潮及防破损防泄漏等措施、搬运和堆存的要求、检查制度和保存期限等，以防止肥料质量变化和危险情况发生。

1. 保管温湿度条件

肥料的保管温湿度条件直接影响其品质和有效期。大多数肥料应储存在干燥、通风、阴凉处，避免阳光直射和高温。具体温湿度要求根据肥料类型而定，一般室温下（15～30℃）相对湿度不超过70%为宜。对于易吸湿的肥料，如尿素，需特别注意防潮。

2. 防火防潮措施

仓库应配备有效的防火设施，如灭火器、消防栓等，并定期进行检查和维护。同时，采取必要的防潮措施，如铺设防潮垫、使用除湿机等，以保持仓库内环境干燥。对于易燃肥料，应单独存放，远离火源，并设置明显的“禁止烟火”标志。

3. 防破损防泄漏

在包装、装卸和运输过程中，应采取有效措施防止肥料包装破损和泄漏。包装设计时，应考虑增加强度、使用缓冲材料等以提高抗破损能力。装卸时，应轻拿轻放，避免剧烈震动和撞击。运输过程中，应定期检查包装状况，及时发现并处理潜在的破损或泄漏风险。

4. 肥料搬运安全要求

在搬运肥料时，首要考虑的是安全问题。以下是一些关键的搬运安全要求：

（1）个人防护　搬运人员应穿戴适当的防护服、手套和防护眼镜，以防止肥料直接接触皮肤或眼睛。对于有毒或腐蚀性肥料，应使用防毒面具和呼吸防护装备。

（2）正确搬运方法　使用合适的搬运工具，如叉车、吊车或手推车，确保肥料包装稳定、牢固。避免使用破损的包装或容器，以防止肥料泄漏。

（3）标识识别　搬运前，应仔细检查肥料包装上的标签和标识，了解其成分、性质和安全要求，以便采取正确的搬运措施。

（4）团队协作　在搬运重型肥料时，应多人协作，确保搬运过程安全和顺利。

5. 堆存的要求

堆存环境选择，选择合适的堆存环境对于肥料的保存至关重要。对堆放环境的要求如下：

（1）干燥通风　肥料应存放在干燥、通风良好的仓库中，以防止受潮和霉变；

（2）阴凉避光　避免阳光直射和高温环境，以免肥料分解或变质；

（3）地面处理　仓库地面应平整、干燥，并铺设防潮垫或木板，以防止肥料与地面直接接触；

（4）远离火源　肥料仓库应远离火源和易燃物品，确保消防安全。

6. 堆码高度限制

为确保肥料堆存的安全和稳定，应限制堆码高度。一般来说，堆码高度应根据肥料的类型、包装形式和仓库条件来确定。对于重型或易碎的肥料，堆码高度应适当降低，以防止倒塌或破损。同时，堆码时应保持平衡，避免倾斜或偏移。

7. 分类分别存放

不同类型的肥料应分类存放，以防止相互污染或发生化学反应。例如，氮肥、磷肥和钾肥应分别存放，避免混合导致养分失效。同时，对于有毒或腐蚀性肥料，应设置专门的存放区域，并采取必要的隔离措施。

8. 定期检查制度

为确保肥料的保存质量和安全，应建立定期检查制度。检查内容包括：

（1）包装完整性　检查肥料包装是否完好、无破损或泄漏；

（2）仓库环境　检查仓库的温度、湿度和通风情况，确保符合肥料保存要求；

（3）肥料质量　检查肥料是否有结块、变色或异味等异常情况；

（4）安全设施　检查仓库的防火、防盗和防潮设施是否完好有效。

9. 保存期限说明

肥料的保存期限取决于其类型、包装和储存条件。一般来说，袋装肥料在干燥、通风良好的条件下，保存期限可达一年至两年。然而，对于易分解或易挥发的肥料，保存期限可能较短。因此，在使用前，应仔细检查肥料的生产日期和保存期限，避免使用过期肥料。

10. 异常及时处理

在检查过程中，如发现肥料存在异常情况，如包装破损、泄漏、变色或异味等，应立即停止使用，并采取措施进行处理。对于破损的包装，应及时更换或修补；对于泄漏的肥料，应迅速收集并妥善处理；对于变质的肥料，应作为废弃物处理，避免对环境造成污染。

（五）运输安全规定

在化肥质量标准中，明确规定了肥料运输的相关事项。肥料运输应遵循相关安全规定，确保包装完好、牢固，防止在运输过程中破损、泄漏。对于液体或易碎肥料，应采取防漏、防震包装。运输车辆应具备相应的防护设施，如防雨篷、固定装置等，驾驶员需了解所运肥料的性质及应急处理措施。此外，应合理规划运输路线，避免经过居民区、水源地等敏感区域。综上所述，肥料的包装、标志、保管和运输条件直接关系到肥料的安全使用、有效性和环境保护。遵循上述规范和要求，可以确保肥料从生产到使用的每一个环节都符合安全、高效、环保的原则。具体规范要求如下：

1. 资质证件要求

从事肥料运输的单位和个人必须具备相应的资质证件，包括但不限于道路运输经营许可证、危险化学品运输许可证（针对部分特殊肥料）、车辆行驶证、驾驶员驾驶证等。所有证件需在有效期内，并应定期接受相关部门的审核与检查，确保运输活动的合法性和安全性。

2. 车辆技术状况

运输肥料的车辆必须符合国家安全标准，具备良好的技术状况。车辆应定期进行保养和维护，确保刹车、转向、灯光等关键部件性能良好。同时，车辆应配备有效的灭火器材、应急工具和防护装备，以应对可能发生的紧急情况。

3. 包装严密性

肥料的包装必须严密无漏，能够承受运输过程中的正常冲击和震动。对于液体或易挥发肥料，应采用密封容器，并设置防泄漏装置。包装上应清晰标注产品名称、成分、生产日期、生产厂家等信息，以及必要的安全警示标志。

4. 防误食混放

为避免肥料与其他物品混放导致误食或化学反应，运输过程中应将肥料单独存放，并采取必要的隔离措施。同时，应向驾驶员和押运员提供详细的货物清单和安全操作指南，确保他们了解肥料的性质和运输要求。

5. 防潮防晒措施

根据肥料的性质，应采取相应的防潮和防晒措施。对于易吸湿的肥料，应在包装内放置干燥剂或使用防潮包装材料。对于易挥发的肥料，应避免阳光直射，使用遮阳网或篷布进行遮盖。

6. 防火防爆安全

部分肥料具有易燃易爆性质，运输过程中应严格遵守防火防爆规定。车辆应配备有效的防火设备，如灭火器、沙土等，并定期检查其有效性。在运输易燃易爆肥料时，应严格控制车速，避免急刹车和急转弯，以减少摩擦和碰撞产生的火花。

7. 应急预案制定

为确保运输安全，应针对可能发生的紧急情况制定详细的应急预案。预案应包括事故报告程序、应急处置措施、人员疏散方案、救援联系方式等内容。同时，应定期组织应急演练，提高驾驶员和押运员的应急处理能力和协作水平。

8. 安全操作规范

在运输过程中，驾驶员和押运员应严格遵守安全操作规范。包括了解肥料的性质和运输要求，正确装载和卸载货物；遵守交通规则，保持安全车速和车距；定期检查车辆和货物状态，及时发现并处理异常情况；保持通信畅通，随时报告运输进展和安全状况。

第二节　化肥分类

化肥是工厂里经过化学合成和精细加工而成的无机化合物，其养分形态能被作物直接吸收。化肥的分类依据很多，主要如下。

一、按所含养分元素类型分类

1. 氮肥

指主要含有氮元素的化肥。氮素是蛋白质的主要成分，是生命活动的物质基础，被称为生命元素。蛋白质平均含氮 16%，是细胞原生质的重要组成成分。氮素还通过酶的催化效应影响多种生化反应，植物体内的许多重要活性物质也都是含氮化合物，例如多种维生素、植物激素、生物碱、磷脂、叶绿素等。因此，氮素对许多物质转化过程产生重要影响，是植物不可或缺的营养元素，被称为生命元素。氮肥是植物生长所需的最主要的营养元素之一，也是肥料三要素之一。

常见的氮肥有铵态氮肥、硝态氮肥、酰胺态氮肥和缓/控释氮肥。铵态氮肥为含有铵根离子（NH_4^+）或氨（NH_3）的含氮化合物。常见的铵态氮肥包括硫酸铵、氨水、碳酸氢铵、液氨、氯化铵等。硝态氮肥为含有硝酸根离子（NO_3^-）的含氮化合物。常见的硝态氮肥有硝酸铵、硝酸钙、硝酸钠、硝酸钾等。酰胺态氮肥主要以尿素为代表。尿素是含氮量最高的固体氮肥，也是目前国际上使用最多的氮肥品种。缓/控释氮肥是一种特殊类型的氮肥，通过化学或物理方法使氮肥的有效养分在土壤中缓慢释放。缓/控释氮肥比常规氮肥肥效长而缓，氮素利用率高，有助于提高作物产量。常见的缓/控释氮肥包括有机合成的长效氮肥（如脲甲醛、异丁叉二脲等）、包膜尿素（如硫包衣尿素、腐植酸尿素等）以及稳定性氮肥（加入硝化抑制剂和/或脲酶抑制剂的氮肥）等。

2. 磷肥

主要含有磷（P）元素。磷素作为一种重要的营养元素，在生物体（包括植物和人体）内发挥着至关重要的作用。磷是构成植物细胞的重要成分，是植物细胞核、原生质和细胞核内染色体中的主要成分，还是磷脂、三磷酸腺苷（ATP）等有机磷化合物的组成部分，这些物质在植物体内具有重要的生理功能。磷促进植物生长发育，表现为磷能促进植物细胞分裂、增殖和根系发育，从而加速植物的生长速度，磷还能促进植物花芽分化和果实发育，提高作物产量和品质。磷能增强植物抗逆性，提高植物细胞原生质的缓冲能力，增强植物对不良环境的抵抗能力，如抗旱、抗寒、抗盐碱等。磷参与植物代谢过程，如磷是多种酶的组分，参与植物体内的多种代谢过程，如糖代谢、脂肪代谢和能量代谢等，磷还能促进光合作用中光能的转化和碳水化合物的合成与转运。

根据磷肥化学性质和物理形态的不同，可以分为水溶性磷肥、弱酸性磷肥、难溶性磷肥、复合磷肥和有机磷肥等多种类型。水溶性磷肥中的磷素易溶于水，可被植物直接吸收利用。常见的品种有过磷酸钙、重过磷酸钙、磷酸一铵、磷酸二铵等。这类磷肥适合于各种土壤和作物，且肥效快。弱酸性磷肥是指能溶于2%柠檬酸的磷肥，也被称为弱酸性磷肥。常见的品种有钙镁磷肥、沉淀磷肥、钢渣磷肥、偏磷酸钙、硝酸磷肥等。这类磷肥在某些特定土壤条件下（如酸性或碱性土壤）可能有更好的表现。难溶性磷肥为只能溶于强酸的磷肥，被称为难溶性磷肥。常见的品种有各种磷矿粉、骨粉和磷质海鸟粪等。这类磷肥通常需要经过土壤中的酸溶解、转化后才能被植物利用，因此肥效较慢但持久。复合磷肥是指将磷酸盐肥料与其他肥料混合使用的一种肥料。如磷酸二铵和尿素的复合肥料就同时含有磷和氮两种营养元素。这类磷肥可以满足作物对多种营养元素的需求，提高肥料利用率。有机磷肥是指以磷酸盐为主要成分，加入有机物质而制成的肥料。这种肥料不仅含有磷元素，还含有有机物质，可以改善土壤结构，提高土壤肥力。此外，还有一些特殊类型的磷肥，如枸溶性磷肥（如钙镁磷肥中的部分成分）和长效磷肥（通过化学或物理方法使磷肥的有效养分在土壤中缓慢释放的肥料）。这些磷肥在满足作物营养需求的同时，也有助于改善土壤环境和提高土壤肥力。

3. 钾肥

主要含有钾（K）元素。钾能促进植物生长发育，钾是植物体内多种酶的活化剂，对植物体内的多种代谢过程有促进作用，如蛋白质合成、光合作用等，钾促进植物细胞的分裂和伸长，从而提高植物的生长速度。钾可以增强植物抗逆性，钾能增强植物对干旱、寒冷、盐碱、病虫害等不良环境的抵抗能力，有助于植物维持正常的细胞渗透压，减少水分流失，防止植物枯萎。钾能提高作物产量和品质，钾通过促进植物的光合作用和物质转运，提高作物的产量，钾还能改善作物的品质，如使果实着色好、减少畸形果比重，提高产品中糖分和维生素的含量等。钾参与植物体内物质运输和调节，钾与植物组织中水、营养物质和碳水化合物的运输有关。钾有助于调节气孔的打开和关闭，从而调节水、氧气和二氧化碳的交换。

常见的钾肥有硫酸钾、氯化钾、硝酸钾、草木灰、磷酸二氢钾、腐植酸钾等。

4. 中量元素肥料

中量元素包括钙、镁和硫。钙是植物必需的中量元素之一，对植物的生长和发育起着至关重要的作用。中量元素肥料指含有钙、镁、硫元素的肥料。

钙能稳定细胞结构，钙与果胶酸结合后固定在细胞壁中，能够稳定细胞壁结构，增强植物的抗病力和抗倒伏能力；调节渗透压，通过钙离子在液泡中起着重要的渗透调节作用，有助于植物细胞维持正常的渗透压；促进养分吸收，主要表现在钙能促进植物对硝态氮的吸收，提高养分利用率；增强抗逆性，如足量的钙能增强植物对环境胁迫的抗逆能力，如减轻重金属或酸性对植物的毒害作用等，此外钙能延缓衰老，钙通过对细胞膜透性的调节作用减弱乙烯的生物合成作用，从而延缓植物衰老；钙能提高品质，如在果实发育过程中，供应充足的钙有利于干物质的积累，提高作物品质。

根据形态和成分的不同，钙肥可以分为多种类型，包括生石灰、消石灰、硝酸钙、氯化钙、螯合钙等，此外，钙镁磷肥、草木灰、白云石、骨粉、贝壳粉等也能为作物提供钙元素。

镁是植物进行光合作用和蛋白质合成过程中不可或缺的元素，其营养特性主要包括：参与光合作用，镁是叶绿素分子的中心原子，光合作用离不开镁。缺镁会导致叶绿素含量下降，影响植物的光合作用效率；镁促进蛋白质合成，镁作为核糖体的结构组分，可稳定核糖体颗粒在蛋白质合成中所需的构型，还可激活氨基酸生成多肽链，进而合成蛋白质；镁参与酶活化，镁作为多种酶的辅助因子，参与植物体光合作用、糖酵解、三羧酸循环、呼吸作用、硝酸盐还原等过程的酶几乎都需要镁来激活；镁能提高植物抗逆性，增强植物对干旱、低温等不利环境的适应能力。

镁肥根据其溶解性可分为水溶性镁肥、微溶性镁肥和液态镁肥三大类。水溶性镁肥主要包括硫酸镁、氯化镁、钾镁肥等。这类镁肥易溶于水，易被植物吸收利用。其中，硫酸镁是最常用的水溶性镁肥之一；微溶性镁肥主要包括磷酸镁铵、钙镁磷肥、白云石和菱镁矿等。这类镁肥的溶解度较低，但在土壤中能缓慢释放镁离子，供植物吸收利用；液态镁肥主要是水溶性镁肥的水溶液，如糖醇镁等。这类镁肥易于叶面喷施，能迅速补充植物对镁的需求。

硫是植物必需的中量元素之一，参与植物的多种生理生化过程。硫的营养特性主要包括：①参与蛋白质合成，硫是蛋白质、氨基酸的组成成分，是酶化反应活性中心的必需元素。缺硫会导致植物生长受阻，叶片失绿或黄化。②硫影响光合作用，硫以硫脂方式组成叶绿体基粒片层，形成铁氧还蛋白的铁硫中心参与暗反应。硫还是铁氧还蛋白的重要组分，在光合作用及氧化物的还原中起电子转移作用。③硫促进豆科植物固氮，硫构成固氮酶系统铁氧还蛋白的铁硫中心，能促进豆科植物根瘤的形成，是豆科植物和其他生物固氮所必需的。④硫能提高抗逆性，硫通过增加植株体内可溶氮、硫、葡萄糖、蛋氨酸及胱氨酸含量，提高植物的抗冻能力。在水分及盐分胁迫下，某些植物形成含硫化合物作为胞质渗压剂，提高抗逆性。

硫肥的种类繁多。元素硫（硫黄），是最常见的硫肥之一，施入土壤后需经硫细菌氧化形成硫酸盐才能被作物吸收利用；石膏既含有一定的硫元素，同时还含有钙元素，具有改善土壤性质和提供作物营养双重作用；硫铵含有硫和氮两种营养元素，是一种优质的复合肥；硫酸钾含有硫和钾两种营养元素，适用于缺硫和缺钾的土壤；磷酸钙则是含有磷、硫等多种营养元素，适用于缺磷和缺硫的土壤。此外，还有多硫化铵、硫黄包膜尿素等含硫肥料。

5. 微量元素肥料

微量元素肥料，简称微肥，是指含有植物生长所必需的铁（Fe）、锌（Zn）、铜（Cu）、锰（Mn）、钼（Mo）、硼（B）、氯（Cl）等微量元素的肥料。微量元素肥料根据其含有的主要微量元素不同，可以分为多种类型。硼肥包括硼酸、硼砂、硼镁肥、含硼过磷酸钙、含硼玻璃肥料等。硼对植物的花粉萌发和花粉管伸长有重要作用，能促进作物的生殖生长。锌肥包括硫酸锌、硝酸锌、碳酸锌、氯化锌、氧化锌、螯合锌等。锌对植物的伸长生长有重要作用，能促进蛋白质的合成和植物呼吸作用。钼肥包括钼酸铵、钼酸钠、钼酸钙、三氧化钼、含钼玻璃肥料等。钼是植物体内多种酶的辅基成分，参与植物体内的固氮作用、光合作用和呼吸作用等代谢过程。铁肥包括硫酸亚铁、硫酸铁、硫酸铵铁、磷酸铵铁、螯合铁等。铁是植物叶绿体形成的关键元素，缺铁会导致幼叶首先失绿，表现“黄叶病”。锰肥包括硫酸锰、硝酸锰、碳酸锰、氯化锰、氧化锰、螯合锰等。锰是植物体内多种酶的活化剂，参与光合作用、呼吸作用、氮代谢等过程。铜肥包括硫酸铜、硝酸铜、碳酸铜、氧化铜、氧化亚铜、磷酸铵铜、螯合铜等。铜参与植物体内多种氧化酶的合成和植物呼吸作用，对植物的光合作用、氮代谢等也有影响。氯肥，氯施用多伴随其他养分施入而进入土壤，虽然氯在某些作物上可能表现为毒害作用，但氯也是植物必需的微量元素之一，参与植物的光合作用、渗透调节和离子平衡等过程。

植物必需的微量元素包括铁（Fe）、锰（Mn）、锌（Zn）、铜（Cu）、硼（B）、钼（Mo）、氯（Cl）等。这些元素在植物体内的含量虽然很少，但对植物的生长发育和代谢过程起着至关重要的作用。

6. 有益元素肥料

有益元素指未被列为植物必需营养元素（17 种），但在特定环境或作物中能改善生长、增强抗性的元素，如硅（Si）、硒（Se）、钴（Co）、钠（Na）等。有益元素肥料施用要有针对性，即需根据作物种类和土壤条件选择，如硅肥多用于禾本科作物，硒肥需结合富硒土壤或叶面喷施。有益元素肥料要发挥协同效应，要与必需元素配合使用效果更佳，如硅与钾协同增强抗逆性，硒与硫结合可提高吸收效率；有益元素肥料施用要注意安全性，部分有益元素，如硒过量易产生毒害。此外，还要注重环保性。

含硅的肥料有硅酸钠、硅钙肥和腐植酸硅肥等，硅肥能增强细胞壁强度，提高抗倒伏、抗病虫害能力；促进光合作用，尤其适用于喜硅的水稻和甘蔗。含硒的肥料有硫酸钴和氯化钴，具有提升作物硒含量，增强人体抗氧化功能，适用于富硒大米、茶叶等经济作物；含钴的肥料有硫酸钴和氯化钴等，具有促进豆科植物根瘤菌固氮，提升蛋白质合成的作用，主要用于大豆、苜蓿等豆科作物；含钠的肥料有氯化钠、硝酸钠，钠能替代部分钾功能，调节渗透压，增强耐盐性，促进甜菜、菠菜、棕榈科作物等喜钠作物生长。

7. 复合肥料

复合肥料是指含有两种或两种以上主要营养元素（通常指氮、磷、钾）的化肥。

（1）按营养元素分类

① 二元复合肥：含有氮、磷、钾中的两种营养元素。

② 三元复合肥：同时含有氮、磷、钾三种营养元素。

③ 多元复合肥：除了含有氮、磷、钾外，还含有其他中微量元素。

（2）按制造工艺分类

① 化成复合肥：通过化学方法制成的复合肥料，如磷酸二氢钾。

② 配成复合肥：采用两种或多种单质肥料在化肥生产厂家经过一定的加工工艺重新造粒而成的含有多种元素的复合肥，如常见的复混肥。

③ 混成复合肥：将几种肥料通过机械混合制成的复合肥，如氯磷铵。

（3）按用途分类

① 专用复合肥：如水稻专用肥、玉米专用肥、茶叶专用肥等，根据作物的需肥特性量身定制。

② 通用复合肥：适用于多种作物的复合肥。

二、按酸碱性质分类

肥料的酸碱性分为化学酸碱性和生理酸碱性。化学酸碱性是肥料本身的化学性质，是肥料溶于水后所呈现的酸碱性。生理酸碱性则是肥料施用到土壤中，经过作物的吸收作用后，土壤所呈现的酸碱性。这是肥料在土壤中的实际作用效果。

1. 肥料的化学酸碱性

根据肥料在水中溶解后的 pH 值进行分类，分为：

（1）化学酸性肥料　这类肥料的水溶液呈现酸性，即 pH 值小于 7。过磷酸钙和硫酸亚铁等肥料就属于此类。它们特别适用于碱性土壤，能帮助调节土壤 pH 值，促进磷、铁等元素的吸收。

（2）化学碱性肥料　这类肥料的水溶液呈碱性，pH 值大于 7。常见的有碳铵、石灰氮、钙镁磷肥等。在酸性土壤中施用碱性肥料可以中和土壤酸度，改善作物生长环境。此外，液氨、氨水等的水溶液也是呈碱性的。

（3）化学中性肥料　这类肥料溶于水后，其水溶液的 pH 值等于 7，呈现中性。尿素、硫铵、氯铵以及硝铵等均属于此类。

2. 肥料的生理酸碱性

除化学酸碱性外，还需考虑肥料的生理酸碱性。肥料的生理酸碱性是指肥料在土壤中经过作物的吸收作用后，土壤所最终呈现的酸碱性状态。这一特性与肥料的化学酸碱性有所不同，化学酸碱性主要关注肥料本身在水溶液中的 pH 值，而生理酸碱性则更多地反映了肥料对土壤环境长期作用的结果，即肥料在作物根系选择吸收过程中导致的土壤酸碱度变化。

（1）生理酸性肥料　肥料在水溶液中呈中性，但施入土壤后，一部分被作物吸收，另一部分阴离子遗留在土壤中，阳离子把根胶体上的氢离子代换出来，使土壤酸性增加，也就是作物根系对正离子的吸收量多于负离子，导致土壤呈现酸性。如氯化铵、硫酸铵、硫酸钾等。

（2）生理中性肥料　这类肥料施入土壤后，作物对阴离子和阳离子吸收的数量基本持平，作物吸收后对土壤的酸碱性影响较小，土壤基本保持中性状态。例如，碳酸氢铵、硝酸铵等在某些条件下可能表现为生理中性。

（3）生理碱性肥料　肥料的水溶液呈中性，但施入土壤后，这在作物吸收过程中，作物对负离子的吸收量多于正离子，未被作物吸收的阳离子遗留在土壤中，使土壤碱性增加，导致土壤呈现碱性。常见的生理碱性肥料包括硝酸钠、硝酸钙等。

在施肥时，应根据作物的需肥特性、土壤酸碱度以及肥料的生理酸碱性进行合理搭配，以达到提高肥料利用率、促进作物生长的目的。如酸性土壤中施用生理碱性肥料可以中和土壤酸性，提高土壤肥力；而在碱性土壤中施用生理酸性肥料则可以降低土壤 pH 值，促进作物对营养元素的吸收。

三、按肥效快慢分类

根据肥料肥效快慢分为速效肥料和缓效肥料（或长效肥料、缓释肥料）。

1. 速效肥料

施入土壤后能迅速溶解并被作物吸收的肥料。其特点表现为营养成分能迅速释放，满足作物急需营养的需求，见效快。这种化肥施入土壤后，随即溶解于土壤溶液中而被作物吸收。常见品种如氮肥中的尿素和硝酸铵、磷肥中的普通过磷酸钙、钾肥中的硫酸钾和氯化钾等。速效肥料适合作物生长旺盛期或急需营养补充时用作追肥，也可用作基肥。

2. 缓效肥料（长效肥料、缓释肥料）

缓效肥料养分表现的化合物或物理状态，能使养分在一段时间内缓慢释放，持续供植物吸收和利用。其特点是肥料的养分释放周期长，为作物提供持久而稳定的营养，可以有效减少施肥次数。缓效肥料能减少养分流失，提高肥料利用率。根据缓控原理，缓效肥料主要可以分为以下几类：

（1）物理型缓控肥料

① 包膜肥料：肥料颗粒被一层或多层不同材料包裹，通过调节膜的通透性控制养分释放速度。

② 涂层肥料：在肥料颗粒表面涂上一层特殊材料，如高分子化合物，通过涂层材料的分解速度控制养分释放。

③ 微胶囊肥料：将肥料封装在微小的胶囊中，通过胶囊壁的破裂速度控制养分释放。

（2）化学型缓控肥料　主要通过化学合成或添加化学抑制剂等方式，使肥料中的养分在土壤中缓慢释放。这类肥料的具体类型较多，如脲醛缓释肥、硫脲缓释肥等，它们通过特定的化学反应控制养分的释放速率。

（3）生物型缓控肥料　利用微生物或酶的作用，使肥料中的养分在土壤中缓慢释放。这类肥料通常含有特定的微生物或酶制剂，它们能够分解肥料中的有机物，从而释放出养分供作物吸收利用。

四、按所含养分种类多少分类

化肥按所含养分种类多少可分为：单元化学肥料（单质化肥）、多元化学肥料、完全化学肥料。

1. 单元化学肥料（单质化肥）

单元化学肥料是指只含有氮、磷、钾三种主要养分之一的化肥。如硫酸铵只含氮素，普通过磷酸钙只含磷素，硫酸钾只含钾素。

2. 多元化学肥料

多元化学肥料是指含有氮、磷、钾三种主要养分中的两种或两种以上的化肥。如磷酸铵，含有氮和磷。

3. 完全化学肥料

完全化学肥料是指含有作物生长发育所需的多种养分的化肥。这种肥料可以提供作物生长所需的各种主要和次要养分，有利于作物的全面营养吸收。

上述分类方法基于化肥的养分组成，有助于农民和农业生产者根据作物的具体需求选择合适的肥料。

五、按形态分类

根据化学肥料的形态，可以将其分为固体化肥、液体化肥和气体化肥。

1. 固体化肥

在工厂中制成结晶状、颗粒状或粉末状的化肥。固体化肥适合包装、运输和施用，适合我国的农业技术水平。如尿素、硫酸铵、氯化铵、过磷酸钙、重过磷酸钙、硫酸钾、氯化钾等都是固体化肥。

2. 液体化肥

在工厂中制成液体形态的化肥，如液氨、氨水、溶液肥料以及胶体肥料等。液体化肥的生产成本较低，但需要相应的贮存和施用机具，适用于机械化的农田。液体肥料的优势是既可根际土施，也可叶面施肥，适合我国节水农业的要求。

上述两类化肥在农业生产中各有其特点和适用场景，选择时需根据作物的需求、土壤条件以及施肥方式等因素综合考虑。

3. 气体化肥

指二氧化碳气肥，在温室或塑料大棚中应用，如碳酸氢铵加硫酸可产生二氧化碳，以补充大棚中二氧化碳的不足。

六、按作用方式分类

肥料按作用方式可分为直接肥料、间接肥料和刺激肥料（激素化肥）。

1. 直接肥料

直接为作物提供所需养分的肥料，如氮肥、磷肥、钾肥等。其作用机制是这些肥料中的养分能被作物根系直接吸收利用，快速补充作物生长所需的营养元素。如尿素、过磷酸钙、硫酸钾等。

2. 间接肥料

通过改善土壤理化性状和生理性质，从而改良土壤环境，间接促进作物生长的肥料。其作用机制是这些肥料主要调节土壤的酸碱度、增加土壤肥力或促进土壤微生物活动，从而有利于作物的生长。如石灰、石膏、生物有机肥、菌肥等。

3. 刺激肥料（激素化肥）

指含有植物激素或能调节植物生长的化学物质的肥料。其作用机制是这些肥料通过调节作物的生理生化过程，如促进细胞分裂、增强光合作用等，来刺激作物的生长和发育。如植物生长调节剂、含有生长素的肥料即腐植酸类肥料等。

第三节　传统化学肥料种类

化学肥料是含有一种或几种农作物生长需要的营养元素的肥料。根据化学肥料的来源和性质不同，可将化肥进一步区分为传统化学肥料和新型化学肥料。传统化学肥料主要包括氮肥、磷肥、钾肥以及复合肥。这些肥料营养元素含量高，能够迅速满足作物的营养需求。

一、氮肥

化学氮肥种类很多，按氮基团分为铵态氮肥、硝态氮肥和酰胺态氮肥 3 种。

（一）铵态氮肥

铵态氮肥包括碳酸氢铵（NH_4HCO_3）、硫酸铵［$(NH_4)_2SO_4$］、氯化铵（NH_4Cl）、氨水（$NH_3 \cdot H_2O$）和液氨（NH_3）。铵态氮肥易被土壤胶体吸附，部分 NH_4^+ 可以进入 2∶1 型黏土矿物的晶层内，成为固定态铵。铵态氮易被微生物氧化成硝酸盐，并且易挥发。该类型氮肥不能和碱性物质同时混合施用。施用铵态氮肥不能一次性大量施用，以免在土壤中形成高浓度的铵态氮离子，对作物产生毒害。另外，大量施用铵态氮，作物吸收过多铵态氮可能会对钙、镁、钾等其他阳离子的吸收产生拮抗作用。

1. 碳酸氢铵

纯碳酸氢铵为无色或白色晶体，表面有光泽，无毒，有氨臭味。碳酸氢铵的水溶液呈弱碱性，是一种碱性肥料。碳酸氢铵遇到碱，会发生化学反应，放出氨气。作为酸式碳酸盐，碳酸氢铵化学性质不稳定，常温下就能发生分解，生成氨气、水和二氧化碳。碳酸氢铵的分解速度受外界环境因素，如温度、存放时间、水分含量、密封程度、空气湿度和暴露面积等影响。因此，碳酸氢铵贮存时要注意防雨、防潮、防晒，同时避免长期贮存。

碳酸氢铵制造工艺简单，投资少，见效快，其氮含量为16.5%～17.5%。碳酸氢铵的质量要求由GB/T 3559—2001规定，具体见表4-2。碳酸氢铵可为作物生长提供铵态氮和二氧化碳。设施大棚中，将碳酸氢铵放在密封蔬菜大棚内，加入稀盐酸，反应后的产物为氯化铵、水和二氧化碳，其中二氧化碳可被植物用来进行光合作用，增加蔬菜产量，氯化铵也可再次作为肥料使用。

表4-2　农业用碳酸氢铵的技术指标（GB/T 3559—2001）

项目		碳酸氢铵			干碳酸氢铵
		优等品	一等品	合格品	
氮（N）/%	≥	17.2	17.1	16.8	17.5
水分（H_2O）/%	≤	3.0	3.5	5.0	0.5

注：优等品和一等品必须含添加剂。

2. 硫酸铵

硫酸铵是一种历史悠久的氮肥，在农业生产中扮演着举足轻重的角色。硫酸铵不仅富含氮，还兼具改善土壤结构、提升作物品质等功效。硫酸铵是一种常见的化肥，其化学式为（NH_4）$_2SO_4$，含氮量通常在20%～21%。肥料级硫酸铵技术指标要求见表4-3。硫酸铵为无色结晶或白色颗粒。硫酸铵可用于制造其他肥料，如尿素、氯化铵等。硫酸铵水溶性良好，易于被植物根系吸收利用；其次是价格相对低廉，降低了农业生产成本；此外，硫酸铵还能改良土壤结构，增加土壤通透性，利于作物根系生长发育；最后是其中的硫对提升作物品质、增强作物抗逆性也有积极作用。

表4-3　肥料级硫酸铵的技术指标要求（GB/T 535—2020）

项目[a]		指标	
		Ⅰ型	Ⅱ型
氮（N）/%	≥	20.5	19.0
硫（S）/%	≥	240	21.0
游离酸（H_2SO_4）/%	≤	0.05	0.20
水分（H_2O）/%	≤	0.5	2.0
水不溶物/%	≤	0.5	2.0
氯离子（Cl^-）/%	≤	1.0	2.0
氟化物（以F计）/(mg/kg)	≤	500	
硫氰酸根离子/(mg/kg)	≤	1000	

续表

项目[a]		指标	
		Ⅰ型	Ⅱ型
汞（Hg）(以元素计)/(mg/kg)	≤	5	
砷（As）(以元素计)/(mg/kg)	≤	10	
镉（Cd）(以元素计)/(mg/kg)	≤	10	
铅（Pb）(以元素计)/(mg/kg)	≤	50	
铬（Cr）(以元素计)/(mg/kg)	≤	50	
多环芳烃总量[b]/(mg/kg)	≤	1.0	

[a] 其他有毒有害物质的限量执行 GB 38400。

[b] 多环芳烃总量指萘、苊烯、苊、芴、菲、蒽、荧蒽、芘、苯并［*a*］蒽、䓛、苯并［*b*］荧蒽、苯并［*k*］蒽、苯并［*a*］芘、二苯并［*a*，*h*］蒽、苯并［*g*，*h*，*i*］苝和茚并［1,2,3-*cd*］芘共计 16 种物质总和。

3. 氯化铵

氯化铵（NH_4Cl），简称“氯铵”，又称卤砂，为白色结晶固体，易吸潮结块，受热易分解，含氮量 24%～25%。氯化铵质量技术指标见表 4-4。氯化铵在施用过程中能够显著提高作物的抗病能力，同时对抑制土壤中的有害微生物有一定效果。相比其他氮肥，氯化铵的价格相对较低，是一种施用成本低但效益高的氮肥选择。

表 4-4　农业用氯化铵的要求（GB/T 2946—2018）

项目		优等品	一等品	合格品
氮（N）的质量分数（以干基计）/%	≥	25.4	24.5	23.5
水的质量分数[a]/%	≤	0.5	1.0	8.5
钠盐的质量分数[b]（以 Na 计）/%	≤	0.8	1.2	1.6
粒度[c]（2.00～4.75mm）/%	≥	90	80	—
颗粒平均抗压碎力/N	≥	10	10	—
砷及其化合物的质量分数（以 As 计）/%	≤	0.0050		
镉及其化合物的质量分数（以 Cd 计）/%	≤	0.0010		
铅及其化合物的质量分数（以 Pb 计）/%	≤	0.0200		
铬及其化合物的质量分数（以 Cr 计）/%	≤	0.0500		
汞及其化合物的质量分数（以 Hg 计）/%	≤	0.0005		

[a] 水的质量分数仅在生产企业检验和生产领域质量抽查检验时进行判定。

[b] 钠盐的质量分数以干基计。

[c] 结晶状产品无粒度和颗粒平均抗压碎力要求。

氯化铵尤其适用于需氯作物，如水稻、小麦、玉米等。同时，在棉花、亚麻、大麻等纤维作物上使用效果更好，因为氯有增强纤维韧性与拉力的作用。然而，烟草、甘薯、马铃薯、甜菜等作物对氯离子比较敏感。在酸性土壤连续施用氯化铵时，应注意配施石灰和有机肥料，以中和土壤酸性。在排水不良的低洼地、盐碱地以及在干旱缺雨地区，氯化物易在土壤中积累，增加土壤溶液中氯离子浓度，对种子发芽和幼苗生长不利。氯化铵可作基肥或追肥使用，但不宜作种肥，更不能用氯化铵拌种，以免影响种子发芽。氯化铵作基肥应适当早施，以便借雨水、灌溉水预先把氯离子淋洗掉。

4. 氨水

氨水，又称阿摩尼亚水，是氨气的水溶液，其主要成分为一水合氨（$NH_3 \cdot H_2O$）。氨水为无色透明液体或微带黄色的液体，具有刺激性臭味。氨水易挥发，随温度升高和放置时间延长而挥发率增加。氨水不稳定，见光受热易分解生成氨气和水。氨水呈弱碱性，能与酸性物质及多种金属离子如铜、锌等发生反应，生成难溶性弱碱或两性氢氧化物。这是因为它在水溶液中会发生微弱水解，生成氢氧根离子（OH^-）及铵根离子（NH_4^+）。氨水与酸中和反应会产生热，有爆炸危险。

氨水主要是做肥料，适用于各种土壤和作物。氨水能被作物安全吸收的浓度为$<0.05\%$，为了减少氨的挥发和降低碱性，农业上有时在氨水中通入二氧化碳，制成碳化氨水使用，含氨量一般大于15%，其作用和普通氨水相同，但便于使用。氨水具有刺激性和腐蚀性，使用时需要穿戴适当的防护装备，避免与皮肤、眼睛等直接接触。氨水易挥发，使用时应在通风良好的环境中进行，避免吸入挥发的氨气。

氨水在使用和储存过程中应远离火源和热源。储存氨水时，应将其密封在棕色或深色试剂瓶中，并放在冷暗处，以防止其分解和挥发。

5. 液氨

液氨，又称为无水氨，无色液体状，有强烈刺激性气味。液氨的分子式为NH_3。液氨易溶于水，溶于水后形成铵根离子（NH_4^+）和氢氧根离子（OH^-），溶液呈碱性。

液氨在农业中主要用作氮肥。液氨的含氮量高达82%左右，是含氮量最高的氮肥品种之一。液氨技术指标见表4-5。液氨通常通过专用的施肥机施入土壤，施肥深度一般为12～18cm，具体深度因土壤性质和作物种类而定。液氨施肥时应保证有充分的密封性，以减少氨的挥发损失。液氨适用于多种作物和土壤，但因其碱性强、易挥发，故更适用于酸性和中性土壤。对于小麦、玉米等作物，液氨的增产效果显著。液氨主要用作基肥，深施和早施可以保证有充分的密封性。

一般应在播种或移栽前 15 天左右，土壤湿度适宜时施入土壤。施肥与种植间隔时间短或施用量增大时，需相应增加施肥深度。土壤对液氨有较强的吸附能力，可以减少氮素的挥发和流失。液氨施入土壤后，能均匀地扩散成氨化土壤带，有利于农作物根系的吸收利用，提高氮肥的利用率。液氨可以采用管道输送，从生产厂直接输送到农业区，节省了大量的人力和物力。此外，虽然液氨需要用耐高压容器运输，但相对于其高含氮量和低成本，运输成本相对较低。

此外，液氨还是生产硝酸、尿素和其他化学肥料的主要原料。

表 4-5　液体无水氨的要求（GB/T 536—2017）

项目		指标		
		优等品	一等品	合格品
氨含量/%	≥	99.9	99.8	99.0
残留物含量/%	≤	0.1（重量法）	0.2	1.0
水分/%	≤	0.1	—	—
油含量/(mg/kg)	≤	5（重量法） 2（红外光谱法）	—	—
铁含量/(mg/kg)	≤	1	—	—

（二）硝态氮肥

硝态氮肥包括硝酸铵（NH_4NO_3）、硝酸钙［$Ca(NO_3)_2$］、硝酸钠（$NaNO_3$）、硝酸铵钙［$5Ca(NO_3)_2 \cdot NH_4NO_3 \cdot 10H_2O$］等。硝态氮易溶于水，在土壤中移动较快，由于硝酸盐是带负电荷的，不能被土壤胶体所吸附，在土壤水分含量较多情况下，容易随水发生径流和淋失。因此，水稻田不建议施用硝态氮肥。硝酸盐还易通过反硝化作用还原成气体物质，如 NO、N_2O 和 N_2 等，从土壤中逸失，造成氮的利用率低。作物容易吸收硝酸盐，硝态氮对作物吸收钙、镁、钾等养分无抑制作用。但要注意，一部分硝态氮化肥的氧化性较强，在摩擦或撞击时易引起燃烧或爆炸。在运输和储存时要特别注意，避免碰撞并要储存于阴凉、通风的库房内，并且要远离火种和热源。

1. 硝酸铵

简称硝铵，是一种可同时供应铵态和硝态两种形态氮的速效氮肥，但一般将其纳入硝态氮肥。硝酸铵是目前世界上仅次于尿素的固体氮肥品种。农用硝酸铵含氮为 33%～34%，其质量标准见表 4-6 和表 4-7。相较于纯硝酸铵的无色无臭的透明结晶或白色的小颗粒而言，农用的允许带微黄色，并允许存在无肉眼可见的杂质。

表 4-6 结晶状硝酸铵（农业用）技术要求（GB/T 2945—2017）

项目		指标
总氮的质量分数/%	≥	34.0
游离水的质量分数/%	≤	0.7
酸度		甲基橙指示剂不显红色

表 4-7 颗粒状硝酸铵（农业用）技术要求（GB/T 2945—2017）

项目		指标	
		优等品	合格品
总氮的质量分数/%	≥	34.0	33.5
游离水的质量分数/%	≤	0.6	1.5
10%水溶液 pH 值	≥	5.0	4.0
防结块添加物（以氧化钙计）的质量分数/%		0.2～0.5	—
松散度/%	≥	80	—
颗粒平均抗压碎力/(N/颗粒)	≥	5	
粒度（1.00～2.80mm）/%	≥	85	

20 世纪 60 年代，硝酸铵曾是我国氮肥的领先品种，但由于硝酸铵极易溶于水，且具有较强的吸湿性，易结块、易燃、易爆，我国曾禁止硝酸铵进入肥料市场。硝酸铵改性，即通过使其粒状化或添加稳定剂和惰性的物质，可以降低其吸湿性，增加其安全性。硝酸铵的改性是改善其吸湿性和防止燃爆的重要途径。硝酸铵是化学中性和生理中性的肥料。硝酸铵高的溶解度使其成为氮溶液等液体氮肥的主要原料。硝酸铵适用的土壤和作物范围广，但最适于旱地和旱作物。硝酸铵宜作追肥，可分期施用。对于灌溉条件好或者降雨量多的地方，更应多次施用。除水稻等少数水田生长的作物外，大多数作物，尤其是果树、瓜菜和烟草等经济作物都喜好硝酸铵。硝酸铵用作棉花、亚麻、大麻、烟草和蔬菜等农作物时，效果特别好；硝酸铵还用于制造含钾、磷、钙等的复合肥料。在气温较低地区的旱田作物上施用硝酸铵比施用硫酸铵和尿素等铵态氮肥的肥效快、效果好。另外，硝铵在土壤中不留残物，均能被作物吸收。

硝酸铵在运输、贮藏和施用时要注意以下事项：一定要放在打扫干净的铁路棚车或其他有棚盖的交通运输工具内进行运输，运输过程中禁止与有机物、易燃物等放在一起；贮存库要保持阴凉、通风、干燥，温度要保持在 0～30℃，相对湿度不能超过 70%；运输与贮存库不能靠近高温地，更不能靠近锅炉；夏季要防止烈日暴晒；已经结块的硝酸铵不能用铁锤敲打，需用木棒打碎。

2. 硝酸铵钙

硝酸铵钙是硝酸铵的改性产品，化学式为 $5Ca(NO_3)_2 \cdot NH_4NO_3 \cdot 10H_2O$。

硝酸铵钙属中性肥料，生理酸性度小，对酸性土壤有改良作用。硝酸铵钙含氮和速效钙，其中氮素形态包括铵态氮和硝态氮，植物可直接吸收。硝酸铵钙增加了钙和镁的含量，养分更加全面。硝酸铵钙可降低活性铝的浓度，减少活性磷的固定，具有改良土壤作用，因提供水溶性钙而提高植物对病害的抵抗力，并有益于土壤有益微生物活动。

农业生产中应用的硝酸铵钙，其硝态氮含量为13.5%～14.4%，氨态氮为1.1%～13.5%。农用硝酸铵钙质量标准为NY/T 2269—2020（表4-8）。硝酸铵钙适用于多种土壤和作物，广泛应用于温室和大田种植的粮食作物、花卉、果树、蔬菜等。施用时，可以作为基肥、种肥和追肥使用。硝酸铵钙一般不宜与磷酸二氢钾、硫酸锌等同时施用。此外，硝酸铵钙与复硝酚钠等药物也不宜混用，以免产生不良的反应。

表4-8 硝酸铵钙技术要求（NY/T 2269—2020）

项目	指标
总氮（N）含量/%	≥15.0
硝态氮（N）含量/%	≥14.0
钙（Ca）含量/%	≥18.0
pH（1∶250倍稀释）	5.5～8.5
水不溶物含量/%	≤0.5
水分（H_2O）含量/%	≤3.0
粒度（1.00～4.75mm）/%	≥90

硝酸铵钙吸湿性小，不易结块，分散性好，具有良好的物理性状。尽管其稳定性好于硝酸铵，但在运输和贮存过程中，仍要注意防潮、防晒、防破裂。

3. 硫硝酸铵

硫硝酸铵是硝酸铵的改性产品，由硫酸铵与硝酸铵按一定比例混合后熔融而成，是一种重要的化学肥料。硫硝酸铵是淡黄色颗粒，易溶于水，吸湿性小于硝酸铵（NH_4NO_3），化学性质稳定，不易结块。

硫硝酸铵是接近生理中性的肥料，适宜多种土壤。硫硝酸铵含有氮和硫两种营养元素，适用于多种作物，包括小麦、玉米、烟草、果树、瓜果、蔬菜、茶叶、棉花等。硫硝酸铵一般以追肥方式施用，可以土施或灌溉施用。对于喜氮、硫的作物，如十字花科及葱蒜等，硫硝酸铵是一种理想的追肥选择。

4. 硝酸钙

硝酸钙化学式为$Ca(NO_3)_2$，为白色结晶性粉末，氮含量为11.8%，此外还含有23.7%的钙（CaO）。由山西阳煤丰喜肥业（集团）有限公司和国家化肥质量监督检验中心（上海）承担制定了农用硝酸钙的推荐性标准（表4-9）。

表 4-9　农用硝酸钙技术指标（HG/T 4580—2013）

项目		指标	
		一等品	合格品
硝酸钙［以 $Ca(NO_3)\cdot 4H_2O$］的质量分数/%	≥	99.5	99.0
水不溶性的质量分数/%	≤	0.01	
硫及其化合物（以 S 计）的质量分数/%	≤	0.05	
氯及其化合物（Cl）的质量分数/%	≤	0.015	
pH 值（50g/L 溶液）		5.0～7.0	

硝酸钙可广泛应用于各类土壤。连年施用硝酸钙不仅不恶化土壤物理性质，还能一定程度上改善土壤的物理性质，特别是缺钙的酸性土壤。硝酸钙最适宜的作物为甜菜、马铃薯、大麦、麻类等作物。硝酸钙是市场上最有价值的化肥之一，能快速补钙和补氮，具备许多其他化肥所没有的性质和优点。硝酸钙广泛用于基施、追施、冲施和叶面喷施，还可作为无土栽培的营养液。

硝酸钙易潮解，易溶于水，有氧化性，加热时放出氧气。当遇到有机物、硫等可以发生燃烧和爆炸。严禁硝酸钙与酸类、易燃物、有机物、还原剂、自燃物品、遇热易燃物品等并车混运。运输车辆装卸前后，均应彻底清扫、洗净，严禁混入有机物、易燃物等杂质。贮存时要将硝酸钙储存于阴凉、通风的库房。要远离火种、热源。硝酸钙要与氧化剂、还原剂、碱类分开存放，切忌混储。库房内要采用防爆型照明，并有通风设施。禁止使用易产生火花的机械设备和工具等。

5. 硝酸钠

硝酸钠（$NaNO_3$），为无色透明三角形晶体，极易溶于水。硝酸钠含氮量在18%左右。硝酸钠施入土壤后因作物选择吸收而使土壤呈碱性，是一种生理碱性肥料，适用于酸性或中性土壤，不适用于盐碱土壤。硝酸铵适用于块根类作物，对甜菜、亚麻、萝卜等作物肥效较好，可采用追肥方式进行。

硝酸钠易潮解，特别在含有极少量氯化钠杂质时，硝酸钠潮解性就大为增加。硝酸钠不稳定，在加热时易分解成亚硝酸钠和氧气。硝酸钠是强氧化剂，可助燃，与有机物摩擦或撞击能引起燃烧或爆炸。因此硝酸钠在运输时要注意防雨、防潮、防撞；搬运时要轻装轻卸，防止包装及容器损坏。要储存于阴凉、通风的库房，并且要远离火种和热源。要求贮存库的温度不超过 30℃，相对湿度不超过 80%。还要求与还原剂、活性金属粉末、酸类、易（可）燃物等分开存放，切忌混储。

（三）酰胺态氮肥

酰胺态氮肥是含有酰氨基的氮肥。常用的酰胺态氮肥只有尿素［$CO(NH_2)_2$］。尿素是由氨和二氧化碳合成，作为肥料的尿素的质量标准见表 4-10。

表 4-10 农业用（肥料）尿素技术指标（GB/T 2440—2017）

<table>
<tr><th colspan="3" rowspan="2">项目</th><th colspan="2">等级</th></tr>
<tr><th>优等品</th><th>合格品</th></tr>
<tr><td colspan="2">总氮（N）的质量分数/%</td><td>≥</td><td>46.0</td><td>45.0</td></tr>
<tr><td colspan="2">缩二脲的质量分数/%</td><td>≤</td><td>0.9</td><td>1.5</td></tr>
<tr><td colspan="2">水分/%</td><td>≤</td><td>0.5</td><td>1.0</td></tr>
<tr><td colspan="2">亚甲基二脲（以 HCHO 计）的质量分数/%</td><td>≤</td><td>0.6</td><td>0.6</td></tr>
<tr><td rowspan="4">粒度</td><td>d（0.85～2.80mm）</td><td>≥</td><td rowspan="4">93</td><td rowspan="4">90</td></tr>
<tr><td>d（1.18～3.35mm）</td><td>≥</td></tr>
<tr><td>d（2.00～4.75mm）</td><td>≥</td></tr>
<tr><td>d（4.00～8.00mm）</td><td>≥</td></tr>
</table>

纯尿素是白色针状或棱柱形结晶，无味无臭，水溶液呈中性，是一种中性氮肥，其溶解度随温度升高而增大。尿素是固体氮肥中含氮最高的肥料。作为生理中性肥料，尿素在土壤中不残留任何有害物质，长期施用没有不良影响。尿素适用于一切作物和所有土壤，可用作基肥和追肥，旱水田均能施用。施入土壤的尿素经过脲酶作用后水解成碳酸铵或碳酸氢铵，才能大量被作物吸收利用。尿素不宜用作种肥。

尿素在高氮复混肥中也占据着举足轻重的地位。为解决尿素利用率低等问题，以尿素为原料，开发研制了一些新类型的尿素产品，主要有聚氨酸尿素和多肽尿素。

尿素具有一定的吸湿性，容易吸湿结块或流液，要贮存在干燥、通风良好的地方。运输过程中要防止雨淋，雨天装卸尿素时需加盖防雨篷布，贮存时待环境湿度恢复正常后将遮盖的篷布打开进行通风散潮。

二、磷肥

按照磷酸盐的溶解度可将磷肥分为水溶性磷肥、枸溶性（弱酸溶性）磷肥和难溶性磷肥三种类型。

(一) 水溶性磷肥

凡养分标明量主要属于水溶性磷酸一钙的磷肥，称为水溶性磷肥，包括普通过磷酸钙（普钙）和重过磷酸钙，其中磷的主要成分是磷酸一钙，易溶于水，肥效较快。

1. 过磷酸钙

过磷酸钙，称普通过磷酸钙，简称普钙，又称过磷酸石灰，简称过石，是用硫酸分解磷矿粉直接制得的磷肥。过磷酸钙主要组分是磷酸二氢钙的水合物 $Ca(H_2PO_4)_2 \cdot H_2O$ 和少量游离磷酸，还含有无水硫酸钙组分（对缺硫土壤有用）。过磷酸钙有效 P_2O_5 含量为 14%～20%（其中 80%～95%溶于水），属于水溶性速效磷肥。过磷酸钙的各项技术指标见表 4-11 和表 4-12。

表 4-11　疏松状过磷酸钙技术指标（GB/T 20413—2017）

项目		优等品	一等品	合格品	
				Ⅰ	Ⅱ
有效磷（以 P_2O_5 计）的质量分数/%	≥	18.0	16.0	14.0	12.0
水溶性磷（以 P_2O_5 计）的质量分数/%		13.0	11.0	9.0	7.0
硫（以 S 计）的质量分数/%		8.0			
游离酸（以 P_2O_5 计）的质量分数/%	≤	5.5			
游离水的质量分数/%	≤	12.0	14.0	15.0	15.0
三氯乙醛的质量分数/%	≤	0.0005			

表 4-12　颗粒状过磷酸钙技术指标（GB/T 20413—2017）

项目		优等品	一等品	合格品	
				Ⅰ	Ⅱ
有效磷（以 P_2O_5 计）的质量分数/%	≥	18.0	16.0	14.0	12.0
水溶性磷（以 P_2O_5 计）的质量分数/%	≥	13.0	11.0	9.0	7.0
硫（以 S 计）的质量分数/%	≥	8.0			
游离酸（以 P_2O_5 计）的质量分数/%	≤	5.5			
游离水的质量分数/%	≤	10.0			
三氯乙醛的质量分数/%	≤	0.0005			
粒度（1.00～4.75mm 或 3.35～5.60mm）的质量分数/%		80			

过磷酸钙是最早的化学磷素品种，也是目前我国生产量最多、使用最广的一种磷肥。过磷酸钙的颜色为灰色或灰白色，有粉末状的，也有颗粒状的，稍有酸味。过磷酸钙除供给植物磷外，还可以提供钙和硫等元素，并且具有改良碱性土壤作用。

过磷酸钙的施用除可作基肥外，还可采用根外追肥和叶面喷洒的方式进行。过磷酸钙施入土壤后，还可以发生异成分溶解，即在施肥点附近由于水分的汇集，使磷酸一钙溶解和水解，形成一种磷酸一钙、磷酸和含水磷酸二钙的饱和溶液。此时施肥点周围的土壤溶液中磷浓度可达 10～20mg/kg，pH 值可达 1～1.5，这样低的 pH 值能将土壤中的铁、铝、钙、镁等溶解出来，与磷酸根离子作用，形成相应的磷酸盐。其中，石灰性土壤中，磷可以与钙反应，生成磷酸二钙和磷酸八钙，其中大部分最终转化形成稳定的羟基磷灰石。酸性土壤中，则与铁、铝反应生成磷酸铁、铝沉淀，从而影响到过磷酸钙在土壤中移动性及当年利用率，使得利用率很低。

为提高过磷酸钙中磷的利用效率，建议采用集中深施、分层施用、与有机肥混合施用、制成粒状磷肥施用或者根外施肥方式等，以期望减少过磷酸钙与土壤接触，降低土壤的固定。根外施肥则指将过磷酸钙水溶液进行叶面施肥，此种施肥方法避免了磷与土壤的接触。

过磷酸钙易吸湿，吸湿后易结块。此外，过磷酸钙中的磷酸一钙还会与硫酸铁等反应形成溶解度低的铁磷酸盐等，该作用称为磷酸的退化作用。因此，过磷酸钙在贮运过程中，要注意防潮和避免淋雨，由于过磷酸钙有腐蚀性，在运输时要用耐腐蚀的篷布等物遮盖。

2. 重过磷酸钙

重过磷酸钙是用磷酸和磷灰石反应，所获得的产物不是硫酸钙，而是磷酸二氢钙，该产品被称为重过磷酸钙，简称为重钙，又叫三料过磷酸钙。重过磷酸钙属水溶性磷肥，即肥料所含的磷易溶于水，能为植物直接吸收利用。重过磷酸钙一般含有效五氧化二磷（P_2O_5）为40%～50%，是普通过磷酸钙的两倍以上，不含石膏，游离磷酸含量为4%～8%或更低。重过磷酸钙的质量技术指标见表4-13和表4-14。

表4-13　粉状重过磷酸钙的技术指标（GB/T 21634—2020）

项目		Ⅰ型	Ⅱ型	Ⅲ型
总磷（以P_2O_5计）	≥	44.0	42.0	40.0
水溶性磷（以P_2O_5计）	≥	36.0	34.0	32.0
有效磷（以P_2O_5计）	≥	42.0	40.0	38.0
游离酸（以P_2O_5计）	≤	7.0		
游离水	≤	8.0		

表4-14　粒状重过磷酸钙的技术指标（GB/T 21634—2020）

项目		Ⅰ型	Ⅱ型	Ⅲ型
总磷（以P_2O_5计）	≥	46.0	44.0	42.0
水溶性磷（以P_2O_5计）	≥	38.0	36.0	35.0
有效磷（以P_2O_5计）	≥	44.0	42.0	40.0
游离酸（以P_2O_5计）	≤	5.0		
游离水	≤	4.0		
粒度（2.00～4.75mm）	≥	90		

重过磷酸钙的有效成分为 $Ca(H_2PO_4)_2$，呈深灰色或灰白色的颗粒或粉末状，溶于水中，呈微酸性，肥效比过磷酸钙高。重过磷酸钙适用于各种土壤，施用方法与普通过磷酸钙相同，可作基肥、种肥、根外追肥和用于叶面喷洒，广泛应用于水稻、小麦、玉米、高粱、棉花、瓜果、蔬菜等各种粮食作物和经济作物。重过磷酸钙忌碱，与氧化钙反应，能生成磷酸三钙沉淀，从而降低肥效。

重过磷酸钙受潮后易结块。重过磷酸钙的腐蚀性和吸湿性比过磷酸钙更强。

（二）枸溶性磷肥

能溶于 2%的柠檬酸或中性柠檬酸铵溶液的磷肥称为枸溶性磷肥或弱酸溶性磷肥。这一类型磷肥的主要成分是磷酸二钙，包括沉淀磷肥、钢渣磷肥、钙镁磷肥、脱氟磷肥等。应用较为广泛的枸溶性磷肥是钙镁磷肥。

1. 钙镁磷肥

钙镁磷肥是一种含有磷酸根的硅铝酸盐玻璃体，为没有明确的分子式与分子量的多元素肥料，其主要成分包括 $Ca_3(PO_4)_2$、$CaSiO_3$、$MgSiO_3$，又称熔融含镁磷肥，或简称熔融磷肥，是我国目前磷肥的主要品种之一，镁磷肥的产量占我国磷肥总产量的 17%左右，是仅次于过磷酸钙的第二大类型磷肥。

钙镁磷肥生产的基本过程是将磷矿石和适量蛇纹石、橄榄石、白云石、硅灰石等含镁、硅矿物混合在一起，在 1350℃以上的高温熔融，再将熔融体进行水淬而成为玻璃体，随后粉碎磨细成细粉就成为钙镁磷肥。钙镁磷肥的主要有效成分是 α-磷酸三钙，通常为深灰色、灰绿色或墨绿色粉末。钙镁磷肥不溶于水，肥料的水悬浮液呈碱性，是一种碱性的、以 P 为主的多成分肥料。钙镁磷肥不仅能提供 14%～18%的低浓度磷，还能提供大量的硅、钙、镁。钙镁磷肥技术指标见表 4-15 和表 4-16。

表 4-15　粉状或砂状钙镁磷肥的技术指标（GB/T 20412—2021）

项目		指标		
		Ⅰ型	Ⅱ型	Ⅲ型
有效五氧化二磷（P_2O_5）/%	≥	18.0	15.0	12.0
水分（H_2O）/%	≤	0.5		
有效钙（Ca）/%	≥	20.0		
有效镁（Mg）/%	≥	6.0	5.0	4.0
可溶性硅（SiO_2）/%	≥	20.0		
细度（通过 0.25 mm 试验筛）/%	≥	80		

注：产品按肥料合理施用原则和满足不同养分配比的复合肥料生产需求分为Ⅰ型、Ⅱ型和Ⅲ型。砂状产品细度指标不做要求，其粒度由供需双方合同约定。

表 4-16　颗粒状钙镁磷肥的技术指标（GB/T 20412—2021）

项目		指标		
		Ⅰ型	Ⅱ型	Ⅲ型
有效五氧化二磷（P_2O_5）/%	≥	17.0	14.0	11.0
水分（H_2O）/%	≤	1.0		
有效钙（Ca）/%	≥	19.5		
有效镁（Mg）/%	≥	6.0	5.0	4.0
可溶性硅（SiO_2）/%	≥	19.0		
粒度（2.00～4.75mm）/%	≥	90		
颗粒平均抗压碎力/N	≥	15		
溶散率/%	≥	85		

注：产品按肥料合理施用原则和满足不同养分配比的复合肥料生产需求分为Ⅰ型、Ⅱ型和Ⅲ型。粒度也可按供需双方合同约定的指标执行。

钙镁磷肥广泛地用于各种作物和缺磷的酸性土壤，特别是我国南方钙镁淋溶较严重的酸性红壤上。钙镁磷肥在改良酸性土壤的同时，可以在土壤中酸或者作物根系及微生物分泌的酸的作用下溶解，供作物吸收利用。钙镁磷肥的肥效与作物种类有密切的关系，优先将钙镁磷肥施用到这类作物上。

钙镁磷肥最适合作基肥深施，将肥料均匀施入土壤，并与土壤混合，以期利于土壤酸对它的溶解，以利于作物吸收。水田可以采用蘸秧根方式来进行施肥。钙镁磷肥与优质有机肥混拌堆沤后施用。钙镁磷肥也可做追肥（酸性土壤上）。

2. 沉淀磷肥

沉淀磷肥，又称沉淀磷酸钙，其主要成分是磷酸二钙（磷酸氢钙），化学式为 $CaHPO_4$，含 P_2O_5 30%～42%。沉淀磷肥为白色粉末，难溶于水，不吸湿，属于枸溶性磷肥，在土壤中可逐渐转变为可溶性磷酸盐，供植物吸收利用。

在酸性或中性土壤中的肥效与过磷酸钙相近，可作为追肥或基肥使用。作为基肥时，应与土壤充分混合；作为追肥时，应根据作物生长情况及时追施。一般来说，沉淀磷肥的施用量应略少于过磷酸钙。

沉淀磷肥施用时应避免与碱性物质混用，以免发生化学反应，降低肥效。沉淀磷肥应储存在干燥、通风、阴凉的地方，避免受潮变质。

3. 钢渣磷肥

钢渣磷肥，又称托马斯磷肥或矿渣磷肥，是一种热法磷肥。钢渣磷肥由含磷生铁用托马斯法炼钢时所生成的碱性炉渣经轧碎、磨细而得。

钢渣磷肥大多是灰黑色粉末，主要成分是磷酸四钙 $Ca_4(PO_4)_2O$ 和硅酸钙，还含有镁、铁、锰等。钢渣磷肥中一般含 P_2O_5 16%～20%（中国出产的 P_2O_5 含量大多在 3%～8%），CaO 45%～55%，MgO 2%～4%，Fe_2O_3 11%～14%，MnO 3%～6%和 SiO_2 4%～6%等。钢渣磷肥为强碱性，不溶于水，但能溶于 2%柠檬酸溶液，是枸溶性肥料。

钢渣磷肥适用于酸性土壤，也可施于中性土壤，但肥效不及过磷酸钙快。钢渣磷肥适于在多数作物上施用，尤其对需硅、喜钙作物（如水稻、豆类）效果更佳，但对嫌钙作物如马铃薯施用后会影响其品质。钢渣磷肥宜作基肥。作种肥或追肥时，应避免与种子和茎叶直接接触，以免影响发芽和灼伤茎叶。钢渣磷肥不可与铵态氮肥和水溶性磷肥混合施用，以免降低肥效，也不能与腐熟有机肥料混合施用，以免引起氮素挥发损失。

钢渣磷肥贮运过程中应注意防止风吹雨淋，不要与过磷酸钙等水溶性磷肥混合贮存，以防其有效性降低。人力装卸时，须戴口罩和手套，以减少对皮肤等刺激作用。

（三）难溶性磷肥

难溶性磷肥是指所含的磷酸盐大部分只溶解于强酸中，肥效迟缓的一类磷肥。难溶性磷肥的类型有磷矿粉、鸟粪磷矿粉和骨粉，下面主要介绍磷矿粉和骨粉。

1. 磷矿粉

磷矿粉是由天然磷灰石直接磨成粉末制造而成的。磷矿粉既是生产各种磷肥的原料，也可以单独直接当作磷肥使用。磷矿粉是我国南方磷矿石厂附近农民常用的磷肥品种之一。

磷矿粉有灰色或褐色两种，主要成分为氟-磷灰石。磷以磷酸三钙形式存在，磷含量为 10%～35%，其中 3%～5%的磷可溶于弱酸。磷矿粉的质量因磷矿石的种类不同而有差异。商品磷矿粉通常以五氧化二磷总含量进行分级。一级品要求 P_2O_5 总含量≥30%，二级品的 P_2O_5 总含量在 25%～30%之间，三级品的 P_2O_5 总含量为 22%～25%，四级品的 P_2O_5 总含量≤22%。此外，还对磷矿粉细度有要求，一般 90%的要通过 100 目筛，水分不超过 3%。

磷矿粉呈中性至微碱性，不溶于水，化学性质稳定，具有不潮解、不结块和无腐蚀性等优点。在一般情况下，磷矿粉与碱、盐和弱酸等都不反应，受温度、日光及空气影响很小。

磷矿粉施入土壤以后，主要依靠土壤、微生物和作物根系分泌的酸等作用才能进行转化，然后被作物吸收利用。因此，磷矿粉宜用于磷吸收能力强的作物上。在作物选择上，除考虑作物类型外，还要考虑作物根系生态特征和根系酸化环境的能力等。从土壤类型而言，宜以低 pH 值的土壤为佳，磷矿粉应尽量先安排在酸性较大和缺磷的土壤中施用。作为迟效性肥料，磷矿粉宜作基肥施用，不宜作追肥和种肥。施用一次，肥效可维持几年。

2. 骨粉

骨粉是动物的骨骼经过粉碎磨细并通过规定筛后的粉末，分为生骨粉、蒸制骨粉和脱胶骨粉三种。目前，由于骨粉的价格一直较高，一般多数用作饲料，但随着有机食品和绿色食品快速发展，种植所需要的农资产品也应该是纯天然或者无残留的，作为有机肥料的骨粉被当作磷肥来施用的量也会越来越多。

骨粉的主要成分是磷酸三钙，占骨粉的58%～62%。此外，骨粉中还含有脂肪和骨胶（26%～30%）、磷酸三镁（1%～2%）、碳酸钙（6%～7%）、氟化钙（2%）和氮等。一般骨粉常含有过多的脂肪，不容易被机械粉碎，也不易被自然界里存在的微生物所分解，在将骨粉作为肥料施用前需要进行脱脂处理。

一般骨粉为灰白色粉末。骨粉的肥效比较迟缓，在农业生产上不能用作种肥和追肥，只能用作基肥施用。骨粉不适宜用于石灰性土壤，最适宜用于酸性土壤，尤其是用于吸收磷能力较强的豆科作物、十字花科作物和荞麦等。此外，将骨粉与有机肥堆积发酵后施用，更有利于提高肥效。骨粉的肥效优于磷矿粉。

三、钾肥

具有钾（K 或 K_2O）标明量的单元肥料就是钾肥，钾肥的来源与磷肥基本一致，也是对钾矿产资源的提炼和深加工。我国钾矿资源贫乏，大部分钾肥都来自进口。钾肥品种比较简单，常用的钾肥主要是氯化钾，约占钾肥总用量的95%；其次为硫酸钾，此外，还有工业生产上的废弃物也可用作钾肥，如窑灰钾肥、钾镁肥和钾钙肥。

1. 氯化钾

纯氯化钾是白色结晶体，但氯化钾肥料中一般含有杂质，该杂质与原矿成分有很大关系。加拿大钾肥来源于钾石岩，其杂质为氧化铁和其他金属氧化物，外观呈现砖红色。盐湖中提取的钾肥，其杂质多为氯化物，如氯化钠、氯化镁、氯化钙等，外观颜色为灰白色或暗灰色或浅黄色。作为肥料的氯化钾要求产品中的氯化钾净含量不低于90%，其质量标准见表4-17。

氯化钾易溶于水，水溶液为中性，是化学中性肥料，但施入土壤后，由于作物选择吸收 K^+ 离子，而在土壤中形成盐酸而成为生理酸性肥料。氯化钾属速效性钾肥，可用作追肥和基肥。当氯化钾施于中性或石灰性土壤中，K^+ 离子可以取代土壤胶体表面吸附的 Ca^{2+}，多雨或者灌溉频繁的条件下，会造成 Ca^{2+} 离子流失，土壤因钙的减少而板结。酸性土壤中，K^+ 离子会置换取代土壤胶体上吸

附的 H^+ 离子和 Al^{3+} 离子，加剧土壤酸性。因此，氯化钾施于酸性土壤时应配合施用有机肥料和石灰。氯化钾不适于盐碱地，以避免增加土壤的盐分含量，危害加重。由于氯化钾中含有氯离子，残留的氯离子会增加施肥区土壤的盐分浓度，对种子的萌发和幼苗根系生长不利，因此，氯化钾一般不用作种肥。氯化钾适用于多种作物，尤其是棉麻类纤维作物，但对于忌氯作物，如烟草、甘薯、马铃薯、甜菜、果树、茶树、甘蔗等，不能施用。

表 4-17　肥料级氯化钾技术指标（GB/T 37918—2019）

项目[a]		粉末结晶状			颗粒状		
		Ⅰ型	Ⅱ型	Ⅲ型	Ⅰ型	Ⅱ型	Ⅲ型
氧化钾（K_2O）的质量分数/% ≥		62.0	60.0	57.0	62.0	60.0	57.0
水分（H_2O）的质量分数/% ≤		1.0	2.0	2.0	0.3	0.5	1.0
氯化钠（NaCl）的质量分数/% ≤		1.0	3.0	4.0	1.0	3.0	4.0
水不溶物的质量分数/% ≤		0.5	0.5	1.5	0.5	0.5	1.5
粒度[b,c]/%	1.00～4.75mm ≥				90		
	2.00～4.00mm ≥				70		
颗粒平均抗压碎力/N ≥					25.0		

[a] 除水分外，各组分质量分数均以干基计。

[b] 只需要符合两档中任意一档即可。颗粒状产品的粒度，也可执行供需双方合同约定的指标。

[c] 颗粒状产品若用作掺混肥料（BB 肥）生产的原料，可根据供需协议选择标注平均主导粒径（SGN）和均匀度指数（UI），计算方法见 GB/T 2440—2017 附录 A。

氯化钾吸湿性强，吸湿后易结块，因此氯化钾要求用塑料编织袋内衬聚乙烯薄膜袋或者复合塑料编织包装以密封。在高温潮湿多雨季节里，氯化钾更应该注意通风，防止仓库地面返潮和屋顶漏雨。

2. 硫酸钾

硫酸钾是仅次于氯化钾的主要商品钾肥。纯净的硫酸钾是白色结晶体，作为肥料的硫酸钾则由于含有杂质而呈灰白色、浅黄色或红色。硫酸钾是一种含钾量较高的钾素肥料，含氧化钾 48%～52%。硫酸钾质量技术指标具体见表 4-18。

表 4-18　农业用硫酸钾产品标准主要技术指标要求（GB/T 20406—2017）

项目	粉末结晶状			颗粒状	
	优等品	一等品	合格品	优等品	合格品
水溶性氧化钾（K_2O）的质量分数/% ≥	52	50	45	50	45
硫（S）的质量分数/% ≥	17.0	16.0	15.0	16.0	15.0
氯离子（Cl^-）的质量分数/% ≤	1.5	2.0	2.0	1.5	2.0

续表

项目		粉末结晶状			颗粒状	
		优等品	一等品	合格品	优等品	合格品
水分[a]（H_2O）的质量分数/%	≤	1.0	1.5	2.0	1.5	2.5
游离酸（H_2SO_4）的质量分数/%	≤	1.0	1.5	2.0	2.0	2.0
粒度[b]（粒径1.00～4.75mm或3.35～5.60mm）/%	≥	—	—	—	90	90

[a] 水分以生产企业出厂检验数据为准。

[b] 对粒径有特殊要求的，按供需双方协议确定。

硫酸钾易溶于水，水溶液呈中性。施入土壤后，由于作物的选择吸收，会使土壤残留大量的硫酸根离子，这些离子与氢离子形成硫酸，而使土壤变酸，硫酸钾是生理酸性肥料。硫酸钾在土壤中的转化与氯化钾相似，但在中性或石灰性土壤中，由于硫酸钙的溶解度小，其脱钙程度也就小。同时，对土壤的酸化程度比氯化钾缓慢。作为一种无氯的钾肥，由于含有硫，特别适宜于十字花科和葱蒜类作物以及烟草、葡萄、甜菜、茶树、马铃薯、亚麻及各种果树等忌氯作物。硫酸钾可作基肥、追肥、种肥及根外追肥。同样，和氯化钾一样，要配合使用有机肥和石灰。在水田淹水条件下，过多的硫酸根会被还原生成硫化氢，使根受害变黑。长期使用硫酸钾要与农家肥、碱性磷肥和石灰配合，降低酸性，在实践中还应结合排水晒田措施，改善通气。

硫酸钾化学性质稳定，不易吸湿结块，便于储存、运输和施用。

3. 钾镁肥

钾镁肥又称卤渣，是制盐工业综合利用的副产品。钾镁肥主要包括软钾镁矾（$K_2SO_4 \cdot MgSO_4 \cdot 6H_2O$）、钾镁矾（$K_2SO_4 \cdot MgSO_4 \cdot 4H_2O$）和无水钾镁矾（$K_2SO_4 \cdot 2MgSO_4$）等。钾镁肥一般为白色或浅灰色结晶，也有淡黄色或肉色相杂的颗粒，易溶于水，呈弱碱性，不易吸潮，物理性状较好。大多数钾镁肥含钾25%、镁10%左右。虽然氧化钾含量相对较低，但钾镁肥价廉，且含有镁、硫等多种营养元素，是一种优质的多元素肥料。

钾镁肥特别适合南方缺镁的红黄壤地区，可作基肥、追肥和叶面肥，施用方法等同硫酸钾。该肥料含有一定的氯化物，因此不能作种肥，也不适宜在盐碱地和忌氯作物上施用。

4. 硫钾镁肥

硫钾镁肥，通常称为硫酸钾镁肥，是一种多元素钾肥，作为一种天然矿物质肥料，一般含钾22%、镁12%，呈白色或者浅灰色，易溶解于水，不易吸湿潮解，呈中性或弱碱性。硫酸钾镁肥技术指标见表4-19。

表 4-19 硫酸钾镁肥的要求（GB/T 20937—2018）

项目		优等品	一等品	合格品
氧化钾（K_2O）的质量分数/%	≥	30.0	24.0	21.0
镁（Mg）的质量分数/%	≥	7.0	6.0	5.0
硫（S）的质量分数/%	≥	18.0	16.0	14.0
氯离子（Cl^-）的质量分数/%	≤	2.0	2.5	3.0
钠离子（Na^+）的质量分数/%	≤	0.5	1.0	1.5
游离水（H_2O）的质量分数[a]/%	≤	1.0	1.5	1.5
水不溶物的质量分数/%	≤	1.0	1.0	1.5
pH		7.0～9.0		
粒度（1.00～4.75 mm）[b]/%	≥	90		
砷及其化合物的质量分数（以 As 计）/%	≤	0.0050		
铬及其化合物的质量分数（以 Cr 计）/%	≤	0.0010		
铅及其化合物的质量分数（以 Pb 计）/%	≤	0.0200		
镉及其化合物的质量分数（以 Cd 计）/%	≤	0.0500		
汞及其化合物的质量分数（以 Hg 计）/%	≤	0.0005		

[a] 游离水（H_2O）的质量分数仅在生产企业检验和生产领域质量抽查检验时进行判定。

[b] 粉状产品粒度不做要求。粒状产品的粒度也可按供需双方合同约定执行。

硫钾镁肥能为作物生长提供较为均衡的养分，除了提供钾以外，可以作为硫酸钾的替代品，还能为植物提供镁及硫元素等；硫酸钾镁肥还能改善土壤结构，使土壤更加疏松，有利于作物根系的生长和发育。硫酸钾镁肥适用于各种土壤类型，特别是缺镁土壤，如南方的红黄壤地区。硫酸钾镁肥一般作基肥使用，也可作追肥。在施用时，应均匀撒施或沟施，并与土壤充分混合，施肥时尽量避免肥料与种子或幼根接触。

5. 窑灰钾肥

窑灰钾肥是水泥工业的副产品，也是水泥窑烟气中带出来的粉尘，外观为灰黄色或灰褐色粉末。窑灰钾肥没有固定的分子式，是硫酸钾、氯化钾、碳酸钾、氯化钙以及铝硅酸钾盐等物质的混合物。

窑灰钾肥部分水溶。由于产品中含有氧化钙和碳酸钾，肥料呈碱性。窑灰钾肥适合酸性土壤，可以中和酸性土壤中的酸。由于碱性太强，窑灰钾肥不适宜于石灰性土壤，也不能和铵态氮肥和水溶性磷肥混合储存和使用。窑灰钾肥只适合做基肥和追肥，不能做种肥。在做追肥时，避免肥料黏附到叶片上，以免引起叶片灼伤，同时也要防止肥料与根系直接接触，避免伤根。

窑灰钾肥的吸湿性强，贮藏、运输过程中应避免暴露于空气中，同时要注意防雨防潮。

四、复合（混）肥料

相对于单质化肥而言，复合（混）肥料是指在一种化学肥料中，同时含有两种或两种以上营养成分（N、P、K）的化学肥料。肥料发展的趋势是高浓度、复合化、液体化和缓效化，以便于节能降耗，降低运输成本，减少副成分和提高肥效等。相对于单质肥料而言，复合（混）肥料具有养分种类多、浓度高，颗粒中养分分布均匀及施用安全方便等优点。因此，复合（混）肥料的市场前景远大。

复合（混）肥料的有效养分，一般用氮（N）-磷（P_2O_5）-钾（K_2O）［中量（微量）］元素的相应百分含量来表示，用阿拉伯数字表示其含量，“0”表示不含该营养成分。应特别注意，在表达时它们的次序不能发生变化。如表达式“15-15-15”是指肥料中氮（N）、磷（P_2O_5）和钾（K_2O）含量是一样的，都是15%。如某二元复合肥含氮（N）15%、含磷（P_2O_5）46%，不含钾，则该复合肥养分的表达式为15-46-0；如果复合肥中含有微量元素，则在表达式中钾位置的后面标明其含量，并在括号内用元素符号注明其类型，如表达式10-10-10-0.5（Zn）的肥料中除N、P_2O_5、K_2O各含有10%外，还含有0.5%的锌。

按所含元素种类多少，复合（混）肥料可分为二元、三元和多元复混肥料。下面按制造方法来介绍复合肥料。

（一）复合肥料

复合肥料是由化学方法制成的肥料，具有性质稳定、组成养分比例固定的特点，因此复合肥料难以适应不同土壤和作物的要求。

目前在世界范围内生产使用的复合肥料品种有氮磷二元复合肥、氮钾二元复合肥、磷钾二元复合肥和氮磷钾三元复合肥等。

1. 磷酸铵

磷酸铵属氮磷二元复合肥，一般简称磷铵，是用氨中和浓缩磷酸生成的一组产物，含有N和P两种养分。磷酸铵是目前国内外发展较快的复合肥料品种之一。

根据氨中和程度，其产物也不同，分别为磷酸一铵（$NH_4H_2PO_4$）、磷酸二铵［$(NH_4)_2HPO_4$］和磷酸铵［$(NH_4)_3PO_4$］。国内肥料行业所说的磷酸铵一般是指磷酸一铵和磷酸二铵。磷酸一铵的化学名称为磷酸二氢铵，又称安福粉，缩写为MAP。总养分含量62%～66%，其中N为11%～13%，P_2O_5为51%～53%。磷酸一铵是酸性化肥，其水溶液的pH值为4.4，磷酸一铵的性质较为稳定。磷酸二铵的化学名称为磷酸氢二铵，又称为重安福粉，缩写为DAP。磷酸二铵的总有效养分为62%～75%，其中N为16%～21%，P_2O_5为46%～54%。磷酸二铵是碱性化肥，其水溶液的 pH 值为 8.0。磷酸二铵在湿热条件下，会发生氨挥发。传统法、料浆法和粉状磷酸一铵和磷酸二铵的质量技术指标标准见表 4-20～表 4-22。

表 4-20　传统法粒状磷酸一铵和磷酸二铵的技术指标要求（GB/T 10205—2009）

项目		磷酸一铵			磷酸二铵		
		优等品 12-52-0	一等品 11-49-0	合格品 10-46-0	优等品 18-46-0	一等品 15-42-0	合格品 14-39-0
外观		颗粒状，无机械杂质					
总养分（$N+P_2O_5$）的质量分数/%	≥	64.0	60.0	56.0	64.0	57.0	53.0
总氮（N）的质量分数/%	≥	11.0	10.0	9.0	17.0	14.0	13.0
有效磷（P_2O_5）的质量分数/%	≥	51.0	48.0	45.0	45.0	41.0	38.0
水溶性磷占有效磷百分率/%	≥	87	80	75	87	80	75
水分（H_2O）的质量分数/%	≤	2.5	2.5	3.0	2.5	2.5	3.0
粒度（1.00～4.00mm）/%	≥	90	80	80	90	80	80

表 4-21　料浆法粒状磷酸一铵和磷酸二铵的技术指标要求（GB/T 10205—2009）

项目		料浆法磷酸一铵			料浆法磷酸二铵		
		优等品 11-47-0	一等品 11-44-0	合格品 10-42-0	优等品 16-44-0	一等品 15-42-0	合格品 14-39-0
外观		颗粒状，无机械杂质					
总养分（$N+P_2O_5$）的质量分数/%	≥	58.0	55.0	52.0	60.0	57.0	53.0
总氮（N）的质量分数/%	≥	10.0	10.0	9.0	15.0	14.0	13.0
有效磷（P_2O_5）的质量分数/%	≥	46.0	43.0	41.0	43.0	41.0	38.0
水溶性磷占有效磷百分率/%	≥	80	75	70	80	75	70
水分（H_2O）的质量分数/%	≥	2.5	2.5	3.0	2.5	2.5	3.0
粒度（1.00～4.00mm）/%	≥	90	80	80	90	80	80

表 4-22　粉状磷酸一铵的技术指标要求（GB/T 10205—2009）

项目		传统法		料浆法		
		优等品 9-49-0	一等品 8-47-0	优等品 11-47-0	一等品 11-44-0	合格品 10-42-0
外观		粉末状，无明显结块现象，无机械杂质				
总养分（$N+P_2O_5$）的质量分数/%	≥	58.0	55.0	58.0	55.0	52.0
总氮（N）的质量分数/	≥	8.0	7.0	10.0	10.0	9.0

续表

项目	传统法		料浆法		
	优等品 9-49-0	一等品 8-47-0	优等品 11-47-0	一等品 11-44-0	合格品 10-42-0
有效磷（P_2O_5）的质量分数/% ≥	48.0	46.0	46.0	43.0	41.0
水溶性磷占有效磷百分率/% ≥	80	75	80	75	70
水分（H_2O）的质量分数/% ≤	3.0	4.0	3.0	4.0	5.0

磷酸铵，分子式为（NH_4）$_3PO_4$，也可用于生产高浓度氮磷复合肥料，但磷酸铵性质相对不稳定，露置空气中能失去部分氨。纯净磷酸铵为白色结晶，农用磷酸铵因含有杂质及添加防潮剂，而呈灰白色、深灰色、深褐色、浅黄色等。磷酸铵生产过程中添加了防潮剂，故产品吸湿性小；但磷酸铵和尿素、硝酸铵、硝酸钠等肥料混合后，混合物的吸湿性大大增加。磷酸铵的溶解性高，施入土壤后其中所含的N和P均能被作物吸收利用，且对土壤的pH值影响甚微，故磷酸铵是生理中性肥料。磷酸铵具有加工成粒好，氮、磷的总含量和有效磷的含量都较高的特点，可以与其他多数的氮肥和钾肥品种混合施用，尤其是复混肥料产业将磷酸铵作为复混肥料中的磷肥原料。

磷酸铵类肥料适合于各种土壤和作物，水旱田都可施用，可作基肥、追肥和种肥。做种肥时要控制用量，避免与种子接触。由于磷酸铵的磷多氮少，该肥料适宜于需磷多的作物。

磷酸铵在储藏和运输时，要求包装密封、防潮、防雨、阴凉干燥；此外，磷酸铵应避免与碱性肥料或物质混放和混施。

2. 硝酸钾

硝酸钾，分子式为KNO_3，俗称火硝或土硝，又称为钾硝石，原为生产炸药和地雷等爆炸物的主要原料。硝酸钾为白色、灰白色、浅黄色的结晶体或粉末，易溶于水，水溶液中性。硝酸钾是含氮和钾两种营养元素的复合肥料，其中的N含量为12%～15%，K_2O为45%～46%。硝酸钾技术指标见表4-23。

表4-23 农业用硝酸钾的要求（GB/T 20784—2018）

项目	等级		
	优等品	一等品	合格品
氧化钾（K_2O）的质量分数/% ≥	46.0	44.5	44.0
总氮（N）的质量分数/% ≥	13.5	13.5	13.0
氯离子（Cl^-）的质量分数/% ≤	0.2	1.2	1.5
水分（H_2O）的质量分数/% ≤	0.5	1.0	1.5

续表

项目			等级		
			优等品	一等品	合格品
水不溶物的质量分数/%		≤	0.10	0.20	0.30
粒度[d]/%	1.00～4.75mm	≥	90		
	1.00mm 以下	≤	3		
砷及其化合物的质量分数（以 As 计）/%		≤	0.0050		
铬及其化合物的质量分数（以 Cr 计）/%		≤	0.0010		
铅及其化合物的质量分数（以 Pb 计）/%		≤	0.0200		
镉及其化合物的质量分数（以 Cd 计）/%		≤	0.0500		
汞及其化合物的质量分数（以 Hg 计）/%		≤	0.0005		

硝酸钾可用作基肥、种肥和追肥，但由于该产品不含氯，其生产成本和售价都很高，农业上该产品仅用于种肥和追肥。由于硝态氮易淋失，该产品较适合于旱地，不适合于水田。硝酸钾是一种无氯的低氮高钾的二元复合肥料，作基肥或早期追肥，施用时要配合氮磷化肥，以提高肥效。

硝酸钾适用于各种土壤和农作物，尤其适用于对氯离子敏感的作物，特别适合于烟草、甜菜、马铃薯、瓜果等喜钾作物上使用，因为其中的硝态氮易随水流失，因此不宜在水稻上施用。此外，硝酸钾还可以作为叶面肥喷施，或用于浸种。

硝酸钾属易燃易爆物质，在生产、贮存和运输过程中应注意安全，要按照危险品进行处理，注意轻拿轻放，避免硬摔或撞击；严格密封包装，防止遇水与雨淋。

3. 磷酸二氢钾

磷酸二氢钾的化学式为 KH_2PO_4，是一种高效的磷钾二元复合肥。纯净的磷酸二氢钾为白色晶体，作肥料用的产品一般含有杂质，外观为浅黄色或灰白色粉末。磷酸二氢钾易溶于水，水溶液为酸性。磷酸二氢钾有效养分总含量为 85% 左右，其中 P_2O_5 为 52%左右，K_2O 为 34%左右，这使得其磷钾养分综合含量在所有肥料产品中相对较高。具体质量技术指标见表 4-24。

表 4-24 肥料级磷酸二氢钾质量技术指标（HG/T 2321—2016）

项目		等级		
		优等品	一等品	合格品
磷酸二氢钾（KH_2PO_4）的质量分数/%	≥	98.0	96.0	94.0
水溶性五氧化二磷（P_2O_5）的质量分数/%	≥	51.0	50.0	49.0
氧化钾（K_2O）的质量分数/%	≥	33.8	33.2	30.5
水分/%	≤	0.5	1.0	1.5

续表

项目		等级		
		优等品	一等品	合格品
氯化物（Cl）的质量分数/%	≤	1.0	1.5	3.0
水不溶物的质量分数/%	≤	0.3		
pH 值		4.3～4.9		
砷及其化合物的质量分数（以 As 计）/%	≤	0.0050		
镉及其化合物的质量分数（以 Cd 计）/%	≤	0.0010		
铅及其化合物的质量分数（以 Pb 计）/%	≤	0.0200		
铬及其化合物的质量分数（以 Cr 计）/%	≤	0.0500		
汞及其化合物的质量分数（以 Hg 计）/%	≤	0.0005		

磷酸二氢钾由于价格昂贵，市售的产品一般都是小袋包装，虽然可以用作基肥、种肥和追肥，但考虑其肥效性价比，农业上多用于根外追肥和浸种，不用基肥和追肥。磷酸二氢钾不宜与含钙、镁等离子的化合物混用，这些物质会降低它的溶解度，从而影响其肥效。

磷酸二氢钾在空气中易潮解，但其吸湿性小，在存储时应保持干燥并避免受潮，最好将其存放在通风干燥的地方。

4. 聚磷酸铵

聚磷酸铵（APP）肥料是一种含有氮（N）和磷（P）的聚磷酸盐肥料，化学式通常表示为 $(NH_4)_6P_4O_{13}$。纯净的聚磷酸铵为无色结晶，产品外观为透明或乳白色结晶或颗粒，常见的产品形态为颗粒肥料。农用聚磷酸铵聚合度低，主要含二聚磷酸铵、三聚磷酸铵和四聚磷酸铵等多种形态。

聚磷酸铵肥料中的氮和磷养分含量高，有效养分总含量通常在 70%左右，其中氮含量为 12%～14%，磷（P_2O_5）含量为 50%～55%，且磷主要是水溶性的，这有助于作物快速吸收。具体质量标准见表 4-25。

表 4-25　肥料级聚磷酸铵的技术指标（HG/T 5939—2021）

项目		指标			
		固体		流体	
		Ⅰ类	Ⅱ类	Ⅰ类	Ⅱ类
外观		均匀的固体粉末或颗粒，无可见机械杂质		均匀流体，无可见机械杂质	
总养分（$N+P_2O_5$）/%	≥	68.0	54.0	46.0	43.0
有效磷（以 P_2O_5 计）/%	≥	55.0	41.0	36.0	33.0

续表

项目		指标			
		固体		流体	
		Ⅰ类	Ⅱ类	Ⅰ类	Ⅱ类
总氮（以N计）/%	≥	12.0	12.0	9.0	9.0
聚合率/%	≥	75.0	60.0	65.0	60.0
水不溶物/%	≤	0.5	1.0	0.2	0.5
水分/%	≤	3.0	3.0	—	—
pH值（1∶250倍稀释）		标明值	标明值	标明值	标明值

在土壤中，聚磷酸铵能缓慢水解成正磷酸盐，供作物持续利用，因此具有缓溶性长效肥料的特性。此外，聚磷酸铵的pH值近中性，对作物使用安全系数高。聚磷酸铵能改变土壤磷的吸附解吸特性，增加土壤有效磷浓度，提升磷利用效率。在不同类型的土壤中，如酸性土壤、石灰性土壤和砖红壤中，聚磷酸铵都能显著提高土壤磷的有效性。聚磷酸铵具有特殊的分子结构，能够与土壤中的钙、镁、铁、锌等中微量元素形成络合离子，从而避免这些中微量元素被土壤固定。这有助于提高中微量元素在土壤中的有效性，为植物生长提供充足营养。由于聚磷酸铵能螯合土壤中的中微量元素，减少养分固定，因此能提高肥料的利用率。这有助于减少肥料的施用量，降低农业生产成本。

聚磷酸铵可用作基肥、种肥和追肥，通常作为水溶性肥料应用，其肥效强、速效快，特别适合在根外追肥时使用。通常用于作物的生长期进行追施，以快速提升植物的氮磷营养，特别是在早期生长阶段。一般采用0.1%～0.3%的浓度进行根外追肥，具有显著促进植物生长作用，特别是在作物生长的关键期。也可以用于浸种，常用浓度为0.2%，浸泡时间为18～24h，能够有效促进种子的发芽和初期生长。聚磷酸铵无毒无味，不产生腐蚀气体的物质，吸湿性小，热稳定性高。聚磷酸铵通常被视为非危险货物，因此不需要按照危险货物的运输规定进行特殊处理。聚磷酸铵应贮存在通风、干燥的库房内，不可露天堆放，以防止其受潮结块或发生其他化学反应。

5. 氮磷钾三元复合肥

NPK三元复合肥同时含有氮、磷、钾三种营养元素，能够满足作物生长过程中对多种养分的需求。不同作物在不同生长阶段对氮、磷、钾的需求量有所不同，NPK复合肥的配比可以根据作物的需求和生长阶段进行调整，实现精准施肥。NPK复合肥的种类繁多。如均衡型复合肥，如15-15-15、16-16-16、17-17-17、18-18-18及19-19-19等，其氮磷钾比例一致，适合多数作物生长周期使用。高氮型复合肥则氮元素含量相对较高，适用于叶菜类作物，如菠菜、生菜等，有助于叶片快速生长。高磷型复合肥的磷元素含量较高，适用于根茎类作物，如马铃薯、萝卜等，有助于根系发展和块茎形成。高钾型复合肥则钾元素含量突出，适合果树等需要提高抗逆性和果实品质的作物。NPK 复合肥一般为颗粒状，由于生产工艺不同，颜色也不同，NPK 复合肥的主要原料有硫酸铵、硝酸铵、氯化铵、尿素、硫酸钾、氯化钾、磷铵等。生产的 NPK 复合肥要达到表 4-26 质量技术指标要求。

表 4-26　复合肥料的技术指标（GB/T 15063—2020）

项目			指标		
			高浓度	中浓度	低浓度
总养分[a]（$N+P_2O_5+K_2O$）/%		≥	40.0	30.0	25.0
水溶性磷占有效磷百分率[b]/%		≥	60	50	40
硝态氮[c]/%		≥	1.5		
水分[d]（H_2O）/%		≤	2.0	2.5	5.0
粒度[e]（1.00～4.75mm 或 3.35～5.60mm）/%		≥	90		
氯离子[f]/%	未标“含氯”的产品	≤	3.0		
	标识“含氯（低氯）”的产品	≤	15.0		
	标识“含氯（中氯）”的产品	≤	30.0		
单一中量元素[g]（以单质计）/%	有效钙	≥	1.0		
	有效镁	≥	1.0		
	总硫	≥	2.0		
单一微量元素[h]（以单质计）/%		≥	0.02		

[a] 组成产品的单一养分含量不应小于 4.0%，且单一养分测定值与标明值负偏差的绝对值不应大于 1.5%。

[b] 以钙镁磷肥等枸溶性磷肥为基础磷肥并在包装容器上注明为“枸溶性磷”时，“水溶性磷占有效磷百分率”项目不做检验和判定。若为氮、钾二元肥料，“水溶性磷占有效磷百分率”项目不做检验和判定。

[c] 包装容器上标明“含硝态氮”时检测本项目。

[d] 水分以生产企业出厂检验数据为准。

[e] 特殊形状或更大颗粒（粉状除外）产品的粒度可由供需双方协议确定。

[f] 氯离子的质量分数大于 30.0%的产品，应在包装容器上标明“含氯（高氯）”，标识“含氯（高氯）”的产品氯离子的质量分数可不做检验和判定。

[g] 包装容器上标明含钙、镁、硫时检测本项目。

[h] 包装容器上标明含铜、铁、锰、锌、硼、钼时检测本项目，钼元素的质量分数不高于 0.5%。

NPK 复合肥可以作为基肥在播种或移栽前施入土壤中，为作物提供持久的营养支持，也可在作物生长过程中，根据作物的需求和生长阶段，适时追施。对于某些作物，如叶菜类作物，也可通过叶面喷施的方式施用。NPK 复合肥应存储在干燥、通风、阴凉的地方，避免受潮和阳光直射。

（二）复混肥料

复混肥料是根据土壤和作物需求情况，将两种或三种单质化肥或用一种复合肥做基础再加上一两种单质化肥，通过机械混合的方法，制取不同养分比例的混合肥料。有时可在其中加入一些填充物，以改善肥料的物理和化学性质。复混肥料能根据土壤和作物需要分别配制成 N、P、K 养分比例各不相同的混合肥料。复混肥料是今后肥料发展的方向，主要源于其具有以下优点：肥料的养分全面，养分浓度高，增产、节本显著，针对性强；加工简便，生产成本低，没有污染；肥料配方比较灵活，可以根据作物需肥特性、土壤养分供应状况和产量水平等的不同而灵活改变，弥补了化合复合肥因固定养分配比而可能造成养分失调的缺点。

市场销售的复混肥料主要类型是专用肥，是根据作物养分特性以及当地土壤的养分供应状况及产量水平，由单质化肥和复合肥配制成的，如水稻专用肥、玉米专用肥等。复混肥料中虽然也含有两种或两种以上的营养元素，但其生产过程不同于复合肥料。复混肥料只是将两种或两种以上的单质肥料或复合肥料通过简单机械方法混合而成，生产过程中不发生化学反应。此外，复混肥料和复合肥料差异还表现在养分总量和比例上，复合肥料是固定的，而复混肥料所含有的养分总量和比例则是不固定的，对于土壤和作物而言，复混肥料更具有针对性。

复混肥料养分表达方式和复合肥料一致。复混肥料种类繁多，分类方法也较多。根据复混肥料的生产工艺，将复混肥料分为料浆型复混肥料和掺混型复混肥料。

1. 料浆型复混肥料

料浆型复混肥料是一种将多种不同的肥料原料进行混合，并以料浆形式提供的肥料产品。代表性肥料类型如下：

（1）硝酸磷肥　硝酸磷肥是用硝酸或以硝酸为主的混酸分解磷矿粉，经过氨化处理后生成的肥料。磷资源短缺的国家或地区，生产这类肥料尤为适宜。硝酸磷肥的主要组分是磷酸二钙、磷酸铵和硝酸钙、硝酸铵，其中的磷酸盐，一部分是水溶性的，另一部分是溶于柠檬酸铵溶液。作为氮磷二元复合肥，硝酸磷肥中 N、P 含量因制造方法而异，其中 N 含量为 25%～27%，P_2O_5 为 11%～13.5%，其代表产品有 20-20-0、26-13-0 和 16-23-0 等类型。硝酸磷肥的质量技术指标见表 4-27。

硝酸磷肥中的氮素有一半左右是硝态氮，适用于生长期短的喜硝态氮作物，如蔬菜、烟草等，又由于硝态氮不易被土壤吸附，易随水流失，因此该肥料在旱地上施用效果比水田好。硝酸磷肥可作基肥和早期追肥以及种肥施用，作种肥时，应让肥料与种子之间相隔一定距离，追肥时要避免肥料与根系直接接触。

表 4-27 硝酸磷肥的技术指标（GB/T 10510—2023）

项目	要求		
	Ⅰ型	Ⅱ型	Ⅲ型
总养分（$N+P_2O_5$）/%	≥40.0	≥37.0	≥35.0
总氮/%	≥20.0	≥20.0	≥20.0
有效磷（P_2O_5）/%	≥14.0	≥11.0	≥10.0
硝态氮占总氮百分率/%	≥35		
水溶性磷占有效磷百分率/%	≥65	≥50	≥40
游离水含量（H_2O）/%	≤1.5		
粒度（1.00～4.75mm）/%	≥90		
氯离子/%	≤0.5		

硝酸磷肥外观呈深灰色，化学中性，吸湿性强，易结块，因此贮存和运输上要注意防潮。此外，硝酸磷肥的热稳定性较差，受热容易分解，甚至可能引发燃烧或爆炸，所以在贮存和运输过程中需要特别注意安全。

（2）氨化过磷酸钙　氨化过磷酸钙是用氨处理过磷酸钙而制成的一种物理性质较好的 N、P 复合肥。氨化过磷酸钙的外观多为白色或浅灰色粉末或粒状，也有灰色或灰黑色颗粒状。大部分易溶于水，小部分只溶于 2%柠檬酸溶液。氨化过磷酸钙主要有效成分是磷酸二氢钙、磷酸氢钙和少量的磷酸一铵和磷酸二铵，并含有少量石膏，总养分为 15%～18%，其中 N 为 2%～3%、P_2O_5 为 13%～15%。

氨化过磷酸钙物理性能良好，即干燥、疏松、溶于水，因此该肥料的施用比较方便，可作基肥、追肥和种肥施用。由于添加了 N，该肥料的肥效对多数作物而言要优于过磷酸钙。氨化过磷酸钙适用于各类作物，尤其酸性土壤上施用的效果最好，可作为基肥、追肥和种肥使用。氨化过磷酸钙不宜与碱性物质混合贮存或施用，以免引起氨的挥发和有效磷的退化。因其含氮量相对较低，故应配合其他氮肥施用，以充分发挥其肥效。

氨化过磷酸钙不含游离酸，没有腐蚀性，吸湿性和结块性较小，物理性状良好，便于运输、储存和施用。

（3）硝酸磷钾　硝酸磷钾肥是在生产硝酸磷肥的过程中加入优质硫酸钾化合而成的肥料，具有硝酸磷肥的所有特点，是市场上较为常见的复混肥料。可以根据需要制造出氮磷钾不同比例和总养分的肥料品种。其质量技术指标见表 4-28。

硝酸磷钾肥主要组分是磷酸二钙、磷酸铵和硝酸铵，有些品种还含有硝酸钾和氯化铵。肥料中的氮有硝态氮和铵态氮两种主要类型，磷有水溶性和弱酸溶解两种形式，钾以水溶性存在。此外，还含有硫、钙等中量元素与稀土元素，有助于均衡土壤中的有效营养成分。硝酸磷钾肥外观通常呈灰白色、灰色或灰黑色颗粒，适宜用于旱地作物，一般不用于水田。

表 4-28　硝酸磷钾肥的技术指标（GB/T 10510—2023）

项目		要求		
		Ⅰ型	Ⅱ型	Ⅲ型
总养分[a]（$N+P_2O_5+K_2O$）/%		≥45.0	≥40.0	≥35.0
总氮/%		≥15.0	≥13.0	≥10.0
有效磷（P_2O_5）/%		≥12.0	≥8.0	≥6.0
氧化钾（K_2O）/%		≥4.0	≥4.0	≥4.0
硝态氮占总氮百分率/%		≥30		
水溶性磷占有效磷百分率/%		≥40		
游离水含量[b]（H_2O）/%		≤1.5		
粒度[c]（1.00～4.75mm）/%		≥90		
氯离子[d]/%	未标"含氯"的产品	≤3.0		
	标"含氯（低氯）"的产品	≤15.0		
	标"含氯（中氯）"的产品	≤20.0		

[a] 单一养分测定值与标明值负偏差的绝对值应不大于1.5%。

[b] 在除生产企业外的场合采样时，水分可不做检测或以生产企业出厂检验数据为准。

[c] 当用户对粒度有特殊要求时，可由供需双方协议确定。

[d] 硝酸磷钾肥中氯离子含量应≤20.0%。

硝酸磷钾肥可以作为基肥也可以作为追肥使用。硝酸磷钾肥作种肥时，尽量不要与种子直接接触，以免灼伤种子。

硝酸磷钾肥易吸湿结块，遇热易分解、爆炸和燃烧。因此在储存和运输过程中应远离火源，并保持干燥。

2. 掺混型复混肥料

掺混型复混肥料，通常简称为掺混肥料，是一种由两种或多种单质肥料或复合肥料通过简单的机械混合而制成的肥料，也称配方肥、BB肥。掺混型复混肥料的生产主要是原料加工，因此生产技术含量低，投资所需资金较小，一般以乡镇企业或个人为主。

掺混型复混肥在选择原料时要避免相互混合的肥料间因发生化学反应而减弱肥料有效成分的作用效果。一般而言，混合后的肥料，其临界湿度比单一肥料的要低，即混合后肥料更容易发生吸湿和结块。在进行掺混肥料加工时，要选择的化肥品种的临界湿度应尽可能高。肥料之间混合的原则是：混合后肥料的临界相对湿度较高以及有效养分不受损失。图4-1给出了常用肥料之间混合的结果。常见肥料间的混合表现有以下几种情况：

O——表示可以混合
。——表示混合后不宜久放
×——表示不能混合

肥料	硫酸铵	硝酸铵	氨水	碳酸氢铵	尿素	石灰氮	氯化铵	过磷酸钙	钙镁磷肥	钢渣磷肥	沉淀磷肥	脱氟磷肥	重钙	磷矿粉	硫酸钾	氯化钾	窑灰钾肥	磷酸铵	硝酸磷肥	钾氮混肥	氯化普钙	草木灰	粪尿	厩肥
硫酸铵																								
硝酸铵	。																							
氨水	×	×																						
碳酸氢铵	×	。	×																					
尿素	O	。	×	×																				
石灰氮	×	×	×	×	×																			
氯化铵	O	。	×	×	O	×																		
过磷酸钙	O	。	×	×	O	×	O																	
钙镁磷肥	。	。	×	×	O	×	×	×																
钢渣磷肥	×	×	×	×	×	×	×	×	O															
沉淀磷肥	O	。	×	×	O	×	O	×	O	O														
脱氟磷肥	。	。	×	×	O	×	×	×	O	O	O													
重钙	O	。	×	×	O	×	O	O	×	×	×	×												
磷矿粉	O	。	×	×	O	×	O	。	O	O	O	O	。											
硫酸钾	O	。	×	×	O	×	O	O	O	O	O	O	O	O										
氯化钾	O	。	×	×	O	×	O	O	O	O	O	O	O	O	O									
窑灰钾肥	×	×	×	×	×	×	×	×	O	O	O	O	×	O	O	O								
磷酸铵	O	。	×	×	O	×	O	O	×	×	×	×	O	×	O	O	×							
硝酸磷肥	。	。	×	×	。	×	。	。	×	×	×	×	。	。	。	。	×	。						
钾氮混肥	O	。	×	×	O	×	O	O	×	×	×	×	O	。	O	O	×	O	。					
氯化普钙	O	。	×	×	O	×	O	O	×	×	×	×	O	。	O	O	×	O	。	O				
草木灰	×	×	×	×	×	×	×	×	O	O	O	O	×	O	O	O	O	×	×	×	×			
粪尿	O	O	×	×	O	×	O	O	×	×	×	×	O	O	O	O	×	O	O	O	O	×		
厩肥	O	O	×	×	O	O	O	O	O	O	O	O	O	O	O	O	O	O	O	O	O	O	O	

图 4-1 各种肥料混合一览

（1）可以混合的肥料类型　主要有硫酸铵和过磷酸钙、硫酸铵和磷矿粉、尿素和部分磷酸盐肥料等。组合之间混合后，可以形成氮磷和氮钾复合肥。形成的掺混复合肥不但养分没有损失，而且还能减少各种肥料单独施用时的不良作用，并且提高肥效。如硝酸铵和氯化钾混合后，潮解小，具有良好的物理性状，便于施用。硫酸铵与磷矿粉混合施用，可以增加磷矿粉的溶解度，提高磷矿粉的肥效。

（2）可以暂时混合但不可久置的肥料类型　肥料混合后应该立即施用，如果长期放置，会引起有效养分含量降低及物理性状变差。最典型的例子是过磷酸钙和硝态氮肥（硝酸铵等）的混合，混合后肥料更易潮解。此外，还会引起硝态氮分解，造成氮损失。

（3）不可混合的肥料类型　此类肥料混合后，会引起养分损失，降低肥效。最突出的是铵态氮肥的挥发，如硝酸铵、硫酸铵等与碱性物质（钢渣磷肥、石灰氮或草木灰等）混合后会引起氨的大量挥发，造成大量的氮损失。此外，水溶性磷含量的降低也是掺混肥料中要避免的。如过磷酸钙中水溶性磷遇到碱性肥料（如石灰氮、钢渣磷肥、草木灰等），会引起磷的退化，降低了有效磷的含量。

3. 有无氯对掺混肥料进行分类

生产复混肥料的原料一般是常用的单质或复合肥料，以及微量元素肥料。其中氮肥有尿素、硫酸铵、硝酸铵、氯化铵和碳酸氢铵；磷肥有过磷酸钙、重钙、钙镁磷肥；钾肥有氯化钾和硫酸钾等；复合肥有磷酸一铵、磷酸二铵、硝酸钾、硝酸磷肥等。复混肥料可以根据生产所用的原料分成不含氯的复混肥料和含氯的复混肥料。

（1）不含氯的复混肥料　该类型复混肥料的主要特点是所用原料中不含有氯离子，主要的配方有尿素-磷肥-硫酸钾、硫酸铵-磷肥-硫酸钾、硝酸铵和尿素-磷肥-硫酸钾等。该类型复混肥料适合各种土壤和作物。其中钾来自硫酸钾，所以售价较高。该肥料主要用在忌氯作物和经济效益较高的作物上，如果树、烟草、马铃薯和甘薯等。此外，盐碱地也宜使用这种肥料。

此外，由于供磷的磷肥品种可能是水溶性磷，也可能是弱酸溶的，在施用这类肥料时，要考虑施用地土壤酸碱性，如果以水溶性磷肥，如过磷酸钙或者重钙作为磷来源，该类型磷肥可在南北方施用，如果是弱酸溶性的钙镁磷肥作为磷来源，该类肥料只能在南方酸性土壤上施用。

（2）含氯的复混肥料　该类型复混肥料采用含氯的肥料作为原料，主要的配方有尿素-磷肥-氯化钾、硫酸铵-磷肥-氯化钾、尿素和硫酸铵-磷肥-氯化钾、氯化铵-磷肥-硫酸钾、尿素和氯化铵-磷肥-硫酸钾，以及氯化铵-磷肥-氯化钾、氯化铵和尿素-磷肥-氯化钾等。施用此类复混肥时，尤其要注意作物的类型和土壤类型，如果是忌氯作物则尽量少用或不用此类肥料。此外，盐碱地也应慎用此类肥料。由于原料成本低，该肥料售价也便宜，对于禾本科的小麦、玉米和水稻，尤其是水稻可考虑多选购施用此类肥料。此外，小麦施用此类含氯复混肥料，还能防止全蚀病的发生。

尽管供应氮磷钾的比例及总养分是相同的，但因复混肥料的原料不同，价格差异大。一些不法企业偷梁换柱，采用价格便宜的肥料原料，如以含氯钾肥替换含硫的钾肥，以弱酸溶解的磷肥代替水溶性磷肥等方式来降低复混肥料成本。国家标准 GB/T 21633—2020 对此进行了规范（表 4-29）。

表 4-29　掺混肥料（BB 肥）的技术指标要求（GB/T 21633—2020）

项目			指标
总养分[a]（$N+P_2O_5+K_2O$）/%		≥	35.0
水溶性磷占有效磷的百分率[b]/%		≥	60
水分（H_2O）/%		≤	2.0
粒度（2.00～4.75 mm）/%		≥	90
氯离子[c]/%	未标“含氯”产品	≤	3.0
	标识“含氯（低氯）”产品	≤	15.0
	标识“含氯（中氯）”产品	≤	30.0
单一中量元素[d]（以单质计）/%	有效钙（Ca）	≥	1.0
	有效镁（Mg）	≥	1.0
	总硫（S）	≥	2.0
单一微量元素[e]（以单质计）/%		≥	0.02

[a] 组成产品的单一养分含量不应小于 4.0%，且单一养分测定值与标明值负偏差的绝对值不应大于 1.5%。

[b] 以钙镁磷肥等枸溶性磷肥为基础磷肥并在包装容器上注明为“枸溶性磷”时，“水溶性磷占有效磷百分率”项目不做检验和判定。若为氮、钾二元肥料，“水溶性磷占有效磷百分率”项目不做检验和判定。

[c] 氯离子的质量分数大于 30.0%的产品，应在包装袋上标明“含氯（高氯）”，标明“含氯（高氯）”的产品，氯离子的质量分数可不做检测和判定。

[d] 包装容器上标明含有钙、镁、硫时检测本项目。

[e] 包装容器标明含有铜、铁、锰、锌、硼、钼时检测本项目，钼元素的质量分数不高于 0.5%。

五、普通化学肥料的简易鉴别

化学肥料含有的养分类型及含量可以在实验室内进行检测，但需要完备的实验条件和经过培训的检验员按照步骤才能进行，其结果可以用来判断肥料是否合格或者是否是假冒伪劣。对于化学肥料的消费者，尤其是我们国家广大农村的普通劳动者而言，根本无法通过上述化学肥料定性定量的检测方法去判断肥料的真实养分含量。

经过农业科技人员长期的多次试验和探索，研究出一些简单易行的方法来定性肥料中的成分。但需要强调的是，这些简单的方法只能定性确定肥料的种类，无法对其技术指标进行定量测定。肥料经销商或用户在利用定性方法鉴定肥料时，应该清楚：定性方法只是一个依据，不是可靠的方法，真正可靠的方法是常规的定量分析方法。当遇到肥料质量问题时，应及时到肥料质量检验部门进行检测。

这些简单的肥料鉴别方法包括两种，一是通过肥料的物理性质，如外观、形状、溶解度、吸湿性、气味和焰火反应等来进行；另一种就是采用一些常用的试剂，肥料中有效成分会与这些试剂反应，可能生成沉淀、放出气体或者产生颜色变化等，依据这些变化来确定肥料的成分。

（一）物理定性鉴别方法

物理定性鉴别方法是利用肥料的物理性质，如肥料的外观、形状、颜色、溶解度、肥料的气味等，来判断肥料类型。一般而言，物理定性方法简单易操作。

1. 氮肥的物理定性鉴别方法

氮肥种类多，有铵态氮肥、硝态氮肥和酰胺态氮肥。它们在外观以及其他物理性状上存在着一些差别，可以利用这些差别定性鉴别氮肥类型（表 4-30）。

表 4-30　氮肥的物理鉴别

<table>
<tr><th>氮肥类型</th><th>颜色</th><th>气味</th><th>溶解度</th><th>灼烧反应</th></tr>
<tr><td>硝酸铵</td><td rowspan="5">白色，含有杂质呈微黄色</td><td rowspan="2">无味</td><td rowspan="5">完全溶解</td><td>边熔化边燃烧，冒出白色烟雾，并有刺激性氨味，熔化后铁板无残烬</td></tr>
<tr><td>尿素</td><td>边熔化边冒白烟，刺激性氨味，熔化后铁板无残烬</td></tr>
<tr><td>硫酸铵</td><td>有的煤气味，有的无味</td><td>逐渐熔化（不燃烧），出现肥料颗粒蹦跳现象，有白色烟雾和刺鼻的氨味，熔化后铁板有残烬</td></tr>
<tr><td>碳酸氢铵</td><td>刺鼻氨味</td><td></td></tr>
<tr><td>氯化铵</td><td>无味</td><td>迅速熔化并消失（不燃烧），放出浓烟，闻到氨味和盐酸味，熔化后铁板无残烬</td></tr>
</table>

2. 磷肥的物理定性鉴别方法

磷肥有水溶性磷肥、枸溶性磷肥和难溶性磷肥三种，物理定性区别磷肥的方法依据其溶解度和外观来进行。磷肥的物理定性鉴别方法见表 4-31。

表 4-31　磷肥物理定性鉴别方法

磷肥类型	溶解情况	颜色	形状	气味
过磷酸钙	小部分溶解于水	灰白色，个别深灰色	粉末状	酸味
重钙	大部分溶解于水	灰色颗粒	颗粒状，粒形圆润	无
钙镁磷肥	不溶解	暗绿色、灰褐色、灰黑色	粉末状	无
磷矿石	不溶解	灰褐色、灰黄色	粉末状	无

3. 钾肥的物理定性鉴别方法

钾肥常用的有氯化钾、硫酸钾和窑灰钾肥。用量最大的为氯化钾，其次为硫酸钾，窑灰钾肥用量较少。钾肥物理定性鉴别方法见表 4-32。

表 4-32　钾肥物理定性鉴别方法

钾肥类型	外观颜色	吸湿性	水溶性	火焰颜色
氯化钾	白色、红色结晶体	吸湿性强	易溶解	紫色火焰
硫酸钾	白色、灰黄色、灰绿色或浅棕色结晶体	无	能溶解，但溶解速度和量没有氯化钾大	紫色火焰
窑灰钾肥	灰黄色或灰褐色粉末	无	不溶于水	难以燃烧

4. 复合肥料的物理定性鉴别方法

复合肥料包括复合肥和复混肥。复合肥和复混肥都具有单质肥料的特性，可以通过其与单质肥料相同特性这一特点来进行鉴定。

（1）复合肥的物理定性鉴别方法

① 磷酸一铵和磷酸二铵。外观呈灰色、灰白色或灰褐色颗粒；燃烧的红木炭上灼烧有刺激性的氨味，与铵态氮肥特点相同，易溶于水。

② 硝酸磷肥。外观为灰色颗粒；在燃烧的红木炭上灼烧能燃烧并放出刺激性的气味，与硝态氮一样；吸湿性强，肥料中的多数能溶解于水。

③ 磷酸二氢钾。外观为白色或浅黄色的细小结晶；灼烧时具有钾离子特有的紫色火焰，易溶于水，与可溶性钾肥类似。

④ 硝酸钾。外观为白色结晶；在燃烧的红木炭上灼烧能燃烧且放出刺激性的气味和棕色烟雾；在潮湿空气中放置一晚上或在手心握一会，肥料表面会水化；灼烧时具有钾离子特有的紫色火焰；易溶于水。因此，硝酸钾具有硝态氮肥和钾肥的双重特征。

（2）复混肥的物理定性鉴别方法　复混肥的制备组合方法一般有以下四种类型。不同原料制备的复混肥的物理定性鉴别方法都与组成的原料肥料有着较为密切的关系。

① 以铵态氮肥或尿素为氮素原料、磷酸铵为磷素原料、氯化钾或硫酸钾为钾素原料生产的复混肥料，该类复混肥料的外观为颗粒状，由于厂家将肥料不同颗粒涂上不同颜色，产品颜色丰富；灼烧时放出刺激性的氨味，火上灼烧具有钾离子特有的紫色火焰；产品易溶于水。

② 以铵态氮肥或尿素为氮素原料、过磷酸钙为磷素原料、氯化钾或硫酸钾为钾素原料生产的复混肥料，该类复混肥料的颜色同样丰富，颗粒状；产品灼烧时放出刺激性的氨味，火上灼烧具有钾离子特有的紫色火焰；产品部分溶于水。

③ 以铵态氮肥或尿素为氮素原料、钙镁磷肥为磷素原料、氯化钾或硫酸钾为钾素原料生产的复混肥料，外观为颗粒状，颜色较丰富；产品灼烧时放出刺激性的氨味，火上灼烧具有钾离子特有的紫色火焰；产品部分溶于水。

④ 以硝酸铵为氮素原料的复混肥料，产品能发生燃烧现象，且有棕色烟雾放出。

（二）化学定性鉴别方法

化学定性鉴别方法是利用肥料分子中的化学反应特性而开展的鉴别方法。该方法具有专一性的特点，相对而言，化学定性鉴别比物理定性鉴别更科学、更可靠。

化学定性鉴别需要一些化学试剂、一些玻璃器皿，如锥形瓶、烧杯、量筒、试管、胶头滴管等，以及酒精灯和天平等。当然，试剂的溶解需蒸馏水或去离子水，如果没有，可采用纯净水。肥料的化学定性鉴别如果想防止鉴别过程中的干扰产生的错误诊断，可以在基层的化验室进行。一些农资销售人员没有此条件，如果在农资销售点进行时，最好到室外或者通风较好的空间进行。

1. 氮肥的化学定性鉴别方法

氮肥的化学定性鉴别所需要的试剂有：①2%～5%的氯化钡；②1%～2%的硝酸银；③10%氢氧化钠；④pH 广泛试纸；⑤10%盐酸溶液；⑥10%硝酸溶液。

铵态氮和尿素的鉴别见表 4-33。如果出现表中 1 和 2 的现象，则该肥料为硫酸铵；出现 1 和 3 的现象，则肥料为碳酸氢铵；出现 1 和 4 现象，则肥料为氯化铵；出现 1 和 5 现象，则肥料为硝酸铵；单独出现 6 的现象，则肥料为尿素。

2. 磷肥的化学定性鉴别方法

磷肥的化学定性鉴别所需要的试剂有：浓硝酸；2%柠檬酸溶液；钼酸铵溶液（将 70g 钼酸铵溶解于 100mL 氨水中，用水稀释到 1000mL）；pH 广泛试纸。

常用的化学磷肥种类有过磷酸钙、重钙、钙镁磷肥和磷矿粉。化学定性鉴别上述四种化学磷肥的步骤如下：

表 4-33 化学氮肥的鉴别步骤

<table>
<tr><td rowspan="6">肥料完全溶解于水形成水溶液</td><td>将 10mL 肥料溶液移入试管 1</td><td>1</td><td>加入 10mL10%氢氧化钠溶液，置酒精灯上加热至沸腾</td><td>湿润 pH 试纸置试管口后变深蓝色；闻到刺激性的氨味</td><td>肥料中含有铵根离子</td></tr>
<tr><td rowspan="5">将 10mL 肥料溶液移入试管 2</td><td>2</td><td>加入 5 滴氯化钡溶液</td><td>出现大量白色沉淀；沉淀溶液中加入 5mL 10%盐酸溶液，沉淀不溶解</td><td>肥料中含有硫酸根离子</td></tr>
<tr><td>3</td><td>加入 6 滴 10%盐酸溶液</td><td>气泡冒出</td><td>肥料中含有碳酸氢根或碳酸根离子</td></tr>
<tr><td>4</td><td>加入 6 滴硝酸银</td><td>白色沉淀，沉淀中滴加 6 滴 10%硝酸溶液，沉淀不溶解</td><td>肥料中含有氯离子</td></tr>
<tr><td>5</td><td colspan="2">加入 2mL 浓硫酸和 2～3 个铜粒，加热，液面有红棕色气体</td><td>肥料中有硝酸根离子</td></tr>
<tr><td>6</td><td colspan="2">加入 5mL 浓盐酸，有白色结晶析出</td><td>尿素</td></tr>
</table>

（1）未知的四种化学磷肥各取 5g，置于 200mL 烧杯，加 50mL 水，摇动 2～3min。采用 pH 试纸测定溶液酸碱度。试纸变红的为过磷酸钙和重钙等水溶性磷肥，分别将其标记为 1 和 2，试纸变蓝的为钙镁磷肥和磷矿粉，分别标记为 3 和 4。

（2）取标记为 1 和 2 的两种肥料的水溶液过滤，加入 20mL 钼酸铵溶液，后加入 10 滴浓硝酸。将混合液加热，肥料中将出现黄色沉淀，沉淀量大的为重钙，沉淀量小的为过磷酸钙。

（3）将标记为 3 和 4 的肥料溶液过滤，取 20mL 滤液，加入 20mL 柠檬酸溶液，后加入 10 滴浓硝酸，将混合液加热，溶液中出现黄色沉淀的被鉴定为钙镁磷肥，没有出现沉淀的为磷矿粉。

通过上述排除法，可以鉴别区分四种磷肥类型。但对于磷矿粉还可以采用如下的方法确认：

（4）取肥料 5g，置于 200mL 烧杯，加 20mL 浓硝酸，加热保持沸腾 2～3min。将溶液过滤，加入 5mL 钼酸铵溶液，后加入 10 滴浓硝酸。将混合液加热，如出现黄色沉淀，则待确认的磷肥为磷矿粉。

3. 钾肥的化学定性鉴别方法

钾肥的化学定性鉴定需要的试剂有：3%的四苯硼钠溶液、3%～4%的氯化钡溶液、1%～2%的硝酸银溶液、37%的甲醛、浓盐酸、浓硝酸。

常用的钾肥有氯化钾、硫酸钾和碳酸钾。其鉴定步骤为表 4-34。如出现 1 和 2 的现象，则证实为氯化钾，出现 1 和 3 则证实为硫酸钾。

表 4-34 化学钾肥的化学定性鉴定

取 5g 待鉴定的钾肥，置于 200mL 烧杯中，加 50mL 水，摇动 2～3min，完全溶解的为氯化钾和硫酸钾，不溶解的为窑灰钾肥	溶解两种化学钾肥溶液，过滤，将滤液分成 3 份，每份 10mL	1	各取一个滤液，加 10mL 37%甲醛，后加 10 滴 3%的四苯硼钠溶液	存在沉淀，证明有钾离子存在（如果没有，则为假冒）
		2	各取一个滤液，加 2 滴浓硝酸和 10 滴硝酸银溶液	出现沉淀，则证实含有氯离子
		3	各取一个滤液，加 2 滴浓盐酸和 10 滴氯化钡	出现沉淀，则证实含有硫酸根离子

4. 肥料的鉴别顺口溜

根据各种化肥所具有的物理性质，总结出单质化肥的鉴别方法，编成顺口溜以便记忆：

鉴别化肥简易行，洁净铁片先烧红。
化肥分别铁上放，统统表现不一样。
铁上冒烟化成水，尿素应该没问题。
如是仅熔不冒烟，氨气味道是碳铵。
如是熔化有火星，氨气味道是硝铵。
铁上蒸出紫红焰，吱吱微响是硫铵。
铁上冒出盐酸味，氨气味道是氯铵。
磷肥多为灰白色，铁上味道不好闻。
放到铁上噼吧响，氨味没有硫酸钾。
上述现象都没有，假冒伪劣在其中。

第四节 传统有机肥料类型

传统有机肥俗称农家肥，源于动植物残体或微生物，经腐熟发酵后形成，是一种富含大量有益物质的肥料。有机肥料是一种优质的肥料资源，对改善土壤结构、提高土壤肥力、促进作物生长和提高农作物产量和品质具有重要作用。农家肥是土壤肥力的关键补给源，它富含氮、磷、钾等多种大量元素，以及钙、镁、硫、铁、硼、锌等丰富的中微量元素，能全方位满足作物不同生长阶段的养分需求。其有机物质在土壤中分解转化，不仅为土壤微生物提供充足养分，促使微生物大量繁衍，进而改善土壤结构，使土壤疏松透气，保水保肥能力大增，还能缓慢持续地释放养分，为作物生长全程“保驾护航”。所以农家肥是农业生态循环的核心纽带，缺了它，土壤肥力难以为继，健康持久的农业生产便无从谈起，故农家肥被赞誉为“土壤活力之源”。

植物长期缺乏农家肥滋养时，土壤易板结硬化，通气透水性能变差，作物根系生长受阻，植株发育迟缓、细弱，叶片发黄、黯淡无光，果实也往往个头偏小、口感不佳、营养成分欠缺；而过度施用未经充分腐熟的农家肥，会因发酵产热、释放有害气体等问题，致使作物烧根、烂苗，病虫害滋生频发。因此，农家肥施用不足或者不当，都难以实现作物的优质高产与农田的可持续耕作。农家肥种类多样，根据来源、特性和积制方法可将农家肥分为粪尿肥、饼肥、堆肥、沤肥、沼气肥、绿肥、草炭、秸秆、杂肥等诸多类别。

一、粪尿肥

粪尿肥主要包括人粪尿和禽畜粪尿，是传统且天然的有机肥料，这些肥料是一种能同时提供氮、磷、钾及多种微量元素等丰富养分的缓效肥源，是农业生产中常用的有机肥料。粪尿肥在农业施肥历史中占据着举足轻重的地位，长久以来都是维持土壤肥力、保障农作物生长的关键力量。人粪尿通常呈弱酸性，其含氮量约为1%，磷约0.5%，钾约0.3%；畜粪尿成分因牲畜种类不同而有所差异，例如猪粪尿含氮量0.5%～0.6%、磷0.45%～0.6%、钾0.35%～0.5%，牛粪尿含氮量相对较低，氮0.3%～0.45%、磷0.15%～0.25%、钾0.1%～0.15%，羊粪尿含氮量0.8%～1.2%、磷0.2%～0.6%、钾0.3%～0.6%等，相较于化学肥料成分的单一性，人畜粪尿养分更为全面均衡。

粪尿肥有其独特的物理特性，新鲜的粪尿肥含水量高，一般在70%～90%，且具有一定的臭味，尤其是在堆积初期，气味较为明显。其在常温下处于自然的不稳定状态，易受外界环境影响，如果露天放置，其中的氮元素容易以氨气形式挥发损失，降低肥效。但经过腐熟处理后，不仅能有效杀灭其中可能携带的病菌、虫卵，消除臭味，还能使养分更易被植物吸收利用。

粪尿肥适用的土壤和作物范围广泛，几乎能满足各类农田土壤的肥力补充需求，尤其对于长期依赖化肥导致土壤板结、肥力衰退的耕地，定期施用腐熟的粪尿肥有助于恢复土壤团粒结构，提升土壤保水保肥能力，增强土壤微生物活性。从作物方面来看，无论是粮食作物如小麦、水稻、玉米，还是经济作物如蔬菜、果树、棉花等，合理施用都能促进作物茁壮成长，提高产量与品质。例如在蔬菜种植中，施用腐熟的粪尿肥能让蔬菜叶片翠绿、茎秆粗壮，营养更丰富；用于果树，可使果实色泽鲜艳、糖分增加。粪尿肥宜作基肥，提前施入土壤，让其在作物生长前期缓慢释放养分，为作物扎根、发芽提供充足动力。对于一些生长周期较长的作物，如多年生果树，也可在生长期间适当追施经稀释的人畜粪尿，补充后期营养需求。

过去，由于粪尿肥未经处理直接施用存在病菌传播、污染环境等风险，且使用不便，农民对其利用的积极性有所降低。近年来，随着环保意识的增强和农业绿色发展理念的深入，人畜粪尿的资源化利用得到极大重视。通过采用堆肥、沼气发酵等科学处理方式，不仅解决了上述问题，还将其转化为高效、安全的农家肥。一些地区推广沼气池建设，人畜粪尿进入沼气池发酵产生沼气用于照明、做饭，沼渣、沼液则是优质肥料，可直接施用于农田，实现了能源与肥料的双重产出；还有的地方利用堆肥技术，合理控制温度、湿度、通风等条件，加速人畜粪尿的腐熟过程，制成的堆肥疏松透气、养分均匀，便于储存与运输。目前，在广大农村地区以及众多坚持生态农业的农场，人畜粪尿正以全新的面貌回归农业生产一线，成为推动农业可持续发展的得力助手。

牲畜粪肥中，羊粪、鸡粪等因其养分含量高、肥效持久而备受青睐。例如，羊粪有机质和磷钾含量高，温和且肥力持久，有助于植物开花结果；鸡粪则氮磷钾含量均高，能促进植物根茎叶快速生长。

二、饼肥

饼肥是一种传统且优质的有机肥料，是一种能够提供大量有机物质、氮、磷、钾和多种微量元素的高效肥源。饼肥在农业肥料的历史长河中具有不可忽视的地位，一直以来都是促进农作物增产提质、改善土壤肥力状况的重要助力。

不同种类的饼肥养分含量有所差异。例如，大豆饼含氮量为7%左右，磷约1.32%，钾约2.13%；菜籽饼含氮量约为4.6%，磷约2.48%，钾约1.4%；花生饼含氮量约为6.32%，磷约1.17%，钾约1.34%。相较于普通的化肥，饼肥的养分丰富多样，不仅含有大量元素，还有许多对植物生长有益的中微量元素和有机成分。

饼肥具有独特的物理和化学特性。它一般呈固体颗粒状或饼状，质地较硬。在自然状态下比较稳定，但在潮湿环境中，饼肥容易发霉变质。饼肥中的有机物质需要经过微生物的分解才能被植物有效吸收，这个过程相对缓慢，因而饼肥属于缓效肥料。

饼肥的适用范围涵盖多种土壤和作物。对于贫瘠、肥力低下的土壤，饼肥能够有效改善土壤结构，提高土壤中的有机质含量，提升土壤的保水保肥能力和通气性。从作物角度看，无论是谷类作物如大麦、燕麦，还是油料作物如向日葵、芝麻，亦或是花卉绿植如玫瑰、君子兰等，合理施用饼肥都能起到很好的促进生长作用。例如在花卉种植中，施用饼肥可以使花朵颜色更加艳丽，花期延长，花香更加浓郁；用于油料作物时，能够提高种子的含油率和油质。饼肥适宜作为基肥使用，在播种或移栽前将其埋入土壤中，随着微生物的分解，缓慢释放养分，为作物生长初期提供充足的营养支持。对于生长旺盛期较长的作物，在生长期间也可以适量追施经过发酵处理的饼肥溶液，以满足其持续的养分需求。

过去，由于饼肥成本相对较高，获取和施用过程相对复杂，在一定程度上限制了农民对它的广泛使用。随着人们对农产品品质要求的提高和生态农业理念的不断普及，饼肥越来越受到重视。现在，通过先进的发酵技术和合理的加工处理，饼肥的利用效率得到极大提升。例如采用微生物发酵，能够加快饼肥的腐熟速度，使其中的养分更易被植物吸收，同时还能减少异味。在许多有机农业种植基地和花卉培育场所，饼肥正以其独特的优势发挥着关键作用，成为有机农业和高品质种植的重要肥料选择，助力农业朝着绿色、高效、可持续的方向发展。

三、堆肥

堆肥是一种经典且环保的有机肥料，是一种能够将各类有机废弃物转化为富含大量营养元素、腐殖质以及有益微生物的卓越肥源。堆肥在农业生态循环的历史进程中扮演着至关重要的角色，长久以来都是修复土壤生态、赋能农作物茁壮成长的核心要素。

不同原料制成的堆肥养分含量各有千秋。例如，以果蔬废弃物为主料制成的堆肥，含氮量在1.5％～2.5％，磷0.5％～1％，钾1.5％～2％；用农作物秸秆搭配适量畜禽粪便制成的堆肥，含氮量为0.8％～1.5％，磷0.4％～0.8％，钾0.8％～1.2％。相较于单纯的化学肥料，堆肥的养分构成更为多元复杂，除了基本的大量元素，还蕴含丰富的中微量元素、有机酸以及大量能改良土壤结构的腐殖质。

堆肥有着别具一格的物理和化学特性。外观上，它多呈松散的团粒状或碎块状，色泽暗沉，质地相对疏松。其制作过程基于微生物的自然发酵作用，在初始阶段，物料会逐渐升温，其间伴有一定的气味散发，不过随着发酵的深入推进，异味会逐渐消散，堆肥趋于稳定。这一过程通常需要数周甚至数月，使得堆肥成为一种长效、缓慢释放养分的肥料类型。

堆肥的适用范围极为广泛，适配各类土壤与作物。对于因长期过量施用化肥而板结、酸化的土壤，堆肥就如同“土壤医生”，能够逐步调节土壤酸碱度，重塑土壤团粒结构，大幅增强土壤的透气性、保水性以及保肥能力，让土壤重新焕发生机。从作物层面考量，不管是粮食作物如水稻、小麦、高粱，还是蔬菜作物如西兰花、胡萝卜、生菜，亦或是果树如苹果树、梨树、桃树等，合理施用堆肥都能为作物生长注入强劲动力。比如在蔬菜种植中，堆肥能促使蔬菜根系发达，叶片肥厚翠绿，果实风味浓郁；用于果树上，可助力果实饱满多汁、色泽鲜亮，还能增强果树的抗逆性。堆肥既适宜用作基肥，在作物播种或移栽前均匀施入土壤，为作物扎根、早期发育筑牢根基；对于生长周期长、需肥量大的作物，在其生长关键节点追施适量腐熟良好的堆肥，也能及时补充养分，保障作物持续高产。

过去，由于堆肥制作耗时费力，受场地、技术等条件限制，普及程度不高，部分农户对其利用积极性不足。近年来，随着环保政策的收紧、可持续农业发展理念深入人心，堆肥迎来了全新的发展机遇。一方面，简易高效的堆肥技术不断涌现，像小型家庭式堆肥箱、智能控温堆肥反应器等设备的出现，让堆肥制作变得便捷易行，普通农户在家就能轻松制作；另一方面，大规模的专业堆肥工厂建立，通过标准化流程、精细化管理，批量生产高品质堆肥，广泛供应市场。

四、沤肥

沤肥是一种利用有机物料，经长时间浸泡、腐熟后转化为饱含多种养分、活性物质以及丰富腐植酸的优质肥源。沤肥在传统农耕的历史轨迹中有着举足轻重的地位，长久以来都是滋养土壤肥力、助力农作物稳健生长的关键依托。

不同原料沤制而成的沤肥养分含量各具特色。例如，以绿肥作物（如紫云英、苕子等）为主料制成的沤肥，含氮量在2%～3%，磷0.5%～1.2%，钾1.5%～2.5%；用生活污水搭配厨余垃圾沤制的沤肥，含氮量为1%～2%，磷0.3%～0.8%，钾1%～2%。相较于常规化学肥料，沤肥的养分组成更为全面均衡，除常见大量元素外，还含有诸多对植物生长发育有益的微量元素、氨基酸以及能优化土壤理化性质的腐植酸类物质。

沤肥具备独特的物理和化学特性。形态上，它多呈浓稠的液态或半液态，色泽因原料而异，有黑褐色、墨绿色等，质地较为黏稠。其制作过程依托于厌氧微生物在相对封闭潮湿环境下的缓慢分解作用，初期，沤肥容器内会产生一些气泡，伴有酸臭气味散发，随着沤制时间延长，气味渐趋温和，养分逐渐稳定。整个沤制周期往往需要数月，这使得沤肥成为一种长效、持续供肥的肥料类型。

沤肥的适用范围相当广泛，契合各类土壤与作物需求。对于沙质土壤，沤肥能够增加土壤颗粒间的黏性，提升保水保肥能力；对于黏质土壤，又可改善其通气透水性能，优化土壤质地。从作物视角出发，无论是粮食作物如玉米、谷子、大豆，还是园艺作物如花卉、盆景、观赏绿植，亦或是经济作物如棉花、烟草、茶叶等，合理施用沤肥都能带来显著促进生长的效果。比如在花卉种植中，沤肥能使花朵娇艳欲滴、花瓣厚实，花色更为鲜艳持久；用于茶叶种植时，可促使茶叶芽叶肥壮，内含物丰富，提升茶叶品质风味。沤肥适宜用作基肥，在作物播种或移栽前均匀施入土壤，为作物前期生长提供稳定养分支撑；针对生长周期较长、需肥动态变化的作物，在生长的不同阶段，依据需求追施适量沤肥，也能精准补给养分，保障作物全生育期茁壮成长。

过去，沤肥制作对场地有一定要求，需专门的沤制容器，且过程相对粗放，易受外界因素干扰，导致沤肥品质不稳定，部分农户使用意愿不强。近年来，随着绿色农业理念的普及、精细化农业的发展，沤肥迎来了革新契机。一方面，新型沤肥容器及装置不断问世，如密封式塑料沤肥桶、分层式沤肥池等，既方便管理又能有效隔绝异味，让沤肥制作更加规范可控；另一方面，依托农业科研机构的技术指导，农户能够精准掌握沤制条件，提升沤肥质量。

五、沼气肥

沼气肥是一种集能源与肥力或营养双重功效于一身的新型有机肥料，是一种通过厌氧发酵技术，将人畜粪便、农作物秸秆等各类有机废弃物转化为富含速效养分、腐殖质、有益微生物以及沼气的高效肥源。沼气肥在当代生态农业的发展浪潮中占据着极为重要的地位，长久以来都是推动农业废弃物资源化利用、助力农作物优质高产的核心力量。

不同原料发酵产生的沼气肥养分含量各有差异。例如，以猪粪、牛粪等畜禽粪便为主料制成的沼气肥，沼渣含氮量为1%～2%，磷0.5%～1%，钾0.8%～1.5%；沼液含氮量为0.3%～0.8%，磷0.1%～0.3%，钾0.2%～0.6%。用农作物秸秆配合适量人粪尿发酵而成的沼气肥，沼渣含氮量0.8%～1.5%，磷0.4%～0.8%，钾0.6%～1.2%；沼液含氮量0.2%～0.6%，磷0.1%～0.2%，钾0.1%～0.4%。相较于单一的化学肥料，沼气肥的养分构成更为丰富多元，除基本的大量元素外，还包含大量对土壤改良、植物生长有显著促进作用的中微量元素、氨基酸、维生素以及活性微生物菌群。

沼气肥有着独特的物理和化学特性。外观上，沼渣多呈黑色或黑褐色的松散颗粒状，质地疏松，类似腐殖土；沼液则为深褐色或棕褐色的液体，有一定的黏稠度，略带气味，但相较于原料发酵前已大幅减轻。其制作过程基于厌氧微生物在密闭沼气池中的分解代谢，发酵初期，沼气池内温度逐渐升高，物料迅速分解，产生大量沼气，此时沼液的气味相对浓烈，随着发酵趋于稳定，沼气产生速率减缓，沼肥的养分状态也趋于稳定。整个发酵周期一般需要20～60天不等，沼气肥既具备能快速为作物补充养分的速效性，又拥有后续持续供肥的长效性。

沼气肥的适用范围极其广泛，适配各类土壤与作物。对于贫瘠、缺乏有机质的土壤，沼气肥中的沼渣能快速补充土壤肥力，改善土壤结构，增加土壤的孔隙度和提升保水保肥能力，增强土壤微生物活性；沼液则如同“植物营养液”，可直接喷施于作物叶面，为作物提供即时的养分补给，增强叶片光合作用。从作物层面来看，无论是粮食作物如小麦、水稻、高粱，还是蔬菜作物如番茄、黄瓜、白菜，亦或是果树如苹果树、梨树、桃树等，合理施用沼气肥都能带来卓越的生长促进效果。比如在蔬菜种植中，施用沼气肥可使蔬菜叶片翠绿厚实，茎秆粗壮，果实大小均匀、口感鲜美、营养丰富；用于果树上，能让果实色泽鲜艳、糖分积累多，还能增强果树的抗病虫害能力。沼气肥适宜用作基肥，在作物播种或移栽前将沼渣均匀施入土壤，为作物扎根、早期发育筑牢根基；在作物生长期间，定期追施沼液或结合少量沼渣能根据作物的需肥规律及时补充养分，保障作物全生育期的茁壮成长。

过去，由于沼气池建设成本较高，技术推广难度大，部分地区农户对沼气肥的利用受到限制，普及率不高。近年来，随着国家对生态环保、清洁能源发展的大力支持，以及农业废弃物资源化利用政策的推动，沼气肥迎来了蓬勃发展的机遇。一方面，新型沼气池设计不断涌现，如一体化预制沼气池、小型户用玻璃钢沼气池等，降低了建设成本，简化了安装维护流程，使沼气池走进更多农户家庭；另一方面，农业技术部门加强了对沼气肥使用技术的培训和指导，让农户能够熟练掌握沼气肥的施用方法和时机，充分发挥其优势。

六、绿肥

绿肥是指利用绿色植物体直接翻压或沤制而成的肥料，包括栽培绿肥和野生绿肥。绿肥是一种纯天然且环境友好的有机肥料，种植广泛，生长迅速，富含多种营养元素，待其生长到一定阶段后翻压入土壤，经腐解转化为富含大量有机质、氮、磷、钾等多种养分以及有益微生物的优质肥源。绿肥在可持续农业的发展进程中担当着不可或缺的角色，长久以来都是改良土壤生态、护航农作物茁壮生长的得力助手。

常见的绿肥作物有紫云英、苜蓿、油菜等。不同种类绿肥的养分含量各有不同。例如，紫云英作为常见绿肥，鲜草含氮量约为 0.33%，磷约 0.08%，钾约 0.23%，干草含氮量则升至 2.75%，磷约 0.66%，钾约 1.91%；苕子的鲜草含氮量约 0.56%，磷约 0.13%，钾约 0.43%，干草对应氮含量为 3.11%，磷约 0.72%，钾约 2.38%。相较于普通化肥，绿肥的养分释放较为缓慢且持久，除主要养分外，还携带着诸多能优化土壤结构、促进土壤微生物活动的天然有机化合物，如多糖、木质素等。

绿肥具备独特的物理和化学特性。外观上，生长阶段的绿肥植株形态各异，有的枝叶繁茂呈匍匐状，有的直立挺拔，叶色翠绿鲜嫩。翻压入土初期，绿肥会逐渐变色、软烂，在微生物作用下开启腐解程序，其间土壤温度会稍有升高，并有一定的气味散发，随着时间推移，土壤肥力得到显著提升，整个转化过程通常需要数周。绿肥属于缓效肥料，能为作物生长持续供能。

绿肥的适用范围十分广泛，适配各类土壤与作物。对于酸性土壤，像一些豆科绿肥在生长过程中能固定空气中的氮素，其根系分泌物还可中和土壤酸性，改良土壤化学性质；针对碱性土壤，绿肥分解产生的有机酸能降低土壤 pH 值，优化土壤环境。从作物维度考量，无论是粮食作物如水稻、玉米、小麦，还是经济作物如棉花、烟草、茶叶，亦或是园艺作物如花卉、果树等，合理种植与利用绿肥都能带来显著效益。比如在果园中套种绿肥，可使果树根系发达，果实色泽鲜艳、口感更佳，同时减少病虫害发生；绿肥用于粮食作物时，能促使幼苗健壮，提高作物抗倒伏能力，增加产量。绿肥既适宜用作基肥，在播种或移栽前提前种植并适时翻压，为作物扎根营造肥沃土壤；对于生长周期长的作物，生长期间适时补充翻压部分绿肥，也能满足其动态的养分需求，保障其全生育期茁壮成长。

过去，由于绿肥种植相对耗时，且翻压劳作强度较大，部分农户操作意愿较低，利用积极性不高。近年来，随着农业绿色发展理念深入人心，绿肥迎来发展新契机。一方面，绿肥种植品种不断优化，选育出一些生长周期短、生物量大、易腐解的新品种，如速生紫云英等，降低种植成本；另一方面，机械化翻压技术逐步推广，配套农机具使得绿肥翻压高效便捷，减轻劳动强度。

七、草炭

草炭是一种珍贵且独具特性的有机物料，是一种在特定自然环境下，经过漫长地质年代，由沼泽植物残体经不完全分解、堆积、碳化后形成的富含大量腐植酸、有机质、纤维素以及多种矿物养分的高效基质与肥料两用资源。草炭在现代园艺、农业种植等诸多领域发挥着极为关键的作用，长久以来都是优化土壤质地，助力植物生根发芽、茁壮成长的核心保障。

不同产地、形成条件下的草炭成分含量略有差异。例如，低位草炭一般形成于地势低洼、积水较深的环境，其腐植酸含量为30%～50%，有机质含量可达50%～70%，氮含量1%～2%，磷含量0.1%～0.3%，钾含量0.2%～0.5%；高位草炭多产自地势较高、水源补给相对较少的区域，腐植酸含量为20%～30%，有机质含量40%～60%，氮含量0.8%～1.5%，磷含量0.05%～0.2%，钾含量0.1%～0.3%。相较于普通园土或常规肥料，草炭的优势在于其超高的有机质与腐植酸含量，这些物质不仅能为植物提供缓释的养分，还能极大程度地改良土壤结构，增强土壤保水保肥、通气透水性能，为植物根系营造绝佳的生长微环境。

草炭有着别具一格的物理和化学特性。外观上，它多呈黑色或黑褐色的松软块状、粉末状，质地细腻，有一定的弹性和黏性。干燥状态下，草炭重量较轻，吸水性极强，能快速吸收自身重量数十倍的水分，遇水后膨胀，形成类似海绵状的结构。其化学性质相对稳定，但在微生物作用下，其中的有机成分会缓慢分解，释放出可供植物吸收利用的养分，属于长效性的供肥基质。

草炭的适用范围广泛，适配各类植物与种植场景。在花卉园艺领域，对于娇贵的兰花等，草炭是理想的栽培基质组成部分，能够提供细腻、疏松且富含有机质的环境，促使花卉根系发达，叶片翠绿光亮，花朵娇艳持久；在蔬菜种植方面，添加适量草炭的土壤能让蔬菜幼苗扎根迅速，生长健壮，提高抗病能力，收获时果实口感更佳、营养更丰富；在果树栽培中，用草炭改良后的土壤可助力果树前期快速生根，后期稳健生长，果实饱满多汁、色泽诱人。草炭既可用作育苗基质，在种子萌发阶段，为其提供温暖、湿润、养分充足的“温床”，确保种子顺利破土而出；也适宜作为土壤改良剂，针对贫瘠、板结的土壤，按一定比例混入，能迅速提升土壤肥力，优化土壤物理性质，满足植物全生育期的生长需求。

过去，草炭的开采受地域限制，运输成本较高，且部分从业者对其科学利用方法掌握不足，导致草炭资源未能充分发挥优势，应用范围相对受限。近年来，随着人们对高品质园艺、农产品需求的不断增加，以及农业精细化、现代化发展的推进，草炭迎来了新的发展机遇。一方面，开采技术不断革新，如机械化开采、筛选工艺优化等，降低了开采成本，提高了产品质量的稳定性；另一方面，科研人员加大了对草炭应用技术的研究，通过与其他基质、肥料合理配比，开发出一系列适合不同植物的专用栽培配方，使得草炭在更多领域得到精准高效的应用。

八、秸秆

秸秆肥是一种来源广泛且极具潜力的有机肥料，将农作物收获后剩余的秸秆，通过粉碎、堆沤、腐熟等一系列处理工艺，转化为富含大量有机质、氮、磷、钾以及多种微量元素的优质肥源。秸秆肥在推动农业绿色循环发展的进程中扮演着举足轻重的角色，长久以来都是维持土壤生态平衡、助力农作物优质高产的得力帮手。

不同农作物秸秆制成的肥料养分含量各具特点。例如，小麦秸秆肥含氮量为0.5%～0.7%，磷0.2%～0.3%，钾1.2%～1.6%；玉米秸秆肥含氮量为0.6%～0.9%，磷0.3%～0.5%，钾1.5%～2.0%；水稻秸秆肥含氮量0.4%～0.6%，磷0.1%～0.2%，钾1.0%～1.4%。相较于单纯的化学肥料，秸秆肥的养分释放较为缓慢且持久，除基本养分外，还含有丰富的纤维素、木质素等有机成分，这些物质能有效改善土壤结构，增强土壤的透气性、保水性，促进土壤微生物的繁衍与活动。

秸秆肥有着独特的物理和化学特性。外观上，它多呈松散的丝状、碎块状或粉末状，色泽因秸秆种类而异，有淡黄色、金黄色或褐色等。在制作初期，秸秆质地较硬，随着堆沤腐熟过程的推进，秸秆逐渐变软、腐烂，其间会伴有一定的温度升高和气味散发，这是微生物分解作用的表现。当腐熟完成后，秸秆肥趋于稳定，成为长效供肥的肥料类型。

秸秆肥的适用范围十分广泛，适配各类土壤与作物。对于沙质土壤，秸秆肥中的有机质能够增加土壤颗粒间的黏结力，减少土壤水分流失，提升保肥能力；对于黏质土壤，它又能改善土壤通气状况，打破土壤板结，优化土壤质地。从作物层面来看，无论是粮食作物如高粱、谷子、大豆，还是蔬菜作物如西兰花、胡萝卜、生菜，亦或是果树如苹果树、梨树、桃树等，合理施用秸秆肥都能带来显著的促进生长效果。比如在蔬菜种植中，施用秸秆肥可使蔬菜根系发达，叶片肥厚翠绿；用于果树上，能让果实饱满多汁、色泽鲜亮，还能增强果树的抗逆性。秸秆肥适宜用作基肥，在作物播种或移栽前均匀施入土壤，为作物扎根、早期发育筑牢根基；对于生长周期长、需肥量大的作物，在其生长关键节点追施适量腐熟良好的秸秆肥，能及时补充养分，保障作物持续高产。

过去，秸秆肥制作工艺相对粗放，腐熟时间较长，且受传统农业观念影响，部分农户认为秸秆直接还田或制作肥料麻烦，选择焚烧秸秆，导致秸秆资源浪费，秸秆肥利用程度较低。近年来，随着环保政策的落地、农业可持续发展理念深入人心，秸秆肥迎来了全新的发展机遇。一方面，先进的秸秆处理技术不断涌现，如微生物快速腐熟技术、机械化秸秆粉碎还田装备升级等，大大缩短了秸秆肥的制作周期，提高了制作效率；另一方面，政府加大了对秸秆综合利用的扶持力度，通过补贴、技术培训等方式，鼓励农户积极制作和使用秸秆肥。

九、杂肥

杂肥是一种成分多样且极具包容性的有机肥料，是一种将城乡生活废弃物、园林修剪物、工业有机废渣等各类杂散物料，通过分拣、混合、堆制、发酵等一系列精细处理工序，转化为富含丰富有机质、多种矿物养分、有益微生物以及独特活性物质的优良肥源。杂肥在构建生态循环农业体系的进程中发挥着不可或缺的作用，长久以来都是修复受损土壤、助力农作物焕发蓬勃生机的关键依托。

不同来源的杂肥养分含量不同。例如，以餐饮垃圾为主料制成的杂肥，氮含量为2％～3％，磷0.8％～1.5％，钾1.2％～2％；由园林枯枝落叶堆制的杂肥，氮含量为0.8％～1.5％，磷0.3％～0.8％，钾0.6％～1.2％；含工业有机废渣（符合农用标准）的杂肥，氮含量1％～2％，磷0.5％～1％，钾0.8％～1.5％。相较于常规单一肥料，杂肥的养分构成极为多元复杂，除常见大量元素外，还具有诸多能改善土壤理化性质、刺激植物生长的中微量元素、腐植酸、氨基酸以及特殊功能菌群，全方位滋养土壤和作物。

杂肥具有独特物理和化学特性。外观上，它形态各异，有的呈松散的碎屑状，类似细碎的木屑；有的为不规则的块状，质地软硬不均。颜色也多样，从暗沉的棕褐色到相对鲜亮的黄绿色不等，取决于原料构成。在初始堆制阶段，物料因微生物启动分解程序而微微发热，会散发淡淡的酸腐气味，随着发酵深入，异味渐消，杂肥逐步稳定成熟，演变为长效缓释的肥料类型，持续为土壤“输血”。

杂肥的适用范围超乎想象的广泛，适配不同类型的土壤与作物。对于遭受重金属污染的土壤，特定的杂肥（如含特殊螯合剂成分的工业有机废渣杂肥）能够通过螯合作用固定重金属离子，降低其生物有效性，逐步净化土壤环境；对于贫瘠干旱的土壤，杂肥中的大量有机质可增强土壤保水保肥能力，同时改善土壤通气性，为作物根系开辟适宜的生长环境。从作物视角出发，无论是大田作物如小麦、水稻、棉花，还是特色经济作物如茶叶、烟草、中药材，亦或是观赏性花卉绿植如玫瑰、多肉、绿萝等，合理施用杂肥能带来许多功效。比如在花卉养护中，杂肥能使花朵色泽明艳动人，花瓣肥厚坚韧，花期显著延长；杂肥用于中药材种植，可助力药材根茎粗壮、药效成分富集，提升药材品质。杂肥适宜用作基肥，在作物播种或移栽前为土壤注入能量，夯实作物生长根基；在作物漫长的生长季，依据需肥时期追施适量杂肥，还能及时填补养分缺口，护航作物一路茁壮成长。

过去，杂肥原料来源繁杂，质量把控难度大，收集处理体系不完善，加上民众对其安全性和有效性心存疑虑，导致杂肥的开发利用严重受限。近年来，随着循环经济理念的深度渗透、环保监管的日益严苛以及农业精细化耕作需求的攀升，杂肥迎来了发展契机。一方面，先进的原料分拣技术与质量检测标准应运而生，精准筛选优质原料，确保杂肥品质稳定可靠；另一方面，智能化、规模化的堆肥设施及工艺蓬勃兴起，大幅提升杂肥制作效率与成品质量，同时，科普宣传与示范推广双管齐下，打消农户顾虑，引导其科学用肥。

除了上述分类外，还有一些特殊的有机肥料类型，如草木灰。草木灰是植物（草本和木本植物）燃烧后的残余物，含有多种矿质元素，是一种优质的钾肥。

农家肥的类型多种多样，每种肥料都有其独特的来源、特性和作用。在农业生产中，应根据作物的需求、土壤条件以及肥料的特性进行合理选择和使用，以达到最佳的施肥效果。

第五节　新型肥料的类型

新型肥料是指在肥料形态、功能、剂型、原材料乃至生产工艺上有别于传统肥料的一大类肥料。这些新型肥料的应用主要是为了改善和提高肥料利用率，提高土壤肥力的能力，改善土壤理化性质和生物学性质，调节植物生长状况，改善或增强肥料的其他功能。

新型肥料包括中微量及有益元素肥、叶面肥、水溶肥料、生物肥、工厂化商品有机肥、有机无机复混肥、缓/控释肥和多功能肥料等。

一、中微量元素及有益元素肥

（一）中量元素肥

中量元素包括钙、镁和硫。中量元素在植物营养上有着重要作用。钙是植物细胞结构的组分，可以增强细胞间的黏结作用，起到稳定生物膜结构、保持细胞完整性的作用。钙在作物的离子选择性吸收、生长、衰老、信息传递以及植物抗逆性等方面也有着重要作用。镁是植物叶片叶绿素的重要组成成分，叶绿素 a 和叶绿素 b 中都含有镁。镁还是植物体中酶的活化剂，对植物的光合作用、碳水化合物的代谢和呼吸作用具有重要意义。硫是植物体中蛋白质和酶以及挥发性物质的组分，它可以参与植物体内的氧化还原反应以及减轻重金属离子对植物的危害等。十字花科、百合科以及豆科作物对硫的需求较多。

1. 钙肥

施用钙肥除补充钙营养外，还可借助含钙物质调节土壤酸度和改善土壤物理性状。钙肥的类型多种多样，根据成分和形态的不同，主要可以划分为无机钙肥和有机钙肥两大类。无机钙肥主要包括石灰、石膏、硝酸钙和过磷酸钙等。有机钙肥主要包括有机酸钙、EDTA 螯合钙、木质素磺酸钙、氨基酸钙、糖醇螯合钙、黄腐酸钙等。

(1) 石灰　石灰是含钙或钙镁的碳酸盐、氧化物和氢氧化物的总称，包括石灰石（$CaCO_3$）、白云石［$CaMg(CO_3)_2$］及其煅烧产物，即氧化钙（CaO）和氢氧化钙［$Ca(OH)_2$］。石灰是最主要的钙肥，具有强碱性，能补充作物钙营养，同时对酸性土壤有改良作用，可改善土壤结构，促进土壤有益微生物活动。此外，石灰还有杀虫、灭草和消毒的功效。石灰主要用在酸性土壤上，可以中和土壤酸度，提高土壤 pH 值，以减轻或消除酸性土壤中铁、铝、锰等对植物生长的危害，并减少对磷的固定，实现对微量元素的调节供应，达到改善土壤微生物生活条件、增强土壤通气透水性的目的，从而提高土壤的保肥能力。更为重要的一点是，石灰施用可以补充土壤的钙，使植物和土壤获得钙的补充，此外，石灰的施用对土壤有机质品质的改善有一定的作用。石灰施用量因土壤性质（主要是酸度）和作物种类而异。石灰多用作基肥。施肥过多会降低硼、锌等微量营养元素的有效性，并造成土壤的板结。

(2) 石膏　石膏的主要成分为硫酸钙（$CaSO_4$），类型包括生石膏、熟石膏和磷石膏 3 种。石膏的溶解度很低，水溶液呈中性，属生理酸性肥料。石膏主要用于碱性土壤，可消除土壤碱性。此外，碱性土壤施用石膏，其中的钙离子代换出土壤胶体中的钠离子，形成硫酸钠盐随水排出土体，从而降低土壤中交换性钠的含量，减轻钠离子对土壤性质和作物的危害，起到改良土壤的作用，此外，施用石膏可以提供作物钙、硫营养。农业上施用的石膏是脱水后的熟石膏，脱水后的熟石膏易粉碎，溶解度亦提高。熟石膏的施用不但可以直接供给作物必需的钙和硫，而且可改善作物氮、磷、钾三要素的营养条件，并可改良盐渍土。

(3) 石灰氮　石灰氮别名为氰氨化钙、碳氮化钙或者氰氨基化钙，分子式为 $CaCN_2$。石灰氮用作肥料时，仅适用于酸性土壤，一般作基肥用。石灰氮遇水时最初形成氰胺，但很快转化为氨，同时钙离子释放出来。氰胺对植物有毒，能使植物叶子脱落，可用作除草剂、杀菌剂、杀虫剂和棉花脱叶剂。因此，在使用石灰氮的时候要谨慎。

(4) 硝酸钙 硝酸钙是一种以氮为主，同时又含速效钙的化学肥料，能快速补钙。在农业上广泛用于基施、追施、冲施和叶面喷施，还可作为无土栽培的营养液。但硝酸钙中的钙离子移动性差，使用不足或喷施不均匀会影响补钙效果。

(5) 过磷酸钙 过磷酸钙是以磷为主的化学肥料，补充磷的同时可补充钙。钙以磷酸一钙形式存在。可以用作基肥，也可以用作追肥、根外追肥和种肥。

(6) 氯化钙 氯化钙为可溶于水的含钙肥料，可以作为果树的补钙肥料使用，也可用于底施、追施、叶面喷施。同时它也可提供氯元素，忌氯作物要慎用。

(7) 糖醇钙 糖醇钙是近年来市场上应用较多的一种糖醇螯合钙肥。在钙肥的基础上添加了糖醇物质，糖醇是中微量元素的良好络合剂，可与很多营养物质形成稳定的复合体，使得养分能更快地被植物吸收利用。90%以上的糖醇钙移动性非常好，在植物体内可以无障碍地运输和传导。

(8) 氨基酸钙 氨基酸钙是以氨基酸为载体的一种高效钙肥。能促进光合作用和叶绿素的形成，对氧化物活性、酶类活性、种子发芽、营养物质吸收、根系生长发育等生理生化过程均有明显的促进和激活作用。氨基酸钙效果好的一个原因是氨基酸本身在果实的糖度、口感、碳水化合物积累方面都有很好的表现。

此外，还有一些其他类型的有机钙肥，如利用虾蟹壳、动物骨骼等粉碎加工制成的生物钙肥，其主要成分是碳酸钙，氧化钙含量在25%～30%之间。

2. 镁肥

镁肥是具有镁（Mg）标明量的肥料，施入土壤能提高土壤供镁能力。通常用作镁肥的是一些镁盐的粗制品，含镁的矿物质、工业副产品或由肥料带入的一部分镁。根据其溶解性和成分的不同，可以划分为水溶性镁肥（硫酸镁、硝酸镁、氯化镁、钾镁肥）、微溶性镁肥（钙镁磷肥、白云石和菱镁矿）和有机镁肥（螯合镁肥和糖醇镁肥）。

(1) 硫酸镁 硫酸镁是白色晶体状物质，常温下易溶于水，镁含量在9.7%左右，易被作物吸收利用。硫酸镁是较为常用的镁素肥料之一，是农业上主要的镁肥，可用于底施、追施和叶面喷施。

(2) 硝酸镁 硝酸镁为白色粉末或晶体状物质，常温下易溶于水，镁含量在16.5%左右，易被作物吸收利用，同时可提供镁、氮两种营养元素。多用于底施、追施和叶面喷施。硝酸镁和水培营养液也可以作为供应镁的肥料。

(3) 氯化镁 氯化镁为白色粉末状物质，常温下易溶于水，镁含量在25.6%左右，易被作物吸收利用。但需注意，氯化镁易造成土壤酸化，可用于底施和追施。此外，氯化镁在水培营养液或叶面喷施时也可以作为供应镁的原料。

(4) 钾镁肥 钾镁肥含有钾和镁两种营养元素，具体含量和比例因产品而异，适用于需要同时补充钾和镁的作物。

(5) 钙镁磷肥 主要的磷肥类型，施入时候也能补充镁，为浅绿色或灰白色粉末，不易溶于水，镁含量在10%左右，可用于改良酸性土壤，多用于底施。

（6）白云石　白云石的主要成分为碳酸镁钙，不易溶于水，但含有较高的镁元素，可广泛用作镁肥，可通过土壤施用为作物提供镁素营养，也可改良酸性土壤。

（7）菱镁矿　菱镁矿主要成分是碳酸镁，不易溶于水，镁含量在27%左右。作为缓效镁肥，其利用率较低，多用于底施，在酸性土壤上施用能一定程度改善土壤pH值。

（8）螯合镁肥　螯合镁肥是通过螯合技术将镁元素与其他有机物质结合，提高镁元素的稳定性和利用率，适用于叶面喷施，可快速为作物提供镁素营养。

（9）糖醇镁肥　糖醇镁肥以木糖醇和甘露醇为载体与镁螯合而成，在植物体内可以自由传导，利用率高，效果好。可通过叶面喷施或土壤施用为作物提供镁素营养。

3. 硫肥

硫肥主要包括单质硫（即硫黄）、石膏、硫铵、硫酸钾、过磷酸钙以及硫黄包膜尿素等含硫物质。其中，单质硫和石膏是较为常见的硫肥品种。

（1）硫（即硫黄）　硫黄是硫的单质。硫黄施入土壤以后，经氧化硫细菌氧化后形成硫酸，其中的硫酸离子即可被作物吸收利用。施用硫黄还能降低石灰性土壤的pH值。一般而言，硫黄的每亩推荐施用量为1.5～2.5kg。如果以蘸水稻秧苗根部（俗称蘸秧根）的方式使用，则每亩仅需0.5kg硫黄粉。

（2）石膏　石膏主要用于酸性土壤，可消除土壤碱性，起到改良土壤以及提供作物钙、硫营养的作用。

（3）硫铵　硫铵是重要的铵态氮肥之一。在补充氮的同时，伴随的硫酸根离子也能提供硫营养。

（4）硫酸钾　硫酸钾是主要的钾肥类型之一。在提供钾营养的同时，伴随的硫酸根离子也能提供硫营养。

（5）过磷酸钙　过磷酸钙是重要的磷肥类型，此外，还提供钙和硫等营养。

（6）硫黄包膜尿素　硫黄包膜尿素是长效尿素的一种，硫是包膜的主要材料，其施用后的作用效果等同硫黄。

（二）微量元素肥

微量元素种类有铁、锰、硼、锌、铜、钼和氯等。铁是合成叶绿素所必需的，与光合作用有密切的关系，铁还参与核酸和蛋白质的代谢，对碳水化合物、有机酸和维生素的合成等有影响。锰在植物体内的作用主要是参与酶组成以及影响酶活性，所以锰又叫催化元素。此外，锰还参与光合作用、促进种子萌发和幼苗早期生长、加速花萌发和花粉管伸长，提高结实率以及增强植物抗病虫的能力。硼能促进碳水化合物的正常运转，促进生殖器官的形成和发育，促进细胞分裂和细胞伸长，提高豆科植物的固氮能力。锌是某些酶的成分或活化剂，锌通过酶的作用对植物碳、氮代谢产生广泛的影响，锌可参与光合作用，参与生长素的合成，锌还可促进生殖器官发育并具有提高植物抗逆性的作用。铜是植物体内许多氧化酶的成分，还是某些酶的活化剂，参与许多氧化还原反应，它还参与光合作用，影响氮的代谢，促进花器官的发育。钼是固氮酶和硝酸还原酶的成分，氮代谢和豆科植物共生固氮都少不了钼，钼还能促进光合作用。氯参与植物光合作用，调节气孔开启，可激活 H^+-泵 ATP 酶及抑制病菌微生物的滋生等。

通过施用微量元素肥料以补充微量元素的不足是现在农业生产中常见的管理方式。微量元素肥料是指为了纠正土壤中有效微量元素的供求不足以维持农作物正常生长发育所需要的养分量而施用的含有微量元素的肥料，简称微肥。各种有机肥料中都含有一定数量的微量元素，农业生产上，有机肥施用可以补充一部分微量元素。此外，施用一些含有微量元素的化学物质也是补充微量元素的重要方式。当前，农业上应用的微肥种类很多，但其中多数属于工业级的产品或者本身就是工业肥料，具体到农业用的肥料级别较少。我国推广或将要应用的微肥主要有硼肥、钼肥、锌肥、铜肥、锰肥和铁肥。由于土壤中有效锌和硼含量常常低于作物需要的临界值，作物生长经常出现缺锌和缺硼的症状，因此，锌肥和硼肥是农业上施用较多的微肥类型。

微肥可采用土壤施肥、根外追肥和种子处理等方法进行。在微肥施用时要谨慎，注意控制施肥量。因为作物对微量元素的需要量很少，而且从适量到过量的范围很窄，因此要防止微肥用量过大，施肥过程中必须均匀，否则可能引起植物中毒，造成土壤与环境的污染。

1. 铁肥

铁肥分为无机铁肥、有机铁肥和螯合铁肥三类。硫酸亚铁和硫酸铁是无机铁肥中的常用类型。有机铁肥的主要代表品种有尿素铁络合物（三硝酸六尿素合铁）和黄腐酸二胺铁（由尿素、硫酸亚铁和黄腐酸制得）。螯合铁肥有乙二胺四乙酸铁（Ⅲ）钠（NaFeEDTA）、乙二胺二邻苯基乙酸铁钠（NaFeEDDHA）和二乙烯三胺五乙酸铁钠（NaFeDTPA）。硫酸亚铁主要用于叶面喷施，也可用作基肥。有机铁肥和螯合铁肥用于喷施，效果更好，但成本高。

2. 硼肥

硼肥是我国施用面积最大的微量元素肥料之一，主要品种为无机化合物，常用的品种有硼砂、硼酸和硼镁肥等，其中硼砂在我国应用最广泛。

硼砂是白色细粒的晶体，如含有少量杂质则会呈现微黄色。硼砂没有农业级别的质量技术标准，只有工业标准的技术指标。硼砂一般作基肥施用，国家标准一等品硼砂中的硼（B）含量为11%，难溶于冷水，由于硼易被土壤固定，植物当季吸收利用率较低。

硼砂的主要施用方法是作基肥，其次是作种肥和根外追肥。为了施肥均匀，在作基肥施用时，硼砂可以与氮、磷等混合施用，或与干土、细沙等混合施用。利用硼砂浸种时，其常用浓度为0.01%～0.1%，浸种时间为6～12h；根外追肥的硼砂浓度作种肥一般为0.05%～0.2%。喷施时应选在早晨或傍晚进行，此外，还应将溶液喷在叶片的背面，以利于叶片的正常吸收。

硼酸可溶于水，也是传统的硼肥品种之一，含硼（B）量约为17%。

硼镁肥是生产工业硼酸的副产品，含硫酸镁80%～90%，硼0.5%～1%，是含镁并含少量硼的中量元素肥料，适宜在缺镁并轻度缺硼的酸性土壤上作基肥施用。

硼肥属于微量元素肥料，施用量过多不但无助于植物生长，反而会给植物生长造成危害。硼肥施用时，要根据土壤的测试结果和作物需硼情况来确定施硼量。硼肥施入土壤持效期长，一次施肥，其肥效可持续3～5年。

3. 钼肥

钼肥主要包括钼酸铵和钼酸钠，三氧化钼、二硫化钼和含钼玻璃等也可作为钼肥。其中，钼酸铵（含钼54.3%）是目前应用较广泛的钼肥，其次为钼酸钠。钼肥很少施入土壤，而常用于拌种和喷施。

4. 锌肥

农用锌肥有一水硫酸锌和七水硫酸锌，其外观均为白色或微带颜色的晶体，易溶于水。锌肥的质量技术标准见表4-35。

表4-35　农用硫酸锌的质量技术指标（HG/T 3277—2000）

指标名称		指标					
		一水硫酸锌			七水硫酸锌		
		优等品	一等品	合格品	优等品	一等品	合格品
锌（Zn）含量/%	≥	35.3	33.8	32.3	22.0	21.0	20.0
游离酸含量（以 H_2SO_4 计）/%	≤	0.1	0.2	0.3	0.1	0.2	0.3
铅（Pb）含量/%	≤	0.002	0.010	0.015	0.002	0.005	0.010
镉（Cd）含量/%	≤	0.002	0.003	0.005	0.002	0.002	0.003
砷（As）含量/%	≤	0.002	0.005	0.010	0.002	0.005	0.007

硫酸锌吸湿性强，易于吸潮变成水状物。因此，在生产时硫酸锌的包装袋要注意密封而且要内衬塑料袋，贮运时包装袋不能受潮，储藏地方应注意保持阴凉、干燥和通风。尤其要注意，硫酸锌在田间施用时，严禁将硫酸锌倒到地上，应从包装袋中按需取出适量。如果肥料不能用完，应将包装袋扎紧密封，防止剩

余肥料在空气中吸潮。

硫酸锌施用时还应注意，以化工行业废弃物为原料生产的锌肥必须进行分析化验和综合评估，确认其达到农用标准后方能深加工或直接施用。

农用硫酸锌可以基施、追施、浸种、拌种和叶片喷施，生产中常见的施用方式是土壤施入；植物生长过程中如果出现缺锌症状，则可利用叶片喷施作为应急措施，其浓度要控制在0.01%～0.05%，一般做叶面肥喷施效果最好；作为浸种方式施用硫酸锌时，适宜浓度为0.02%～0.05%；蘸根的锌肥浓度应控制在0.2%～0.5%。当然，任何一种方式施用锌，均应控制用量，防止过高浓度导致植物中毒，否则轻者会减产，重者绝产。

除硫酸锌外，螯合锌（$Na_2ZnEDTA$）也是常用的锌肥。

5. 铜肥

铜肥分为水溶性和不溶性两种。常见的水溶性铜肥有硫酸铜、氯化铜和螯合铜等。水溶性铜肥可用作基肥，用于拌种和浸种；不溶性铜肥，如铜矿渣，可作基肥施用。铜肥用量过多时，易毒害作物，需慎用。

6. 锰肥

锰肥的主要品种有硫酸锰（$MnSO_4 \cdot 3H_2O$）和炼钢含锰炉渣、碳酸锰、含锰玻璃肥料和螯合锰（MnEDTA）等。锰肥可作基肥，易溶于水的硫酸锰也可用于拌种和叶面喷施。

（三）有益元素肥

有益元素肥是指含有对植物生长有促进作用的非必需元素或某些植物所必需但非所有植物都必需的元素的肥料。硅、钠、钴等已被研究证明为多种植物所必需。根据所含元素的不同，有益元素肥可以分为硅肥、钠肥、硒肥、钴肥等。

1. 硅肥

硅是一种重要有益元素。硅对于稻、麦、甘蔗等含硅较高的禾本科单子叶植物而言，是必需的。硅能促进碳水化合物的合成与转运，提高植物对病虫的抗性及促进作物对其他元素的吸收等。此外，硅缺乏会使生殖生长期的植物受精能力减弱，降低果实数和果重。

硅肥有枸溶性硅肥和水溶性硅肥两类。枸溶性硅肥是指不溶于水而溶于酸后可以被植物吸收的硅肥。常见的多为炼钢厂的废钢渣、粉煤灰、矿石经高温煅烧工艺等加工而成的，一般施用量较大（每亩25～50kg），适合做土壤基施，市场售价较低。水溶性硅肥是指溶于水后可以被植物直接吸收的硅肥，农作物对其吸收利用率较高，为高温化学合成，生产工艺较复杂，成本较高，但施用量较小，一般常用于叶面喷施、冲施和滴灌，也可进行基施和追施。

包括以炼铁炉渣、黄磷炉渣、钾长石、海矿石、赤泥、粉煤灰等为主要原料制备的硅肥，其质量技术要求见表 4-36。

表 4-36 硅肥的质量技术要求（NY/T 797—2004）

项目	合格品指标
有效硅（以 SiO_2）含量/%	≥20.0
水分含量/%	≤3.0
细度（通过 250μm 标准筛）/%	≥80

2. 钠肥

对于部分具有 C4 光合途径和景天酸代谢途径的植物而言，钠是必需营养元素。钠可以调节植物渗透压及对植物的形态建成和生理功能具有重要影响。此外，钠可以一定程度代替钾的作用，维持植物细胞质中酶活性，保证细胞的正常代谢。较为常用的钠肥有氯化钠及近年来研发的各种钠复合肥。但钠肥施用应防止过量，因为钠可能导致土壤盐渍化及影响土壤的 pH 值。

3. 硒肥

首先，硒可以提高植物的抗病性和抗逆性。其次，硒肥可以促进植物的生长和发育，提高作物的产量和品质。此外，硒肥还可以改善农产品的营养价值，满足人们对健康饮食的需求。硒肥是一种特殊的肥料，硒肥种类多样，按成分分为无机硒肥和有机硒肥。

（1）无机硒肥　无机硒肥主要成分为硒酸钠、亚硒酸钠等矿质成分。这些硒肥的成分单纯，有效成分含量高，易溶于水，属于速效性肥料。既可做叶面肥也可做基施肥。但过量使用可能有毒性，且生物有效性较低。

（2）有机硒肥　有机硒肥的主要种类有腐植酸硒肥、氨基酸硒肥、富硒酵母硒肥等。一般作为土壤改良剂，利用率高，效果显著，但容易被土壤中微生物利用或挥发散失，可能达不到预期施用期望值。

4. 钴肥

钴是共生固氮中固氮酶的必需元素。在植物体内，钴可能参与某些酶的合成，对植物的代谢过程有重要影响。此外，对于以植物性饲料为食的牲畜而言，钴的缺乏会导致贫血，因此牧草和饲料中的钴含量至关重要。常用的钴肥有硫酸钴、氯化钴等。钴肥可以作为基肥或追肥施用。由于钴盐价格相对较高，一些工业废弃物如锰矿渣和硫铁矿渣等含有少量钴的物质，可以被直接用作钴肥或制造钴肥的原料，从而降低成本，但过量施用钴肥可能导致土壤污染和植物中毒。因此，在施用钴肥时需要注意控制用量，避免对环境和植物造成不良影响。

二、工厂化商品有机肥

（一）有机肥料质量标准

在现代农业的需求转变、环保意识的提高、政府政策的支持、有机肥生产技术的进步和市场需求增加等因素共同推动下，工厂化商品有机肥产业快速发展和壮大。为保障有机肥市场的健康发展，根据国家或行业的规定制定了商品有机肥标准（NY/T 525—2021）。同化学肥料质量标准要求的内容基本一样，差异主要表现在表征商品有机肥质量的多个关键指标。具体指标如下：

1. 技术指标要求

有机质质量分数（以干基计）、总养分（$N+P_2O_5+K_2O$）质量分数（以干基计）、水分质量分数（鲜样）、pH 值、种子发芽指数、机械杂质质量分数等。

2. 限量指标

总砷含量、总汞含量、总铅含量、总镉含量、总铬含量、粪大肠菌群数、蛔虫卵死亡率、氯离子质量分数、杂草种子活性等。

3. 其他指标

针对生物有机肥，则将微生物数量作为一个重要的质量指标。适量的微生物有助于提高土壤的生物活性和促进养分的释放。

此外，对有机肥的外观也有要求。

4. 包装、标识、运输和贮存要求

有机肥的标识、包装、运输和贮藏过程对于确保产品质量、安全性和有效性至关重要。规范与化学肥料大体一致，但以下内容与化学肥料标识内容存在差异：

（1）明确标注为“有机肥”或具体类型的有机肥（如生物有机肥、腐植酸有机肥等）。

（2）适用作物与使用方法：根据产品特性，说明适用作物种类、建议施用量及使用时期。

（3）生产日期与有效期：标注生产日期及推荐的最佳使用期限。

此外，因为有机肥采用的原料原因，跨地区或国际贸易时，可能需提供官方检疫证明，确保产品符合进口国或地区的规定。

(二) 工厂化商品有机肥料类型

1. 普通有机肥

普通有机肥是以农业废弃物（如作物秸秆、畜禽粪便）、工业有机废弃物（如食品加工、酿造行业产生的废渣、废液）、城市有机垃圾（如城市污水处理厂的污泥、生活垃圾中的有机部分）等为原料，经过发酵、腐熟、除臭、粉碎、筛分、造粒等一系列工艺处理，去除其中病菌、虫卵、杂草种子、重金属等有害物质，并在部分产品中添加有益微生物、微量元素等功能成分，最终形成的养分含量高且均衡，氮、磷、钾等主要养分以及各种微量元素比例合理，有害物质含量低，肥效稳定持久，能改善土壤结构，环保安全，外观精致的一类有机肥，它实现了废弃物的资源化利用，对土壤和作物安全性高，利于土壤生态系统平衡，还能为作物生长提供长期养分供应。绿肥、农家肥和其他农民自积自造的有机粪肥等不属于商品有机肥料。

普通有机肥已完全腐熟，不会发生烧根、烂苗现象。普通有机肥经过无害化处理，通过高温腐熟，杀死了大部分病原菌和虫卵，减少了病虫害发生。农家肥未经腐熟，使用后在土壤里发生后期腐熟，会引起烧苗现象，且有可能引发土传病虫害。普通有机肥的养分含量较为稳定，农家肥则参差不齐。此外，普通有机肥的异味小，主要是其经过除臭处理。与农家肥相比，普通有机肥更便于运输。普通有机肥技术指标要求见表 4-37 和表 4-38。

表 4-37　有机肥料技术指标要求及检测方法（NY/T 525—2021）

项目	指标
有机质的质量分数（以烘干基计）/%	≥30
总养分（$N+P_2O_5+K_2O$）的质量分数（以烘干基计）/%	≥4.0
水分（鲜样）的质量分数/%	≤30
酸碱度（pH）	5.5～8.5
种子发芽指数（GI）/%	≥70
机械杂质的质量分数/%	≤0.5

表 4-38　有机肥料限制限量指标要求（NY/T 525—2021）

项目	指标
总砷（As）(以烘干基计)/(mg/kg)	≤15
总汞（Hg）(以烘干基计)/(mg/kg)	≤2
总铅（Pb）(以烘干基计)/(mg/kg)	≤50

续表

项目	指标
总镉（Cd）(以烘干基计)/(mg/kg)	≤3
总铬（Cr）(以烘干基计)/(mg/kg)	≤150
粪大肠菌群数/(个/g)	≤100
蛔虫卵死亡率/%	≥95
氯离子含量/%	—
杂草种子活性/(株/kg)	—

随着农业生产方式的绿色转型和可持续发展的需求不断增强，普通有机肥的市场需求呈现上行的态势发展。普通有机肥具有诸多优点和广泛的应用前景，在农业生产中发挥着越来越重要的作用。

2. 生物有机肥

指特定功能微生物与主要以动植物残体（如畜禽粪便、农作物秸秆等）为来源并经无害化处理、腐熟的有机物料复合而成的一类兼具微生物肥料和有机肥效应的肥料。生物有机肥是一种重要的肥料类型，其有机成分包含大量的有机质，如腐殖质、纤维素、半纤维素、木质素等。这些有机成分主要来源于动植物残体，为土壤微生物提供了碳源等营养物质，能够改善土壤结构，增强土壤的保水保肥能力。微生物成分含有多种有益微生物，常见的有芽孢杆菌、酵母菌、放线菌等。这些微生物在土壤中有不同的功能，如分解有机物质、促进植物根系生长、抑制有害病原菌生长等。

生物有机肥能提高作物产量与品质，生物有机肥营养物质释放缓慢，氮素多以铵根离子或氨基酸形式供给植物，易于被植物吸收利用，从而促进植物生长，提高作物产量和品质。生物有机肥能改良土壤结构，有机质经微生物分解后，可缩合成新的腐殖质，与土壤中其他物质结合，形成有机无机复合体，促进土壤中微团粒结构的形成，改善土壤结构，使土壤疏松，提高土壤耕性。生物有机肥最为重要的功能是增加土壤微生物多样性，生物有机肥中的有益微生物进入土壤后，能够与原有的土壤微生物相互作用，增加微生物的种类和数量，改善土壤微生态环境。生物有机肥能提高土壤供肥能力，由于生物有机肥中的微生物具有固氮、溶磷、解钾的能力，可将土壤中难溶性的养分转化为植物可吸收的形态，提高土壤供肥能力。此外，生物有机肥可增强植物抗逆性，因为生物有机肥中的有益微生物可以诱导植物产生系统抗性，增强植物的免疫力，使植物在面对病虫害、干旱、盐碱等逆境时能够更好地抵抗和适应。生物有机肥的质量技术指标要求见表 4-39 和表 4-40。

表 4-39 生物有机肥产品技术指标要求（NY 884—2012）

项目	技术指标
有效活菌数（CFU）/(亿/g)	≥0.20
有机质（以干基计）/%	≥40.0
水分/%	≤30.0
pH	5.5～8.5
粪大肠菌群数/(个/g)	≤100
蛔虫卵死亡率/%	≥95
有效期/月	≥6

表 4-40 生物有机肥产品 5 种重金属限量技术要求（NY 884—2012）

单位：mg/kg

项目	限量指标
总砷（As）(以干基计)	≤15
总镉（Cd）(以干基计)	≤3
总铅（Pb）(以干基计)	≤50
总铬（Cr）(以干基计)	≤150
总汞（Hg）(以干基计)	≤2

三、有机无机复混肥料

有机无机复混肥是一种既含有有机质，又含有适量氮、磷、钾等无机化肥的复混肥料。它通常是对粪便、草炭、动植物残体等有机物料，通过微生物发酵进行无害化和有效化处理，并添加适量化肥、腐植酸、氨基酸或有益微生物菌，经过造粒或直接掺混而制得的商品肥料。它兼具有机肥和无机肥的双重优点。作为一种将有机物料与无机肥料相结合的肥料。它既含有来源于动植物残体等经过发酵腐熟的有机成分，能改善土壤结构、增强土壤保水保肥能力和微生物活性，又包含了氮、磷、钾等无机养分，可以快速为作物提供生长所需的营养元素。这种肥料具有养分全面、肥效持久的性质，能够综合有机肥料和无机肥料的优点，减少单独使用有机或无机肥料可能带来的弊端，例如单独使用无机肥可能导致土壤板结，而有机无机复混肥可在一定程度上缓解这一问题。有机无机复混肥中有机物质和无机物质的完美结合，为作物提供了丰富的营养来源。它包含土壤中的矿物质，也包含有机物质，如有机酸、腐殖质等，这些都有助于作物健康生长。有机无机复混肥中的有机质能够增强土壤中微生物的活性，促进有机质的分解，有效活化土壤中的磷、钾及硼、锌、锰等养分，使各种养分均衡释放。有机无机复混肥中的氮磷钾含量均衡，并含有大量的有益菌，能够起到固氮、解磷和解钾的作用，促进氮磷钾的吸收。与单纯的施用氮磷钾肥相比，它的吸收率能提高30%～50%。此外，有机无机复混肥中的有机物质没有化学合成肥料中的残留问题，更加安全健康。同时，它还是一种可再生的肥料，不会对环境造成污染。

有机无机复混肥的生产工艺通常包括有机物料前处理、配料组方、造粒、烘干和包装等环节。其中，有机物料前处理是关键步骤之一，它通常包括发酵腐熟等过程，以确保有机物料的无害化和有效化。配料组方则需要根据作物的需求和土壤的状况来确定无机化肥和有机质的比例。造粒和烘干则是为了确保肥料的颗粒度和水分含量符合标准。有机无机复混肥技术指标见表 4-41。

表 4-41　有机无机复混肥料的技术指标要求（GB/T 18877—2020）

项目			指标		
			Ⅰ型	Ⅱ型	Ⅲ型
有机质含量/%		≥	20	15	10
总养分（$N+P_2O_5+K_2O$）含量/%		≥	15.0	25.0	35.0
水分（H_2O）/%		≤	12.0	12.0	10.0
酸碱度（pH 值）			5.5～8.5		5.0～8.5
粒度（1.00～4.75mm 或 3.35～5.60mm）/%		≥	70		
蛔虫卵死亡率/%		≥	95		
粪大肠菌群数/(个/g)		≤	100		
氯离子含量/%	未标“含氯”的产品	≤	3.0		
	标明“含氯（低氯）”的产品	≤	15.0		
	标明“含氯（中氯）”的产品	≤	30.0		
砷及其化合物含量（以 As 计）/(mg/kg)		≤	50		
镉及其化合物含量（以 Cd 计）/(mg/kg)		≤	10		
铅及其化合物含量（以 Pb 计）/(mg/kg)		≤	150		
铬及其化合物含量（以 Cr 计）/(mg/kg)		≤	500		
汞及其化合物含量（以 Hg 计）/(mg/kg)		≤	5		
钠离子含量/%		≤	3.0		
缩二脲含量/%		≤	0.8		

有机无机复混肥广泛应用于大田作物、蔬菜、果树等农作物的生产中。通常作为基肥在作物种植前施入土壤，可采用撒施后翻耕的方式，使肥料均匀分布在

土壤中，一般施用量根据作物种类和土壤肥力而定，对于土壤肥力中等的田地种植常见农作物时，每亩用量为30～50kg，同时也可以根据产品说明书的推荐用量进行施肥，以保障作物在整个生长周期内有稳定的养分供应。

随着农业可持续发展需求的增长以及化肥减量政策的推动，有机无机复混肥市场将迎来平稳增长。未来，有机无机复混肥行业将朝着产品高效化、多功能化以及监管强化的方向发展。有机无机复混肥是一种高效、环保、可持续的肥料类型，它在农业生产中具有广泛的应用前景。

四、水溶肥料

1. 大量元素水溶肥

大量元素水溶肥是一种能够完全溶解于水中的多元素肥料。其主要成分包含氮、磷、钾这三种植物生长必需的大量元素。这些元素通常以不同的化合物形式存在，比如，氮可能来源于尿素、硝酸铵等，磷可以是磷酸一铵、磷酸二铵等，钾一般是氯化钾、硫酸钾等。此外，部分优质的大量元素水溶肥还会添加一些中微量元素，如钙、镁、铁、锌等，以更全面地满足植物生长需求。

氮元素在水溶肥中有硝态氮、铵态氮和酰胺态氮等形态。硝态氮能被植物快速吸收利用，使植物枝繁叶茂；铵态氮在土壤中比较稳定，也能为植物提供氮素；酰胺态氮经过转化后才能被植物吸收。磷元素主要以正磷酸盐的形式存在，是植物体内核酸、磷脂等重要化合物的组成部分，对植物的能量代谢和遗传信息传递至关重要。钾元素以离子态存在，在植物的光合作用、气孔开闭、增强植物抗逆性等方面发挥关键作用。植物通过根系吸收这些溶解在水中的养分，然后通过蒸腾作用等生理过程将养分运输到各个部位。大量元素水溶肥具有以下特点：

（1）高溶解性　能迅速溶解于水中，无残渣或仅有少量残渣，这使得它可以通过滴灌、喷灌等灌溉系统进行施肥，也便于进行叶面喷施。

（2）速效性　由于其溶解后的养分形态易于植物吸收，施肥后能在短时间内为植物补充所需养分，促进植物生长。例如，在作物生长关键时期，如花期、果期，快速提供营养。

（3）配方灵活多样　可以根据不同作物的种类、生长阶段以及土壤肥力状况等因素，调整氮、磷、钾的比例和其他添加成分，制定出适合特定需求的肥料配方。

大量元素水溶肥主要应用于：

（1）设施农业　在温室大棚蔬菜、花卉种植中广泛应用。例如，在黄瓜种植过程中，根据黄瓜不同生长阶段（育苗期、伸蔓期、结果期），使用不同配方的大量元素水溶肥，通过滴灌系统精准施肥，提高黄瓜的产量和品质。

（2）园艺作物　对于果树、观赏植物等，大量元素水溶肥可以提高果实品质、改善花卉色泽和延长花期。如在苹果结果期，使用高钾型水溶肥，有助于果实糖分的积累和着色。

（3）大田作物　虽然传统化肥在大田作物中应用广泛，但大量元素水溶肥在一些高产示范田、节水灌溉的大田作物中也逐渐发挥作用，比如在采用喷灌的小麦田，使用水溶肥可以提高肥料利用率。

大量元素水溶肥质量技术指标见表 4-42。

表 4-42　大量元素水溶肥的技术标准（NY/T 1107—2020）

项目		固体产品	液体产品
大量元素含量[a]		≥50.0%	≥400g/L
水不溶物含量		≤1.0%	≤10g/L
水分（H_2O）含量		≤3.0%	—
缩二脲含量		≤0.9%	
氯离子含量[b]	未标“含氯”的产品	≤3.0%	≤30g/L
	表示“含氯（低氯）”的产品	≤15.0%	≤150g/L
	表示“含氯（中氯）”的产品	≤30.0%	≤300g/L

[a] 大量元素含量指总 N、P_2O_5、K_2O 含量之和，产品应至少包含其中 2 种大量元素。单一大量元素含量不低于 4.0%或 40g/L。各单一大量元素测定值与标明值负偏差的绝对值应不大于 1.5%或 15g/L。

[b] 氯离子含量大于 30.0%或 300g/L 的产品，应在包装袋上标明“含氯（高氯）”，标识“含氯（高氯）”的产品，氯离子含量可不做检验和判定。

2. 中量元素水溶肥

中量元素水溶肥是一种完全溶于水的肥料，主要包含钙、镁、硫这三种植物生长所必需的中量元素。这些元素以各种化合物形式存在，如硝酸钙、硫酸镁、硫酸钾等。其养分含量一般标识为钙、镁、硫等元素的单一含量或其组合含量，比如 CaO 含量、MgO 含量等。中量元素水溶肥具有以下特点：

（1）高溶解性　中量元素水溶肥的突出特点是溶解性良好，能够完全溶解于水中，几乎没有残渣。这使得它可以通过滴灌、喷灌等灌溉方式进行施肥，方便快捷，而且能确保肥料均匀地分布在土壤中，有利于植物根系吸收。

（2）吸收效率高　由于是水溶状态，中量元素能够快速被植物根系吸收，并且可以根据植物生长阶段的需求灵活调整施肥量和施肥频率。例如，在果树果实膨大期，适当增加钙、镁元素的供应，可以提高果实品质。

（3）可与其他肥料混用　它可以与大量元素水溶肥、微量元素水溶肥以及农药等合理混合使用，方便实现多功能、一体化施肥。不过，在混合使用时需要注意成分之间的兼容性，避免发生化学反应而降低肥效。

中量元素水溶肥主要应用于：

（1）纠正缺素症　当检测发现植物缺乏中量元素或者植物表现出缺素症状

时，如叶片发黄（可能是缺镁）、果实病害（可能是缺钙）等，中量元素水溶肥可以快速补充相应元素，纠正植物的缺素状态。例如，在柑橘园中，如果柑橘叶片出现典型的缺镁症状，施用含镁量高的中量元素水溶肥可以改善叶片颜色，恢复光合作用。

（2）作物关键生长阶段　在作物生长的关键时期，如苗期、花期、果实膨大期等，使用中量元素水溶肥可以满足作物对中量元素的特殊需求。以番茄为例，在苗期适量施用镁肥，有助于培育壮苗；在果实膨大期增加钙肥的供应，可以提高番茄的硬度和品质。

（3）土壤改良辅助　在一些土壤肥力较差、中量元素缺乏的土壤中，如酸性土壤（钙、镁易流失）、沙质土壤（保肥能力差）等，定期施用中量元素水溶肥可以补充土壤中的中量元素，改善土壤结构，提高土壤肥力，为植物生长创造良好的土壤环境。

中量元素水溶肥产品技术指标如表 4-43 所示。

表 4-43　中量元素水溶肥固体/液体产品技术指标（NY 2266—2012）

项目	指标	
	固体	液体
中量元素含量	≥10.0%	≥100g/L
水不溶物含量	≤5.0%	≤50g/L
pH 值（1∶250 稀释）	3.0～9.0	3.0～9.0
水分（H_2O）	≤3.0%	—

注：中量元素含量指钙含量或镁含量或钙镁含量之和。含量不低于 1.0% 的钙或镁元素均应计入中量元素含量中。硫含量不计入中量元素含量，仅在标识中标注。

3. 微量元素水溶肥

微量元素水溶肥是一种高度水溶性的肥料，含有植物生长必需的微量元素，主要包括硼（B）、锌（Zn）、铁（Fe）、锰（Mn）、铜（Cu）、钼（Mo）、氯（Cl）。这些微量元素在肥料中通常以各种盐类化合物的形式存在，例如硼砂（提供硼元素）、硫酸锌（提供锌元素）、硫酸亚铁（提供铁元素）等。

（1）硼元素　硼在植物生殖过程中发挥关键作用。它参与花粉管的萌发和伸长，对花的形成、花粉发育以及受精过程至关重要。例如，在果树开花时期，充足的硼供应可以提高坐果率。硼还能促进植物体内碳水化合物的运输和代谢，增强细胞壁的稳定性。

（2）锌元素　锌是许多酶的组成成分或激活剂，如碳酸酐酶、脱氢酶等。碳酸酐酶在光合作用的碳同化过程中参与二氧化碳的固定，有助于提高光合效率。锌还参与植物生长素的合成，对植物的生长发育、细胞分裂和分化等过程有重要影响。

（3）铁元素　铁是植物体内参与叶绿素合成的关键酶的组成成分，如铁卟啉化合物。缺铁会导致植物叶片出现失绿现象，从幼叶开始发黄变白，因为叶绿素合成受阻。铁还参与植物的呼吸作用和电子传递过程。

（4）锰元素　锰参与光合作用光反应中光系统Ⅱ的水分解反应，对氧气的释放和电子传递起着重要作用。同时，锰也是许多酶的激活剂，在植物的氮代谢和碳水化合物代谢等过程中发挥作用。

（5）铜元素　铜是植物体内多种氧化酶的组成成分，如细胞色素氧化酶、多酚氧化酶等。这些酶参与植物的呼吸作用和氧化还原反应，对植物的能量代谢和木质素合成有重要作用。铜还能增强植物的抗逆性，如抗倒伏、抗病等。

（6）钼元素　钼是硝酸还原酶的组分，这种酶在植物将硝态氮转化为铵态氮的过程中起关键作用。因此，钼元素对于植物利用土壤中的硝态氮至关重要。此外，钼还参与植物体内的固氮过程，对豆科植物的根瘤形成和固氮有促进作用。

（7）氯元素　氯在植物光合作用的光反应中参与水的光解，产生氧气。同时，氯也是维持植物细胞的膨压和电荷平衡的重要元素，有助于植物的正常生长和生理功能的维持。

微量元素水溶肥具有以下特点：

（1）高溶解性　能迅速且完全溶解于水中，无残渣或仅有少量极细的残渣，这使得它可以通过滴灌、喷灌等灌溉系统进行施肥，也适合叶面喷施，确保微量元素能够快速、高效地被植物吸收。

（2）精准补充　可以根据不同作物的生长需求、土壤微量元素含量检测结果等因素，有针对性地补充缺乏的微量元素。例如，在种植水稻时，若土壤检测显示缺锌，就可以使用锌元素水溶肥进行精准补充。

（3）吸收速度快　由于是水溶状态，植物对其吸收利用速度快。通过叶面喷施，微量元素可以在短时间内被植物叶片吸收，进入植物体内发挥作用。例如，当植物出现缺铁性黄叶时，叶面喷施铁元素水溶肥，能在数天内改善叶片颜色。

微量元素水溶肥主要应用于：

（1）预防和治疗缺素症　当土壤中微量元素缺乏或植物表现出缺素症状时，如苹果的缩果病（可能是缺硼）、玉米的白苗病（可能是缺锌）等，微量元素水溶肥可以及时补充相应元素，预防和纠正植物的缺素症。

（2）提高农产品品质　合理使用微量元素水溶肥可以有效提高农产品的品质。例如，在葡萄种植中，适量施用硼和锌元素水溶肥，可以增加葡萄的糖度、改善色泽和增大果粒，提升果实的商品价值。

（3）配合其他肥料使用　在与大量元素肥料（如氮、磷、钾肥料）和中量元素肥料一起使用时，能够为植物提供全面的营养。例如，在蔬菜种植过程中，大量元素水溶肥配合使用微量元素水溶肥，可以促进蔬菜的健康生长，提高产量和品质。

微量元素水溶肥产品技术指标如表4-44所示。

表4-44 微量元素水溶肥固体/液体产品技术指标（NY 1428—2010）

项目	指标	
	固体	液体
微量元素含量	≥10.0%	≥100g/L
水不溶物含量	≤5.0%	≤50g/L
pH值（1∶250稀释）	3.0～10.0	3.0～10.0
水分（H_2O）	≤6.0%	—

注：微量元素含量指铜、铁、锰、锌、硼、钼元素含量之和。产品应至少包含一种微量元素。含量不低于0.05%的单一微量元素均应计入微量元素含量中。钼元素含量不高于1.0%（单质含钼微量元素产品除外）。

4. 功能性水溶肥

功能性水溶肥是在普通水溶肥的基础上，添加了具有特定功能的成分而制成的肥料。它除了含有氮、磷、钾等大量元素和一些中微量元素外，还含有生物活性物质、植物生长调节剂等特殊成分。常见的类型有含腐植酸水溶肥、含氨基酸水溶肥等。

（1）含腐植酸水溶肥料　主要成分是腐植酸，腐植酸是动植物残体经过微生物分解和转化而形成的有机高分子化合物。它与氮、磷、钾等大量元素以及铁、锌、锰等中微量元素相结合。腐植酸能够改善土壤结构，增加土壤的保水保肥能力和通气性。它还能刺激植物根系生长，促进根系对养分的吸收。同时，腐植酸具有一定的缓冲性能，能调节土壤酸碱度，有利于植物生长在适宜的土壤环境中。适宜于多种土壤类型和作物。在盐碱地种植作物时，含腐植酸水溶肥可以降低土壤盐碱危害；在贫瘠的土壤中，能够提高土壤肥力，促进作物生长。含腐植酸水溶肥具有以下特点：

① 改良土壤　与土壤中钙离子结合形成稳定团粒结构，调节土壤水、肥、气、热状况，还能抑制有害菌，对土壤板结和盐渍化有修复作用。

② 促进生长　刺激作物根系生长，促进细胞分裂，增强光合作用，提高作物对养分的吸收利用率，使植株生长健壮。

③ 提高抗逆性　调节作物生理功能，增强抗旱、抗寒、抗病等能力，减少逆境对作物的影响。

④ 提高肥料利用率　固定土壤中的钾和磷元素，减少氮素流失，与肥料中的养分协同作用，提高肥料整体利用率。

⑤ 改善作物品质　促进作物对养分的吸收和运转，使果实生长均匀、色泽纯正，增加糖度，改善口感，提高农产品的商品价值。

使用方法：

① 叶面喷施　稀释600～800倍，在作物生长关键期进行叶面喷雾，可使肥液迅速被叶片吸收。

② 滴灌、冲施　根据作物种类和生长阶段调整用量，一般苗期5～10kg/亩，生长中后期10～20kg/亩，每隔10～15天冲施一次。

③ 浸种、拌种　用于浸种时，浓度一般为0.05%～0.5%，浸种时间5～10h；拌种则将腐植酸水溶肥配成溶液，均匀喷洒在种子上，晾干后播种。

注意事项：

① 浓度控制　严格按照产品说明书稀释，避免浓度过高造成肥害，或浓度过低效果不明显。

② 温度要求　在适宜温度下使用，一般18h以上才能见效，气温高于38℃时应减少用量或停止施用。

③ 搭配使用　不能完全替代农家肥和无机肥，需与有机肥、化肥配合施用，尤其与磷肥配合效果更好。

④ 混用禁忌　避免与强碱性农药混用，混合使用前先阅读产品说明书，或进行小范围试验。

因腐植酸可以与大量元素、中量元素以及微量元素等配合，相关水溶肥技术指标要求见表4-45。

表4-45　含腐植酸水溶肥大量元素型固体/液体产品技术指标（NY 1106—2010）

项目	指标		
	大量元素		微量元素
	固体	液体	
腐植酸含量	≥3.0%	≥30.0g/L	≥3.0%
大量元素含量	≥20.0%	≥200g/L	≥6.0%
水不溶物含量	≤5.0%	≤50g/L	≤5.0%
pH值（1∶250稀释）	4.0～10.0	4.0～10.0	4.0～10.0
水分（H_2O）	≤5.0%	—	≤5.0%

注：大量元素含量指总N、P_2O_5、K_2O含量之和。产品至少包含两种大量元素。单一元素含量不低于固体为2.0%，液体为20g/L。

微量元素含量指铜、铁、锰、锌、硼、钼元素含量之和。产品应至少包含一种微量元素。含量不低于0.05%的单微量元素均应计入微量元素含量中。钼元素含量不高于0.5%。

腐植酸类水溶肥中的典型代表是黄腐酸钾，由黄腐酸、氧化钾等基本成分组成，还可能添加如氮、磷、螯合态中微量元素、有机质等其他营养物质，部分产品会添加如聚谷氨酸等特殊物质来增强肥效。其作用及优势主要表现为：

① 改良土壤　增加土壤中水稳性团粒，改善过砂、过黏等贫瘠土壤。吸附和阻留有害阳离子，降低土壤酸碱度，调节土壤的酸碱度和含盐量，减轻盐离子对作物的危害，修复板结和盐渍化土壤。

② 提高肥效　吸附交换活化土壤中的矿质元素，如磷、钙、镁等，使这些元素的有效性增强，提高肥料利用率，起到增效剂的作用，减少肥料残留。

③ 促进生长　含有多种官能团，对作物的生长发育及体内生理代谢有刺激作用，促进细胞分裂，加速作物生长，使作物根系更加发达健壮。

④ 增强抗逆性　能降低作物生长的不良影响，发挥缓冲作用，提升作物的抗旱、抗寒、抗病等抗逆性能，还可促进植物脯氨酸的合成、糖分的积累，提高细胞保护酶的活性，增强作物对病虫害的抵御能力。

⑤ 提升品质　延长作物收获期，促进作物生长发育过程中糖分、维生素、淀粉等营养成分积累，增强果实的膨大、着色效果，提升商品果率。

以风化煤、褐煤、泥炭、植物秸秆、木屑、蔗渣（液）、餐厨废弃物为原料提取或生物发酵的黄腐酸，分别称为矿物源和生物源黄腐酸，再与氢氧化钾反应制成相应的矿物源和生物源黄腐酸钾产品，结合其存在的形态（固体和液体），有相应的质量技术指标要求，见表4-46～表4-49。

表4-46　矿物源黄腐酸钾固体产品技术指标（HG/T 5334—2018）

项目	指标		
	优等品	一等品	合格品
荧光激发波长、发射波长/nm	460～470，530～540		
矿物源黄腐酸钾含量（以干基计）/%	≥50	≥40	≥30
氧化钾（K_2O）含量（以干基计）/%	≥8		
水不溶物含量（以干基计）/%	≤8		
水分/%	≤15		
pH值（1∶100稀释）	4.0～11.0		

表4-47　矿物源黄腐酸钾液体产品技术指标（HG/T 5334—2018）

项目	指标
荧光激发波长、发射波长/nm	460～470，530～540
矿物源黄腐酸钾含量/(g/L)	≥80
氧化钾（K_2O）含量/(g/L)	≥15
水不溶物含量/(g/L)	≤50
pH值（1∶100稀释）	4.0～11.0

表 4-48 生物源黄腐酸钾固体产品技术指标（HG/T 5334—2018）

项目	指标	
	颗粒	粉末
荧光激发波长、发射波长/nm	460～470，520～530	
生物源黄腐酸钾含量（以干基计）/%	≥25	≥35
氧化钾（K_2O）含量（以干基计）/%	≥10	≥5
水不溶物含量（以干基计）/%	≤6	≤5
水分/%	≤12	≤5
pH值（1∶100稀释）	5.0～8.0	4.0～7.0
粒度（1.00～4.75mm）/%	≥70.0	—

表 4-49 生物源黄腐酸钾液体产品技术指标（HG/T 5334—2018）

项目	指标
荧光激发波长、发射波长/nm	460～470，520～530
矿物源黄腐酸钾含量/(g/L)	≥200
氧化钾（K_2O）含量/(g/L)	≥60
水不溶物含量/(g/L)	≤50
pH值（1∶100稀释）	4.0～7.0

（2）含氨基酸水溶肥料　以游离氨基酸为主要功能性成分，这些氨基酸可以通过动物毛发、植物蛋白等原料水解获得。同时含有大量元素（如氮、磷、钾）和中微量元素，其氮元素部分来源于氨基酸本身。氨基酸能直接被植物吸收，参与植物体内蛋白质合成，促进新梢生长、叶片增大增厚，提高光合效率。还可以增强植物的抗逆性，例如在干旱或低温环境下，帮助植物维持细胞的渗透压和膜的稳定性。广泛应用于各类农作物、花卉、蔬菜和果树等。在蔬菜育苗期使用，有助于培育壮苗；在果树的花芽分化期使用，可促进花芽分化。

含氨基酸水溶肥使用方法如下：

① 叶面喷施　按一定比例清水稀释后，对作物叶子正反面均衡喷施，以叶面产生水雾不流水为宜，一般在早上9点之前、下午4点以后进行。

② 冲施　将含氨基酸水溶肥料按一定比例稀释后进入冲施系统，用量一般为2～3kg/亩。

③ 滴灌　按一定比例清水稀释后进入滴灌系统，通常稀释比例为1∶500～1000，用量2～3kg/亩。

氨基酸可以与中量元素以及微量元素等配合，相关氨基酸水溶肥技术指标要求见表4-50。

表 4-50　含氨基酸水溶肥产品技术指标（NY 1429—2010）

项目	指标			
	中量元素		微量元素	
	固体	液体	固体	液体
游离氨基酸含量	≥10.0%	≥100g/L	≥10.0%	≥100g/L
中量元素含量	≥3.0%	≥30g/L	≥2.0%	≥20g/L
水不溶物含量/%	≤5.0%	≤50g/L	≤5.0%	≤50g/L
pH 值（1∶250 稀释）	3.0～9.0	3.0～9.0	3.0～9.0	3.0～9.0
水分（H_2O）/%	≤4.0%	—	≤4.0%	—

注：中量元素含量指钙、镁元素含量之和。产品应至少包含一种中量元素。含量不低于 0.1%（或 1g/L）的单一中量元素均应计入中量元素含量中。

微量元素含量指铜、铁、锰、锌、硼、钼元素含量之和。产品应至少包含一种微量元素。含量不低于 0.05%（或 0.5g/L）的单微量元素均应计入微量元素含量中。钼元素含量不高于 0.5%（或 5g/L）。

五、叶面肥

叶面施就是通过喷洒在作物叶表面来提供养分的肥料。水溶肥以叶面喷施方式进行的肥料属于叶面肥。一些大量元素的肥料和微量元素肥料以及复合肥都可以作为叶面肥来施用。氨基酸类叶面肥中，其氨基酸分子量较小，植物叶面可以直接吸收利用。微量元素中的铁、锰、铜和锌等施入土壤后，与土壤中物质发生沉淀，从而对作物无效。叶面施用微量元素肥料就成为很好的选择。微量元素肥料可以和酸性农药配合施用，从而减少了工作量。

叶面施肥是土壤施肥的重要补充。叶面施肥可以起到土壤施肥所起不到的作用。相对于土壤施肥而言，叶面施肥具有如下的优点：

（1）养分吸收快，肥效好　由于肥料直接喷施至叶面，养分可直接从叶片进入植物体内，直接参与作物的新陈代谢，故其速度和效果比土壤施肥来得快。

（2）针对性强，可以满足作物的特殊性需肥，及时矫正作物缺素症　如缺钙的香蕉，叶片喷施硝酸钙后，可有效改善或矫正其钙缺乏。对于微量元素缺乏症而言，叶面施肥相对于土壤施肥有着无法比拟的优点。

（3）弥补根系养分吸收不足，可增加产量、改善品质　作物生长后期，根系老化导致的功能衰退使得根吸收能力降低，无法满足作物后期对养分的需求；或者土壤环境恶化，如涝害、干旱、酸碱不平衡等，造成根系吸收受阻；或者台风、冰雹等恶劣天气等造成植株受损等，都可以通过叶面施肥方式以补充养分，以弥补养分吸收不足，或者恢复作物茁壮生长、提高坐果结实率等，从而实现增产、改善品质的目的。

（4）减少养分固定，提高肥料利用率　叶面施肥不经过土壤，避免了养分被土壤吸附固定、淋溶、挥发等损失，可以直接被作物吸收利用，养分利用率得以提高。

（5）叶面施肥简单、方便　首先，叶面施肥不受作物生长状态和生育期影响；其次，叶面施肥可以将肥料、农药等一起结合使用，各物质相互促进，提高叶片的吸收效果，达到增强抗性和防治病虫害的目的。

叶面肥料大多用于作物的根外叶面喷施，作追肥。值得注意的是，叶面施肥是土壤施肥的补充，只能在短期内或者土壤施肥暂时无效或者来不及的情况下才使用的一种方法，不能替代土壤施肥。叶面肥的质量技术指标见表 4-51～表 4-54。

表 4-51　微量元素叶面肥的技术指标要求（GB/T 17420—2020）

项目		指标	
		固体	液体
微量元素[a]（Fe、Mn、Cu、Zn、Mo、B）总量（以元素计）	≥	10.0%	100g/L
水分（H_2O）/%	≤	5.0	—
水不溶物	≤	0.5%	5g/L
pH 值（1∶250 倍稀释）		5.0～8.0	≥3.0

[a] 微量元素总量指钼、硼、锰、锌、铜、铁六种元素中的两种或两种以上元素之和，单一元素含量小于 0.2%（2g/L）的不计入总含量。

表 4-52　含有机质叶面肥料液体产品的要求（GB/T 17419—2018）

项目		指标
有机质含量/(g/L)	≥	100
总养分（以 $N+P_2O_2+K_2O$ 计）含量/(g/L)	≥	80
微量元素含量/(g/L)	≥	20
水不溶物/(g/L)	≤	5
pH（1∶250 倍稀释）		2.0～9.0

注：标明的单一养分含量不应低于 10g/L，测定值与标明值负偏差的绝对值不应大于 10g/L。

微量元素总含量指硼、锌、锰、铁、铜、钼六种元素含量之和，产品应包含至少一种微量元素，含量不低于 0.5g/L 的微量元素均应计入微量元素中，钼含量不高于 5g/L。

表 4-53　含有机质叶面肥料固体产品的要求（GB/T 17419—2018）

项目		指标
有机质含量/%	≥	25.0
总养分（以 $N+P_2O_2+K_2O$ 计）含量/%	≥	5.0
微量元素含量/%	≥	2.0

续表

项目		指标
水不溶物/%	≤	0.5
水分 (H_2O)/%	≤	5.0
pH (1∶250倍稀释)		2.0～9.0

注：标明的单一养分含量不应低于1%，测定值与标明值负偏差的绝对值不应大于1%。

微量元素总含量指硼、锌、锰、铁、铜、钼六种元素含量之和，产品应包含至少一种微量元素，含量不低于0.05%的微量元素均应计入微量元素中，钼含量不高于0.5%。

表4-54　含有机质叶面肥料砷、镉、铅、铬、汞限量要求（GB/T 17419—2018）

项目		指标
砷及其化合物的质量分数（以As计）/(mg/kg)	≤	10
镉及其化合物的质量分数（以Cd计）/(mg/kg)	≤	10
铅及其化合物的质量分数（以Pd计）/(mg/kg)	≤	50
铬及其化合物的质量分数（以Cr计）/(mg/kg)	≤	50
汞及其化合物的质量分数（以Hg计）/(mg/kg)	≤	5

六、生物肥

生物肥有狭义和广义两种定义。狭义的生物肥料是指微生物（细菌）肥料，简称菌肥，又称微生物接种剂，是由具有特殊效能的微生物经过发酵（或人工培制）而成的，含有大量有益微生物。这些肥料施入土壤后，或能固定空气中的氮，或能活化土壤中的养分，如磷、钾等，从而改善植物的营养环境，或通过微生物的生命活动过程中产生活性物质来刺激植物生长的特定微生物制品。广义的生物肥料则是泛指利用生物技术制造的、对作物具有特定肥效（或有肥效又有刺激作用）的生物制剂，其有效成分可以是特定的活生物体、生物体的代谢物或基质的转化物等，这种生物体既可以是微生物，也可以是动植物组织和细胞。

从狭义和广义两个定义衍生出生物肥的两种作用。其一是通过其中所含微生物的生命活动，增加了植物元素营养的供应量，包括土壤和生产环境中植物营养元素的供应总量和植物营养元素的有效供应量，促使植物营养状况改善，进而实现产量增加，代表品种是根瘤菌肥料。其二是其制品虽然也是通过其中所含的微生物生命活动的关键作用促使作物增产，但是其中微生物生命活动的关键作用不限于提高植物的元素营养供应水平，包括了它们所产生的植物生长刺激素对植物的刺激作用，促进植物对营养元素的吸收作用，或者是有拮抗某些病原微生物的致病作用，减轻作物病虫害而导致产量增加。这类微生物的种类和制品比较多，也比较复杂。但随着研究的深入发展，此类微生物及其制品将会有比较合理、比较科学的归属、分类。生物肥的种类包括：

1. 生物有机肥料

生物有机肥料是指特定功能微生物与主要以动植物残体（如畜禽粪便、农作物秸秆等）为来源并经无害化处理、腐熟的有机物料复合而成的一类兼具微生物肥料和有机肥效应的肥料。其有机部分包含大量的有机质，还含有多种有益微生物，常见的有芽孢杆菌、酵母菌、放线菌等。

2. 秸秆腐熟剂和畜禽粪便

农畜业废弃物和生活垃圾污染环境的现象日益严重，如何处理这些有机废物一直是令环保部门头疼，被农业部门关注的问题。采用微生物发酵方法处理这类固体有机废弃物是有效的方法。秸秆腐熟剂和畜禽粪便常用于处理这些物料。

秸秆腐熟剂是一种专门用于加速秸秆分解的生物制剂，它含有高活性的复合菌株，能够快速分解有机物料，将其转化为肥沃的腐殖质。畜禽粪便及有机垃圾发酵剂是专门针对畜禽粪便及有机垃圾处理的生物制剂，能强烈分解蛋白质、纤维素、半纤维素、木质素等有机物，将畜禽粪便及有机垃圾转化为有机肥料，提高养分含量，达到升温、除臭、消除病虫害和杂草种子的效果。

3. 微生物接种剂

微生物接种剂是指将有益于作物生长或抗病的微生物经过培养、繁殖并扩大数量后，经液体发酵生产而成的液体活菌制品，或菌液经无菌载体吸附而成的固体活菌制品。这些微生物接种剂可接种在作物种子或根、茎、叶表面，以期在其根部增殖并起作用。微生物类型可以是细菌、真菌或放线菌等，通过生命活动能够改善作物的生长环境，提高作物的产量和品质。

4. 光合细菌肥料

光合细菌是能利用光能作为能量来源的细菌。根据光合作用是否产氧，光合细菌可分为不产氧光合细菌和产氧光合细菌；又可根据光合细菌碳源利用的不同，将其分为光能自养型和光能异养型。前者是以硫化氢为光合作用供氢体的紫硫细菌和绿硫细菌，后者是以各种有机物为供氢体和主要碳源的紫色非硫细菌。光合细菌肥料的产品形式主要为液体菌剂和固体菌剂。液体菌剂是以有机、无机原料培养液接种光合细菌，经发酵培养而成的光合细菌菌液；固体菌剂则是由某种固体物质作为载体吸附光合细菌菌液而成。光合细菌肥料发展很快，主要用于畜禽饲养和水产养殖，也可以用于农作物拌种和叶面喷施。

5. 复合微生物肥料

复合微生物肥料是指特定微生物与营养物质复合而成，能提供、保持或改善植物营养，提高农产品产量或改善农产品品质的活体微生物制品。复合微生物肥料的产品形式主要有三种。第一种是微生物接种剂与有机物料、无机肥料混合后造粒；第二种是微生物接种剂与有机肥料混合造粒，然后与化肥复合肥混合包装；第三种是在有机无机复合肥的包装中附加一袋微生物接种剂，在田间施用前，将接种剂与有机无机复合肥混合。根据其成分和功能的不同，复合微生物肥料又可以分为微生物微量元素复合生物肥料、联合固氮菌复合生物肥料、固氮菌、根瘤菌、磷细菌和钾细菌复合生物肥料、有机无机复合生物肥料以及多菌株多营养生物肥料等多种类型。

6. 乳酸菌有机肥

乳酸菌有机肥是通过乳酸菌的发酵作用，将有机物质（如厨余垃圾、花卉枯萎的叶子、畜禽粪便等）分解为有机酸、氨、酶、酵素等物质，形成一种富含营养且易被植物吸收的液体或固体肥料。代表性乳酸菌是乳酸屎肠球菌“Anp01”。用含氮有机物喷施屎肠球菌，堆积发酵 7～28 天，含氮有机质会被酵化，发酵分解率高达 40％以上，完全满足有机肥的基本要求。

生物肥料是一类活菌制品，它的效能与其菌类活性及使用方法有直接的关系。在施用生物肥时要注意以下几点：

（1）微生物肥料的核心是指品种特定的有效的活微生物，任何一款产品的有效活菌数都有明确的规定，有效活菌数降到一定数量时，它的作用也就没有了。

（2）微生物肥料是一类农用活菌制剂，从生产到使用都要注意给产品中微生物一个生存的合适环境，主要是水分含量、酸碱度、温度、载体中残糖含量、包装材料等。

（3）微生物肥料作为活菌制剂有一个有效期问题。此类产品刚生产出来时活菌含量较高，但随着保存时间和运输、保存条件的变化，产品中的有效微生物数量逐渐减少，当减到一定数量时，其有效作用显示不出来。因此，规定产品的有效期和正确使用方法意义重大。

（4）注意适用作物和适用地区，是微生物肥料作用有效的重要保证。提倡有针对性地选育生产菌种，例如针对碱性土壤、酸性土壤的菌种，或是针对某特定作物的菌种。

七、多功能肥料

多功能肥料，又称为功能性肥料，是新型肥料的重要研究和发展方向之一。

多功能肥料除能提供营养物质外，还能改良土壤，抑制病害，提高抗逆性，促进养分吸收等，旨在通过“一肥多用”提高农业效率和可持续性。肥料的多功能性体现在调理土壤、保水和抗病等。

根据多功能肥料的功能，将多功能肥料分为保水型肥料、改善土壤结构的肥料、提高作物抗性的肥料和具有防治杂草功能的肥料。

（一）保水型肥料

保水型肥料通过物理混合、包膜、化学合成等方式与肥料复合，制成具有吸水、保水性能的肥料。这类肥料具有优异的保水能力，可以在干旱或水分不足的情况下为作物提供持续的水分供应。

1. 混合型保水肥料

混合型保水肥料是将吸水性聚合物和普通肥料或缓释控释肥料直接混合在一起制备而成。吸水性聚合物的类型主要有聚丙烯酰胺凝胶、交联丙烯酸盐、淀粉接枝丙烯酸等。将这些吸水性聚合物与肥料按照一定比例混合均匀，确保每个肥料颗粒都含有一定比例的保水成分。然后进行造粒处理，形成颗粒状肥料。

2. 包膜/包裹型保水肥料

包膜/包裹型保水肥料：以肥料为核心，用含有高吸水性聚合物的包膜物质进行包膜。常见的包膜材料有高分子聚合物（如聚氨基甲酸乙酯）及保水剂交联聚丙烯酰胺型等。由于成本较高和释放速率难以控制等缺点，该类型肥料的大面积推广受到一定限制。

3. 化学反应型保水肥料

化学反应型保水肥料是指利用吸水性聚合物的化学改性方法，将肥料养分基团通过化学键键合在大分子骨架上，从而使其既具有吸水、保水抗旱性能，又具有缓释性能。该肥料选择聚乙烯醇、木质素等吸水性聚合物，并选择含有作物所需营养元素的化合物作为肥料成分，在特定的反应条件下，将保水成分与肥料成分进行化学反应，使肥料养分基团通过化学键键合在大分子骨架上。这一步骤是制备化学反应型保水肥料的关键。

（二）改善土壤结构的肥料

应用具有改善土壤结构的肥料，可以改善土壤结构、协调土壤水肥气热因素，从而提高土壤肥力。改善土壤结构肥料通过不同的机制作用于土壤，提高土壤通气性、保水性、排水能力，从而改善土壤肥力。改善土壤结构的肥料主要有腐植酸肥料、膨润土肥料、沸石肥料和有机肥料等。

1. 腐植酸肥料

腐植酸肥料可以增加土壤团粒结构，改善孔隙状况，提高土壤阳离子吸收性能，增加土壤保肥能力，提高土壤缓冲性能，改良土壤环境等。腐植酸钾为典型代表。

腐植酸钾是一种具有重要农业价值的有机钾肥。它是由经过精细筛选后的褐煤与 KOH 液体发生反应后提取得到的产物，具有独特的性质。本身含有丰富的腐植酸，能够改良土壤结构，使土壤变得疏松，增加土壤的保水、保肥能力。同时，它还能促进作物对钾元素的吸收和利用，增强作物的抗逆性，提高作物的产量和品质。在使用方法上，腐植酸钾可以作为基肥或追肥使用（表 4-55）。作基肥时，在播种或移栽前将其均匀撒施于土壤表面，然后通过翻耕使其与土壤充分混合；作追肥时，可以采用沟施或穴施的方法，将腐植酸钾施于作物根系附近，然后覆土浇水，确保其能更好地被作物吸收。它适用于多种农作物，在农业生产中应用较为广泛。

表 4-55 农业用腐植酸钾的要求（GB/T 33804—2017）

项目		要求		
		优等品	一等品	合格品
可溶性腐植酸含量/%	≥	60	50	40
氧化钾（K_2O）含量/%	≥	12	10	8
水不溶物含量/%	≤	5	10	20
钠（Na^+）含量/%	≤	2.0		
pH（1∶100 倍稀释）		7～12		
水分含量（H_2O）/%	≤	15		

2. 膨润土肥料

膨润土肥料施用于土壤，有助于土壤团粒结构的形成，提高土壤保肥保水能力，还能增强土壤的缓冲性能，吸附有害元素，减轻土壤污染，在环境保护上具有很大意义。

3. 沸石肥料

沸石类肥料应用于土壤中可以提高土壤盐基交换量，促进团粒结构的形成。沸石具有很强的吸附力，有很好的保肥能力。

4. 有机肥料

有机肥料能促进团聚体形成，改良土壤结构，协调内源激素浓度与比例，提高作物产量与品质。常用的如蚯蚓粪、骨粉、草木灰、牛粪便、羊粪便、马粪便、作物残渣、植物绿肥等。另外微生物肥料，如微生物松土剂、生物菌肥和含酶有机肥等，也属于有机肥料。

（三）提高作物抗性的肥料

提高作物抗性通过促进作物茁壮生长和根系深扎，调整体内抗性生理，改善作物生长环境等来实现。含有磷钾以及微量元素的肥料能提高作物抗寒、抗旱等能力。氨基酸参与蛋白质的合成和多数酶的合成，对作物生命活动有促进作用。如涝害发生后，根系无法吸收养分，此时喷施氨基酸叶面肥既能补充养分，也能抵御涝害对植株造成的影响。生根壮苗肥如微生物菌剂、生根剂等，可以提高地温，从而达到抗低温的作用。聚氨酸尿素及多肽尿素是其代表。

1. 聚氨酸尿素

聚氨酸尿素是在尿素中添加了聚氨基酸或聚谷氨酸等活性成分的新型肥料。这些活性成分能够显著提高肥料的养分利用率，促进作物对养分的吸收和利用。聚氨酸尿素中的聚氨基酸或聚谷氨酸等成分能够与土壤中的金属离子结合，形成稳定的螯合物，从而提高土壤养分的有效性，减少养分的流失。聚氨酸尿素中的活性成分能够刺激作物的根系发育，提高作物对养分的吸收能力，从而促进作物的生长和发育。长期使用聚氨酸尿素能够改善土壤结构，增加土壤有机质含量，提高土壤的保水保肥能力。正是因为聚氨酸尿素添加了活性物，相对普通尿素而言，增加了其抗旱、保水、养分高效利用等功能。

使用聚氨酸尿素能够显著提高作物的产量，尤其是在锌极度缺乏的土壤、干旱和盐碱地等条件下效果更为显著。聚氨酸尿素还能改善作物的品质。

2. 多肽尿素

多肽尿素是在尿素形成过程中，在尿素液体中加入金属蛋白酶，经蒸发器浓缩造粒而形成的新型肥料。多肽尿素的主要成分是尿素、聚天冬氨酸和金属蛋白酶。金属蛋白酶具有很强的生物活性，能激化及促进化肥分子活跃。金属蛋白酶被植物直接吸收，可节省植物在转化微量元素中所需要的“体能”，促进植物生长发育。多肽尿素中的多肽成分能够与土壤中的金属离子结合，形成稳定的螯合物，有助于减少养分的流失和固定，从而提高土壤养分的有效性和肥料利用率。多肽尿素中的生物活性物质能够刺激作物的根系发育，提高作物对养分的吸收能力。这有助于促进作物的生长和发育，提高作物的产量和品质。长期使用多肽尿素能够改善土壤结构，增加土壤有机质含量，提高土壤的保水保肥能力。这有助于为作物提供更好的生长环境。

（四）具有防治杂草功能的肥料

将除草剂和化肥混合加工而成的除草药肥是农药、肥料开发和应用的一个新方向。除草药肥的优越性在于一次田间作业便能收到施肥和除草双重效果。由于除草剂对土壤中硝化细菌的抑制作用，使之与化学肥料的结合往往表现出良好的互作增效效应。如草铵膦类肥料、高氯甲维盐有机肥料、2,4-滴与硫酸铵混合物等。

1. 草铵膦类肥料

含有草铵膦成分的肥料或除草剂肥料混合物。草铵膦是一种活性高、毒性低的除草剂，对许多草类都有除草效果。它与有机肥混合使用，提高除草效果。

2. 高氯甲维盐有机肥料

高氯甲维盐有机肥料是专门针对恶性杂草设计的，除草效果显著。该药肥适用范围广泛，可用于荒地、田埂等多种场景。

3. 2,4-滴与硫酸铵混合物

2,4-滴是一种高活性的除草剂，具有很好的内吸传导性，可从根、茎、叶进入植物体内，导致杂草死亡。硫酸铵可提高叶片对2,4-滴的吸收能力，增强除草效果。该配方价格便宜，除草范围广，且不易产生抗性。

八、缓/控释肥料

缓/控释肥是指通过物理、化学与生物等手段，调控肥料中养分释放速率，满足农作物生长期营养需求的一种新型肥料。缓/控释肥料能避免养分在短时间内大量流失，满足作物长期生长的需要，因此能减少施肥次数，改善土壤环境，提高肥料利用率和提高作物产量和品质。

按照养分释放机理不同，可将缓/控释肥分为物理包膜型、化学型以及稳定性等三大类。

（一）物理包膜型

采用加热、喷涂等物理手段制备的拥有“核壳式结构”的肥料。一般是以高浓度水溶性养分为内核，于表面包裹一层或若干层具备缓/控释性能的膜材料，从而减缓水分渗入内核的速率，起到缓释的作用。缓/控释效果主要由外层包膜材料性质决定，依据膜材料不同可划分为无机包膜型肥料与有机包膜型肥料。

1. 无机包膜型肥料

常用的无机包膜材料主要是硫黄、硅藻土、钙镁磷肥、生物炭等，具有来源广泛、制备成本低、易降解、环境友好、可改善土壤结构等优点，主要存在弹性差、易脱落、缓控释效果不太理想等问题。

2. 有机包膜型肥料

包含天然高分子包膜型肥料与合成高分子包膜型肥料两大类。天然高分子包膜型肥料有壳聚糖、淀粉、纤维素、海藻酸钠、腐植酸等，这些材料具有价廉易得、生物相容可降解、易于成膜的特点，但由于自身结构限制，直接用于制造肥料包膜存在缓释性能不太理想等问题，往往需通过物理或化学改性来提高其性能。

常用的合成高分子包膜有聚乙烯、聚丙烯、聚氨酯、环氧树脂、醇酸树脂等。这些合成高分子材料不易分解，残留于土壤中易造成环境污染。开发可降解、环境友好型包膜材料成为科研工作者的研究重点。合成高分子材料制备简单，包膜厚度易于控制，能较好地调控养分释放速度，且材料性质稳定，不易受土壤环境的影响，使得肥料能够维持稳定的缓释效果，占据包膜缓释肥五成以上市场份额。

物理包膜型肥料代表性的包膜肥料为硫包衣尿素。硫包衣尿素是一种以硫黄为主要包裹材料对颗粒尿素进行包裹的缓控释肥料，也被称为硫包尿素、包硫尿素、涂硫尿素。硫包衣尿素中的硫具有中和土壤酸碱度、杀菌、抗病驱虫的作用。

硫包衣尿素产品外观为颗粒状，通常呈白色或淡黄色。硫包衣尿素不易溶于水，其水溶液呈中性或微碱性。包衣层的存在使其释放速率较慢，通常在土壤中可持续释放养分长达1～2个月。硫包衣尿素的国家标准为GB/T 29401—2020，该标准规定了硫包衣尿素的技术指标要求（表4-56）以及硫包衣缓释氮肥、硫包衣缓释复合肥料、含有部分硫包衣尿素的缓释掺混肥料的技术指标要求（表4-57）。

表4-56 硫包衣尿素的技术指标要求（GB/T 29401—2020）

项目		指标			
		Ⅰ型	Ⅱ型	Ⅲ型	Ⅳ型
总氮（以N计）/%	≥	40.0	37.0	34.0	31.0
一天氮溶出率/%	≤	40	30	15	10
七天氮溶出率/%	≤	60	45	30	20
硫（以S计）/%	≥	8.0	10.0	15.0	20.0

续表

项目		指标			
		Ⅰ型	Ⅱ型	Ⅲ型	Ⅳ型
缩二脲/%	≤	1.2			
水分/%	≤	1.0			
粒度（2.00～4.75mm 或 3.35～5.60mm）/%	≥	90			

表 4-57 硫包衣缓释氮肥、硫包衣缓释复合肥料、含有部分硫包衣尿素的缓释掺混肥料的技术指标要求（GB/T 29401—2020） 单位：%

项目		指标
缓释氮养分量[a]	≥	标明值
中量元素单一养分含量（以单质计）[b]	≥	2.0
微量元素单一养分含量（以单质计）[c]	≥	0.02

[a] 肥料为单一氮养分时，其缓释氮养分量应不小于 8.0%；养分为两种或两种以上时，其缓释氮养分量应不小于 4.0%。

[b] 包装容器标明含有钙、镁、硫时检测该项指标。

[c] 包装容器标明含有铜、铁、锰、锌、硼、钼时检测该项指标。

硫包衣尿素在空气中较为稳定，且其吸湿性较低，但在潮湿环境中可能会影响包衣层的完整性。因此，在储存时应放在阴凉、干燥处，避免潮湿。硫包衣尿素常用于基肥和追肥，尤其在需要长期释放氮肥的作物生长阶段，能有效提高肥料利用率和作物的氮营养供应。由于其缓释特性，硫包衣尿素在农业上通常用于对氮需求时间较长的作物，减少了氮流失，提升了肥效的持久性。

此外，以硫包衣尿素为主要原料生产的硫包衣缓释氮肥、硫包衣缓释复合肥料和含有部分硫包衣尿素的缓释掺混肥料应符合表 4-57 的要求，同时应符合包装容器上标明值和相应国家标准或行业标准的要求。硫包衣尿素特别适合喜硫植物或土壤缺硫的地块使用，效果更佳。

（二）化学型

利用加成、聚合或缩聚等化学方式，使传统肥料同聚合物反应，制备的肥料通过聚合物的降解实现对养分释放的调控，以醛类缩合产物为基础，主要包含脲甲醛、异丁烯叉二脲、丁烯叉二脲、草酰胺等。该类肥料缓释性能较优，但由于高成本限制了其大规模推广，现阶段主要应用于大棚蔬菜、园艺花卉、专业草坪等领域。

脲甲醛，又称脲醛肥料，是尿素与甲醛反应得到的聚合物，是代表性化学型缓控释肥料。该肥料为白色、无味粉末或颗粒状。含氮量为 38%～40%。脲甲醛在水中的溶解度较低，且随着聚合物链段的加长，溶解度降低，缓释期延长。

脲甲醛肥料主要包括脲甲醛缓释氮肥、脲甲醛缓释复混肥料等，主要用于高尔夫草坪、蔬菜、园林、果树和温室作物等。脲甲醛类缓释肥的养分释放速率较慢，释放周期通常是1～2年，不利于农作物对养分的吸收。

(三) 稳定性

硝化抑制剂可减缓土壤中铵态氮转化为硝态氮的速率，起到缓释氮素的效果，主流的硝化抑制剂有双氰胺、2-氯-6-(三氯甲基) 吡啶、3,4-二甲基吡唑磷酸盐等。脲酶抑制剂能抑制土壤中脲酶活性，延缓尿素水解为NH_3的过程，降低NH_3挥发，常用的脲酶抑制剂有重金属类、醌类、多羟酚类等。稳定性缓控释肥料是通过加入脲酶抑制剂或硝化抑制剂来减缓尿素水解和铵态氮的硝化作用，从而实现氮素肥料的缓慢释放和减少损失。

根据加入的抑制剂类型，稳定性肥料可以分为以下三种类型：

1. 稳定性肥料1型

抑制剂主要为脲酶抑制剂，通过延缓尿素水解速度，减少氮素的损失。有效时长通常为20～25天。常见抑制剂类型为*N*-(*n*-丁基) 硫代磷酰三胺（NBPT)。该肥料价格便宜。

2. 稳定性肥料2型

抑制剂为硝化抑制剂，通过抑制铵态氮向硝态氮的转化速度，延长氮素在土壤中的存在时间。有效时长可达120天。常见抑制剂类型有DCD、CP、DMPP等，但价格相对较贵。

3. 稳定性肥料3型

同时加入脲酶抑制剂和硝化抑制剂，结合两种抑制剂的作用，进一步延长肥效，提高肥料利用率。根据加入的脲酶抑制剂和硝化抑制剂的具体成分而定，通常介于1型和2型之间。价格居中，介于1型和2型之间。

2018年7月1日，稳定性肥料国家标准（GB/T 35113—2017）正式实施，对稳定性缓控释肥料生产进行规范，具体标准见表4-58。

表4-58　稳定性肥料要求

项目		稳定性肥料1型（仅含脲酶抑制剂）	稳定性肥料2型（仅含硝化抑制剂）	稳定性肥料3型（含有两种抑制剂）
尿素残留差异率/%	≥	25	不做要求	25
硝化抑制率/%	≥	不做要求	6	6

注：硝化抑制率指标，在试液培养的第9天、第12天、第15天中任意一天的测定结果达到指标要求即判定为合格。

(四) 缓释肥料与控释肥料的区别与联系

广义的缓/控释肥是指通过物理、化学与生物等手段，调控肥料中养分释放速率，满足农作物生长期营养需求的一种新型肥料。狭义的缓/控释肥包含缓释肥与控释肥，缓释肥也称长效肥料，是指肥料施入土壤后转化成可被植物吸收成分的速度低于普通肥料，但肥料的释放速率与作用时间难以控制，受施肥方法与自然环境的影响较大。控释肥是通过人为调控养分的释放速度，使其同农作物对营养需求的时间基本保持一致，从而达到增效的目的。可以说控释肥是缓释肥的高级形式。

1. 缓释肥料标准

2009 年 9 月 1 日，开始实施缓释肥料的国家标准（GB/T 23348—2009）。标准具体要求见表 4-59。该标准适用于氮肥、钾肥、复混肥料、掺混肥料（BB 肥）等产品的所有颗粒或部分颗粒经特定工艺加工而成的缓释肥料，不适用于硫包衣尿素（简称 SCU）等无机包膜的肥料，不适用于脲醛缓释肥料，也不适用于利用硝化抑制剂、脲酶抑制剂技术延缓养分形态转化的稳定性肥料。

表 4-59　缓释肥料的要求（GB/T 23348—2009）

项目[i]		指标	
		高浓度	中浓度
总养分（$N+P_2O_5+K_2O$）的质量分数[a,b]/%	≥	40.0	30.0
水溶性磷占有效磷的质量分数[c]/%	≥	60	50
水分（H_2O）的质量分数/%	≤	2.0	2.5
粒度（1.00～4.75mm 或 3.35～5.60mm）/%	≥	90	
养分释放期[d]/月		标明值	
初期养分释放率[e]/%	≤	15	
28 天累积养分释放率[e]/%	≤	80	
养分释放期的累积养分释放率[e]/%	≥	80	

[a] 总养分可以是氮、磷、钾三种或两种之和，也可以是氮和钾中的任何一种养分。

[b] 三元或二元缓释肥料的单一养分含量不得低于 4.0%。

[c] 以钙镁磷肥等枸溶性磷肥为基础磷肥并在包装袋上注明为“枸溶性磷”的产品、未标明磷含量的产品、缓释氮肥以及缓释钾肥，“水溶性磷占有效磷的质量分数”这一指标不做检验和判定。

[d] 应以单一数值标注养分释放期，其允许差为 25%。如标明值为 6 个月，累积养分释放率达到 80%的时间允许范围为 6 个月±45 天；如标明值为 3 个月，累积养分释放率达到 80%的时间允许范围为 3 个月±23 天。

[e] 三元或二元缓释肥料的养分释放率用总氮释放率来表征；对于不含氮的缓释肥料，其养分释放率用钾释放率来表征。

[i] 除表中的指标外，其他指标应符合相应的产品标准的规定，如复混肥料（复合肥料）、掺混肥料中的氯离子含量、尿素中的缩二脲含量等。

此外，国家标准（GB/T 23348—2009）要求部分缓释肥料的缓释性能应符合表4-60的要求，同时应符合包装标明值和相应国家或行业标准的要求。

表 4-60 部分缓释肥料的要求

项目		指标
缓释养分量[a]/%	≥	标明值
缓释养分释放期/月	=	标明值
缓释养分28天的累积养分释放率/%	≤	80
缓释养分释放期的累积养分释放率/%	≥	80

[a] 缓释养分为单一养分时，缓释养分量应不小于8.0%，缓释养分为氮和钾两种时，每种缓释养分量应不小于4.0%。

2. 控释肥料国家标准

能按照设定的释放率（%）和释放期（d）来控制养分释放的肥料称为控释肥料。控释养分是控释肥料中具有控释效果的氮、钾中的一种或两种养分的统称。在定量表述时不包含没有控释效果的那部分养分量。初期养分释放率是控释肥料养分在25℃静水中浸提24h的释放量占该养分总量的质量分数。三元或二元控释肥料的初期养分释放率用氮释放率来表征；若不含氮，其初期养分释放率用钾释放率来表征（表4-61）。

表 4-61 控释肥料的要求（HG/T 4215—2011）

项目		指标	
		高浓度	中浓度
总养分（$N+P_2O_5+K_2O$）的质量分数[a,b]/%	≥	40.0	30.0
水溶性磷占有效磷的质量分数[c]/%	≥	60	50
水分（H_2O）的质量分数[d]/%	≤	2.0	2.5
粒度（1.00～4.75mm或3.35～5.60mm）/%	≥	90	
养分释放期[e]/天	=	标明值	
初期养分释放率[f]/%	≤	12	
28天累积养分释放率[f]/%	≤	75	
养分释放期的累积养分释放率[f]/%	≥	80	

[a] 总养分可以是氮、磷、钾三种或两种之和，也可以是氮和钾中的任何一种养分。

[b] 三元或二元控释肥料的单一养分含量不得低于4.0%。

[c] 以钙镁磷肥等枸溶性磷肥为基础磷肥并在包装袋上注明为“枸溶性磷”的产品、未标明磷含量的产品、控释氮肥以及控释钾肥，“水溶性磷占有效磷的质量分数”这一指标不做检验和判定。

[d] 水分以出厂检验数据为准。

[e] 应以单一数值标注养分释放期，其允许差为20%。如标明值为180天，累积养分释放率达到80%的时间允许范围为（180±36）天；如标明值为90天，累积养分释放率达到80%的时间允许范围为（90±18）天。

[f] 三元或二元控释肥料的养分释放率用总氮释放率来表征；对于不含氮的控释肥料，其养分释放率用钾释放率来表征。

累积养分释放率是控释肥料养分在一段时期内的连续释放累积量占该养分总量的质量分数。三元或二元控释肥料的养分释放率用氮释放率来表征；若不含氮，其养分释放率用钾释放率来表征。平均养分释放率/微分养分释放率是某一时段内按天计算的养分释放率，也可称为日平均养分释放率。养分释放期是控释养分的释放时间，以控释养分在 25℃静水中浸提开始至达到 80%的累积养分释放率所需的时间（天）来表示。部分控释肥料是将控释肥料与常规化肥掺混在一起而使部分养分具有控释效果的肥料。控释养分量是指部分控释肥料中控释总养分占肥料总质量的质量分数，在 25℃静水中浸泡 24h 后未释放出且在 28 天的累积释放率不超过 75%，但在标明的养分释放期时其累积释放率能达到 80%的那部分养分的质量分数。产品按核心种类分为控释氮肥、控释钾肥、控释复混肥料、控释复合肥料、控释掺混肥料（BB 肥）。

部分控释肥料的控释性能应符合表 4-62 的要求，同时应符合包装标明值和相应国家或行业标准的要求。

表 4-62 部分控释肥料的要求

项目		指标
总养分（$N+P_2O_5+K_2O$）的质量分数/%	≥	35.0
控释养分量[a]/%	≥	标明值
控释养分释放期/天	=	标明值
控释养分 28 天的累积养分释放率/%	≤	75
控释养分释放期的累积养分释放率/%	≥	80

[a] 控释养分为单一养分时，控释养分量应不小于 8.0%，控释养分为氮和钾两种时，每种控释养分量应不小于 4.0%。

第五章

农　膜

农用地膜地面覆盖栽培，简称“地面覆盖”。该技术于 20 世纪 50 年代首先应用于日本草莓生产上。由于该技术能有效地综合调节作物生长发育条件，并抵御外部不良环境，从而使作物能充分有效地利用光、热、水、肥等资源，实现早熟、高产和优质的效果。由此，农膜的使用范围和使用量得到迅速扩大，已经成为继化肥、农药之后的第三大农业生产资料。

我国地膜使用量一直呈大幅度上升态势。2008 年，我国农膜使用量达到 107.8 万吨，农膜使用面积达 1561.3 万公顷。农膜覆盖作物从初始的经济价值较高的蔬菜、花卉种植，扩大到花生、甘蔗、烟草、棉花等多种经济作物以及玉米、小麦、水稻等大宗粮食作物的栽培种植，使得我国农膜生产和应用一直居世界之首。

农膜具有出色的保温、保湿性能，能够有效调节土壤温度，减少土壤水分的蒸发，为作物种子的萌发和幼苗的生长提供适宜的温湿度环境。同时，它还能抑制杂草的生长，降低杂草与作物争夺养分、水分和阳光的竞争压力，全方位助力作物茁壮成长，能够有效保持土壤水分，减少灌溉次数，提高水资源的利用效率，在干旱地区和水资源匮乏的地方发挥着重要作用。同时，它还能抑制杂草生长，减少除草剂的使用，降低对土壤和环境的污染。此外，随着环保理念深入人心，可降解农膜的研发和应用成为新的趋势。可降解农膜可在自然环境中逐渐分解，不会像传统农膜那样造成土壤污染和白色垃圾堆积，为农业的可持续发展提供了有力支持。

农膜的种类丰富多样，按利用方式及作用可分为棚膜、地膜及遮阳网等三大类。其中，棚膜用于搭建各类温室大棚，为作物提供更为稳定和可控的生长空间；地膜主要用于地面覆盖，起到保温、保湿、保墒的作用；遮阳网主要覆盖于作物上方，起到调节光照、控温、调湿、防风御沙的作用。

第一节 棚膜

棚膜是指用于制作塑料大棚和温室的塑料农膜。覆盖棚膜形成的温室或大棚可为作物提供一个具良好温度、湿度及光质量的小气候环境，尤其是对我国北方冬季的反季节瓜菜以及高海拔地区的蔬菜生产而言，是不可或缺的。此外，温室或大棚还能防止病虫害的影响以及不良环境的影响，从而显著提高作物的产量及品质，提早收获或延长生长周期。

一、棚膜材料

我国棚膜的材料主要有四种，分别为聚氯乙烯（PVC）棚膜、聚乙烯（PE）棚膜、乙烯-乙酸乙烯（EVA）棚膜和调光性棚膜。

聚氯乙烯棚膜的保温性、透光性、耐候性好，该类型棚膜柔软，易造型，适合用作温室、大棚及中小工棚的外覆盖材料。但该材料的棚膜密度大，同等重量的棚膜，该类型的覆盖面积小，同时该类型棚膜对温度的适应范围窄，低温下容易变硬、变脆，高温下易软化、松弛等。此外，当该类型棚膜中的助剂析出后，膜面吸尘，影响透光，且残膜含氯，而不能燃烧处理，针对残膜含氯不能燃烧处理的问题，目前正在研究更有效的回收处理方法，如化学回收法，通过特定的化学反应将废旧 PVC 棚膜转化为可再利用的资源，减少对环境的污染。通过改进生产工艺和添加特定助剂，如在生产过程中加入新型增塑剂、防老化剂和防尘剂等，进一步提高 PVC 棚膜的耐候性、透光性和使用寿命。例如，PVC 长寿无滴防尘膜增加了防尘工艺，使透光率和使用寿命得到提升。

聚乙烯材料棚膜是我国主要的农膜品种。该棚膜质地轻，柔软，容易做造型，光透性好，无毒，适合做各种棚膜。但该种材料的棚膜，其耐候性和保温性差，不易黏接，对 PE 棚膜的基础树脂进行改性，如采用茂金属线形低密度聚乙烯（m-PE-LLD）等新型树脂，可显著提高其力学性能和耐老化性能。同时，通过添加红外线阻隔剂、防雾滴剂、保温剂和特定紫外线吸收剂等助剂，使薄膜的保温性、无滴性和抗病菌能力得到增强，多功能复合膜的使用寿命也更加延长，除了传统的覆盖应用外，PE 棚膜在农业生产中的创新应用不断拓展，如开发出具有光转化特性的转光膜，可将紫外光区的能量转化为有利于光合作用的橙红光；还有漫反射薄膜，通过添加调光物质使直射光在进入大棚后形成更均匀的散射光，促进植物的光合作用。新的吹塑工艺和设备不断涌现，能够生产出更薄、更均匀的 PE 棚膜，在保证性能的前提下降低了生产成本，提高了生产效率。

乙烯-乙酸乙烯棚膜是农业上新的农膜材料，该类型棚膜的透光性、保温性及耐候性强于聚氯乙烯和聚乙烯材料。该材料农膜使用时间长，老化前不变形，用后方便回收，不易造成土壤或环境污染。通过改进生产工艺和添加高效的防老化剂等措施，延长EVA棚膜的使用寿命，使其在更恶劣的气候条件下和更长的使用周期内仍能保持良好的性能。在保持原有透光性、保温性和耐候性优势的基础上，进一步优化配方和生产工艺，开发出更高性能的EVA多功能复合薄膜，其红外线区域的透过率介于聚氯乙烯（PVC）薄膜和聚乙烯（PE）薄膜之间，故保温性显著高于聚乙烯（PE）薄膜，夜间的温度要比普通PE高出2～3℃，对光合有效辐射的透过率也高于PVC和PE。随着设施农业的发展，EVA棚膜的应用场景不断拓展，不仅广泛应用于蔬菜、水果等作物的种植，还在花卉、苗木等园艺作物的培育以及水产养殖、畜牧养殖等领域发挥着重要作用。

调光性农膜是在PE中加入稀土或其他功能型助剂制成的调光膜，能对光线进行选择性透过，与其他材料相比，由于该类型的农膜能充分利用太阳光能，其增温保温效果好，作物生化效应强。将调光功能与其他功能如保温、防雾滴、抗老化等相结合，开发出多功能一体化的调光性棚膜，为作物生长创造更适宜的环境。例如，通过添加特定的保温剂和防雾滴剂，使调光性棚膜在具有良好调光性能的同时，还具备优异的保温和防雾滴效果。进一步优化调光物质的种类和添加量，提高调光性棚膜对光线的选择性透过能力，使其能更精准地调节不同波长的光线，以满足不同作物在不同生长阶段对光的需求，从而最大限度地提高光合作用效率和作物产量。结合智能控制系统和传感器技术，开发具有智能调光功能的棚膜，能够根据棚内光照强度、温度、湿度等环境参数以及作物的生长状况自动调节透光率，实现对作物生长环境的精准调控。

二、棚膜类型

1. 按照功能分类

（1）长寿膜　为了使棚耐老化、易回收，在棚膜生产过程中加入了防老化剂，这样可使薄膜寿命延长至2～4倍。该类型棚膜使用时间长，这样既降低成本，又可减少田间的残膜量。利用先进的自动化生产设备和智能控制系统，能够更精确地控制长寿膜的生产过程。通过在线监测和反馈调节，实时调整生产参数，如温度、压力、挤出速度等，确保薄膜的厚度均匀性、性能稳定性和质量一致性，大大提高了生产效率和产品质量。

（2）无滴膜　棚膜生产过程中，按一定比例加入表面活性剂，使棚膜的表面张力与水相近或相同，从而使棚膜下表面的凝聚水能在棚膜形成一薄层水膜，沿膜面流入棚室脚的土壤中，而不滞留在棚膜表面形成露珠。使用此种棚膜的大棚，由于棚室薄膜的下表面无露水，棚室内的空气相对湿度有所下降，加上无露珠下滴到植物上，有助于减轻病害的发生。此外，由于薄膜表面无密集的露珠，在天气转晴阳光照射的时候，该棚膜还能避免露珠对阳光的反射和吸收蒸发耗能，使棚室内的光照增强，更好达到保温效果。在最新的材料选择上，倾向于使用可降解材料或者对环境影响小的添加剂。比如，采用生物基材料来制作无滴膜，薄膜废弃后，能够在自然环境中较快地分解，减少残膜对土壤和环境的污染。

（3）转光膜　生产普通棚膜的原料中添加“转光功能性母料”后制成的棚膜。该棚膜在阳光照射时，能利用转光母料将阳光中的紫外线和绿光吸收转换成对植物生长有利的蓝光和红光，从而使得棚内的蓝色和红色光谱成分增加。在最新的材料研发方面，转光膜也在不断创新。越来越多的环保型材料被应用其中，比如采用可降解的聚合物材料作为基础原料，配合绿色环保的转光剂。这样转光膜在废弃后，能够在自然环境中逐渐分解，有效降低了残膜对土壤结构和生态环境的破坏。

（4）漫反射膜　在大棚生产过程中，加入对太阳光漫反射的晶核。使用该类材料的大棚可有效抑制垂直入射阳光的透过作用，降低中午前后大棚内的高温峰值，防止高温危害。另外，这类大棚夜间的保温性又较好，积温性强。高温季节适宜采用此类材料作为大棚的棚膜。最新的漫反射膜多以聚乳酸等可降解聚合物为基础原料，同时搭配环保型的漫反射添加剂。这种漫反射膜在废弃后，能够在自然环境中逐渐分解，有效减少了残膜对土壤的污染。

（5）反光膜　在常规大棚膜表面镀上一层反射率高的物质，它可改变温室的光照分布，使温室内光、温分布相对均匀，比如微小的金属颗粒或高反射率的无机化合物。这些材料均匀分布在棚膜之中，赋予了棚膜强大的反光能力。当光线照射到反光膜上时，这些特殊材料能够高效地将光线反射出去，尤其是对那些容易被浪费或不利于作物生长的光线方向进行反射调整，从而改变光线的传播路径，让光线能够更多地照射到作物的中下部叶片以及原本光照不足的区域。越来越多的研发开始倾向于使用可降解的基础材料，结合对环境友好的反光添加剂，利用可降解的生物聚合物作为主体材料，搭配无毒无害的新型反光助剂。

2. 按照用途分类

（1）耐老化棚膜　耐老化薄膜是在薄膜生产过程中，添加了一系列高效的抗老化剂，如受阻胺光稳定剂、抗氧化剂等。这些添加剂能够有效地抵抗紫外线、氧气以及温度变化等环境因素对薄膜的破坏。在薄膜受到光照时，光稳定剂能够捕捉并中和紫外线产生的自由基，阻止薄膜分子链的断裂和氧化反应；抗氧化剂则可以防止薄膜在长期的环境暴露中发生氧化降解，从而使薄膜的化学结构和物理性能保持相对稳定。我国生产的耐老化棚膜主要为聚乙烯长寿膜和聚乙烯长寿无滴膜，厚度为0.06～0.12mm，寿命为1.5～2年，属于较薄型棚膜。该类型棚膜除具有长寿和无滴性能外，其余性能与普通聚乙烯薄膜基本一致。在最新的材料选择方面，耐老化薄膜越来越注重环保和可持续性。现在倾向于使用对环境影响小的添加剂，如一些生物可降解的抗老化剂。同时，在薄膜的基础材料上，也在探索可再生资源的利用，例如采用植物基聚合物材料。

（2）防雾无滴棚膜　防雾无滴膜是在棚膜生产过程中，添加了特殊的防雾滴剂和表面活性剂。这些助剂能够改变棚膜表面的物理化学性质，使得棚膜的表面张力与水相近或相同。当棚内温暖潮湿的空气遇到温度较低的棚膜时，水气不会凝结成大颗的露珠，而是在棚膜表面形成一层均匀且薄的水膜。这层水膜会沿着膜面缓慢地流到棚室脚部的土壤中，从而避免了在棚膜表面形成水珠悬挂的现象。主要有聚氯乙烯双防膜和聚氯乙烯无滴耐候防尘膜两种类型。聚氯乙烯双防膜是在聚氯乙烯树脂中加入一定比例的增塑剂、耐候剂和防雾滴剂，经塑化压延而成的，该类型棚膜的透光率衰减速度快，高温强光季节后，透光率下降到50%以下，甚至只有30%左右。此外该膜的耐热性差，易松弛，不易压紧。聚氯乙烯无滴耐候防尘膜加入表面活化剂和耐老化剂，使得该棚膜除具有耐候流滴特性外，表面因增塑剂析出少，吸尘较少，提高了透光率。在最新的材料选择上，采用生物可降解的表面活性剂，这些物质在完成其在棚膜上的功能后，在自然环境中能够逐渐分解，不会长期残留。另外，在基础膜材料的选择上，开始更多地采用可降解材料，如聚乳酸（PLA）、聚羟基脂肪酸酯（PHA）等生物基材料。使用这些材料制成的防雾无滴膜，废弃后能够在土壤中自然降解，大大减少了残膜对土壤结构和生态环境的破坏。

（3）光效棚膜　光效膜是在薄膜生产过程中，通过添加特定的光调节材料或采用特殊的光学涂层来改变光线的透过、反射和吸收特性。这些光调节材料可以是稀土元素化合物、有机荧光染料等。它们能够对太阳光中不同波长的光进行选择性的处理。例如，将紫外线或绿光等植物利用率较低的光转化为植物光合作用利用率高的蓝光和红光，从而优化进入温室或大棚内的光质。目前，在转光膜生产中应用的转光剂主要有稀土转光剂或有机荧光颜料组成的转光剂。一般可将紫外线或绿光吸收转换成利于植物生长利用的蓝紫光或红光。可使作物提前成熟，产量增加，实现增产增收。随着智能材料和传感器技术的发展，智能光效膜的研发也在推进。这种光效膜可以根据棚内作物的生长状态、光照强度、光照时间等因素，自动调节光的转换效率和光质。目前，光效膜与其他功能薄膜相结合的研究取得了进展。例如，将光效膜与保温膜、无滴膜等复合，生产出同时具有光调节、保温和防雾滴等多种功能的薄膜。这种多功能复合膜能够为作物提供更加全面的生长环境，满足作物在不同生长阶段对光、温、湿度等多种因素的需求。

（4）多功能复合棚膜　长寿、保温、消雾、透光性好等多功能是棚膜发展的方向。多功能复合膜是在现代农膜生产技术基础上，通过多层共挤或涂布等工艺制造而成的。在生产过程中，将不同功能的材料按特定顺序和比例组合在一起。例如，通过多层共挤技术，把具有保温性能的材料、提供透光性的材料、实现防雾无滴功能的材料以及具备耐老化特性的材料等，分别制成不同的膜层，然后精确控制各层的厚度和位置，将它们紧密结合成一个整体。又或者采用涂布工艺，在基础膜材上依次涂布具有不同功能的涂层，如在膜表面涂布含有防雾滴剂的涂层以实现防雾无滴功能，再涂布添加了光稳定剂的涂层来增强耐老化性能。目前这类薄膜有聚乙烯多功能复合膜和乙烯-乙酸乙烯多功能复合膜。一般采用三层共挤复合吹膜技术，如把耐候剂集中于外层，保温剂集中于中层，防雾滴剂相对集中于内层，同时加入特定的紫外线阻隔剂，可将上述各功能集中于同一棚膜上。这种膜融合了多种功能，保温性能上，它能有效减少棚内热量散失，冬季可使棚内温度比外界高出很多，为农作物营造温暖环境；透光性方面，可保持较高的透光率，一般能达到85%～95%，保障充足光照促进光合作用；防雾无滴功能让棚膜表面不形成水珠，降低棚内湿度，减少病害发生；耐老化性能使其在户外长时间使用不易损坏，延长使用寿命。除了传统的保温、透光、防雾无滴和耐老化功能，还在开发新功能。例如，研发具有驱虫功能的复合膜，通过添加天然驱虫剂或采用特殊的光学设计，发出对害虫有驱避作用的光波；探索具有自修复功能的材料加入复合膜中，当膜受到轻微划伤或破损时能自动修复，延长使用寿命。

（5）可降解棚膜　可降解棚膜是农膜发展的一个趋势，是一种在自然环境条件下，经过一段时间后能够通过物理、化学或生物过程分解成无害小分子物质的薄膜。其降解原理主要有光降解、生物降解和光-生物双降解。光降解是指薄膜中的光敏剂在紫外线照射下，使聚合物分子链断裂，从而使薄膜逐渐破碎降解。生物降解则是依靠微生物的作用，微生物分泌的酶能够分解薄膜中的有机成分，将其转化为二氧化碳、水和生物质等。光-生物双降解是结合了两种降解方式，先通过光降解使薄膜的分子结构变得松散，更有利于微生物的侵蚀，从而加速降解过程。可降解棚膜的类型有生物降解棚膜、光降解棚膜、光/生物降解膜、植物纤维膜、液态喷洒薄膜和多功能农用薄膜等。随着生产规模的扩大和技术的成熟，可降解膜的生产成本逐渐降低。一方面，原材料的获取成本降低，通过优化植物淀粉、纤维素等可再生资源的提取和加工工艺，提高了原材料的利用率；另一方面，生产效率提高，大规模的自动化生产设备降低了单位产品的生产成本，使得可降解膜的价格更具竞争力，有利于其更广泛的应用。

第二节　地膜

地膜覆盖栽培具有显著提升地温、增强光照、保水抗旱、防病防虫、抑草灭草、抑盐保苗、保持产品卫生以及保持土壤疏松等功能，从而有效调节作物的生长发育条件以及抵抗外界不良环境，保证作物充分有效地利用光、热和水资源，实现早熟、高产和优质的效果。目前，我国地膜覆盖面积和地膜投入量均居世界第一。

一、制备地膜的材料

生产中使用的地膜绝大多数是由聚乙烯吹塑而成的一种高分子碳氢化合物透明膜。根据聚乙烯的聚合方法、分子量高低和链结构不同，聚乙烯可分为高密度聚乙烯（HDPE）、低密度聚乙烯（LDPE）和线性聚乙烯（LLDPE）。用来制备地膜可采用上述三种聚乙烯材料，或者由上述三种材料中两种聚乙烯混合材料，如高密度聚乙烯与线性聚乙烯共混、高密度聚乙烯与低密度聚乙烯共混、线性聚乙烯与低密度聚乙烯共混，这样加起来，用于制备地膜的聚乙烯材料就有 6 种之多。目前生产中使用较多的是后两种类型，即线性聚乙烯地膜和共混型地膜。如果采用再生的聚乙烯生产的地膜，则抗老化能力变弱。

1. 低密度聚乙烯地膜

以高压聚乙烯树脂为材料吹制的，是第一代地膜，按照覆盖面积 80%计算，则每公顷用量为 120～150kg。不加任何填充料的前提下，地膜是透明的，透光率在 90%以上，如果附着水滴，则大大降低，只有 30%左右。此外，膜面堆积尘土，透光率也可降低到不足 50%。该地膜质地柔软，纵向和横向拉伸强度比较均匀，其耐候性、抗老化能力和强度较好。地膜厚度大都在 0.014mm 以上，增温、保水性能好，一般应用期限为 4 个月以上。如果添加不同助剂、填料、颜色或采用特殊工艺，可以加工成各种特殊地膜，缺点是成本高。针对地膜表面容易附着水滴和尘土，导致透光率下降的问题，研究人员开发了具有自清洁功能的 LDPE 地膜。这种地膜通过在 LDPE 基体表面引入特殊的化学结构或微观形貌，使其具有超疏水性和光催化活性，能够有效地防止水滴和尘土在地膜表面附着，同时还能将附着在地膜表面的有机污染物分解为无害物质，从而实现地膜的自清洁功能。研究表明，具有自清洁功能的 LDPE 地膜能够显著提高透光率，在相同的使用条件下，其透光率比普通 LDPE 地膜提高 20%～30%。此外，这种地膜还具有较好的耐候性和抗老化能力，能够在自然环境中长时间使用而不易发生老化、破裂等问题，保证了地膜的使用寿命和使用效果。然而，目前具有自清洁功能的 LDPE 地膜的制备技术还不够成熟，存在自清洁效果不稳定、制备成本较高等问题，需要进一步加强研究和开发，提高具有自清洁功能的 LDPE 地膜的性能和质量，降低生产成本，促进其在农业生产中广泛应用。

2. 高密度聚乙烯地膜

该地膜是以高密度聚乙烯树脂为材料吹制而成的。该类地膜是第二代地膜，一般半透明，地膜的纵向横向拉伸长度不一致，纵向强度大，横向强度差，在拉伸时易出现拉裂，开口性好，易于吹制成微薄地膜。相对于低密度聚乙烯地膜而言，透明度变差，导致光线的穿透能力降低。同时质地硬，因此使用此地膜时，地膜与地接触性差，也导致保温、保水性稍差。地膜的厚度在0.006～0.008mm之间，每公顷需60～75kg。该地膜使用期一般3个月左右。该类型成本比低密度材料的有所降低。为了解决传统地膜残留对土壤环境的污染问题，科研机构和企业正在研发可降解的高密度聚乙烯地膜。通过添加特定的生物降解剂或采用改性技术，使地膜在使用后能够在自然环境中较快地分解，减少对土壤的污染。

3. 线性聚乙烯地膜

以线性聚乙烯树脂为材料吹制而成的地膜，不添加任何填充料或色料前提下，该地膜透明度低于低密度聚乙烯地膜。该类型地膜的拉伸强度、断裂伸长率、抗穿刺性等性能优于低密度地膜和高密度地膜。因该类树脂的开口性好、强度大、耐老化以及韧性好、柔软、耐候性等特点，为降低成本，一般利用此种树脂材料来开发微薄地膜，能大大降低成本。此外，该地膜的保温、保水效果与低密度聚乙烯地膜基本接近。线性地膜的厚度为0.008～0.010mm，每公顷用量在90～129kg。使用期限一般在4个月左右。以线性聚乙烯树脂为基础，添加特定的除草成分或采用具有除草功能的母粒，开发出除草地膜。这种地膜在覆盖后能够缓慢释放除草成分，抑制杂草生长，减少人工除草的工作量和成本，同时避免了使用化学除草剂对环境的污染。通过在地膜中添加具有驱虫、抗菌作用的物质，如天然植物提取物、纳米银离子等，研制出抗病虫害地膜。这种地膜可以有效地防止害虫侵害农作物，减少病虫害的发生，降低农药的使用量。除了传统的农业覆盖领域，线性聚乙烯地膜在其他领域的应用也在不断拓展。例如，在园艺领域，可用于花卉、苗木的栽培和保护；在建筑领域，可作为临时覆盖材料用于建筑工地的防尘、防潮等；在包装领域，可用于一些对防潮、保鲜要求较高的产品包装。

4. 低密度聚乙烯与线性聚乙烯共混地膜

将低密度聚乙烯和线性聚乙烯两种材料，按照一定比例共混吹制而成，可以使二者的优点互补，其性能介于二者之间。兼具低密度聚乙烯和线性聚乙烯的优点，在保温、保水方面表现出色，能够有效地减少土壤水分蒸发，保持土壤湿度，调节土壤温度，为农作物创造良好的生长环境，有助于提高农作物的产量和质量。通常采用粒料直接掺混的方法进行制备，即将线性聚乙烯和低密度聚乙烯的粒料按一定比例加入搅拌机中进行充分混合，然后将混合好的物料加入吹膜机中进行吹塑成膜。在生产过程中，需要严格控制温度、压力、挤出速度等工艺参数，以确保地膜的质量和性能稳定。例如，吹膜机一区温度可设置为160～170℃，二区温度为170～180℃，三区温度为160～180℃，模头温度为160～180℃。

5. 低密度聚乙烯与高密度聚乙烯共混地膜

将低密度聚乙烯和高密度聚乙烯两种材料，按照一定比例共混吹制而成，可以使二者的优点互补，其性能介于二者之间。该地膜是我国在开发微薄地膜过程中开发的。通过调整低密度聚乙烯与高密度聚乙烯的共混比例，以及添加适量的增容剂和增强剂，进一步提高了共混地膜的拉伸强度、撕裂强度和抗穿刺性能等。例如，研究发现当低密度聚乙烯与高密度聚乙烯的质量比为 3∶7，并添加一定量的马来酸酐接枝聚乙烯作为增容剂时，共混地膜的拉伸强度可提高 20% 以上。采用多层共挤技术制备低密度聚乙烯与高密度聚乙烯共混地膜，通过合理设计各层的组成和厚度，使地膜具有更好的性能和功能。例如，将含有抗老化剂和紫外线吸收剂的高密度聚乙烯作为外层，将含有增塑剂和润滑剂的低密度聚乙烯作为内层，可提高地膜的耐候性和柔韧性。

6. 线性聚乙烯和高密度聚乙烯共混地膜

将高密度聚乙烯和线性聚乙烯两种材料，按照一定比例共混吹制而成，可以使二者的优点互补，其性能介于二者之间。这也是我国在开发微薄地膜过程中一个创造。

上述三种共混型地膜为第四代地膜。该类型地膜的机械性能远超过纯高压或纯低压聚乙烯生产出来的地膜。该地膜的厚度在 0.005～0.008mm 之间，使用效果类似于线性地膜，但成本降低。研究发现，当线性聚乙烯和高密度聚乙烯的比例在特定范围内，并添加适量的增塑剂和抗氧剂时，共混地膜的柔韧性和耐候性可进一步提高。例如，在某一实验中，将线性聚乙烯与高密度聚乙烯以 6∶4 的质量比共混，并添加 0.5%的抗氧剂和 3%的增塑剂，制得的地膜在户外暴露 6 个月后的拉伸强度仍能保持初始强度的 80%以上，且柔韧性良好。采用多层共挤技术和双向拉伸工艺相结合，可使共混地膜的力学性能和光学性能得到显著提升。如通过多层共挤技术将线性聚乙烯和高密度聚乙烯分别置于不同层，并在拉伸过程中精确控制拉伸比，制得的地膜不仅拉伸强度提高了 35%，而且透明度也有所改善。

此外，比聚乙烯抗拉强度更为优良的乙烯-乙酸乙烯共聚物（EVA 树脂），也可应用于地膜的制备。

二、地膜的种类

按照地膜性能特点，可分为普通地膜和特殊地膜。普通地膜包括广谱地膜和微薄地膜。特殊地膜包括黑色地膜、银色反光膜、红色膜、蓝色膜、绿色膜、黑白两面膜、银黑两面地膜、防虫膜、防病膜、化学除草地膜、微孔地膜、切口地膜、预置种植孔地膜、浮膜和降解膜等类型。

1. 普通地膜

（1）广谱地膜　该地膜的厚度为 0.014mm 左右，幅宽多为 70～250cm，每千克地膜覆盖面积 67～90m^2。该类地膜透光性好，其增温、保水强，适合于各种地区、各种作物、各种茬口及各种覆盖方式。以越冬菜和早春菜覆盖栽培效果好。通过添加特定的光转换剂或保温助剂，进一步提升了其增温、保水效果以及透光性能。如添加稀土元素掺杂的光转换剂后，可将部分紫外光转换为对作物光合作用更有效的蓝光和红光，使地膜覆盖下的作物光合效率提高了 15%～20%，从而促进了作物生长和增产。在制造过程中加入适量的除草母粒或防虫剂，使地膜在覆盖的同时能够抑制杂草生长或驱赶害虫，减少了农药的使用量，降低了环境污染风险，且有利于提高农产品的质量和安全性。研究人员正在探索在广谱地膜中添加可降解成分，如淀粉、聚乳酸等，以缩短地膜在土壤中的残留时间，减轻对土壤结构和生态环境的影响。一些新型的可降解广谱地膜在保持原有性能的基础上，可在自然环境中较快地分解为无害物质。

（2）微薄地膜　地膜厚度为 0.008～0.01mm，幅宽 80～120cm，每千克地膜理论覆盖面积为 108～135m^2。该地地膜有透明的，也有半透明的，增温保水功能与光谱接近，由于薄、强度低，透明性比不上广谱地膜，适宜做地面覆盖，不适合做近地面覆盖。采用新型的聚合物合金技术或添加纳米增强材料，显著提高了微薄地膜的强度和耐用性。例如，添加纳米二氧化硅等增强材料后，微薄地膜的拉伸强度可提高 30%以上，使其在使用过程中更不容易破裂，延长了使用寿命，降低了农业生产成本。通过调整生产工艺和添加光学改性剂，改善了微薄地膜的透明度和雾度。如采用多层共挤技术并添加适量的抗雾滴剂，使微薄地膜的透明度接近或达到广谱地膜的水平，同时有效防止了膜内雾气的产生，提高了光能利用率，有利于作物的光合作用和生长发育。随着农业生产技术的发展，微薄地膜的应用范围得到了进一步拓展。除了传统的地面覆盖外，还可用于一些特殊的栽培方式，如穴盘育苗、无土栽培等。在这些应用中，微薄地膜能够更好地发挥其保湿、保温和促进根系发育的作用，提高了育苗和栽培的成功率和质量。

2. 特殊地膜

又称为功能性地膜，是具有一种普通地膜所不具备的特殊功能的新型地膜，其主要特点是增温、保墒、降温、防病、避蚜、灭草、反光、透气以及种植利用等。

（1）黑色地膜　黑色地膜是在聚乙烯树脂中加入 2%～3%炭黑后吹塑而成的。黑色地膜的厚度 0.010～0.020mm 不等，太阳光的透光率较少，能有效防止土壤中水分的蒸发和抑制杂草的生长，但热量不易传给土壤，因而防止土壤水分蒸发的性能比无色透明膜强。该种地膜覆盖可明显降低地温、抑制杂草、保持土壤湿度。新型的纳米级炭黑添加工艺正在研发，能更均匀地分散在聚乙烯树脂中，在保证遮光和抑草效果的同时，减少炭黑用量，降低成本。

黑色地膜主要适用于杂草丛生地块和高温季节栽培的蔬菜及果园，特别是北方夏秋季节的防高温栽培。这种地膜可以为作物根系创造良好的生长发育环境。结合其他功能性助剂，开发出兼具保温、保水、抑菌功能的黑色地膜，为作物生长提供更全面的保护。

（2）银色反光膜　在聚乙烯树脂中加入一定比例的钛白粉等白色母料后制成。该地膜具有较强的隔热和反射阳光的作用。高温季节可降低地表温度，并提高作物群体下部的光合作用强度。此外，这种地膜还具有反射紫外线、驱避蚜虫的作用，因此，对由蚜虫迁飞传染的病毒病有积极的防治作用。该地膜主要用于夏季栽培作物的防病和抗热栽培。与具有保温或保湿功能的材料复合，开发出既能降温反光又能在夜间保持一定地温的多功能地膜。

（3）红色地膜　红色地膜能透射红色光，同时阻挡其他不利于作物生长的色光透过。红色地膜对作物生长的刺激作用比黑色地膜更强。主要适用于水稻、甜菜、韭菜、黄瓜等作物覆盖，使作物生长旺盛。实践证明，红色农膜覆盖栽培，水稻秧苗能更旺盛地生长，甜菜含糖量更高，韭菜变得叶宽肉厚，并且提前了收获期，增加了产量，胡萝卜的产量增加。深入研究不同作物对红色光波段的精准需求，优化红色地膜的透光光谱，实现对特定作物生长更精准刺激。除了常见作物，探索在花卉、中药材等经济作物上的应用，研究其对作物品质和产量的影响。

（4）蓝色地膜　弱光照射蓝色地膜的透光率高于白色农膜的，强光照条件下蓝色地膜的透光率又低于白色农膜，使得蓝色地膜覆盖下的环境温度较为稳定，表现出较好的保温性。蓝色地膜适用于苗木繁育，如水稻的育秧。在蓝色地膜覆盖下的育秧，不但成秧率高，而且秧苗粗壮，因此，蓝色地膜非常适合水稻的育秧。有研究进一步揭示了蓝色地膜对光温环境的调控机制，为其在更多作物和环境条件下的应用提供理论支持，研究人员致力于寻找更环保、性能更稳定的蓝色母料，从而提升蓝色地膜的耐用性和使用效果。

（5）绿色地膜　在聚乙烯树脂中添加一定量的绿色母料吹塑成绿色地膜。绿色地膜能使绿色光照增加，使得绿色地膜覆盖下的植物光合能力下降。这种绿色地膜主要是用来抑制杂草的生长，以实现防除杂草的效果。绿色地膜的厚度为0.015～0.02mm。由于绿色地膜添加的绿色颜料昂贵，并且对聚乙烯薄膜有一定的破坏作用，从而影响膜的使用寿命，因此，这种地膜多用于经济效益较高的作物。因而应寻找成本更低、对聚乙烯薄膜破坏更小的绿色颜料替代品，或开发新型的绿色功能材料，提高绿色地膜的性价比和使用寿命。探索将绿色地膜与生物防治技术相结合，如在膜中添加对害虫有驱避作用的生物制剂，实现更高效的杂草和害虫综合防治。

（6）黑白双面膜　这种地膜的一面为黑色，一面为乳白色。地面覆盖时，一般让黑色面朝下，白色面朝上。这种地膜既具有黑色地膜的作用，又有白色膜的反光效果，从而实现了乳白色的反射阳光以降低膜温，黑色的一面抑制杂草生长的作用。研究不同颜色层的厚度比例和结构设计对其功能的影响，进一步优化地膜的降温、反光、抑草和防虫效果。通过表面处理技术，赋予地膜自清洁功能，减少灰尘和污渍对反光效果的影响，延长地膜的使用寿命。

（7）银黑双面膜　地膜的一面是银灰色，另一面是黑色。使用该地膜的时候，银灰色面朝上，黑色面贴地。这种膜具有更强的光反射和降低地温功能，此外，还具有驱赶蚜虫、减轻病毒病危害的功能。适用于多种农作物的种植，尤其在夏季高温季节和对光照、温度要求较高的作物种植中应用广泛。例如，在西瓜、甜瓜等瓜果类作物种植中，能促进果实糖分积累，提高果实品质；在番茄、辣椒等蔬菜种植中，有助于增加产量和改善果实色泽；在花卉种植中，可创造适宜的生长环境，使花卉生长更加健壮、花色更鲜艳。

（8）防虫地膜　用普通乙烯和低密度乙烯制成的多层薄膜。通过膜四周反射阳光中的紫外线，从而实现防虫效果。这种防虫地膜对防治抗药性强的蚜虫和红蜘蛛等有效。广泛应用于各类农作物的种植，尤其适用于对害虫较为敏感、易受虫害影响的蔬菜、水果和花卉等作物。例如，在叶菜类蔬菜种植中，能有效防止蚜虫等害虫的侵害，减少叶片被啃食和传播病毒的风险；在草莓、葡萄等水果种植中，可保护果实免受害虫蛀食，提高水果的品质和产量；在花卉种植中，能使花卉免受害虫破坏，保持花朵的美观。

（9）防病地膜　防病地膜为专用薄膜，是利用不同作物具有专一性的病害而生产的。在防病地膜的生产过程中，针对性地加入防治某特定病害的农药。防病地膜适用于各种易受特定病害侵扰的农作物种植，如蔬菜、水果、花卉等。在蔬菜种植中，无论是露地栽培还是设施栽培，防病地膜都能发挥重要作用。在水果种植中，如草莓、葡萄等，防病地膜可以有效预防和控制灰霉病、炭疽病等病害的发生。在花卉种植中，对于一些易受真菌病害影响的花卉品种，使用防病地膜能保证花卉健康生长，提高花卉的观赏价值。

（10）化学除草地膜　除草薄膜是普通地膜生产过程中加入化学除草剂制成的。除草地膜包括含除草剂的地膜和含阳光屏蔽剂的除草地膜两种。广泛应用于各种农作物的种植，如玉米、大豆、棉花等大田作物，以及蔬菜、果园等。在玉米种植中，使用化学除草地膜可以有效抑制膜下杂草生长，为玉米生长提供良好的空间和养分条件；在果园中应用，能减少果树行间杂草的滋生，降低果园管理成本。

（11）微孔地膜　这种地膜在膜上带有很多微小的孔（每平方米 2500 个），增温、保墒功能不如普通地膜，但能增加土壤与大气的空气交换。使用这种地膜可以避免地膜覆盖使作物根际的二氧化碳分压升高、氧分压降低带来的抑制根系呼吸代谢，进而利于作物增产。适合南方温暖湿润气候条件下地面覆盖。在南方地区，雨水较多，土壤湿度较大，普通地膜可能会导致土壤透气性变差，而微孔地膜的特性恰好能够适应这种环境，为作物生长提供良好的土壤条件。例如在南方种植蔬菜、花卉等作物时，微孔地膜能发挥其优势，促进作物生长。

（12）切口地膜　普通地膜基础上，按照一定规格切成带状小切口。切口膜的作用是幼苗出土时由切口处长出，主要适用于油菜、胡萝卜、萝卜及早春速生菜等采用撒播和条播方式种植的作物。以油菜为例，在大面积种植油菜时，使用切口地膜可以让油菜籽发芽后顺利顶破地膜生长，减少了人工干预，且地膜的保温、保墒作用有助于油菜幼苗健壮生长。对于胡萝卜、萝卜等根茎类作物，切口地膜能保证它们在适宜的土壤环境中生长，同时方便后期的田间管理。

（13）预置种植孔地膜　在生产地膜过程中，按栽培作物株行距，在地膜上预置定植孔，铺地膜后不用打孔即可定植，省工又标准。预置种植孔地膜广泛应用于各种农作物的种植，如蔬菜、花卉、粮食作物等。在蔬菜种植中，无论是露地栽培还是设施栽培，都能很好地适用。例如，在番茄、黄瓜等蔬菜的种植中，通过使用预置种植孔地膜，可以确保植株间距合理，有利于通风透光和田间管理。在花卉种植中，能使花卉种植更加整齐美观，提高花卉的品质和观赏价值。在作物如玉米、棉花等的种植中，也能提高种植效率，促进作物生长。

（14）浮膜　直接在蔬菜作物群体上做天膜覆盖的专用地膜，膜上均匀分布着大量小孔，以利于膜内外水、气、热的交换，实现膜内温度、湿度和气体自然调节，为蔬菜生长营造一个相对稳定且适宜的微环境。浮膜主要应用于蔬菜种植领域，特别是对于一些对环境条件较为敏感的蔬菜品种，如叶菜类、茄果类等。在早春或晚秋季节，温度波动较大，浮膜能有效保护蔬菜免受低温冻害；在夏季高温多雨时，又能起到遮雨降温的作用，减少雨水对蔬菜的直接冲击，降低病害发生风险。

（15）降解膜　可降解膜是降解塑料膜系列产品中的一类，主要优点是地膜失去增温保墒功能后，在各种因素作用下经过一段时间后能自动降解为对环境无污染的小分子物质，从而防止残膜对农田环境的污染。目前，对于可降解膜而言，还没有统一的分类标准和评价方法，根据引起降解的客观条件和作用机理，将可降解膜分为光降解膜、生物降解膜以及生物/光降解膜三种类型。

第三节　遮阳网

遮阳网又称遮光网、遮阴网、寒冷网或凉爽网。夏季覆盖该网后起到挡光、挡雨、保湿、降温和阻止病虫害迁移的作用。冬春季覆盖该网后，能有一定的保温增湿作用。

遮阳网可采用的原料有聚乙烯（PE）、高密度聚乙烯（HDPE）、PB、PVC的回收料和全新料，并加入防老化剂和各种色料。将原料熔化后拉丝编织而成的一种轻量化、高强度、耐老化的网状农用塑料覆盖材料即为遮阳网。

遮阳网颜色有黑色、银灰色、白色、浅绿色、蓝色、黄色及黑色和银灰色相间等。生产上应用较多的是银灰色网和黑色网。银灰色网的透光性好，该网能较强反射蓝紫光，有避蚜的效果。宜用于初夏、早秋季节和对光照强度要求高的作物。黑色遮阳网通过改变经纬线密度，制出具不同遮光率的遮阳网，其最高遮光率可达90%。黑色网的遮光降温效果比银灰色的好，适宜伏天酷暑季节和对光照强度要求较低、病毒病较轻的蔬菜覆盖。

优质遮阳网，第一，要求网面平整、光滑，扁丝与缝隙平行、整齐、均匀，经纬清晰明快；第二，优质遮阳网的光洁度好，有质感，如黑色遮阳网，是一种深沉的黑亮，而不是浮表光亮的感觉；第三，优质遮阳网柔韧适中，有弹性，无生硬感，不粗糙，有平整的空间厚质感；第四，要求其无异味、臭味，有的只是树脂的淡淡焦糊味；第五，看其包装，正规的包装，遮阳率、规格、尺寸等都要清楚标明。

第六章 种子生产与营销

种子是整个植物界从低等的菌藻植物到高等的被子植物经过亿万年进化而来的产物。同样，种子在地球上的出现也加快了动物界的发展，对人类文化的启蒙和提高也起了重要的推动作用。古代劳动人民在长期的实践过程中，不断地探索种子的奥秘，掌握其特性并加以利用，建立和丰富关于农作物生产的科学。早在7000多年前，在《诗经·大雅》《诗经·生民》《吕氏春秋》和《氾胜之书》中就提出了“嘉种”的概念，记载了选种、留种方法并被后人沿袭采用。新中国成立以来，我国政府坚持种业兴则农业兴的原则，高度重视种子在农业生产中的重要地位和作用，同时兼顾农业生产对种子的需求。由于种子的特殊地位，确定其在提高作物产量、改善品质、降低农业生产成本、提高复种指数、增加农民收入以及引导农业生产发展等方面也发挥非常重要的作用。

种业是农业基础性的产业，同时也是一个战略性的产业。种子产业的发展，直接关系到农业生产的发展。随着世界农业的高速发展，中国种业也发生了翻天覆地的变化。我国人民通过良种繁育推广体系，实现了优良品种的多次更新换代，使单位面积的农作物产量实现了重大突破，用占世界9%的耕地解决了占世界20%人口的吃饭问题，这是对世界农业，特别是对世界粮食安全做出的重大贡献。

种子是最重要的农业生产资料，优良品种对农作物改善品质和增加产量起着至关重要的作用。控制了种子，就在农业竞争中掌握了主动权。因此，在当今世界，各国政府都把加强种子科技研究，推动种子产业发展，列为促进农业发展的重要举措。我国是一个农业大国，常年农业基本用种量在125亿千克左右，巨大的种子需求量必将使我国种子市场日趋成为国际种业竞争的焦点。2001年我国加入世界贸易组织，既给我国种业发展带来了一定的机遇，也使我国种业面临着具备资金、技术和经营优势的国际跨国种业集团的挑战。如何使我国种业适应新的形势需要，加快技术创新和体制创新，立足国内市场，着眼于国际市场，把我国种业做大、做强，是我国种业发展必须解决的问题。

第一节 种子基本常识

一、种子的形态、结构

种子是维持植物生命并向下一代延续生命的原始物质，种子的形态构造是做好种子真实性鉴定、纯度检验、清洗分级以及安全贮藏的重要依据。在农业生产上又往往根据农作物种子的大小和整齐度来确定其播种品质和推算播种量，以达到合理密植和节约用种的目的。

1. 种子外部形态

（1）形状　球形（豌豆）、椭圆形（大豆）、肾形（菜豆）、牙齿形（玉米）、纺锤形（大麦）、扁椭圆形（蓖麻）、卵形或圆锥形（棉花）、扁卵形（瓜类）、扁圆形（兵豆）、楔形或不规则形（黄麻）等较为常见。

（2）色泽　种子由于含有不同的色素，往往呈现出各种不同的颜色及斑纹，有的鲜明，有的暗淡，有的富有光泽。在实践上可根据不同的色泽来鉴别作物的种子和品种。

（3）大小　种子的大小常用籽粒的平均长、宽、厚或千粒重来衡量，种子的长、宽、厚在清选上有特殊且重要的意义。

2. 种子的解剖构造

不论是植物学概念的真种子，还是农业概念中的种子，它们的种类繁多，形态各异。但从植物形态学角度来看，在这些种子中除植物营养器官外，绝大多数种子的构造都具有共同点，其构造主要由种皮、胚、胚乳三部分组成。

（1）果皮和种皮　果皮和种皮是包围在胚和胚乳外部的保护组织，对种子的休眠、寿命、发芽等有着直接影响，同时对种子的干燥速度和种子处理的效果也有直接影响。果皮是由子房壁发育而来的，一般分为外果皮、中果皮和内果皮三层。由于果皮和种皮的表面光滑程度和有无茸毛各不相同，因而在种子加工、种子处理中就要根据果皮、种皮表面状况选择不同技术。

（2）胚　由受精卵发育而成，实质是一个幼小的植物体，分为胚芽、胚轴、胚根和子叶四部分。

① 胚芽。胚芽位于胚轴的上端，是叶与茎的原始体，它的顶端就是茎的生长点。

② 胚轴。胚轴是连接胚芽和胚根的过渡部分，位于子叶着生点以下。

③ 胚根。胚根是植物未发育的初生根，在胚轴下面。

④ 子叶。子叶是种胚的幼叶，有一片（单子叶）、二片（双子叶）或多片（裸子植物）。子叶在种子内的主要功能是贮藏营养物质，如大豆与花生的子叶内便含有丰富的蛋白质和脂肪。

（3）胚乳　胚囊中的极核或次生细胞在受精后，随即进行分裂而形成大量核。此后各个核之间同时产生隔膜形成很多薄壁细胞，称为胚乳母细胞。胚乳母细胞继续分裂发育成为胚乳。根据胚乳的有无，可将种子分为有胚乳的种子和无胚乳的种子。

二、种子水分

水分是种子细胞内部新陈代谢作用不可缺少的介质，种子物理性质的变化和生化过程都与水分的形态和含量有密切关系。在种子的成熟、后熟和贮存过程中，我们必须掌握种子安全水分这个概念，种子在安全水分值以下一般认为可以安全贮藏。

1. 种子水分的存在状态

（1）自由水（游离水）　具有一般水的性质，可作为溶剂，0℃能结冰，容易从种子中蒸发出去。

（2）束缚水　又称结合水、吸附水，牢固地和种子中的亲水胶体（主要是蛋白质、糖类及磷脂等）结合在一起，不容易蒸发，不具有溶剂的性能，低温下不会结冰，并具有另外一种折射率。

（3）化合水　通常说的种子含水量仅为自由水、束缚水之和。化合水已成为该组成物质整体的一部分。

2. 种子含水量

种子含水量分安全水分和临界水分及平衡水分三种，这三种水分在种子的成熟、储藏、萌发过程中，不断地发生变化，这些变化强烈地影响种子生命活动。种子内部的一切生命活动必须在自由水存在的状态下才能进行。

（1）临界水分　自由水刚刚出现或留下的仅为束缚水含水量。含水量大于临界水分，种子生命呈活化状态，不耐储；相反呈钝化状态，耐储。临界水分对每种种子是相对稳定的。一般来说，禾谷类为12％～14％，油脂种子为9％～10％。

（2）安全水分　低于临界水分种子能安全储藏的种子含水量。安全水分除了因作物种类不同而不同外，还与储藏温度有关。温度愈高，内部活化水、安全水分需求愈低。一般禾谷类南方为13％，北方为14％，油料8％～10％。

（3）平衡水分　种子水分随着吸附与解吸过程的变化而变化。当吸附过程占优势时，种子水分含量增高；当解吸过程占优势时，种子水分含量降低。如果将种子放在固定不变的温湿度条件下，经过相当时间后，种子水分就基本上稳定不变，亦即达到平衡状态，种子对水汽的吸附和解吸以同等的速率进行，这时的种子水分，就称为该条件下的平衡水分。

三、种子休眠

具有活力的种子处于适宜的萌发条件（温度、水分和氧气等）下而不能正常萌发，称为种子休眠。是植物重要的适应特性之一。根据种子休眠产生的时间可分为初生休眠（收获时即已具有的休眠现象）和次生休眠（原来无休眠或解除休眠后的种子由于高湿、低氧、高二氧化碳、低水势或缺乏光照等不适宜环境条件的影响诱发的休眠）。种子休眠的原因可归为两大类：第一类是胚本身的因素造成的，包括胚发育未完成、生理上未成熟、缺少必需的激素或存在抑制萌发的物质等原因。用低温层积、变温处理、干燥、激素处理等方法可解除休眠。第二类是种壳（种皮和果皮等）的限制造成的，包括种壳的机械阻碍、不透水性、不透气性以及种壳中存在抑制萌发的物质等原因。用物理、化学方法破坏种皮或去除种壳即可解除休眠。

种子休眠是植物发育过程中的一个暂停现象或生命隐蔽现象。休眠种子对不良环境的抵抗力强，虽长期贮藏却仍保持生活力，能在恶劣的季节里存活下来，这对人类也有所裨益。在农业生产上，休眠可防止穗发芽，有利于种子储藏，有些作物种子成熟后的休眠还有后熟作用，可以增加产量。可是也有很多果树、林木、药材和某些农作物的种子，在采收后需经过一段休眠期才能萌发，往往给生产造成一定困难，既不能及时播种，也无法在收获后立即进行发芽试验。田间杂草种子具有复杂的休眠特性，萌发期参差不齐，由于陆续出土难以防治而给庄稼带来很大危害。

四、种子萌发

种子萌发是指种子从吸胀作用开始的一系列有序的生理过程和形态发生过程。种子的萌发需要适宜的温度、一定的水分、充足的空气。

1. 种子萌发过程

种子萌发过程分为四个阶段：吸胀、萌动、发芽和幼苗生长。

（1）吸胀　是种子萌发的起始阶段。表现为种子吸水而膨胀直到一定的饱和程度。稻种出现谷粒膨大，谷壳变软。

（2）萌动　种子萌发的第二阶段。表现为种子体内各种重量发生变化，贮藏物质进行转化，转移到生长点，使胚的体积扩大，胚根尖端突破种皮外伸，这一现象称为种子萌动，也称为“露白”或“破胸”。

（3）发芽　种子萌动后，种胚继续生长，当胚根、胚芽伸出种皮并发育到一定程度时，就称为发芽。

（4）幼苗生长　芽谷播种后，胚根下扎，胚芽鞘向上竖起，生长上叫扎根扶叶。随后，不完全叶伸出芽鞘，称为出苗（也称现青）。第1～3片叶完全抽出后，其芽鞘节上长出数条不定根，有利于幼苗扎根立苗。

2. 种子萌发的外在条件

（1）水分　种子含水量在14％以下时不能发芽。当吸水量达自身干重25％时，开始发芽，但缓慢不整齐。种子含水量达到40％时最适合萌发。

（2）温度　表现在影响种子内酶的活性和生化反应速度。在适温范围内，温度较高，发芽快而整齐。种子发芽不能低于最低的温度要求，粳稻品种为10℃，籼稻品种为12℃。长期低温会出现霉种和烂种现象。发芽最适宜的温度为30～35℃，最高温度为40℃。

（3）氧气　根据种子不同时期的代谢特点，第一阶段（吸胀到破胸）以无氧呼吸为主。第二阶段（破胸以后）以有氧呼吸为主，其生长需大量氧气供给，缺氧时，转入无氧呼吸，形成酒精产物，到一定量时将对细胞产生毒害作用。

3. 种子发芽率与发芽势

（1）发芽率　指测试种子发芽数占测试种子总数的百分比。如100粒测试种子有95粒发芽，则发芽率为95％。发芽率是检测种子质量的重要指标之一，农业生产上常常依此来计算用种量。

（2）发芽势　指测试种子的发芽速度和整齐度，其表达方式是计算种子从发芽开始到发芽高峰时段内发芽种子数占测试种子总数的百分比。其数值越大，发芽势越强。它也是检测种子质量的重要指标之一。农作物种子，发芽率高、发芽势强，预示着出苗快而整齐，苗壮；若发芽率高、发芽势弱，预示着出苗不齐、弱苗多。一般来说，陈种发芽率不一定低，但发芽势不高，而新种的发芽率、发芽势都高，因此生产上应尽量“弃旧取新”。

五、种子寿命

种子寿命是指种子群体在一定环境条件下保持生活力的期限，即种子能存活的时间。种子寿命是一个群体概念，指一批种子从收获到发芽率降低到50％时所经历的时间（天、月、年），也称半活期。在农业生产上用半活期概念作为种子寿命的指标显然是不适宜的，农业生产要求播种高活力的种子。因此，农业种子寿命的概念是指种子生活力在一定条件下能保持90％以上发芽率的期限。

植物种子寿命的差异很大，这种差异性受多种因素的影响。首先是由植物本身的遗传性所决定的，例如禾谷类种子寿命一般较短，而葫芦科种子的寿命则较长。同为豆科种子，绿豆和紫云英种子寿命较大豆和花生种子长得多。其次，这种差异性受环境条件的作用，包括种子留在母株上时的生态条件以及收获、脱粒、干燥、加工、贮藏和运输过程中所受到的影响。通常提到的某一种作物种子的寿命是指它在一定的具体条件下能保持生活力的年限。当时间、地点以及各种环境因素发生改变时，作物种子的寿命也就随之改变。

第二节　种子生产、加工与储藏

一、种子生产

1. 种子生产的概念

繁殖、生产良种的过程叫种子生产或种子繁殖，或良种繁育。种子生产就是采用最新技术繁育优良品种和杂交亲本的原种，保持和提高它们的种性；按照良种生产技术规程，迅速地生产市场需要的、质量合格的、生产上作为播种材料大量使用的、种植者自己不能留种或留种效果不好的种子、种苗和无性播种材料。

2. 种子生产的任务

（1）迅速并大量地生产优质种子，实现品种以优代劣的更换，满足广大种植者生产的需求，满足经销商的销售需求。

（2）要预测市场的需求量，生产出种类齐全、数量充足、质量上乘的优质种子，满足农业生产播种需要，又要防止生产过剩压库或市场营销失败压库。

（3）防止推广品种混杂退化，保持良种的特性，延长良种的使用年限。

3. 种子级别的分类

（1）育种者种子　育种者育成的遗传性状稳定的品种或亲本种子的最初一批种子，用于进一步繁殖原种种子。这里的“育种者”可以是单位或集体，也可以是个人。育成品种确定推广后，育种者就负责原种的保存和生产。

（2）原种　指用育种者种子繁殖的第一代至第三代，或按原种生产技术规程生产的达到原种质量标准的种子，国外称之为基础种子。我国的原种可分原种一代和原种二代，有的作物如棉花可分到原种三代，原种在种子生产中起到承上启下的作用，所以各个国家对它的繁殖代数和商品质量都有一定的要求。我国对于各类作物原种的质量标准有着明确的规定，主要是以纯度、净度、发芽率、水分和杂草种子等五个方面确定的。国外的注册种子是由基础种子繁殖得到的种子，对应我国的原种二代。

（3）良种　在国外生产良种或生产用种子是要签发生产许可证的，所以也将所生产的种子称为签证种子，或称鉴定种子、合格种子。良种是供大面积生产使用的种子，是种子市场交易的种子，是商品化的种子。假冒、伪劣种子大都是在这一类别上出现，一个国家种子质量好坏的程度基本反映在良种的水平上。

4. 种子生产的方法

作物的种子生产方法可分为两类：第一类为有性繁殖。凡由雌雄配子结合，经过受精过程，最后形成种子繁衍后代的，统称为有性繁殖。根据雌雄配子来自同一植株或不同植株，又可将有性繁殖分为自花授粉、异花授粉和常异花授粉。此外，有性繁殖还包括两种特殊的形式，即自交不亲和性和雄性不育性。第二类是无性繁殖。凡不经过两性细胞受精过程而繁殖后代的方式统称为无性繁殖。无性繁殖又分为植株营养体繁殖和无融合生殖无性繁殖。

（1）有性繁殖

① 自花授粉繁殖。同一朵花的花粉授粉到同一朵花的雌蕊柱头上，或同株的花粉传播到同株的雌蕊柱头上，都称为自花授粉。通过自花授粉方式繁殖后代的作物称为自花授粉作物。常见的自花授粉作物有水稻、小麦、大麦、燕麦、大豆、豌豆、花生、芝麻、绿豆、马铃薯、亚麻、烟草等。自花授粉作物的自然异交率一般低于1%，不超过4%，大麦的自然异交率为0.04%～0.15%，大豆为0.5%～1%，稻、麦（小麦）最高为4%左右。

② 异花授粉繁殖。雌蕊柱头接受异株或异花花粉的称为异花授粉。通过异花授粉方式繁殖后代的作物称为异花授粉作物。常见的异花授粉作物有玉米、黑麦、甘薯、向日葵、白菜型油菜、甘蔗、甜菜、蓖麻、大麻、木薯、紫花苜蓿、三叶草、草木樨、啤酒花等。异花授粉作物主要由风力或昆虫传播异花花粉而结实，其自然异交率在50%以上，很多作物可达100%。

③ 常异花授粉繁殖。一种作物同时依靠自花授粉和异花授粉两种方式繁殖后代的称为常异花授粉作物。常异花授粉作物通常以自花授粉为主要繁殖方式，同时存在一定比例的自然异交，是自花授粉作物和异花授粉作物的过渡类型。常见的常异花授粉作物有棉花、甘蓝型油菜、芥菜型油菜、高粱、蚕豆、粟等，它们的自然异交率为5%～50%，且变幅较大。如陆地棉的自然异交率为1%～18%，蚕豆为17%～49%，甘蓝型油菜为10%～30%。

（2）无性繁殖

① 营养体繁殖。许多植物的植株营养体部分都具有再生繁殖能力，如植株的根、茎、叶、芽等营养器官及其变态部分，如块根、球茎、鳞茎、匍匐茎、地下茎等，都可利用其再生能力，采取分根、扦插、压条、嫁接等方法繁殖后

代。主要利用营养体繁殖后代的作物称为无性繁殖作物，无性繁殖作物有甘薯、马铃薯、木薯、蕉芋、甘蔗、蓖麻等。大部分果树和花卉也是采用营养体繁殖后代。

② 人工种子生产。以组织培养的方式进行大量无性增殖所得到的体胚，称为人工种子。通常用于某植物基因型大量的营养体种苗繁殖。

二、种子加工

种子加工，即对采收的种子进行清选、分级、干燥、消毒、脱毛或包衣等处理，是提高和保证种子质量的主要措施。清选是从采收的种子中去除未熟、空瘪、受损种子及杂物的过程。种子必须干燥，达到安全贮藏的含水分标准，才能在一定的时期内保持活力和种用价值。种子消毒和包衣是采用物理化学方法杀死病原生物，提高种子抗逆性和改善播种质量。脱毛是指种子表面脱毛和对伞形科植物的果实（如胡萝卜的双悬果）除去其表面刺毛的加工工艺。脱毛后便于保存、包衣和播种。

1. 种子清选与分级

根据种子群体的物理特性以及与混杂物的差异性，在机械操作中将种子和种子、种子与混杂物分离开。根据分离所依据的物理特性不同可将清选、分级方式分为以下几种。

（1）根据种子外形尺寸进行分离（筛理）

① 按种子长度分离。一般采用窝眼筒。可用于分离长混杂物，也可用于分离短混杂物。

② 按种子宽度分离。应选用圆孔筛。宽度大于直径留在上面，宽度小于直径筛掉。

③ 按种子厚度分离。（长孔筛）只有厚度适宜才能通过筛孔。

（2）按空气动力学原理清选即风选　这种方法按种子和杂物对气流产生的阻力大小进行分离。种子在垂直向上的气流中会出现三种情况：种子下落、吹走和悬浮在气流中。使种子悬浮在气流中的气流速度，称之为临界风速。在分离过程中，可以利用种子和夹杂物之间临界风速的差异将其分开。如在清选小麦种子时，小麦种子的临界风速为8～9m/s，可选择小于此风速的气流速度将颖壳和碎茎全部吹走，把小麦种子留下。目前利用空气动力分离种子的方式除垂直气流分离外，还有平行气流分离和倾斜气流分离。

（3）按种子表面特性进行分离　如果种子混杂物中的某些成分，难以依尺寸大小或气流作用分离时，可以利用它们表面的粗糙程度进行分离。采用这种方法，一般可以剔除杂草种子和谷类作物中的野燕麦。例如清除豆类种子中的菟丝子和老鹳草，可以把种子倾倒在一张向上移动的布上，随着布的向上转动，杂草种子被带向上，而光滑的种子随倾斜方向滚落到底部。对形状不同的种子，可在不同性质的斜面上加以分离。斜面角度的大小与各类种子的自流角度有关，若需要分离的物质自流角有显著差异时，很易分离。这种方法是根据种子表面形状、表面光滑程度的不同和对元件摩擦系数的差异进行分离的。只有自流角上限有差异时才可分离。自流角是表示种子散落性的一个指标。当堆放在平面上种子随平面一侧缓慢升起而开始流动时，斜面与水平面夹角为下限，绝大多数种子滚落时夹角为自流角上限。

（4）按密度/重量清选　种子的密度/重量因作物种类、饱满度、含水量以及病虫害程度的不同而有差异，密度/重量差异越大，其分离效果越显著。

① 应用液体分离清选。利用种子在液体中的浮力不同进行分离，当种子的密度/重量大于液体的密度/重量时，种子就下沉；反之则浮起。这样，即可将轻、重不同的种子分开。一般用的液体可以是水、盐水、黄泥水等。

② 重力筛选清选。其工作原理是重力筛在风的吸力（或吹力）作用下，使轻种子或轻杂质瞬时处于悬浮状态，做不规则运动，而重种子则随筛子的摆动做有规则运动，借此规律将轻重不同的种子分离。

③ 种子散落性清选。当种子从高处落下或向低处移动时，形成一股流水式的种子流，这种特性即种子散落性。可利用种子散落性的差异进行分离。

（5）利用种子色泽进行分离　根据种子的颜色明亮或灰暗的特征进行分离。

（6）利用种子表面的弹性分离　如螺旋式分离机。摩擦力大和弹性小的进入内滑道，相反进入外滑道。

（7）利用种子的负电性分离　一般种子不带电，但种子劣变后种子负电荷增加。据此设计了种子静电分离器，当种子混合样通过电场时，带负电的种子被正极吸引到一边落下，得以去除低活力种子，达到提高种子活力的目的。

2. 种子干燥

种子是活的有机体，又是一团凝胶，具有吸湿和解吸的特性。当空气中的水分蒸气压超过种子所含水分的蒸气压时，种子就开始从空气中吸收水分，直到种子的蒸气压与该条件下空气相对湿度所产生的蒸气压达到平衡时，种子水分才不再增加，此时种子所含的水分称为“平衡水分”。反之，当空气相对湿度低于种子平衡水分时，种子就向空气中释放水分，直到种子水分与该条件下的空气相对湿度达到新的平衡时，种子水分才不再降低。种子干燥就是利用或改变空气与种子内部的蒸气压差，使种子内部的水分不断向外散发的过程。种子干燥的条件主要取决于相对湿度、温度和空气流动的速度，而温度和空气流速，又直接影响相对湿度的大小。在一定条件下，1kg 空气所含的水分是有限度的。当空气中水分达到最大含量时，称为饱和状态，这时的含水量叫作饱和含水量。空气的饱和含水量是随着温度的递升而增加的。

在一定温度条件下，空气相对湿度越低，种子干燥效果越好。但提高气温，对增强干燥种子的能力和缩短干燥时间，比降低相对湿度效果更好。因此，在相对湿度较高的情况下，只有采用较热的空气干燥，效果才较显著。相对湿度随着气温的上升而降低。一般情况下，气温每上升 11℃，相对湿度大约降低一半。这说明在干燥种子时，提供适当的热量，也是提高干燥工效的有效措施。空气流动速度愈快，带走的水气就愈多，同时造成的蒸气压差也愈大，干燥效果愈明显。但是，提供种子干燥条件必须确保在不影响种子活力的前提下进行，否则就失去了干燥的意义。

(1) 影响种子干燥的因素　主要有以下几点：

① 种子的生理状态。刚收获的种子含水量比较高，大部分种子尚处在后熟阶段，因此其生理代谢作用比较旺盛，本身呼吸作用释放的热量较大。对这类种子要逐步干燥，一般采用先低温后高温或二次间隙干燥法进行干燥。如果干燥过急，采用高温快速一次干燥，反而会破坏种子内的毛细管结构，引起种子表面硬化，内部水分不能顺利蒸发，甚至还会出现体积膨胀或胚乳变软而导致种子活力的丧失。

② 种子的化学成分。种子的化学成分不同，其组织结构差异很大，因此，干燥时也应区别对待。

a. 淀粉类种子（粉质种子）。这类种子胚乳主要由淀粉组成，组织结构较疏松，籽粒内毛细管粗大、传湿力强、水分蒸发快，因此容易干燥，可以采用较严格的干燥条件，干燥效果也较好。

b. 蛋白质类种子。这类种子肥厚的子叶中含有大量的蛋白质，其组织结构致密、毛细管较细、传湿力较弱。但这类种子的种皮组织疏松、毛细管较粗，易失水，如果干燥过快，会造成外紧内松、外干里湿，造成种皮破裂，而不利于安全贮藏。同时，若干燥温度超过 55℃，蛋白质就会变性而凝固，丧失种子活力。因此，在生产实践中，一般都习惯于带荚干燥，然后再脱粒。

c. 油料类种子（油质种子）。这类种子的子叶中含有大量的脂肪，高温干燥，不但种皮松脆易破，同时也易走油。因此，油菜种子应带荚干燥，减少翻动次数，既能防止走油，也能保持籽粒的完整。

(2) 种子干燥方法

① 自然干燥。利用日光、风等自然条件或稍加一点人工条件降低种子含水量使其达到或接近安全水分的方法。通常分脱粒前干燥与脱粒后干燥。脱粒前干燥是指收获后进行田间干燥，如玉米的站秆扒皮、高茬晾晒，玉米篓子通风穗藏，大豆、水稻、小麦田间晾晒等。脱粒后干燥是指晒种，即利用阳光加热干燥种子，风流动带走水分。优点：简便易行，经济安全，一般情况下种子不会丧失生命力。另外日光中紫外线还有杀菌、杀虫、促进种子干燥的作用，所以自然干燥应用最普遍。缺点：受自然条件的制约。为使种子干燥达到预期效果，应注意以下几点：

a. 选择天气。应选择晴朗天气，气温较高，相对湿度低，干燥种子才能收到最佳效果。

b. 清场预晒。晒种当天早晨应首先清理晒场，然后预晒场面。场温升高后，再摊晒种子。

c. 薄摊勤翻。薄摊勤翻是为了增加种子与阳光和空气的接触面积，提高干燥效果。

d. 适时入库。需要热进仓的种子，应在下午 3 点收堆闷放一段时间，趁热入库（如小麦、豌豆）。其他种子应待散热冷却后，再行入库，以免发生结露现象。

② 人工机械干燥。是利用机械烘干种子。根据加温程度和作业快慢可分为低温慢速干燥与高温快速干燥两种。

③ 其他干燥法。空气去湿干燥、热能照射干燥（红外线和远红外线干燥）等。

3. 种子处理

种子处理是播种前对种子所采取的各种处理，包括杀虫消毒、浸种催芽及包衣等。目的在于使种子在逆境下成苗率高，使苗全、苗齐、苗壮。提高作物产量及品质。

（1）药剂处理　用来消灭种子本身带有的病菌和地下害虫，减轻种子萌发和幼苗生长中的害虫危害，增强幼苗活力。

（2）肥料处理　用来增加土壤中养分，同时促进种子萌发，增强种子活力。

（3）物理因素处理　包括温度处理、水分处理、电磁及辐射处理。

（4）生物因素处理　包括激素及生长调节剂、生物药剂、核苷酸类物质等处理。

（5）某些特殊处理　如甜菜种球破碎处理，使多粒变单粒。

三、种质资源贮藏

任何一种植物种子采收以后活力的保持和寿命的延长都取决于贮藏条件，而其中最主要的是温度、水分及通气状况这三个因素。在贮藏过程中影响种子寿命的各个环境因素都是相互配合、相互制约的，其中某一个因素发生了变化，都会对种子的贮藏效果带来一定程度的影响。因此，要想提高贮藏效果，延长种子寿命，必须以三个主要影响种子贮藏因素（温度、湿度、通气条件）为主，创造出各种因素最佳配合的贮藏方法，即“理想”的贮藏条件。

对大多数作物种子来讲，充分干燥是延长种子寿命的基本条件。但是，种子含水量过低或是将种子贮藏在极度干燥的条件下，也很容易使种子丧失活力。有实验报道，在相对湿度（RH）为 15%～75%、温度为 0～30℃、种子含水量为 4%～14%时，种子含水量每增加 1%（RH 增加 10%）种子寿命缩短一半，反之增加一倍。贮藏温度是影响种子新陈代谢的因素之一。种子在低温条件下，呼吸作用非常微弱，种子内贮藏的物质和能量的消耗极少，胚细胞能长期保持其活力。但当低温伴随游离水分出现时，种子易受冻而死亡。因为种子的含水量、贮藏环境的相对湿度和温度及通气状况是贮藏种子寿命的决定条件，所以这些外界条件的剧烈变化，特别是水分和温度条件的剧烈变化，会导致种子呼吸作用不稳定而缩短种子的寿命。因此种子贮藏库的建造地点，应选择在冬温夏凉、干燥通风、常年气温无剧烈变化的地区。

无论采用什么样的贮藏方法，首先考虑的是经济效益；其次要考虑贮藏设施的性能，贮藏地区的气候条件，计划贮藏的年限，贮藏种子的种类及其种子本身的遗传性，种子的价值和本地区本单位的经济实力等。种子的贮藏方法主要有以下几种：

1. 普通贮藏法

普通贮藏法也称开放贮藏法，包括两方面内容：

(1) 将充分干燥了的种子用麻袋、布袋、无毒塑料编织袋、缸、木箱等盛装后贮存于贮藏库里，种子没有被密封起来，种子的温度、湿度（种子本身的含水量）的变化基本上随着贮藏库内的温湿度变化而变化。

(2) 贮藏库没有安装特殊的降温除湿设施，但是，如果贮藏库内温度或湿度比库外高时，可以利用安装的排风换气设施进行调节，使其库内的温度、湿度稍低于库外或与库外平衡。如果库内的温、湿度比库外低时，可以把门窗严密关闭，以保持库内低温、低湿条件。

普通贮藏方法简单、经济，适合于贮藏大批量的生产用种。贮藏效果一般以1～2年的为好，贮藏3年以上的种子生活力明显下降。为保证贮藏效果，种子采收以后要进行严格清选，分级、干燥以后再入库，贮藏库也要做好清理与消毒工作，还要检查防鸟、防鼠措施是否妥善，房顶、窗户是否漏雨等。种子入库后，要登记存档，定期检查检验，做好通风散热等管理工作。

2. 密封贮藏法

种子密封贮藏法指把种子干燥到符合密封要求的含水量标准，再用各种不同的容器或不透气的包装材料将其密封起来进行贮藏的方法。这种方法在一定的温度条件下，不仅能较长时间保持种子的生活力，延长种子的寿命，而且便于交换和运输。密封贮藏法在湿度变化较大、雨量较多的地区，其贮藏种子的效果更好，更有实用价值。目前用于密封贮藏种子的容器有：玻璃瓶、干燥箱、缸、罐、铝箔袋等。

3. 真空贮藏法

该法是一种很有发展前途的贮藏方法，尤其是应用于育种用的原始材料的种子贮藏方面更为方便。其贮藏原理是将充分干燥的种子密封在近似于真空条件的容器内，使种子与外界隔绝，不受外界湿度的影响，抑制种子的呼吸作用，强迫种子进入休眠状态，从而达到延长种子寿命、提高种子使用年限的目的。真空贮藏的效果，取决于种子的干燥方法、种子含水量、真空和密封程序以及贮藏温度等条件。

4. 低温除湿贮藏法

在大型的种子贮藏库中装备冷冻机和除湿机等设施，把贮藏库内温度降到15℃以下，相对湿度降到50%以下，从而提高了种子贮藏的安全性，延长了种子的寿命，这就是低温除湿贮藏法。温度在15℃以下，种子自身的呼吸强度比常温下要小得多，甚至非常微弱，种子的营养物质分解损失显著减少，一般贮藏库内的害虫不能发育繁殖，绝大多数危害种子的微生物也不能生长，因而在这一条件下即能取得种子安全贮藏的良好效果。

第三节　种子营销

种子是农业生产中最重要的生产资料，是现代农业发展的核心要素。在现代农业的推进中，国家十分重视种业的发展。如何使好的种子让更多的农民受益，是政府、企业和科研生产者需要共同面对的问题。因此，研究种子的营销十分必要。在中国现实的种业市场环境下，种业销售一直面临着一个很头疼的问题：一个好的品种刚刚进入市场，就会有大批的人盯上，想方设法找亲本进行扩繁，接着“套包”品种紧跟其后。如果这个品种不能快速推广占领市场，将会给竞争对手、“套包”假货留下机会。一旦“套包”品种崛起占领市场，它会迅速消除你的品种优势、特性，品种的推广难度将大大增加。因此，在品种推广时，品种的推广速度至关重要！好品种一旦开始推广，一定要稳准狠迅速占领目标市场。因此，经营者认识到只有从种子销售策略上下功夫，才能驾驭市场，掌握主动权，取得更大的经济效益。

一、种子营销策略

1. 强调农民在种子营销策略中的重要性

（1）种子营销战略中，重视“农民的思想”　在种子营销战略中，我们更多关注的是政策、同行、资源、市场份额、资本、渠道等，投向农民的目光很少，当然也就没有针对农民的营销战略。如果种业公司能真正静下心来做调查研究，了解农民的心声，制定出适合现阶段农村农民的种子营销战略，那么，这样的种业企业将是“无往而不胜”的。

（2）种子品种研发上，考虑“农民的需求” 目前，不少农民都说现在的玉米株高太高了，另外，他们对品种的产量并不像想象中那么关注。基于现在的种田人年龄偏大，他们就需要“皮实”的种子，对密度要求不要太精确、对肥料要求不要太高，但要抗倒伏、抗病，他们的关注点主要是“稳产”。可是，目前的种业公司很少真正理解这种老龄化农民种地对品种的需求。

（3）种子推广手册上，呈现“农民的笑脸” 绝大部分种业公司的种子宣传册图案、文字、排版都大同小异，即使有农民，农民只是种子的“道具”。实践表明，把农民的笑脸呈现在推广手册上，给他们分享其他地方农民种植的照片，农民会特别爱看。此外，还要详细询问对方的年龄、家庭和种子种植的情况，这种时候，品种也就走进了他们的心中。

（4）种子现场展示会上，加强“农民的分享” 当前，大大小小现场展示会最突出的当然是展示的品种。会上发言的有领导、经销商、技术人员。但是，很少有展示会让种植试验田的农民去做主角分享。其实，农民的分享最重要，因为要种子的都是农民。农民的分享最有感染力。这方面“直销界”做得很到位，每次会议，一定要有最不起眼的消费者去分享，那种消费者真实的分享最能打动人。如果把鲜花掌声都给了试种田的农民，这个农民从此就成为这个产品永远的宣传员。

（5）以点带面市场运作中，使农民成为传播的主体 每个玉米品种推广的过程中，都会经历布点、推广、繁荣期、稳定期、衰退期。那么如何利用有限的资源来缩短这个阶段的时间呢？如何才能提高品种的推广速度到达繁荣期？以“点”带面至关重要。实际工作中往往把从点到面的过程交给经销商去完成，其实农民的传播不能小视。

（6）考察品种定位上，考虑“农民的感受” 每个种子公司都会在收获时节去考察品种，里面会有很多专业内容，地（种植地点、面积、土壤、前茬作物）、天（种植过程的天气状况）、人（年龄结构）、播种过程（时间、行距、株距）、生长期的表现、施肥打药管理的情况、长势（株高、穗位）、果实情况（如玉米棒长、行数、轴长、行粒数、百粒重）、亩产、病虫害情况、倒伏情况、竞争品牌的对应情况等等，这些内容都很重要。但是，很少有种业公司重视“农民的感受”。农民播种时有什么感觉？种子的说明书是否贴心？农民需要包衣吗？种子出苗后农民如何看？管理过程中有哪些问题？农民如何看待这个种子？这些农民的感受是至关重要的，因为挑选种子的人是农民。种子只有走进农民的心中，才能走进农民的田中。

2. 搭建合理的技术服务体系

种子是农民最重要的生产资料，是决定其丰收的关键。所以，好种子的营销必须要有技术服务体系的配合。而现在的种业公司往往只把技术服务当成一些临时的咨询，忽略了体系的建设。

（1）品种展示　通过良好的技术服务，安排好主导竞争品种展示田，通过召开县、乡镇、村级观摩会，利用观摩会进行体验式营销，可同步进行产品推介、企业宣讲等交流活动。要达到有目共睹，达成共识，获取口碑的观摩效果。品种的展示必须要用农民看得懂的实物和图片，要具体到哪个村的农民用的哪个品种，这样效果更好。

（2）品种种植技术手册　要编写得简单易懂，最好图文并茂、通俗易懂，如果同时还能挂在墙上做年历画，那更好。

（3）科普讲座　目前农业技术相对落后，农民在选种、购种、水肥管理等很多方面存在误区，加上近些年的激烈竞争，一些企业不顾农民利益，误导农民。加之没有专业的培训，已经影响到了农业生产水平。科技下乡、下村、入户，可以宣讲公司、产品，可以讲一些如冬小麦防冻，入冬管理的知识和技巧；如玉米高产栽培技术，可以讲如何甄选真假包装种子，如何使用农机配套；目前农户在种植过程中存在的误区等与农业技术相关的主题内容。通过讲座农民与企业之间建立了信任，从而信任品牌和品种。

（4）科技示范户　企业在重点的细分市场，找出一部分在村、乡有较高威望的人或种植大户、种植能手，开展企业供种，免费提供技术服务的活动，不定期地举办高产攻关试验，让好品种种出优势，带动其他农民一起丰收。

（5）建立网络公益技术服务中心　农民在现实种植中会遇到很多实际问题和困难，有的不一定是本公司的种子的问题。企业利用网络的社会化影响力，提供长期的公益性技术服务，能够增强农民对公司和品牌的信任度，从而成为种子的忠实用户。

3. 创新宣传手段

种业公司喜欢用的宣传手段就是电视广告、彩页宣传、挂横幅、汽车广告、现场会。其实，针对农村农民的特殊性，还应该有很多创新手段，这些创新模式更容易让种子深入人心。

（1）让农民眼见为实的培训法　通过农民业务员组织，当地经纪人邀请左邻右舍前来听课，10～20 人均可，公司派服务人员讲课，先讲栽培技术，后讲注意事项，让农民转变传统种植观念，循序渐进地推广主推产品，同时介绍公司优势品种调动农民积极性，现场还可以放置一些种植示范展板，配合讲述种植户的相关故事，这样最真实可靠。

(2) 充满乐趣的竞赛方法　比如组织掰玉米比赛，或组织播种比赛、猜产量比赛，用各种各样的比赛聚拢人气，使品牌的宣传度更大。

(3) 文艺演出活动　可以组织一些文艺演出活动。在演出期间，还可以搞一些农业知识竞猜，增加一些农民表演节目参与有奖的活动。寓教于乐，让农民参与进来，效果会更佳。让文艺演出不仅是一种促销方式，更是回馈老百姓的一个节目。

二、种子分销渠道

分销渠道是作物优良品种由种子生产企业向购种者转移中所经过的流通路线，是连接种子生产企业和市场的纽带，沟通商品种子与购种者的桥梁。近年来，随着我国有关种子法律法规的深入实施，跨国种业集团加紧在中国市场扩张，国内种子企业逐步趋向集约和完善，商品种子、价格乃至广告同质化日趋加剧，企业期望通过品种、价格、促销的差异化来获取竞争优势已越来越困难，分销渠道的竞争已成为种子生产企业重要的竞争策略和手段，谁掌控了渠道谁就掌握了市场。我国种业市场生产经营环境的发展变化，将打破种业市场的中间商格局，种业市场传统的多级分销和区域销售为主体的分销体系面临巨大压力。我国种业市场已形成多元化、多主体、多渠道的格局，种子行业将进入市场竞争、资源整合和配置的新阶段，分销渠道也将不断发生变革。在市场广阔、区域市场差异明显的我国种业市场上，通过建立特有的渠道，实现渠道差异化来获取竞争优势，将是企业较为持久的竞争优势。

构建理想的种子分销渠道主要包括以下几点：

1. 改金字塔式的分销渠道为扁平式分销渠道

传统的金字塔形分销渠道，有着强大的辐射能力，对新品种的推广曾经发挥了巨大的作用。但是，在现今供过于求、激烈竞争的市场环境下，传统的渠道存在着许多不可克服的缺点：企业难以有效地控制渠道；多层结构有碍于效率的提高，且臃肿的渠道剥夺了大部分利润，不利于终端市场形成价格竞争优势；单项式、多层次的流通不能将季节性很强的种子在第一时间送往终端市场，同时信息不能及时反馈，这样不但会错失商机，而且还会造成大量人力、物力及时间资源的浪费，这对于一年一季的种子销售是致命的打击；顶级经销商由于掌握着众多的渠道资源且代理着众多商家的作物新品种，因而他们更看中单位数量种子的利润，而对生产企业要求的量却漠不关心，有的经销商甚至过了季节种子还堆在库里，最后不得不退货等待来年再销，仅此一项使不少种子生产企业濒临倒闭。综上所述，传统的分销渠道已不适应现代市场的要求，因而许多企业正尝试着将分销渠道由金字塔形向扁平化方向转变，以实现企业营销的最大化。具体做法为：在目标市场的省级设立办事处或大区事业部，在地市级建立配货站，把总经销或总代理直接建在县市级，并且每县市只设一家。这样，既缩短了分销渠道，又增加了销售网点。由于分销渠道变短，从而增强了企业对渠道的控制力；由于销售网点的增多，从而大大提高了品种的销售量。

2. 以诚信、销量和网面覆盖率为综合指标科学选择经销商

如何选择好的经销商，这是令许多企业十分头痛的一件事情。有的经销商销量大但信誉差，有的经销商信誉好但能力差，当信誉与销量发生矛盾时应如何取舍！具体做法是：首先做好市场调查。将一个目标市场的作物布局、市场容量、市场环境、消费需求、购买能力等因素作详细周密的市场调查，然后进行分类排队，分品种找出企业的重点市场和二、三类市场，并建立数据库；同时从重点市场到二、三类市场依次对经销商进行详细调查，取得诸如年销量、信誉度、本网覆盖率等资料，并进行分类排队。其次，根据调查资料，以诚信、销量和本网覆盖率为综合指标科学选择经销商。将那些销量大、信誉好、本网覆盖率高并且有合作诚意的经销商作为企业在当地的总经销，然后对二、三类经销商进行有目标地引导、培育，开发为企业后备力量。做到重点市场重点对待、一般市场一般对待，合理分配资源，提高经济效益。值得注意的是，当诚信和销量出现矛盾时要果断放弃销量，选择那些有诚意，信誉好，本网覆盖率高，销量居二、三位且呈上升趋势的经销商，由于此类经销商正处在成长阶段，渴望做大、做强，所以只能与企业保持一致，有效执行企业的营销政策，打开新品种销路，提升企业品牌形象，是拓展企业市场的有效力量。

3. 建立合理的价差梯级，确保以最快的速度、最大的流量把种子销往终端用户

怎样才能以最快的速度、最大的流量将种子销往终端用户呢？除了好的品种、合理的价格和成功的促销外，关键是要构建一个理想的销售渠道。就像一座水库，只有给渠道合理的落差，才能使水流动并顺利地将水输送到千家万户的农田。分销渠道也是如此，不建立合理的价差梯级，就不能产生市场动力推动物流，以实现流速和流量的最大化。

4. 与经销商建立战略联盟的伙伴关系

传统的渠道关系是简单的“卖”和“买”的关系，即每一个渠道成员都是一个独立的经济实体，以追求一时一地的经济利益为主，甚至不惜牺牲渠道的整体利益，结果导致整个渠道的运作成本提高和效益低下。随着种子市场的进一步放开和竞争的加剧，单靠自身的力量很难在现代的市场环境下求得生存和发展，所以与经销商建立战略联盟的伙伴关系就显得十分必要。首先，可以同心协力，共同进行市场调研，开拓空白市场，寻找更多的市场机会；其次，共同致力于降低费用，提高整个渠道的运行效率；再次，积极稳妥地解决渠道纠纷，共同管制市场，以确保生产企业和经销商在互惠互利的基础上长期合作、共同成长，从而实现整个渠道的效益最大化。

三、种子销售策略的选择

1. 树立良好形象策略

良好的形象是公司无形的财富。要巩固老顾客，发展新客户，公司必须采取形象策略。选择此项策略，应把握以下原则：

（1）质量第一的原则　质量是经营者信誉的基础。对销售的各作物品种在制种、收获、调运、贮藏等关键环节，都必须进行严格的田间和室内检验，做到心中有数。质量不合格的种子坚决不调入、不销售，不能因小失大，影响信誉。

（2）诚信待人的原则　公司在向当地群众销售种子以及在和外地客户交往中，必须言行一致、诚实待人，不能有半点欺诈，否则只能自毁门庭，使其弃之而去。

（3）优质服务的原则　在当今种子市场激烈竞争中，在种子质量、价格相近的情况下，谁的服务工作做得好，谁就能争取到客户。做好售前、售中、售后服务工作是维护信誉、树立良好形象的关键。

① 售前要选派能力强、专业技术硬的人员到经营单位（户）或农村进行大力宣传，讲解所售品种优良特性和栽培要点，让其对所购的品种有一个全面的了解。

② 在销售过程中，热情、耐心接待每一个顾客，详细介绍所推品种的特性和前景，广泛征求顾客对品种质量、包装、服务等方面的意见。为方便顾客，可采取送货上门、让利销售或暂时赊销、代办邮寄等业务。

③ 对售后的种子，公司派人登门到户回访种子质量、长势情况和产量表现，帮助用户解决生产中遇到的各种技术性问题，切莫售后撒手不管。若遇到纯属种子质量问题造成农户损失的情况，应勇于承担责任，履行合同，赔偿损失，维护信誉。

2. 价格定位策略

农业是效益比较差的行业，种子价格是顾客非常关心的问题，其定价应从市场需求、生产成本及竞争需要等因素考虑，大体有以下几个原则：

（1）薄利多销原则　在买方市场情况下，追求过高利润是不现实的，只能靠微利来吸引客户，靠提高销量增加利润。

(2) 优质优价原则　优质优价反映了价值规律。定价时，应注意拉开各级各类种子之间的差价。品种新、有突出特点及品质特优的品种应明显高于一般品种价格，做到高、中、低档齐全，从而使用户选择余地大，满足各类客户的需求。

(3) 非整数性原则　商品价格的微小差别会对犹豫不决的顾客造成巨大的心理影响。国外消费心理学家从调查中发现，同样是非整数性定价，奇数定价比偶数定价更易被消费者接受。

(4) 定价折扣原则　先定价后根据购种数量再确定优惠结算数额，实行让利销售或赠送部分商品来吸引顾客。

(5) 灵活机动原则　市场经济条件下，价格是竞争的重要手段，在整个销售期间，应经常采取派人、打电话或网上查询等形式调查市场行情，敏锐地观察自身与同行的销售情况，及时调整价格，抓好机遇，抢占市场。

第四节　转基因种子

农业转基因技术的广泛应用，有效降低了农业生产人工成本，减少了农药使用量和灾害损失，在缓解资源约束、保护生态环境、提升农产品质量和营养价值，推进绿色发展方面发挥了重大作用，引发了农业生产方式的革命性变化，改变了全球农产品贸易格局，现如今农业转基因技术已经成为国际农业科技战略必争的前沿领域。1996 年美国作为最早采用转基因技术的国家，拉开了全球转基因作物种植与应用的序幕，此后全球种植面积呈现持续上升态势。2023 年全球转基因作物种植面积 2.063 亿公顷（约 31 亿亩），比 1996 年增加了 121 倍，约占全球总耕地面积的 13.38%，累计种植面积超 34 亿公顷（510 亿亩）。目前全球转基因作物种类已扩展到玉米、大豆、棉花、油菜、马铃薯、苜蓿、甜菜、茄子、甘蔗、苹果等 32 种。据统计，2023 年全球 72.4%的大豆、34%的玉米、76%的棉花、24%的油菜都为转基因产品。转基因小麦已在阿根廷开始商业化种植。

一、转基因种子安全

转基因种子自进入市场以来就备受争议，尤其是安全性问题一直是大众关注的焦点，一些关于转基因危害的猜想也广为流传，但都被权威部门和专家一一辟谣。另外，有研究称，基因重组引入的新基因会合成新蛋白质，相应地，免疫系统会产生新的免疫球蛋白，可能导致一部分人发生过敏反应。还有研究称，为方便检测转基因是否成功，常将抗生素抗性基因作为标记基因应用在转基因技术中，人类食用后，可能出现耐药菌株。对此，罗云波解释说，目前在学界普遍已不再使用这种抗生素抗性基因了，即便使用，也一定会在使用后再将其敲除，大家不用担心。一个转基因产品从实验研究成功到上市，需要经历多次试验、环境释放、生产性试验、安全评价（涉及医学、营养学、毒理学、环境学等）、获得安全证书、获得品种鉴定证书、获得生产许可证，直到获得经营许可证。上市前对转基因食品的过敏性问题有严格的检测，可保证绝大部分人不过敏，导致的过敏率可能比普通食品都要低。

二、转基因种子审定

2021 年 11 月，农业农村部发布《主要农作物品种审定办法》《农作物种子生产经营许可管理办法》《农业植物品种命名规定》《农业转基因生物安全评价管理办法》四项规章修改决定的征求意见稿。此次修订较为全面，涉及转基因品种的命名、审定、生产、经营许可、安全管理等环节，标志着转基因产业化应用的制度迈出了一大步。同月，农业农村部组织制定了《转基因耐除草剂作物用除草剂登记资料要求（征求意见稿）》《除草剂防治转基因耐除草剂玉米田杂草田间药效试验准则（征求意见稿）》《除草剂防治转基因耐除草剂大豆田杂草田间药效试验准则（征求意见稿）》，推动转基因耐除草剂作物用除草剂登记试验和登记管理的规范化。2021 年 12 月，国家农作物品种审定委员会办公室组织起草了国家级转基因大豆、玉米品种审定标准，明确对玉米和大豆两大作物转化体的真实性做了要求，明确了转基因耐除草剂、抗虫性等目标性状有效性的具体标准，明确了回交转育品种与受体品种增产幅度、DNA 指纹检测差异位点数等，细化了指标，更有利于品种审定操作。同月，农业农村部公示拟批准颁发农业转基因生物安全证书的 10 个植物品种，其中有 3 个玉米品种，分别为 ND207、浙大瑞丰 8、DBN3601T，玉米转基因品种安全证书发放速度加快。

三、转基因种子销售

2023 年 12 月 25 日，农业农村部发布公告，国内 85 家企业农作物种子的生产经营许可证被批准发放，其中，包括 37 个转基因玉米品种和 10 个转基因大豆品种，涉及 26 家企业。这是国内首批获得生产经营许可证的转基因玉米、大豆种子。此外，还包括两家企业的 4 种转基因棉花品种。生产经营许可证是转基因种子迈向市场的最后一道关卡，具有里程碑意义，意味着中国转基因饲用、食用农作物正式迈入商业化时代。

2022 年 1 月，农业农村部发布的《农作物种子生产经营许可管理办法》指出，种子生产经营是指种植、采收、清选、包装、贮藏、销售及进出口等活动。依据农业农村部公告，此次获批转基因玉米、大豆生产经营许可证的 26 家企业，生产经营方式均为生产、加工、包装、批发、零售，使国内首批转基因玉米大豆种子可以合法进入市场，农户也能通过市场购买种子。

然而，放开的同时也伴随着限制。对转基因玉米、大豆作物来说，无论是生产、种植还是销售流通环节，都有着严格的要求。内蒙古自治区兴安盟科尔沁右翼前旗是国内转基因大豆品种的主要种子生产基地。转基因种子种植区域也有一定的限制，例如辽宁东亚种业有限公司获批的两个转基因玉米品种，分别被建议种植在包括吉林、辽宁、内蒙古、天津等地的东华北中晚熟春玉米区，以及东华北区域和包括河南、山东、河北保定等地的黄淮海夏玉米区。此外，实际种植区域还应符合国家生物育种产业化有关安排，而且也要看这些地方是否已经做好接受公司转基因玉米品种入驻的准备。公司转基因产品和普通玉米品种有差异，属于定点销售产品。这类产品不会像普通产品那样，谁想买就能买得到。转基因品种的生产、加工、发货时间，以及发货区域等信息都要向农业农村部及时报备，每一袋转基因玉米品种都登记到户，还需要登记购买者的身份证号。

法律法规

中华人民共和国农产品质量安全法

农药管理条例

肥料登记管理办法

中华人民共和国种子法

中华人民共和国消费者权益保护法实施条例

主要参考文献

[1] 李红磊．乡村振兴背景下农资经营主体行为逻辑分析——基于河南省许昌市调查［J］．山西农经，2021（19）：8-12.

[2] 蔡月丰．农资营销员［M］．西宁：青海人民出版社，2008.

[3] 陈蓓，热合曼．对GB13735-92标准中农膜厚度的探讨［J］．监督选择，2001（8）：38-39.

[4] 段彦辉．论农药营销渠道的开发与管理［J］．广西轻工业，2011（8）：148-149，184.

[5] 付涛．论市场营销中的企业市场定位与市场开发［J］．商业时代，2014（4）：41.

[6] 付云海，耿月明，罗春霞．论我国种业营销渠道模式创新［J］．中国种业，2014（3）：1-4.

[7] 顾璐璐．＊探索＊农资电商未来发展之路［J］．农化市场十日讯，2014（2）：14-19.

[8] 郭玉华．常用化肥的种类及如何鉴别真假化肥［J］．农民致富之友，2002（1）：14.

[9] 黄杏龙．化肥的种类与质量标准［J］．河北供销与科技，1998（7）：42-43.

[10] 纪峥．地膜种类与效果［J］．北方园艺，1988（1）：41.

[11] 金章利，谢海燕．农药营销现状及建议［J］．现代农业科技，2011（5）：391，394.

[12] 科特勒·阿姆斯特朗．市场营销原理．13版［M］．楼尊，译．北京：中国人民大学出版社，2010.

[13] 可艳梅．基层农业技术推广存在问题及建议［J］．农技服务，2014，31（3）：190-191.

[14] 李小伟．快速消费品营销模式创新——基于市场定位与渠道建设的分析［J］．商业时代，2014（8）：53-54.

[15] 李志强．土壤肥料技术推广工作面临的挑战与对策［J］．河南农业，2004（3）：30-31.

[16] 梁波．我国产品营销战略研究［J］．商场现代化，2014（6）：47.

[17] 刘善江．化肥的质量标准与检测［M］．北京：中国计量出版社，2002.

[18] 刘永红，郑文涛，张晋天，等．缓/控释肥研究进展及其应用［J］．华中农业大学学报，2023，42（4）：167 - 176.

[19] 陆欣，谢英荷．土壤肥料学［M］．北京：中国农业大学出版社，2011.

[20] 骆焱平，王兰英，张小军．冬季瓜菜安全用药技术［M］．北京：化学工业出版社，2012.

[21] 吕江南，王朝云，易永建．农用薄膜应用现状及可降解农膜研究进展［J］．中国麻类科学，2007，29（3）：150-157.

[22] 毛知耘．肥料学［M］．北京：中国农业出版社，1997.

[23] 秦立洁，田岩．高光能农膜转光性能的研究［J］．中国塑料，2002，16（3）：53-58.

[24] 任保才，马新明．农资电商平台发展浅析［J］．中国农学通报，2013，23（11）：198-202.

[25] 任川飞．农资技术营销之我见［J］．营销界（农资与市场），2014（7）：89-90.

[26] 田岩．中国聚烯烃功能性农膜研究及应用进展［J］．中国塑料，2004，18（11）：2-8.

[27] 涂俊明．推开“四重门”敞亮普及路——生物农药推广普及述评［J］．营销界：农资与市场，2013（23）：74-75.

[28] 王芳，王双进．中国农资流通市场现状·问题及对策研究［J］．安徽农业科学，2008，36（8）：3403-3404.

[29] 王根杰．肥料市场竞争白热差异化经营势在必行［J］．中国农资，2013（43）：18.

[30] 王瑞海，霍春玲．常用化肥的特性与用法［J］．河北农业科技，2008（1）：53.

[31] 王则民．我国稀土转光农膜的研究进展［J］．稀土，2000，21（5）：55-59.

[32] 武志杰，石元亮，李东坡，等．稳定性肥料发展与展望［J］．植物营养与肥料学报，2017，23（6）：1614-1621.

[33] 徐雪婷．当今市场定价策略与消费者心理［J］．商场现代化，2014（1）：91.

[34] 徐毅，盛攀．高健零售商折扣定价策略研究［J］．价格月刊，2013（10）：50-52.

[35] 薛允连．多功能农膜的分类及特点［J］．吉林农业，1999（1）：23-24.

[36] 严昌荣，何文清，梅旭荣．农用地膜的应用与污染防治［M］．北京：科学出版社，2010.

[37] 叶永成，白福臣，于恺．我国农膜技术的发展方向 [J]. 塑料工业，2002，30 (6)：1-3.
[38] 袁进成，郭明．浅析农药的推广与销售 [J]. 农业与技术，2001，21 (2)：72.
[39] 袁君．关于企业市场营销战略的具体分析 [J]. 科技与企业，2014 (8)：102.
[40] 张斌，王真，金书秦．中国农膜污染治理现状及展望 [J]. 世界环境，2019 (6)：22-25.
[41] 张博．农资营销实战全指导：化肥、农药、种子深度营销方法实战全指导 [M]. 北京：中华工商联合出版社，2013.
[42] 张建英．农用地膜的种类及适用范围 [J]. 河北农业科技，1994 (3)：25.
[43] 张喜才．“三高”时代，农资经营何去何从（一）[J]. 营销界，2013 (3)：62-65.
[44] 张宪光，徐青蓉，段奕．农用地膜应用与污染防治技术 [M]. 北京：中国农业科学技术出版社，2021.
[45] 章朴，戴军．浅析企业网络营销渠道建设中存在的问题与对策 [J]. 科技广场，2011 (10)：159-161.
[46] 周大纲．我国农膜行业现状的分析及其发展对策（2010 年）[J]. 中国塑料，2010，24 (8)：9-12.